U0511810

中国循环经济发展论坛组委会秘书处　组编

冯之浚　主编

中国循环经济高端论坛

Circular Economy Summit Forum
of China

人民出版社

本书得到国家软科学项目：科学发展观与循环经济战略研究（2004DJ000004）的资助

中国华星集团
中国建材工业协会
上海信谊百路达药业公司
湖北省神农架区人民政府
河南省义马市人民政府

为本书出版提供了热情支持

前　言

中国循环经济发展论坛 2004 年年会于 11 月 6 日在上海开幕。论坛年会由全国人大环资委、国家发改委、科技部、国家环保总局、上海市人大常委会、中国循环经济论坛组委会共同主办。出席年会的有国务院有关部门领导，各省市自治区人大常委会领导，国内外知名专家，各省市自治区有关方面负责人，循环经济典型示范区、行业和企业代表。

中共中央政治局委员、国务院副总理曾培炎，中共中央政治局委员、上海市委书记陈良宇出席会议并发表重要讲话。

曾培炎在讲话中强调，高度重视并大力发展循环经济，是树立和落实科学发展观的必然要求和重要举措，要以尽可能小的资源投入和环境代价，取得尽可能大的经济社会效益，努力实现人与自然的和谐发展。发展循环经济，关键是要按照"减量化、再使用、再循环"的原则，节约使用资源，减少废弃物排放，循环利用资源，尽可能提高资源生产率。要把加强和改善宏观调控与发挥市场机制作用结合起来，把政府支持和企业行为结合起来，积极倡导、稳步推进、加强服务、搞好规范，促进循环经济健康有效地发展。曾培炎要求各级政府要把发展循环经济作为贯彻落实科学发展观的具体行动，切实加强领导、搞好协调。要建立和完善促进循环经济发展的评价指标体系和科学考核机制，建立健全有关的法律法规体系，把发展循环经济纳入国民经济和社会发展规划。综合运用财税、金融、投资、价格等手段，完善水、能源、矿产等资源的价格形成机制，逐步形成有利于低投入、高产出、少排污、可循环的政策环境和发展机制。要增加资金投入、加强技术开发，对清洁生产、节能节水、资源综合循环利用等改造和建设项目给予支持或补助，引导企业和其他社会资本向循环经济领域投资。在全社会提倡绿色生产生活和文明消费方式,为可持续发展创造一个良好的社会氛围。

陈良宇在讲话中代表上海市委、市政府向出席本次论坛年会的中央有关部委领导和各位来宾表示欢迎,并指出,树立和落实科学发展观,重要的是要切实转变经济增长方式,走新型工业化、城市化的发展道路,实现以人为本和全面、协调、可持续发展。上海作为一个人口众多、自然资源相对缺乏、环境容量有限的特大型城市,高度重视和大力发展循环经济显得尤为重要。只有加快经济增长方式和城市发展模式的转变,努力在经济规模和人均水平持续增长的同时,切实把物质消耗和污染排放总量大幅度降下来,才能真正走出一条生产发展、生活富裕、生态良好的文明发展道路。陈良宇在介绍上海发展循环经济方面的探索实践时说,作为全国较早提出发展循环经济的城市,上海在制定"十五"计划时就明确提出要积极发展循环经济,并把发展循环经济的思想贯彻到城市总体规划及有关行动方案中。近年来,上海注重培育和发展生态农业,推动清洁生产和废弃物综合利用,积极推行可持续发展的消费模式和生产方式。陈良宇表示,上海要大力发展循环经济,加快建设资源节约型现代化国际大都市。要进一步加强宣传教育,全面树立循环经济理念;进一步加快科技创新,推动循环经济技术开发;进一步培育环境和服务产业,拓宽循环经济发展领域;进一步健全政策法规,形成促进循环经济发展的良好制度环境。

年会期间,国家发改委主任马凯、国家环保总局副局长王玉庆、科技部秘书长张景安等国务院有关部门领导和上海市市长韩正作了主题发言,系统讲述了推进循环经济发展的现实意义以及相关的战略和政策措施。中国工程院院士钱易、陆钟武等国内外一些知名专家、学者和辽宁、山东等一些省市、工业园区、企业的代表也作了专题发言,阐述了他们对推进循环经济发展的对策建议,并介绍了开展循环经济规划和试点、示范的做法与经验。

年会讨论并通过了"中国循环经济论坛2004年年会上海宣言",指出要落实全面、协调、可持续发展的科学发展观,摒弃传统的"大量生产、大量消费、大量废弃"的粗放型经济增长方式和消费方式;要积极制定推进循环经济的规划,开展企业、工业园区、城市和区域层次的循环经济试点与示范，力争达到"最佳生产、最适消费、最少废弃"；要加大对循环经济的科技投入，加快相关的科技机制创新，动员政府、企业、科研院校投身到循环经济科技的开发、示范和推广应用中；要综合运用财税、投资、信贷、价格等政策手段推进循环经济发展，逐步建立循环经济法律框架。宣言呼吁各级政府领导要树立人与自然和谐的可持续发展观和正确的政绩观，呼吁企业家主动、积极地承担起保护资源和环境的社会责任，呼吁社会各界弘扬中华民族天人和谐的传统美德，在全社会树立节约资源、保护环境的可持续消费观念，共同努力推进中国循环经济的发展。

中国循环经济发展论坛是 2004 年 3 月由全国人大环资委、国家发改委、科技部、国家环保总局和上海市人大常委会共同组建的一个常设论坛，其宗旨是为政府机关、科研院校和企事业单位提供一个高层的对话平台，及时就促进循环经济发展的政策和法律问题进行沟通和研究，有效解决循环经济发展中所面临的各种困难和障碍，更好地促进循环经济的发展。论坛组委会主任由全国人大环资委主任委员毛如柏担任，副主任由国家发改委副主任姜伟新、科技部党组成员尚勇、国家环保总局副局长王玉庆、上海市人大常委会主任龚学平、全国人大环资委副主任委员冯之浚担任。组委会秘书长由冯之浚兼。论坛学术委员会主任为钱易院士。理事会名誉理事长为刘伦贤，理事长为冯之浚、关壮民。副秘书长为朱晓明、孙佑海、赵家荣、梅永红、罗毅。

本届论坛在官、产、学各界产生了广泛影响，论坛结束后，许多单位和个人通过各种渠道提出希望能将论坛中的有关文献尽快整理出版，从而将有关循环经济的最新政策理念、理论探讨和实践经验尽快传播开去，为有关研究和各地实践提供重要参考。为此，论坛组委会在人民出版社的大力支持下，编辑了本书。其中不当不周之处请读者不吝赐教。

中国循环经济发展论坛组委会

目　录

循环经济理论研究

区域循环经济实践经验

城市循环经济实践经验

中
国
循
环
经
济
高
端
论
坛

■ 园区循环经济实践经验

■ 企业循环经济实践经验

《上海宣言》

　　我们来自全国人大环境与资源保护委员会、国家发展和改革委员会、科技部、国家环境保护总局的代表，各省、自治区、直辖市人大和人民政府部门以及企业和社会团体的代表，来自有关科研院校的专家、学者，于 2004 年 11 月 6 至 7 日在中国上海举行了中国循环经济发展论坛首届年会。与会代表深入讨论了落实科学发展观、大力发展循环经济的战略行动和政策措施，达成了一系列重要共识：

　　1. 实现发展是治国安邦、全面建设小康社会的第一要务。全社会要树立以人为本和经济社会全面、协调、可持续发展的科学发展观，坚持以经济建设为中心，在经济发展的基础上促进社会全面进步和人的全面发展，坚持在开发利用自然中实现人与自然的和谐相处，实现经济社会的可持续发展。

　　2. 自然资源和生态环境是人类生存和发展的基本条件。合理开发资源，加强生态环境保护，是促进经济可持续发展和社会全面进步的基础，是实现全面建设小康社会目标的前提条件。

　　3. 中国可持续发展面临着自然资源与生态环境方面的严峻挑战。当前，水、土地、能源等自然资源短缺的矛盾日益加剧，生态环境状况趋于恶化，传统的"大量生产、大量消费、大量废弃"的粗放经济发展模式已经难以为继。为实现全面建设小康社会的目标和任务，必须摒弃传统发展模式，努力探索可持续发展和循环经济的新模式和新途径。

　　4. 循环经济是人类正在探索的符合可持续发展理念的经济发展模式和增长方式。它以资源高效利用和循环利用为核心，目标是达到"最佳生产、最适消费、最少废弃"，实现资源和环境的永续利用，实现人与自然相互和谐。

5. 循环经济确立了资源消耗和废物排放的"减量化、再利用、资源化"原则。有效应用循环经济的三个原则,是缓解我国资源短缺和减轻环境污染的有效途径,是创建资源节约和环境友好型社会的重要措施。

6. 企业、工业园区、城市和区域层次的循环经济试点与示范是全面推进循环经济发展的重要途径。各地、各部门当前开展的各层次循环经济规划和试点工作,已经为我国循环经济的发展奠定了良好的基础,树立了良好的示范,应当逐步在全国加以推广。

7. 健全的法律是全面推进循环经济发展的重要保证。当前循环经济发展的社会实践,已经提出建立循环经济法律框架和配套法规、标准的社会要求。

8. 有效的政策是激励社会各界参与循环经济发展的重要手段。当前开展的循环经济试点和示范工作,急需国家给予积极的政策支持,特别是经济激励政策的支持。

9. 科学技术是全面推进循环经济发展的决定因素和重要支撑。当前急需国家加大对循环经济领域的科技投入,加快相关的科技机制创新,动员政府、企业、科研院校投身循环经济科技的开发、示范和推广应用。

10. 转变政府、企业的发展观念和公众的消费观念是全面推进循环经济发展的重要社会基础。当前急需各级政府领导转变盲目追求经济增长速度的观念,树立人与自然和谐的可持续发展观和正确的政绩观;急需企业家主动、积极地承担保护资源和环境等方面的社会责任,发挥创新和领军作用。

我们呼吁:

1. 各级人大和政府要落实科学发展观,加强对循环经济的宏观指导,将循环经济评价指标纳入政府政绩考核;开展循环经济法律、法规和相关政策的研究探索,启动循环经济法律、法规和相关政策的制定工作。各级政府应当综合运用财税、投资、信贷、价格等政策手段,调节市场主体的行为,建立循环经济发展的有效政策机制。

2. 各级政府及其有关部门要同企业、科研院校和公众通力合作,积极制定和编制推进循环经济的目标和规划,扩大循环经济的试点和示范,把循环经济的试点和示范拓展到生产和消费的各个领域。政府有关部门要优先在资源消耗大、环境污染重的行业中开展试点和示范工作。

3. 各级政府及其有关部门要将循环经济的科学研究和技术开发与应用列为科技发展和高技术产业发展的优先领域,积极组织开展资源节约和替代、能量梯级利用、延长产业链和相关产业链接、"零排放"、有毒有害原材料替代、绿色再制造等技术的研究开发和示范。政府部门、企业和科研院校应当在相关技术的研发中共同努力,建立有效的科技创新机制和技术服务体系。

4. 企业界要制定和实行符合可持续发展及循环经济的长期经营战略,通过不断的创新,把符合循环经济的设计原则和方法贯彻到各种工程、产品和服务的设计中,积极采用无害或低害新工艺、新技术,大力降低原材料和能源的消耗,实现少投入、高产出、低污染。

5. 科技教育界要支持和参与可持续发展及循环经济的科学研究与开发应用,通过制定有关的研究开发计划、设立研究项目、建立职业教育和技术培训体系的方式,推进循环经济技术的研究、开发和推广应用。

6. 新闻媒体、社会团体和公众要支持和参与可持续发展及循环经济的发展事业,加大可持续发展和循环经济的宣传教育,弘扬中华民族天人和谐的传统美德,在全社会树立和营造节约资源、保护环境的可持续消费观念和文化。

（中国循环经济发展论坛 2004 年年会,
2004 年 11 月 7 日于上海）

领 导 讲 话

在中国循环经济发展论坛
2004年年会开幕式上的讲话

中共中央政治局委员、国务院副总理　　曾培炎

各位专家，各位代表，

女士们，先生们，同志们：

下午好！非常高兴参加中国循环经济发展论坛2004年年会并发表讲话。这次年会以科学发展观和中国循环经济发展战略为主题，针对当前我国经济生活中存在的资源和环境突出矛盾，沟通和研究促进循环经济发展的政策法规问题，很有意义。在此，我代表党中央、国务院，向会议的召开表示祝贺，向与会的各位专家、各位代表致以问候。

党中央、国务院对发展循环经济十分重视。党的十六届四中全会决定指出，要大力发展循环经济，建设节约型社会。胡锦涛总书记最近提出，要充分认识转变经济增长方式的极端重要性和紧迫性，坚持走新型工业化道路，倡导有利于节约能源资源和保护生态环境的产业结构和消费方式，大力开展能源资源节约活动，全面推行清洁生产和节能技术，加快发展循环经济。温家宝总理在今年政府工作报告中也指出，要大力发展循环经济，推行清洁生产。中国循环经济发展论坛的设立并开展活动，对于落实科学发展观，促进我国循环经济发展，无疑将会起到重要作用。

发展循环经济是世界各国寻求可持续发展的必然选择。20世纪60年代前后，发达国家相继进入后工业化社会。生产和消费的大规模扩张，消耗了大量资源，排放了大量污染，引起了国际社会的广泛关注。

一些经济学家提出了循环经济的概念,主要是指用反馈的方法,对有限的资源循环使用,提高资源利用效率,减少污染带来的损害。随着可持续发展成为世界的潮流,循环经济逐步发展成为一个系统的概念,包括环境保护、清洁生产、绿色消费、资源节约和废弃物再生利用等相互联系的各个方面。它要求人类以友好的方式利用资源、保护环境和发展经济,以尽可能小的资源投入和环境代价,实现尽可能大的经济和社会效益。目前,发达国家已从企业生产、商品流通和居民消费等环节,全面推进循环经济发展。德国、日本分别制定和实施了《循环经济与废物管理法》、《促进循环型社会建设基本法》。广大发展中国家也加强了资源节约和环境保护。发展循环经济已经成为全人类的共识。

发展循环经济是我国实施可持续发展战略的重要途径。首先,它是从我国国情出发的必然选择。我国人口多、资源少、生态环境脆弱,现代化建设绝不能走高投入、高消耗和先污染、后治理的老路,而要走资源消耗低、环境污染少的新型工业化道路。其次,它是缓解资源约束矛盾的根本出路。我国单位 GDP 的能源资源消耗明显高于世界平均水平,石油、铁、铜、铝等重要矿产资源较多地依靠进口。到 2020 年实现 GDP 再翻两番,即使能源消费只翻一番,保障供给的难度也很大。只有促进资源的高效利用和循环使用,才能减轻经济增长对资源供给的压力。第三,它是减少环境污染的有效途径。当前,我国环境与发展的矛盾十分突出,污染物排放总量明显超过环境容量,必须通过减少排放和无害化处理,降低经济社会活动对环境的负面影响。此外,发展循环经济还是降低生产成本、提高经济效益、增强企业竞争力的重要措施。还要看到,中国是一个有 13 亿人口的大国,发展循环经济,走有利于节约资源和保护环境的发展之路,既是我们对人类社会应当承担的责任和义务,也是对世界环境与发展事业的重大贡献。

我国在循环经济发展方面已经有了一定的实践。早在 20 世纪 80 年代到 90 年代,我国就积极参与实施了联合国环境规划署推动的清洁生产计划行动,并在发展中国家率先制定和实施了促进清洁生产的法律。国家还颁布了一系列关于节约资源、降低消耗、防治污染的法规和标准。有关方面加大了对"三废"综合利用和可再生资源回收利用等技术开发的支持力度。在企业、园区、城市和区域等多个层次上,开展了循环经济的试点和示范工作。包括:在冶金、能源、化工、建材等重点行业和企业,开展了清洁生产的试点工作;在贵港、南海、烟台等地,建立了工业生态示范区;辽宁、贵阳等省市开始探索循环经济发展的模式;江苏、浙江等省明确提出了建设生态省的目标;上海市也从理论和实践两方面,积极探索发展循环经济的办法。国务院有关部门注重把环境保护、资源节约与循环经济发展结合起来,召开了全国发展循环经济的工作会议。这些都为进一步发展循环经济打下了基础。

在新的形势下发展循环经济,要以邓小平理论和"三个代表"重要思想为指导,全面贯彻党的十六大和十六届三中、四中全会精神,认真落实科学发展观,坚持以人为本,促进经济社会全面协调可持续发展。要按照"五个统筹"的要求,注重人与自然的和谐发展,加大经济结构调整力度,加快转变经济增长方式,以优化资源利用方式为重点,以技术创新和体制创新为动力,提高经济工作和资源环境工作的水平。要按照"减量化、再使用、再循环"的原则,节约使用资源,减少废弃物排放,循环利用资源,提高资源生产率。要把国家宏观调控与发挥市场机制作用结合起来,把政府支持与企业行为结合起来,积极倡导,稳步推进,加强服务,搞好规范,促进循环经济健康有效地发展。

当前和今后一个时期,发展循环经济要注意推进以下几项重点任务:一是要加快推行清洁生产。鼓励和支持企业使用清洁的能源和原料,采用先进的工艺技术与设备,加强和改善管理,从源头上削减污染,提高资源利用效率。二是要突出加强节能节水。健全节能节水技术服务和监督管理体系,完善用能用水标准,扩大节能节水产品认证范围,实行强制性标识制度,对高耗能、高耗水行业实行限额管理,大力发展可再生能源,推进中水回用。三是要加强资源综合利用。提高矿产资源综合开发和回收利用水平,加强对冶金、石化、化工、建材等重点行业废弃物排放的监管,提高废渣、废水、废气的综合利用率。对各种建筑废弃物和农业废弃物也要综合利用。四是要推进资源循环利用。鼓励科学的生产和消费方式,大力发展旧物调剂使用、可再生资源回收利用和产品的再制造。推动造纸、钢铁、塑料、玻璃等行业的资源再生利用,促进机电、轻纺、汽车及包装等行业产品的回收和循环利用,实行生产者责任延伸制度。五是要推广循环经济试点。在企业内部,最大限度地实现流失物料回收和废弃物回用;在工业园区内,形成有利于资源循环使用的产业链;在居民生活社区里,实行生活污水再生利用和垃圾分类处理;在城市和区域范围内,加强环境基础设施建设和运营,推进生态经济体系试点,完善多层次的资源循环利用系统。

发展循环经济必须采取有效的保障措施。首先,要加强组织领导。各级政府要把发展循环经济作为贯彻落实科学发展观、提高驾驭社会主义市场经济能力的具体行动,切实加强领导,加大工作力度。有关部门要做好组织协调工作,研究制定促进循环经济发展的评价指标体系和科学考核机制。其次,要搞好规划指导。研究制定国民经济和社会发展中长期规划时,要把发展循环经济作为一项重要任务。年度工作安排也要体现循环经济的理念和原则。要加强循环经济有关重大专题研究,提出发展循环经济的战略目标、分阶段任务和有关专项规划。第三,要加强法制建设。抓紧研究制定资源综合利用、废弃物品回收管理、包装物使用规范等方面的专项法规,完善用能设备、能效系数、重点行业取水定额、主要耗能行业节能设计等国家强制性标准,建立健全资源环保和循环经济发展的法律法规体系。加大执法监督检查的力度,把发展循环经济工作逐步纳入法制化轨道。第四,要制定经济政策。综合运用财税、金融、投资、价格等政策手段,完善水、能源、矿产等资源的价格形成机制,调节市场主体的行为,逐步形成有利于低投入、高产出、少排污、可循环的政策环境和发展机制。第五,要推动科技进步。建立有效的科技创新机制和技术支持体系,把发展循环经济所需要的关键技术列为国家科技开发和产业化的优先领域,组织开展资源节约和替代、能量梯级利用、绿色再制造等方面的科技攻关。第六,增加资金投入。把发展循环经济作为政府投资支持的一个重要方面,对清洁生产、节能节水、资源综合循环利用等改造和建设项目,给予必要的投资补助,同时大力引导企业和其他社会资本向循环经济领域投资。第七,在全社会提倡绿色生产生活和文明消费方式。加强舆论宣传,使社会公众充分认识发展循环经济的重要意义,自觉参与到节约资源和环境保护的社会行动中来,为可持续发展创造一个良好的社会氛围。

各位专家、各位代表:

全国人大环资委、国务院有关部门为宣传循环经济理念、促进循环经济发展,做了大量工作。上海市人大常委会和有关方面也进行了认真准备,为年会的召开提供了好的环境和条件。希望大家踊跃发言,充分交流,深入讨论,为发展循环经济献计献策,为党中央、国务院当好参谋。让我们齐心协力,扎实工作,共同推进循环经济发展,为认真落实科学发展观、全面建设小康社会作出应有的贡献。

预祝中国循环经济发展论坛 2004 年年会圆满成功。

谢谢大家!

在中国循环经济发展论坛
2004 年年会上的讲话

中共中央政治局委员、中共上海市委书记　　陈良宇

尊敬的曾培炎副总理，

各位领导、各位来宾，

同志们：

在中国循环经济发展论坛 2004 年年会隆重召开之际，我谨代表中共上海市委、上海市人民政府，向光临这次盛会的曾培炎副总理、中央有关部委领导和各位来宾，表示热烈的欢迎！

稍后，曾培炎副总理还要作重要讲话。另外，还有一些领导和专家会就循环经济及其发展问题，分别作深入的主题或专题演讲，发表真知灼见，届时，我们大家再一道分享。下面，我就发展循环经济及上海在这方面的探索与思考谈些体会，和大家一起交流。

一、发展循环经济是树立和落实科学发展观的必然要求

科学发展观，是我们党在发展问题上长期艰苦探索所形成的重要成果，是指导我国经济社会又快又好发展的重大战略思想。树立和落实科学发展观，重要的是要切实转变经济增长方式，走新型工业化、城市化的发展道路，实现以人为本、全面、协调、可持续发展。循环经济是20 世纪 90 年代以来，人类应对资源瓶颈制约和环境污染问题挑战而提出来的发展新理念。循环经济作为一种新型的经济形态，改变了传统经济"资源——产品——废物"的线性增长方式，取而代之的是"资

源——产品——再生资源"的循环发展模式,通过提高资源利用效率,减少资源消耗,降低污染排放,实现生态系统和经济、社会系统的良性循环,促进经济建设与人口、资源、环境的协调发展。毋庸置疑,发展循环经济,有利于提高经济增长质量,有利于提升社会发展水平,有利于加强环境保护和生态平衡,是树立和落实科学发展观的必然要求。

上海作为一个人口众多、自然资源相对缺乏、环境容量有限的特大型城市,资源需求矛盾更为突出,今年7月,胡锦涛总书记到上海考察工作时强调:"发展循环经济,是从根本上缓解资源环境压力、实现人与自然和谐发展的有效途径。像上海这样的大都市,自身没有太多资源,而资源消耗量又很大,更应该率先倡导和推广循环经济。"所以,对于上海来说,高度重视循环经济,大力发展循环经济,显得尤为重要。只有加快经济增长方式和城市发展模式的转变,努力在经济规模和人均水平持续增长的同时,切实把物质消耗和污染排放总量大幅降下来,才能真正走出一条生产发展、生活富裕、生态良好的文明发展道路。

二、上海在发展循环经济方面的探索实践

作为全国第一个提出发展循环经济的城市,上海早在制定"十五"计划时就明确提出要积极发展循环经济,并把发展循环经济的思想贯彻到城市总体规划及有关的行动方案中。如在已经成功实施的第一轮环保三年行动计划和目前正在开展的第二轮环保三年行动计划中,我们都加强了发展循环经济的内容。特别是近几年,我们注重培育和发展生态农业,推动清洁生产和废弃物综合利用,积极推行可持续发展的消费模式和生产方式。

目前,上海在发展循环经济的过程中,陆续建成了一批资源循环利用的示范工程,取得了初步成效。比如,作为循环经济试点园区的上海化工区,借鉴其他世界级化工区的成功模式,根据化工产业链的特点,合理布局产品项目,将不同企业联结起来,一家企业生产的废弃物,用作其他企业的原材料,一家企业在化学反应中产生的热量,又为另一家企业提供能源,从而大大提高了资源利用率,减少了企业的投资。又如,上海创立的"在线收废"新模式,市民只要登陆废品交投网络中心

网站,就可以将日常生活中的废旧物品轻易出手。这些产品经过简单分类,有的通过二手交易市场重新返回消费领域,有的则被送往企业变成生产原料。此外,上海市第一座综合性处理垃圾的资源再生中心,也已经建成投产。这些实践与探索,为我们进一步发展循环经济,奠定了基础,积累了经验。

三、大力发展循环经济,加快建设资源节约型现代化国际大都市

通过近几年的努力,尽管我们在发展循环经济方面取得了一些进展,一些重要的指标如能源消耗、单位产出和环境保护等方面居国内领先,但与资源能源集约型的先进国家相比,与建设现代化国际大都市的要求相比,差距还很大。因此,面向新世纪,在建设节约型社会中,还任重道远,需要作出坚持不懈的努力。

首先,进一步加强宣传教育,全面确立循环经济理念。运用各种宣传形式和手段,在全社会进一步普及循环经济知识,不断将循环经济的理念引入人们的日常生产、生活和消费方式中,切实提高公众的资源意识、节约意识和环保意识。提倡在商品设计和生产中,减少过度包装的做法;鼓励人们积极参与废旧资源回收和垃圾减量工作;引导人们进行绿色消费,优先购买经生态设计或通过环境标志认证的产品。

其次,进一步加快科技创新,推动循环经济技术开发。结合正在全面实施的科教兴市战略,充分运用上海的科技优势,大力组织开发具有先进性和广泛推广前景的适用技术,在重点行业、重点企业组织实施一批重大示范工程,以科教兴市公共服务平台为依托,推动科技资源、信息资源的共享,促进技术进步和科技成果的转化,为循环经济的推广提供强大的技术支撑。当前,我们主要从两个方面进行突破,一是针对目前发展中的土地、煤、电、油、运等瓶颈制约问题,变压力为动力,加强对节能技术、节水技术、链接技术、新材料技术、生态技术的研究开发,特别是把产业政策与能源政策结合起来,运用经济杠杆调节供需,推动产业结构调整,发展优势产业,稳定均势产业,坚决淘汰高能耗、高污染、低附加值的劣势产业,切实提高资源节约的整体水平,率先全面推进节

约型城市建设。二是积极推动崇明生态岛建设,以生态链为纽带,统筹规划工业与农业、生产与消费、城区与农村的发展,特别是大力推广运用太阳能、风能等可再生能源,着重发展绿色产业和环保型清洁产业,使崇明岛成为发展循环经济的示范区。

第三,进一步培育环境和服务产业,拓宽循环经济发展领域。我们将加大循环经济产业链的开发力度,促进循环经济可持续发展,尤其是要大力扶持和发展环保产业、服务产业,从根本上实现生态保护和环境治理从末端处置向源头和过程控制的转变;同时积极发展租赁业、维修保养、旧货交易、社区服务等第三产业,推动物质产品重复使用,增加就业岗位。

第四,进一步健全政策法规,形成促进循环经济发展的良好制度环境。我们将以此作为提升上海法制化水平和加强城市软件建设的抓手,通过制定税收、贴息、补贴等政策,支持企业开展节能、节水、节材和资源综合利用等方面的技术改造;通过制定促进循环经济发展的法规规章,逐步限制和淘汰浪费资源、污染环境的工艺、技术、产品和行为。我们将积极贯彻清洁生产促进法,从上海的实际出发,制定实施办法,细化企业实施清洁生产和回收其产品废弃物的法律责任;研究制定家用电器、建筑材料、包装物品等回收利用的法规规章,推动绿色消费和资源循环与再生利用;加快能耗、资源消耗、污染排放标准的更新,逐渐采用国际先进标准,迫使"低利用、高排放"产品退出市场;建立健全资源税费政策和污染税费政策,促进资源节约使用和充分利用,推动整个经济过程的物流循环,减少经济发展对生态环境系统的压力。

各位领导、各位来宾,上海发展循环经济还处在起步阶段,我们非常希望得到各位领导和专家的指导和帮助。本次论坛年会在上海召开,无疑给我们提供了难得的学习机会。我相信,本次论坛年会所形成的新观念、新思路,必将对我国发展循环经济产生积极而深远的影响。也必将为上海实现又快又好的发展起到有力的推动作用。

最后,再次欢迎各位领导和来宾的莅临指导,并预祝本次论坛年会取得圆满成功!

谢谢大家!

大 会 致 辞

中国循环经济发展论坛
2004 年年会开幕词

毛如柏

尊敬的曾培炎副总理、陈良宇书记,
各位来宾,女士们,先生们:

在全国人大环资委、国家发改委、科技部、国家环保总局的通力协作和上海市人大常委会的周到安排下,中国循环经济发展论坛 2004 年年会顺利开幕了。在此,请允许我代表中国循环经济论坛组委会,对光临会议的各位来宾和各界代表表示热烈的欢迎和衷心的感谢! 感谢你们对循环经济事业的关注与支持,感谢你们对中国循环经济论坛的关注和支持。

目前,我国可持续发展面临的资源、环境形势相当严峻,资源、环境状况与全面建设小康社会和公众的要求,还有很大的差距。今后很长时期内,我国经济发展、消费增加和人口增长同资源、环境的矛盾仍然非常突出,迫切需要加快转变经济增长方式和消费方式。

加快发展循环经济,是有效转变传统经济增长方式和消费方式,实现经济社会可持续发展的重要方向和途径。近年来,在各级人民政府有关部门的推动和社会各界的支持下,循环经济理念开始得到广泛认同,企业、工业园区、城市和区域层次的循环经济试点和示范得到逐步推广,循环经济发展事业有了一个良好开局。

为了推动各级政府、企业、社会团体和公众广泛参与到我国循环经济发展事业中来,全国人大环资委、国家发改委、科技部、国家环保总局共同组建了中国循环经济发展论坛,以求为政府机关、科研院校和企事业单位提供一个高层的对话平台,普及循环经济理念,促进循环经济研究,加强循环经济政策沟通,推动建立政府引导、市场驱动、公众参与的循环经济发展机制。

女士们,先生们,我们应当清醒地认识到,转变经济增长方式,加快循环经济发展,是伴随我国现代化建设长期历程的艰巨、复杂的任务,需要各级政府、企业、社会团体和公众的广泛关注和积极参与,需要各级政府、企业、社会团体和公众同心协力进行长期不懈的努力。当前,我们只是在万里征途上迈出了第一步。让我们共同努力,把我国循环经济事业扎扎实实推进下去。

请允许我再次对各位来宾和各界代表光临年会表示衷心感谢,对上海市人大常委会以及协办论坛的各有关单位表示衷心感谢。

预祝中国循环经济发展论坛 2004 年年会圆满成功。

（毛如柏：全国人大环资委主任委员）

中国循环经济发展论坛
2004年年会欢迎辞

龚学平

尊敬的曾培炎副总理
各位领导
各位来宾
同志们：

今天，由全国人大环资委、国家发改委、科技部和国家环保总局共同主办的中国循环经济发展论坛2004年年会在上海隆重举行。我们十分荣幸地邀请了曾培炎副总理、陈良宇书记、国务院有关部门的领导同志，各省市自治区人大、政府负责同志，以及众多国内外知名专家学者出席本次论坛年会，共同商讨循环经济的发展大计。在此，我谨代表上海市人大常委会，向光临这次盛会的各位领导同志、各位来宾，表示最热烈的欢迎和衷心的感谢！

围绕发展循环经济、实现可持续发展战略这一主题，创办一个层次高、议题广、探讨深入、影响力大的讨论平台，在各级人大、政府、科研单位以及企业之间实现直接对话和沟通，充分展示国内外最新研究成果，这是所有致力于宣传、研究和推行循环经济发展战略，推动实现全面协调可持续发展的有识之士的共同设想和美好愿望。论坛的创立，顺应了我国发展的现实需要，具有十分重要的历史意义和现实意义。

首次举行的论坛年会，经多方研究，确定以"科学发展观和中国循环经济发展战略"为今年年会的主题。这一主题的提出，旨在以全面、协调、可持续的科学发展观为指导,就发展循环经济涉及的政策和法律问题,广泛进行沟通和研讨,帮助解决发展循环经济所面临的各种难题。我相信,各位领导、各位嘉宾莅临年会,你们发表的所有精彩演讲和重要意见,将为推动循环经济发展的理论与实践作出重要贡献,将使所有与会者获益良多,也将为《中国循环经济发展论坛》开启良好的开端。

改革开放以来,特别是上一世纪 90 年代以来,在党中央、国务院的正确领导下,在全国人大常委会的指导关心下,在全国人民的支持帮助下,上海和全国兄弟省市一样,在经济、政治、文化和社会诸多方面取得了长足发展。党的十六大以来,上海各级党政机关牢固树立和坚决贯彻落实科学发展观,全面贯彻中央的宏观调控政策,扎扎实实推进各项工作,保持了经济平稳健康发展和社会全面进步的良好势头。但我们也清醒地看到,作为资源约束比较突出的特大型城市,上海面临着资源紧缺、土地稀缺、能源和原材料严重依赖市外的沉重压力。要实现全面、协调、可持续发展,我们必须统筹人与自然和谐发展,进一步处理好人口、产业、基础设施、资源和环境的关系。应该说,发展循环经济是保持经济、社会和环境协调发展的重要突破口,也是上海未来发展的必由之路。从传统经济发展模式转到实现循环经济的城市发展模式,是整体发展思路的巨大变革。这一转化过程绝非一朝一夕就能自发完成,需要举全市之力,集各方智慧,努力探索并付出艰巨劳动。作为地方国家权力机关,上海市人大及其常委会要发挥地方立法、执法监督等法定职能作用,保障和推动全面确立循环经济的城市发展模式。我们已计划明年开始,启动发展循环经济的有关立法调研,借助法律法规的强大威力,推进上海循环经济的发展,进一步落实全面、协调、可持续的科学发展观。

首届论坛年会选择在上海召开,是党中央和国务院对上海市的高度信任,是对我们上海市人大常委会的深望厚爱,我们深感荣幸和骄傲。我们将竭尽最大努力,尽心尽责地做好会议服务工作。我们由衷期望,借助这次论坛年会的东风,进一步推动上海的工作。也衷心希望,与会同志能对上海各方面的工作,特别是上海发展循环经济、实现城市发展模式的根本转变,提出宝贵意见和建议。

让我们共同预祝中国循环经济发展论坛 2004 年年会取得圆满成功!

谢谢大家!

(龚学平:上海市人大常委会主任)

中国循环经济发展论坛
2004年年会主持辞

冯之浚

一、开幕式主持辞

各位来宾,女士们,先生们:

在全国人大环资委、国家发改委、科技部、国家环保总局和上海市人大常委会以及社会各界的共同努力和支持下,中国循环经济发展论坛2004年年会开幕了。

今天,我们荣幸地邀请到中共中央政治局委员、国务院副总理曾培炎,中共中央政治局委员、中共上海市委书记陈良宇出席会议。今天在主席台上就座的还有全国人大环资委主任委员毛如柏、国家发改委主任马凯、国务院副秘书长汪洋、科技部部长徐冠华的代表、科技部秘书长张景安、国家环保总局副局长王玉庆、上海市人大常委会主任龚学平、上海市市长韩正。

出席今天会议的有全国人大环资委委员,国务院各有关部门领导,各省市自治区人大常委会领导,国内外知名专家,各省市自治区人大、发改委(或计委、经贸委)、科技厅、环保局有关方面负责人,循环经济典型示范区、行业和企业的代表。

借此机会,我正式宣布中国循环经济论坛成立。论坛由全国人大环资委、国家发改委、科技部、国家环保总局共同组办,宗旨是为政府机关、科研院校和企事业单位提供一个高层的对话平台,更好地促进循环经济的发展。论坛组委会首届成员是：

组委会主任由全国人大环境与资源保护委员会主任委员毛如柏担任。

组委会副主任由国家发展和改革委员会副主任姜伟新、科学技术部党组成员尚勇、国家环境保护总局副局长王玉庆、上海市人大常委会主任龚学平和全国人大环境与资源保护委员会副主任委员冯之浚担任。

组委会秘书长由冯之浚兼任，副秘书长由朱晓明、孙佑海、赵家荣、梅永红、罗毅等担任。

组委会下设学术委员会、理事会、秘书处。其中学术委员会主任由中国工程院院士钱易担任，理事会名誉理事长由刘贤伦担任，理事长由冯之浚、关壮民担任。

二、闭幕式主持辞

各位来宾，女士们，先生们：

中国循环经济发展论坛年会 2004 年年会即将闭幕了。

年会虽然简短，但开得非常富有成效、富有社会影响，达到了预期目标。它将作为中国循环经济发展历程上的重要一页，载入环境与发展史册。

会议期间，曾培炎副总理和陈良宇书记发表了重要的讲话，对中国循环经济发展提出了明确的指导意见；国家发改委、科技部和国家环保总局的领导所作的主题发言，为中国循环经济的发展描绘了规划和政策蓝图；各位专家、学者所作的专题演讲，为中国循环经济发展贡献了其真知灼见；各地区、工业园区和企业代表的发言，则展示了中国开展循环经济试点、示范的实际成效。

通过大会发言和交流，我们更加明确地认识到中国发展循环经济的长远战略作用和现实紧迫性，就年会宣言所阐述的观点和建议，达成了一致意见。借此机会，对宣言要点作简要说明。

大会所形成的共识是：

第一，对中国这样一个发展中大国，实现发展是治国安邦、全面建设小康社会的第一要务。但发展不等于 GDP 增长,在发展中务必要树立以人为本和经济社会全面、协调、可持续发展的科学发展观,在经济发展的基础上促进社会全面进步和人的全面发展,促进人与自然的和谐相处,实现经济社会的可持续发展。

第二,面对资源短缺和环境破坏的严峻形势,传统的"大量生产、大量消费、大量废弃"的粗放经济发展模式和增长方式已经难以为继。我们必须摒弃传统发展模式,积极开展企业、工业园区、城市和区域层次的循环经济试点与示范,努力探索循环经济发展模式,大力推行"减量化、再利用、资源化"原则。力争达到"最佳生产、最适消费、最少废弃",实现资源和环境的永续利用。

第三,循环经济发展的社会实践已经受到循环经济科技发展不足的严重制约,急需国家加大对循环经济领域的科技投入,加快相关的科技机制创新,动员政府、企业、科研院校投身循环经济科技的开发、示范和推广应用。

第四,当前循环经济发展的社会实践,已经提出建立循环经济法律框架和配套法规、标准的社会要求,急需国家给予积极的政策支持,特别是经济激励政策的支持。

第五,当前急需各级政府领导转变盲目追求经济增长速度的观念,树立人与自然和谐的可持续发展观和正确的政绩观;急需企业家主动、积极地承担保护资源和环境等方面的社会责任,发挥创新和领军作用。

通过这次大会,我们向全社会呼吁:

第一,要努力落实科学发展观,加强对循环经济的宏观指导,将循环经济评价指标纳入政府政绩考核;要积极开展循环经济法律、法规和相关政策的研究探索;要综合运用财税、投资、信贷、价格等政策手段,建立循环经济发展的有效政策机制。

第二,要积极制定推进循环经济的目标和规划,组织开展循环经济科技开发和示范,扩大循环经济的试点和示范,把循环经济的试点和示范拓展到生产和消费的各个领域。

第三,要实行符合可持续发展和循环经济的企业经营战略,通过不断的创新,把符合循环经济的原则和方法贯彻到设计、生产、销售等各个经营环节,实现少投入、高产出、低污染。

第四,要加大可持续发展和循环经济的宣传教育,弘扬中华民族天人和谐的传统美德,在全社会树立和营造节约资源、保护环境的可持续消费观念和文化,逐步建立起资源节约型和环境友好型社会。

各位来宾,女士们,先生们:

转变经济发展模式和增长方式,加快循环经济发展,是伴随我国现代化的长期任务,希望各有关部门、企业、社会团体和公众继续关注和支持循环经济发展,继续关注和支持中国循环经济发展论坛,共同努力把我国循环经济发展事业扎扎实实推进下去。

请允许我代表论坛组委会再次对各位来宾和各界代表光临年会表示衷心感谢,对上海市人大常委会以及协办论坛的各有关单位表示衷心感谢!

谢谢大家!

(冯之浚:全国人大环资委副主任委员)

主题演讲

贯彻和落实科学发展观
大力推进循环经济发展

马 凯

今天,全国人大环资委、国家发展改革委、科技部、国家环保总局联合召开中国循环经济发展论坛 2004 年年会,围绕"科学发展观和中国循环经济发展战略"的有关问题进行研讨,具有重要的理论意义和实践意义。这里,我就发展循环经济的重要性及下一步工作设想,介绍一些情况,谈一些看法。

一、循环经济是人类社会发展的必然选择

什么是循环经济?从资源流程和经济增长对资源、环境影响的角度考察,增长方式存在着两种模式:一种是传统增长模式,即"资源——产品——废弃物"的单向式直线过程,这意味着创造的财富越多,消耗的资源就越多,产生的废弃物也就越多,对资源环境的负面影响就越大;另一种是循环经济模式,即"资源——产品——废弃物——再生资源"的反馈式循环过程,可以更有效地利用资源和保护环境,以尽可能小的资源消耗和环境成本,获得尽可能大的经济效益和社会效益,从而使经济系统与自然生态系统的物质循环过程相互和谐,促进资源永续利用。概括地说,循环经济是一种以资源的高效利用和循环利用为核心,以"减量化、再利用、资源化"为原则,以低消耗、低排放、高效率为特征,符合可持续发展理念的经济增长模式,是对"大量生产、大量消费、大量废弃"的传统增长模式的根本变革。

循环经济的"减量化"原则是指在生产和服务过程中,尽可能地减少资源消耗和废弃物的产生,核心是提高资源利用效率;"再利用"原则是指产品多次使用或修复、翻新或再制造后继续使用,尽可能地延长产品的使用周期,防止产品过早地成为垃圾;"资源化"原则是指废弃物最大限度地转化为资源,变废为宝、化害为利,既可减少自然资源的消耗,又可减少污染物的排放。从目前情况看,资源化的途径主要有两种:一种是再生利用,如废铝变成再生铝,废纸变成再生纸;另一种是将废弃物作为原料,如电厂粉煤灰用于生产建材产品、筑路和建筑工程,城市生活垃圾用于发电等。

循环经济在微观层面上,要求企业节约降耗,提高资源利用效率,实现减量化;对生产过程中产生的废弃物进行综合利用,并延伸到废旧物资回收和再生利用;根据资源条件和产业布局,延长和拓宽生产链条,促进产业间的共生耦合。循环经济在宏观层面上,要求对产业结构和布局进行调整,将循环经济理念贯穿于经济社会发展的各领域、各环节,建立和完善全社会的资源循环利用体系。

循环经济的产生不是偶然的。回顾世界经济发展的历史,不难发现,循环经济理念的产生和发展,是人类对人与自然关系深刻反思的结果,是人类社会发展的必然选择。

工业革命以来,人类在创造巨大物质财富的同时,也付出了巨大的资源和环境代价。在推进工业化的初期,人类还没有深切体会到自然资源供给和环境容量的有限性。随着人口的持续增加,经济规模的不断扩大,传统的生产模式带来的资源短缺和环境污染,迫使人类进行深刻反思。1962 年,美国生物学家卡逊出版了《寂静的春天》一书,用触目惊心的案例阐述了大量使用杀虫剂对人类的危害,敲响了工业社会环境危机的警钟。同年,美国经济学家鲍尔丁从经济的角度提出了循环经济的概念,他将人类生活的地球比做太空中的宇宙飞船,提出如果不合理地开发自然资源,当超过地球承载能力时就会走向毁灭,只有循环利用资源,才能持续发展下去。这可以看做是循环经济思想的萌芽。

20 世纪 70 年代,发生了两次世界性能源危机。经济增长与资源短缺之间矛盾凸显,引发人们对经济增长方式的深刻反思。1972 年,罗马俱乐部发表了题为《增长的极限》的研究报告,首次向世界发出了警告:"如果让世界人口、工业化、污染、粮食生产和资源消耗像现在的趋势继续下去,这个行星上的增长极限将在今后一百年中发生。"尽管这个报告中的观点有些片面和悲观,但提出的资源供给和环境容量无法满足外延式经济增长模式的观点,引起全世界的极大关注。同年,联合国发表了《人类环境宣言》,提出了人类在开发利用自然的同时,也要承担维护自然的责任和义务。

20世纪80年代,人们开始探索走可持续发展道路。1987年,时任挪威首相的布伦特兰夫人在《我们共同的未来》的报告里,第一次提出可持续发展的新理念,并较系统地阐述了可持续发展的含义。1989年,美国福罗什在《加工业的战略》一文中,首次提出工业生态学概念,即通过将产业链上游的"废物"或副产品,转变为下游的"营养物"或原料,从而形成一个相互依存、类似于自然生态系统的"工业生态系统",为生态工业园建设和发展奠定了理论基础。

1992年,在巴西里约热内卢召开的联合国环境与发展大会,通过了《里约宣言》和《21世纪议程》,正式提出走可持续发展之路,号召世界各国在促进经济发展的过程中,不仅要关注发展的数量和速度,更要重视发展的质量和可持续性。环发大会后,世界各国陆续开始积极探索实现可持续发展的道路。德国于1996年颁布了《循环经济和废物管理法》。日本也相继颁布了《促进建立循环型社会基本法》、《资源有效利用法》等一系列法律法规。目前,发达国家循环经济的发展已在四个层面上展开:一是企业内部的循环利用,最具代表性的是美国杜邦化学公司模式,通过厂内各工艺之间的物料循环,减少物料的使用,达到少排放甚至"零排放"的目标;二是企业间或产业间的生态工业网络,如著名的丹麦卡伦堡生态工业园,把不同的工厂联结起来,形成共享资源和互换副产品的产业共生组合,使一个企业产生的废气、废热、废水、废渣在自身循环利用的同时,成为另一企业的能源和原料;三是废物回收和再利用体系,如德国的包装物双元回收体系(DSD)和日本的废旧电器、汽车、容器包装等回收利用体系;四是社会循环经济体系,如日本政府为推动循环经济的形成,提出了到2010年要达到的三个方面的目标,包括资源投入产出率比 2000 年提高 40%,资源循环利用率提高 40%,废弃物最终处置量减少 50%,为实现这些目标,日本政府制定和实施了一系列政策措施。

总之,人类在发展过程中,越来越感到自然资源并非取之不尽,用之不竭,生态环境的承载能力也不是无限的。人类社会要不断前进,经济要持续发展,客观上要求转变增长方式,探索新的发展模式,减少对自然资源的消耗和生态系统的破坏。在这种情况下,循环经济便应运而生。

二、我国发展循环经济的重要性和紧迫性

党的十六大提出了全面建设小康社会的目标和任务。实现这一战略部署,必须紧紧抓住和切实用好本世纪头 20 年的重要战略机遇期。2003 年我国人均 GDP 已超过 1000 美元,开始向中低收入国家迈进。国际经验表明,从低收入国家步入中低收入国家行列的阶段,对任何国家的成长来说都是一个极为重要的历史阶段,它既是一个"黄金发展时期",又是一个"矛盾凸现时期"。特别是随着经济快速增长和人口不断增加,水、土地、能源、矿产等资源不足的矛盾会越来越突出,生态建设和环境保护的形势日益严峻。面对这种情况,按照科学发展观的要求,大力发展循环经济,加快建立资源节约型社会,就显得尤为重要、尤为迫切。

1. 发展循环经济是缓解资源约束矛盾的根本出路

我国资源禀赋较差,总量虽然较大,但人均占有量少。目前我国人均淡水资源量仅为世界人均占有量的 1/4,有 16 个省(区、市)人均水资源拥有量低于联合国确定的 1700 立方米用水紧张线,其中有 10 个省(区、市)低于 500 立方米严重缺水线。人均耕地只有 1.43 亩,不到世界平均水平的 40%。其中,北京、天津、上海、浙江、福建、广东等省市的人均耕地低于联合国规定人均耕地 0.8 亩的警戒线。人均森林占有面积为 1.9 亩,仅为世界人均占有量的 1/5,人均森林蓄积量为 9.048 立方米,仅为世界人均蓄积量的 1/8。45 种主要矿产资源人均占有量不到世界平均水平的一半,石油、天然气、铁矿石、铜和铝土矿等重

要矿产资源人均储量,分别为世界人均水平的11%、4.5%、42%、18%和7.3%。国内资源供给不足,重要资源对外依存度不断上升。去年约50%的铁矿石和氧化铝、60%的铜资源、34%的原油依赖进口。今年1—8月,石油净进口量高达7600万吨,对外依存度上升到40%。与此同时,一些主要矿产资源的开采难度越来越大,开采成本增加,供给形势相当严峻。

改革开放以来,我们用能源消费翻一番支撑了GDP翻两番。到2020年,要再实现GDP翻两番,即便是按能源再翻一番考虑,要保障能源供给也有很大的困难。本世纪头20年,我国钢铁、有色金属、石油石化、水泥等高耗能产品的需求量将继续增加,汽车和家用电器大量进入家庭。与此相适应,资源消费会进一步增长。以能源为例,初步测算,在考虑大力节约能源、优化经济结构的前提下,到2020年我国一次能源消费总量也要达到30亿吨标准煤。仅从满足国内煤炭需求来看,就面临储量不足、生产能力不足、运输能力不足和环境容量不足四大压力。尽管我们可以利用国外资源来弥补国内资源的短缺,但还必须看到,大量进口海外资源,也存在一些难以回避的风险。全球资源的有限性决定了进口需求不是可以无限得到满足的,大量进口存在市场和价格风险、运输能力的制约和进口安全保障等问题。

加快全面建设小康社会进程,保持经济持续快速增长,资源消费的增加是难以避免的。但如果继续沿袭传统的发展模式,以资源的大量消耗实现工业化和现代化,是难以为继的。去年下半年以来,煤、电、油运的持续紧张就充分表明了这一点,再次给我们敲响了警钟。为了减轻经济增长对资源供给的压力,必须大力发展循环经济,促进资源的高效利用和循环利用。研究表明,如果采取强化节能的措施,大幅度提高能源利用效率,到2020年使万元GDP能耗由2002年的2.68吨标准煤降低到1.54吨标准煤,那么能源消费总量就能控制在30亿吨标准煤。再比如,预计到2015年我国木材供需缺口达1.4亿立方米—1.5亿立方米,如果木材综合利用率提高10个百分点,就可弥补供需缺口的30%。到2020年我国再生铝比重如果能从目前的21%左右提高到60%,就可替代3640万吨的铝矿石需求,节电1365亿千瓦时,节水

9100 万立方米。由此可见，发展循环经济是缓解资源约束矛盾、实现可持续发展的必然选择。

2. 发展循环经济是从根本上减轻环境污染的有效途径

当前，我国生态环境总体恶化的趋势尚未得到根本扭转，环境污染状况日益严重。一是水环境每况愈下。去年全国废水排放总量 460 亿吨，其中化学需氧量 1334 万吨，大量未经处理或不达标的废水直接排入江河湖库。饮用水安全受到威胁，生态用水匮乏。二是大气环境不容乐观。去年全国烟尘排放总量近 1000 万吨；二氧化硫排放量为 2159 万吨，居世界第一位，大大超过环境容量。全国酸雨面积已占国土面积的 1/3。三是固体废物污染日益突出。去年全国工业固体废弃物排放量 1941 万吨，其中有 3000 吨的危险废物未经任何处置排入自然环境中，危害人民群众的身体健康。四是城市生活垃圾无害化处理率低，二次污染严重。2002 年，全国 660 个建制市生活垃圾产生量 1.36 亿吨，集中处理率为 54%，仍有 6200 万吨未经任何处理。监测结果表明，垃圾无害化处理率不足 20%。此外，农村畜禽粪便、水产养殖污染，农药、化肥的不合理使用，使农村环境问题日益严重，直接威胁到农产品质量安全；生态环境恶化，草地退化、水土流失、森林生态系统质量下降、生物多样性锐减，生态安全受到严重影响。

目前我国解决环境问题的重要方式是末端治理。这种治理方式难以从根本上缓解环境压力。一方面投资大、费用高，建设周期长，经济效益低，企业缺乏积极性，难以为继；另一方面，末端治理往往使污染物从一种形式转化为另一种形式，如废气治理产生废水、废水治理产生污泥、固体废物治理产生废气等，不能从根本上消除污染。

大量事实表明，水、大气、固体废弃物污染的大量产生，与资源利用水平密切相关，同粗放型经济增长方式存在内在联系。据测算，我国能源利用率若能达到世界先进水平，每年可减少二氧化硫排放 400 万吨左右；固体废弃物综合利用率若提高 1 个百分点，每年就可减少约 1000 万吨废弃物的排放；粉煤灰综合利用率若能提高 20 个百分点，就可以减少排放烟尘近 4000 万吨，这将使环境质量得到极大改善。大力发展循环经济，推行清洁生产，可将经济社会活动对自然资源的需求和生态环境的影响降低到最小程度,以最少的资源消耗、最小的环境代价实现经济的可持续增长,从根本上解决经济发展与环境保护之间的矛盾,走出一条生产发展、生活富裕、生态良好的文明发展道路。

3. 发展循环经济是提高经济效益的重要措施

改革开放26年来,通过大力调整经济结构,加快企业技术改造并强化管理,我国资源利用效率有了较大提高。但从总体上看,我国资源利用效率与国际先进水平相比仍然较低,成为企业成本高、经济效益差的一个重要原因。目前,我国的资源利用效率,可以概括为"四低":

一是资源产出率低。按现行汇率计算,2003年我国GDP约占世界的4%,但重要资源消耗占世界的比重却很高,石油为7.4%、原煤31%、钢铁27%、氧化铝25%、水泥40%。我国用水总量与美国相当,但GDP仅为美国的1/8;消耗每吨标准煤实现的GDP为世界平均水平的30%。上述比较,即使考虑到汇率因素,我国资源的产出率比发达国家仍低很多。

二是资源利用效率低。2000年,冶金、有色、电力、化工等8个高耗能行业的单位产品能耗比世界先进水平平均高40%以上。主要耗能设备能源效率低,如风机、水泵平均设计效率比国外先进水平低5个百分点,系统运行效率低近20个百分点。机动车百公里油耗比欧洲高25%,比日本高20%,比美国整体高10%;载货汽车百吨公里油耗比国外先进水平高1倍以上。单位建筑面积采暖能耗相当于气候条件相近的发达国家的2—3倍。2002年我国每万元GDP取水量为537立方米,是世界平均水平的4倍。工业用水重复利用率不足60%,比国外先进水平低15—25个百分点;农业灌溉用水利用系数仅为世界先进水平的二分之一;多数城市供水管网跑冒滴漏损失率高达20%以上。土地资源利用程度也很低且浪费严重。

三是资源综合利用水平低。目前,我国矿产资源总回收率为30%,比国外先进水平低20个百分点。共伴生矿产资源综合利用率为35%左右。煤系共生、伴生20多种矿产,绝大多数没有利用。一些超大型复杂多金属矿床的尾矿利用率仅为10%。我国木材综合利用率约60%,而发达国家一般都在80%以上。与此同时,"三废"综合利用潜力很大。2003年我国工业固体废弃物综合利用率只有55.8%,累计堆存量已达几十亿吨,占用了大量土地。

四是再生资源回收利用率低。2003年我国钢铁工业年废钢利用量为5800多万吨,占粗钢产量的比例为26%,而世界平均水平为43%;再生铜产量93万吨,占铜产量的22%,而世界平均水平为37%;再生铝产量145万吨,占铝产量的21%,而世界平均水平为40%。轮胎翻新量仅占新胎产量的4%,而发达国家一般为10%,其中轿车轮胎基本不翻新,而欧盟翻新率达18.8%。此外,我国每年还有大量的废旧家电和电子产品,废有色金属、废纸、废塑料、废玻璃等,没有实现资源的高效利用和循环利用。

实践证明,较低的资源利用水平,已经成为企业降低生产成本、提高经济效益和竞争力的重要障碍;大力发展循环经济,提高资源的利用效率,增强国际竞争力,已经成为我们面临的一项重要而紧迫的任务。

4. 发展循环经济是应对新贸易保护主义的迫切需要

在经济全球化的发展过程中,关税壁垒作用日趋削弱,包括"绿色壁垒"在内的非关税壁垒日益凸显。近几年,一些发达国家为了保护本国利益,在资源、环境等方面,设置了不少自己容易达到、而发展中国家目前还难以达到的技术标准,不仅要求末端产品符合环保要求,而且规定从产品的研制、开发、生产到包装、运输、使用、循环利用等各环节都要符合环保要求。如欧盟就明确要求包装物的95%必须是能够回收利用的物质。去年2月,欧盟又颁布了《废弃电子电器设备指令》和《电子电器设备中限制使用某些有害物质指令》,规定:从2005年8月13日起,生产者负责回收处理废旧电子电器设备;2006年7月1日开始,在欧盟销售的十大类100多种电子电器设备中,限制使用铅、汞、镉等六种有害物质。再比如,随着国际社会对生态环境和气候变化的重视程度不断提高,以节能为主要目的的能效标准、标识已成为新的非关税壁垒。

这些非关税壁垒,对我国发展对外贸易特别是扩大出口产生了日益严重的影响。目前,我国已成为"绿色壁垒"等非关税壁垒最大的受害者之一。如欧盟的两项指令所涉及的范围,不仅包括我国电子电器设备产品,还涉及到零部件、原材料行业,基本覆盖了我国对欧盟出口的所有机电产品。面对日益严峻的非关税壁垒,我们要高度重视,积极应对,尤其是要全面推进清洁生产,大力发展循环经济,逐步使我国产品符合资源、环保等方面的国际标准。

5. 发展循环经济是以人为本、实现可持续发展的本质要求

大量事实表明,传统的高消耗的增长方式,向自然过度索取,导致生态退化和自然灾害增多,给人类的健康带来了极大的损害。据有关部门测算,受大气污染影响,我国大约有1亿多人每天呼吸不到新鲜空气,因空气污染导致每年约有1500万人患上支气管炎。水污染使饮用水安全受到威胁,恶化了生存条件。固体废弃物的堆积不仅产生大量寄生生物,而且废弃物产生的渗漏液还会污染地表水和地下水。这些都成为一些地方疑难怪病和职业病产生的重要原因,给广大人民群众的身体健康带来了严重威胁。

人是最宝贵的资源。我们要加快发展、实现全面建设小康社会的目标,根本出发点和落脚点就是要坚持以人为本,不断提高人民群众的生活水平和生活质量。这就要求我们,在发展过程中不仅要追求经济效益,还要讲求生态效益;不仅要促进经济增长,更要不断改善人们的生活条件,让"人民喝上干净的水、呼吸清洁的空气、吃上放心的食物,在良好的环境中生产生活"。要真正做到这一点,必须大力发展循环经济,搞好资源节约和综合利用,加强生态建设和环境保护,走出一条科技含量高、经济效益好、资源消耗低、环境污染少、人力资源优势得到充分发挥的新型工业化道路,以最少的资源消耗、最小的环境代价实现经济社会的可持续增长。

总之,发展循环经济有利于形成节约资源、保护环境的生产方式和消费模式,有利于提高经济增长的质量和效益,有利于建设资源节约型社会,有利于促进人与自然的和谐,充分体现了以人为本,全面协调可持续发展观的本质要求,是实现全面建设小康社会宏伟目标的必然选择,也是关系中华民族长远发展的根本大计。我们要从战略的高度去认识、用全局的视野去把握发展循环经济的重要性和紧迫性,进一步增强自觉性和责任感。

三、我国发展循环经济的基础和存在的主要问题

循环经济作为一种新的发展模式和发展理念，虽然引入我国时间不长，但从总体上看，循环经济发展的有关工作还是有一定基础的。改革开放二十多年来，特别是中央提出加快推进两个根本性转变以来，我国在推动资源节约综合利用、推行清洁生产、探索循环经济发展模式等方面都取得了积极成效。

在减量化方面。主要开展了两方面工作：一方面，大力节约降耗，提高资源利用效率。20世纪80年代初，中央提出了"资源开发与节约并重，把节约放在首位"的方针，国家有关部门把节能、节材、节水逐步纳入国民经济和社会发展计划，并制定了一系列法规、政策、标准和管理制度，节约降耗取得明显成效。1990年至2003年，累计节约和少用能源7亿多吨标准煤；工业用水重复利用率提高约15个百分点。2003年全国每万元GDP能耗比1990年下降了约50%。另一方面，积极推行清洁生产，从源头减少污染物的产生。20世纪90年代初，我国就开始推行清洁生产，经过积极努力，"九五"以来，已有几千家企业开展了清洁生产审核，国家重点支持了一批重大清洁生产技术开发、产业化示范和技术改造项目，企业的污染预防能力不断提高。2003年1月，《清洁生产促进法》正式实施，国务院又批转了国家发展改革委等部门关于推行清洁生产的意见，使我国的清洁生产进入依法推行、依法实施的新阶段。

在资源化和再利用方面。1996年，国务院批转了国家经贸委等部门《关于进一步开展资源综合利用的意见》，将资源综合利用确定为国民经济和社会发展的一项长期战略方针，随后陆续出台了鼓励企业开展资源综合利用减免税优惠政策。在国家政策扶持和引导下，我国资源综合利用规模不断扩大，技术水平不断提高，形成了遍布城乡的废旧物资回收网络及区域性废金属、废塑料、废纸等集散市场，促进了企业内部和企业间废弃物的综合利用及再生资源回收利用，取得了较好的经济和社会效益。2003年，全国工业固体废弃物综合利用率达到55.8%，其中粉煤灰综合利用率由1990年的26.5%提高到65%，煤矸

石综合利用率由38%提高到56%。全国每年回收的废金属、废机电产品、造纸原料、化工原料等废旧物资回收量超过6000万吨,其中废钢铁约3200万吨、废纸原料约1000万吨,涌现出了一批像山东鲁北化工、广西贵糖、济南钢铁公司等资源综合利用和循环利用的典型。不少企业开展了包装物如玻璃容器、纸箱、周转箱的回收和循环利用,目前全国年翻新轮胎500多万条,近年来一些企业又开始探索废旧机电产品再制造的路子,使废旧产品的再利用向更高层次迈进。

与此同时,各地区、各有关部门在总结、探索循环经济发展模式方面,也取得了积极进展。近年来,在借鉴国外发展循环经济成功经验的基础上,一些地区开展了生态工业园和生态农业的实践;部分省(区、市)提出了发展循环经济、建设资源节约型城市或生态城市的目标,并着手编制规划和地方性法规。特别是党的十六届三中全会提出科学发展观以来,有关部门组织开展了循环经济与资源节约型社会"十一五"规划、发展战略的研究,着手循环经济立法的前期工作,并加大了对发展循环经济的宣传力度。

尽管我国在发展循环经济方面已有一定的基础,但从总体上看,推进循环经济发展还存在一些实际困难和障碍,如各方面对发展循环经济的重要性缺乏足够的认识;国家还没有指导循环经济发展的总体规划和推进计划,资源利用的指标和核算体系也不健全;法律法规体系有待完善,特别是再生资源回收利用方面的法规建设仍是薄弱环节;有效的激励政策、回收处理体系和合理的费用机制尚未建立;技术开发和推广应用不够,缺乏符合国情的循环经济技术支撑体系;循环经济的宣传、教育和培训工作还需大力加强;企业在资源环境方面的管理制度也比较薄弱。这都需要我们抓紧研究政策措施,认真加以解决。

四、加快发展循环经济的总体思路和主要措施

为更好地推动和指导我国循环经济的发展,今年初,我们在调查研究和分析国内外循环经济发展实践经验的基础上,研究提出了《关于加快循环经济发展对策措施建议的报告》,国务院领导同志作了重要批示;随后又按照国务院领导同志的批示精神,会同有关部门研究起草了《关于加快发展循环经济的意见》,拟请国务院发布,作为我国发展循环经济的指导性文件。这里,我就发展循环经济的总体思路和对策措施,谈几点初步想法。

1. 发展循环经济的指导思想、主要原则和近期目标

指导思想:认真贯彻落实党的十六大和十六届三中全会精神,以科学发展观为指导,以优化资源利用方式为核心,以提高资源生产率和降低废弃物排放为目标,以技术创新和制度创新为动力,加强法制建设,完善政策措施,形成政府大力推进、市场有效驱动、公众自觉参与的机制,逐步建立适合我国国情的、有利于循环经济发展的宏观调控体系和运行机制,形成中国特色的循环经济发展模式,加快建设资源节约型社会。

主要原则:坚持以经济社会可持续发展为根本目的,实现人与自然和谐统一;坚持走新型工业化道路,形成有利于节约资源、保护环境的生产方式和消费模式;坚持推进结构调整,依靠科技进步和强化管理,提高资源利用效率;坚持发挥市场机制作用与政府宏观调控相结合、依法管理与政策激励相结合、政府推动与社会参与相结合,努力形成促进循环经济发展的政策体系和社会氛围。

近期目标:到 2010 年,建立比较完善的循环经济法律法规体系、政策支持体系、技术创新体系和有效的激励约束机制;建立循环经济评价指标体系,制定循环经济发展中长期战略目标和分阶段推进计划。力争重点行业资源利用效率有较大幅度提高,形成一批具有较高资源生产率、较低污染排放率的清洁生产企业;重点领域建立和完善资源循环利用体系和机制;形成若干符合循环经济发展模式的生态工业(农业)园区和资源节约型城市。全国资源生产率大幅度提高,废弃物排放量显著削减,为初步建立资源消耗低、环境污染少、经济效益好的国民经济体系和资源节约型社会奠定基础。

2. 发展循环经济的基本途径和重点

发展循环经济,要大力推进节约降耗,提高资源利用效率,减少自然资源的消耗;全面推行清洁生产,从生产和服务的源头减少污染物的产生;加强资源综合利用,最大限度地利用各种废弃物和再生资源,减少废弃物的最终处置量;积极发展环保产业,为资源高效利用和循环利用提供物质技术保障。当前和今后一个时期,我们要重点抓好以下五个环节:

在资源开采环节,要大力提高资源综合开发和回收利用率。对矿产资源开发要统筹规划,加强共生、伴生矿产资源的综合开发和利用,实现综合勘查、综合开发、综合利用;加强资源开采管理,健全资源勘查开发准入条件,改进资源开发利用方式,实现资源的保护性开发;积极推进矿产资源深加工技术的研发,提高产品附加值,实现矿业的优化与升级;开发并完善适合我国矿产资源特点的采、选、冶工艺,提高回采率和综合回收率,降低采矿贫化率,延长矿山寿命。大力推进尾矿、废石的综合利用。

在资源消耗环节,要大力提高资源利用效率。加强对钢铁、有色、电力、煤炭、石化、化工、建材、纺织、轻工等重点行业的能源、原材料、水等资源消耗管理,实现能量的梯级利用、资源的高效利用和循环利用,努力提高资源的产出效益。电动机、汽车、计算机、家电等机械制造企业,要从产品设计入手,优先采用资源利用率高、污染物产生量少以及有利于产品废弃后回收利用的技术和工艺,尽量采用小型或重量轻、可再生的零部件或材料,提高设备制造技术水平。包装行业要大力压缩无实用性材料消耗。

在废弃物产生环节,要大力开展资源综合利用。加强对冶金、有色、电力、煤炭、石化、建材、造纸、酿造、印染、皮革等废弃物产生量大、污染重的重点行业的管理,提高废渣、废水、废气的综合利用率。综合利用各种建筑废弃物及秸秆、畜禽粪便等农业废弃物,积极发展再生物质能源,推广沼气工程,大力发展生态农业。推动不同行业通过产业链的延伸和耦合,实现废弃物的循环利用。加快城市生活污水再生利用设施建设和垃圾资源化利用。充分发挥建材、钢铁、电力等行业废弃物消纳功能,降低废弃物最终处置量。

在再生资源产生环节,要大力回收和循环利用各种废旧资源。积极推进废钢铁、废有色金属、废纸、废塑料、废旧轮胎、废旧家电及电子产品、废旧纺织品、废旧机电产品、包装废弃物等的回收和循环利用;支持汽车发动机等废旧机电产品再制造;建立垃圾分类收集和分选系统,不断完善再生资源回收、加工、利用体系;在严格控制"洋垃圾"和其他有毒有害废物进口的前提下,充分利用两个市场、两种资源,积极发展资源再生产业的国际贸易。

在社会消费环节,要大力提倡绿色消费。树立可持续的消费观,提倡健康文明、有利于节约资源和保护环境的生活方式与消费方式;鼓励使用绿色产品,如能效标识产品、节能节水认证产品和环境标志产品等;抵制过度包装等浪费资源的行为;政府机构要发挥带头作用;把节能、节水、节材、节粮、垃圾分类回收,减少一次性用品的使用逐步变成每个公民的自觉行动。

3. 发展循环经济的主要措施

按照中央的要求,结合上述指导思想、主要原则、基本途径和重点,我就发展循环经济提出以下十条措施,供大家讨论。

(1)转变观念。这是发展循环经济的重要前提。党中央、国务院对发展循环经济高度重视。在今年3月召开的中央人口资源环境工作座谈会上,胡锦涛总书记强调指出:"树立和落实科学发展观,必须着力提高经济增长的质量和效益,努力实现速度和结构、质量、效益相统一,经济发展和人口、资源、环境相协调。在推进发展中充分考虑资源和环境的承受力,积极发展循环经济,实现自然生态系统和社会经济系统的良性循环,为子孙后代留下充足的发展条件和发展空间。"温家宝总理也要求:"要重点抓好节约利用资源,大力发展循环经济。坚持开发与节约并举,把节约使用资源放在优先位置,建设资源节约型社会。当前,要突出抓好节煤、节电、节油、节水和降低重要原材料消耗工作。要大力推广节能降耗技术工艺,开展清洁生产。建立城乡废旧物资和再生资源回收利用系统,提高资源循环利用率和无害化处理率。"胡锦涛和温家宝同志的讲话,为我们做好发展循环经济工作指明了方向,我们要认真贯彻落实。

发展循环经济是树立和落实科学发展观的具体体现。我们召开这次会议,是贯彻中央的部署,加快推进循环经济发展的一次实际行动。大力发展循环经济,必须摒弃传统的发展思维和发展模式,把发展观统一到党的十六届三中全会提出的坚持以人为本,全面协调可持续的科学发展观上来。传统的发展观,偏重于物质财富的增长而忽视人的全面发展,简单地把经济增长等同于经济发展而忽视经济社会的全面进步,相应地把 GDP 作为衡量一个国家或地区发展的单一标尺而忽视人文的、资源的、环境的指标,单纯地把自然界看做是人类生存和发展的索取对象而忽视自然界首先是人类赖以生存和发展的基础。在传统发展观的影响下,尽管人类曾创造了历史上从未有过的经济增长奇迹,积累了丰富的物质财富,但也为此付出了巨大的代价。发展循环经济,实现经济增长方式的根本转变,必须更新发展观念,理清发展思路,辩证地认识物质财富的增长和人的全面发展的关系,转变重物轻人的发展观念;必须辩证地认识经济增长与经济发展的关系,转变把增长简单地等同于发展的观念;必须辩证地认识人与自然的关系,转变单纯利用和征服自然的观念。要充分认识到,一方面资源对经济增长具有重要的支撑作用,没有必要的资源保障,经济就难以持续快速增长;另一方面,资源对经济增长又有重要的约束作用,资源的承载能力反过来也会制约经济增长的速度、结构和方式。在发展思路上要彻底改变重开发、轻节约,重速度、轻效益,重外延发展、轻内涵发展,片面追求 GDP 增长、忽视资源和环境的倾向,加快经济增长方式转变,切实推进循环经济发展。

（2）搞好规划。当前,中央和地方都正在按照科学发展观和"五个统筹"的要求,组织编制"十一五"规划。在编制总体规划和各类专项规划、区域规划以及城市规划的过程中,要把发展循环经济放在重要位置。一方面,要把发展循环经济作为编制"十一五"规划的重要指导原则,用循环经济理念指导各类规划的编制;另一方面,在规划编制过程中,要加强对发展循环经济的专题研究,加快节能、节水、资源综合利用、再生资源回收利用等循环经济发展重点领域专项规划的编制工作。今年,我委组织编制了《节能中长期专项规划》,已报国务院审定。目前,正在抓紧编制《节约和替代石油规划》、《节水专项规划》、《海水利用专项规划》、《资源综合利用专项规划》,要广泛听取各方面意见,加快工作进度,提高规划的质量。

与此同时,要建立科学的循环经济评价指标体系。加快研究建立以资源生产率、资源消耗降低率、资源回收率、资源循环利用率、废弃物最终处置降低率等为基本框架的循环经济评价指标体系及相关统计制度,并把主要指标逐步纳入国民经济和社会发展计划。在此基础上,研究提出国家发展循环经济的战略目标及分阶段推进计划。各地区、各行业要结合各自实际情况,制定切实可行的发展循环经济的推进计划,明确工作目标和重点。

(3)调整结构。加快调整产业结构、产品结构和能源消费结构是发展循环经济的重要途径。要按照走新型工业化道路的要求,振兴装备制造业,加快高技术产业化,积极推进信息化,采用高新技术和先进适用技术改造传统产业和传统工艺,淘汰落后设备、工艺和技术。当前和今后一个时期,一方面,要按照中央的部署,加强宏观调控和政策引导,遏制部分地区和行业盲目投资、低水平重复建设,特别是严格限制高耗能、高耗水、高污染和浪费资源的产业,以及开发区的盲目发展,限制和淘汰能耗高、物耗高、污染重的落后工艺、技术和设备;另一方面,要加快低耗能、低排放产业的发展。抓紧制定《产业结构调整暂行规定》、《产业结构调整指导目录》及重点行业的产业政策和准入标准,抓紧制定《加快服务业发展的指导意见》,促进服务业特别是现代服务业的快速健康发展。

同时,还要根据资源条件和区域特点,用循环经济理念指导区域发展、产业转型和老工业基地改造,促进区域产业布局合理调整。开发区建设要按循环经济模式规划、建设和改造,对进入园区的企业提出土地、能源、水资源利用及污染物排放综合控制要求,充分发挥产业集聚和工业生态效应,围绕核心资源发展相关产业,形成资源循环利用的产业链,但要避免不顾资源条件、产业布局、市场需求以及经济和环境成本,片面强调产业链的延伸,搞大而全、小而全。

(4)健全法制。这是把发展循环经济落到实处的重要保证。我国已经颁布了《节约能源法》和《清洁生产促进法》及相关法规,但总体上看,循环经济方面的法制建设仍然薄弱,不能适应发展循环经济的要求。

要结合我国国情,借鉴发达国家经验,研究建立完善的循环经济法规体系。加快《循环经济促进法》立法进程。抓紧制定发展循环经济的专项法规,包括《资源综合利用条例》、《废旧轮胎回收利用管理条例》、《包装物回收利用管理办法》等。我委会同有关部门研究起草了《废旧家电及电子产品回收处理管理条例》,提出建立生产者责任制,明确生产商、销售商、回收和处理企业、使用单位和消费者的责任和义务。同时提出建立废旧家电回收处理专项资金,促进废旧家电及电子产品回收处理和循环利用。我们还要加快制定发展循环经济的标准规范及相关制度。重点是主要用能设备能效标准、重点用水行业取水定额标准、主要耗能行业节能设计规范以及强制性能效标识制度和再利用品标识制度。今年,我委会同质检总局制定并发布了《能效标识管理办法》,2005 年 3 月 1 日起施行,这是一个良好的开端。我们要继续加大工作力度,通过制定和完善法律法规及相应的标准体系,把循环经济发展工作纳入法制化轨道。

要加强监督检查,切实抓好落实。当前要组织开展资源节约专项检查活动,重点检查高耗能、高耗水地区和重点行业节能、节水情况;用能产品能效标准、建筑节能设计标准执行情况;用水计划和取水定额执行情况,推动节约降耗工作的深入开展。同时,各地区、各行业要严格环境管理和监督,对于污染物排放超过国家和地方规定标准或者总量控制指标的企业,以及使用有毒、有害原料进行生产或者在生产中排放有毒、有害物质的企业,要依法强制实施清洁生产审核,要配合环保部门监督并落实清洁生产审核方案的实施,从源头和全过程实现污染物的减量化、资源化和无害化。

(5)完善政策。要通过深化改革,形成有利于促进循环经济发展的体制条件和政策环境。综合运用财税、投资、信贷、价格等政策手段,调节和影响市场主体的行为,建立自觉节约资源和保护环境的机制。

首先,结合投资体制改革,调整和落实投资政策,加大对循环经济发展的资金支持。要把发展循环经济作为政府投资的重点领域,对一些重大项目进行直接投资或资金补助、贷款贴息的支持,并发挥好政府投资对社会投资的引导作用,特别是要引导各类金融机构对有利于促进循环经济发展的重点项目给予贷款支持。

其次,进一步深化价格改革,研究并落实促进循环经济发展的价格和收费政策。积极调整资源性产品与最终产品的比价关系,完善自然资源价格形成机制,通过水价、电价等价格政策的调整,也可以更好地发挥市场配置资源的基础性作用。2004年我委陆续出台了水价和电价调整的政策,目的在于限制高耗能、高污染行业盲目发展,促进资源的合理开发、节约使用和有效保护。下一步还将会同有关部门,继续完善促进循环经济发展的价格和收费政策,比如扩大水资源费征收范围并适当提高征收标准;适时提高城市污水处理费征收标准,合理确定再生水价格;创造条件加快推行居民生活用水阶梯式水价制度。加大实施峰谷电价和丰枯电价的力度,扩大执行范围;对国家淘汰类和限制类项目及高耗能企业,严格按照国家产业政策实行差别电价。

第三,完善财税政策,加大对循环经济发展的支持力度。今年,我委组织行业协会和专家研究提出了《节能产品目录》和《关于政府节能采购的意见》,目前正会同财政部门研究对生产和使用目录内产品给予减免税的优惠政策,并准备将目录中的产品列入政府采购范围。还将继续完善资源综合利用税收优惠政策,研究对不易回收的大宗再生资源回收处理实行收费或押金制度的可行性。积极探索建立生态恢复和环境保护的经济补偿机制。

第四,继续深化企业改革,建立有利于促进循环经济发展的企业组织结构。要采取切实有效措施,打破企业间单向式线性生产方式和"大而全"、"小而全"的组织结构,鼓励企业根据社会化分工和产品生产的内在联系,研究制定有利于建立符合循环经济要求的生态工业网络的经济政策,增强关联度,提高资源利用效率,减少废弃物排放,延长产品使用周期,促进企业间共享资源和互换副产品,为推进循环经济发展奠定良好的微观基础。

(6)依靠科技。科学技术是发展循环经济的重要支撑。近年来,我国在提高资源利用效率的技术上取得了一些突破,但总体上看,还相对滞后,有关技术信息的渠道也不尽畅通。

在今后的工作中,一方面,要努力突破制约循环经济发展的技术瓶颈。重点组织开发和示范有普遍推广意义的资源节约和替代技术、能量梯级利用技术、延长产业链和相关产业链接技术、"零排放"技术、有毒有害原材料替代技术、回收处理技术、绿色再制造技术,以及降低再利用成本的技术等,不断提高单位资源消耗产出水平,尽快使资源消耗从高增长向低增长、再向零增长转化,使污染排放量从正增长向零增长、再向负增长转化,从源头上缓解资源约束矛盾和环境的巨大压力。

另一方面,要积极支持建立循环经济信息系统和技术咨询服务体系,及时向社会发布有关循环经济的技术、管理和政策等方面的信息,开展信息咨询、技术推广、宣传培训等。要充分发挥行业协会和节能技术服务中心、清洁生产中心的作用。积极推动国际交流与合作,借鉴国外推行循环经济的成功经验,引进核心技术与装备。

(7)示范推广。为加快发展循环经济,我委将在重点行业、重点领域、工业园区和部分城市开展循环经济试点工作。通过试点,提出重点行业、重点领域、工业园区和城市循环经济发展模式;重大技术领域和重大项目领域循环经济综合评价指标体系;完善再生资源回收网络,明确回收处理技术路线,制定促进再生资源循环利用的法规、政策和措施;提出按循环经济模式规划、建设、改造工业园区以及城市发展的思路;树立先进典型,为加快发展循环经济提供示范和借鉴,并为制定发展循环经济的推进计划提供参考。

这项试点工作主要依靠地方政府和发展改革委(经贸委)以及有关行业协会。我委将成立循环经济试点工作协调小组和专家组,并将利用国债资金或财政预算内资金,加大对循环经济重大项目的支持力度。今年年底前,要完成试点的前期准备,确定试点工作方案,落实试点工作条件,明年正式启动。

要认真实施《清洁生产促进法》,贯彻落实国务院关于加快推行清洁生产的意见,在企业全面推行清洁生产。我委将会同环保总局开展创建清洁生产先进企业活动,目前正在制定具体的实施办法,通过推广先进典型经验,促使更多的企业加快实施清洁生产,为发展循环经济奠定微观基础。

(8)强化管理。企业是经济活动的主体,也是资源消耗、废弃物产生和排放的载体,加强企业资源环境管理是发展循环经济的基础。企业要树立经济与资源环境协调发展的意识,在商业目标和环境目标之间寻求最佳平衡点。按照建立现代企业制度的要求,建立健全资源节约管理制度。加强资源消耗定额管理、生产成本管理和全面质量管理,建立车间、班组岗位责任制,完善计量、统计核算制度,加强物料平衡。建立有效的激励和约束机制,完善各项考核制度,坚持节奖超罚,调动职工节约降耗、综合利用的积极性。

要按照《清洁生产审核暂行办法》的要求,加快实施企业清洁生产审核,鼓励有条件的企业在自愿的基础上,开展环境管理体系认证,促进企业不断提高清洁生产水平,努力提高能源、原材料利用率,减少污染物的产生和排放。

(9)宣传教育。发展循环经济是一项涉及各行各业、千家万户的事业,需要政府、企业和社会各界的共同努力。要大力开展循环经济的宣传教育,提高各级领导干部、企事业单位和公众对发展循环经济重要性的认识。

各地区、各有关部门要组织开展形式多样的宣传培训活动,如举办专题讲座、研讨会、经验交流会、成果展示会和印发宣传品等,运用广播电视、报纸杂志、互联网等手段进行广泛宣传,普及循环经济知识,宣传典型案例,提高社会各方面对发展循环经济重大意义的认识,引导全社会树立正确的消费观。要将循环经济理念和知识纳入基础教育内容,做到以教育影响学生、以学生影响家庭、以家庭影响社会,增强全社会的资源忧患意识和节约资源、保护环境的责任意识,把节约资源、回收利用废弃物等活动变成全体公民的自觉行为,逐步形成节约资源和保护环境的生活方式和消费模式。

(10)加强领导。各地区、各有关部门要加强对循环经济发展工作的组织领导,确定专门机构和专人负责,做到层层有责任,逐级抓落实。各级发展改革委和经贸部门要把发展循环经济纳入经济社会发展的总体规划,建立相应的工作机制,认真研究解决推进循环经济发展的热点、难点问题,制定相应的政策和措施。近期,要加快研究制定循环经济发展的推进计划和实施方案,加强与环保、科技、国土资源、建设、水利、农业、财政、税务、质检等有关部门的合作,建立有效的协调工作机制,扎扎实实地推进循环经济的发展。

发展循环经济是当今世界的潮流,体现了以人为本,全面协调可持续发展观的本质要求,是转变经济增长方式、走新型工业化道路、全面建设小康社会的重要战略举措,意义重大,任务艰巨。让我们更加紧密地团结在以胡锦涛同志为总书记的党中央周围,坚持以邓小平理论和"三个代表"重要思想为指导,以与时俱进的精神风貌和求真务实的工作态度,为探索出一条符合我国国情的发展循环经济之路,为建设资源节约型社会作出新的贡献。

(马凯:国家发展和改革委员会主任)

支撑和引领循环经济的科技发展战略

张景安①

各位领导,各位来宾:

今天,中国循环经济发展论坛在美丽的上海举办。各方面专家学者会聚一堂,以"科学发展观与中国循环经济发展战略"为主题进行沟通和交流,不仅反映了学术界的敏感与执著,而且这是中国经济社会发展到现阶段的客观要求。在此我代表科学技术部,向本次论坛的举行表示热烈祝贺!

经过二十多年改革开放的伟大进程,我国经济社会发展已经达到了一个新的水平,进入到了一个新的阶段。作为一个发展中的大国,目前我国在人口、资源和环境等方面正面临着日益加剧的约束。与世界上许多经历过工业化阶段的国家相比,这种约束的程度更深,解决的难度更大。我国能否顺利实现全面建设小康社会的目标,将在很大程度上取决于如何突破这些瓶颈性约束。因此,通过科学技术进步,从根本上转变生产模式和消费模式,努力发展循环经济,使经济、社会和环境协调发展,这已成为新时期我国科技发展无可回避的重要使命。下面我就做一个名言题目是支撑和引领循环经济的科技发展战略谈几点认识。

一、循环经济本质上是以科技创新为主导的经济

循环经济绝不局限于传统的再利用、再循环和再生产。在中国文

---

① 本文作者代表科技部部长徐冠华出席论坛并讲话。

化层面上,循环经济体现了天人合一的发展理念;在现实层面上,循环经济也是科学发展观的具体体现。从实质上讲,循环经济是指建立在科技进步基础上并以科技创新为主要驱动力的经济形态。

1. 从发展模式看:循环经济是资源节约、环境优化型的可持续经济

传统的经济增长不是良性循环经济,而是以消耗大量不可再生的自然资源为主,并对生态环境造成了巨大影响。我国目前的经济状况也是如此,持续高速的增长是以资源的高消耗和污染物的高排放为代价的,自然资源的短缺正在成为制约中国经济发展的最大瓶颈。研究表明,如果我国按照现有的资源利用和污染排放水平,到2020年经济社会发展对环境的影响将是现在的4—5倍;如果要保持现有的环境质量,那么资源生产率(单位资源消耗的经济产出)就必须提高4—5倍,单位 GDP 的环境影响降低到目前的1/4;如果要求在实现经济发展目标的同时,环境质量在现有基础上有明显改善,那么资源生产率就必须提高8—10倍。

循环经济是指遵循自然生态系统的物质循环和能量流动规律,重构经济系统,使其和谐地纳入自然生态系统的物质能量循环利用过程,以产品清洁生产、资源循环利用和废物高效回收为特征的生态经济发展形态。从这个意义上讲,循环经济必然是资源节约、环境优化的经济。发展循环经济是中国经济发展模式的必然抉择,必须通过科学技术进步,大力提高资源生产率,提高单位资源消耗量的经济产出,尽快使资源消耗和污染排放从高增长向低增长、零增长、负增长转化,真正实现经济、社会和生态环境的良性循环和可持续发展。

2. 从经济结构看:循环经济是知识经济的体现之一

人类社会正在进入知识经济,知识的生产、运用将成为人类活动的主要内容。通过知识的大规模运用,将极大地改变传统的生产模式,对"大量生产、大量消费、大量废弃"的传统增长模式进行根本的变革,以尽可能小的资源消耗和环境成本,获得尽可能大的经济和社会效益,从而使经济系统与自然生态系统的物质循环过程互相和谐,促进资源永续利用。这就要求经济结构必须从高资源消耗的重化工业和加工业为主,向高技术产业和先进制造业以及服务业转变,使知识成为比自然资源更重要的生产要素。

3. 从要素构成看:循环经济是以科技创新为主要驱动力的经济

循环经济是基于技术进步和创新,并以此为主要驱动力,实现人与自然相互和谐的新的发展模式。这必然要求我们把走创新型国家发展道路作为未来中国科技发展的基本战略,实现以资源依赖为主向以创新驱动为主的根本转变。这是中国走新型工业化道路、实现全面建设小康社会宏伟目标的必然抉择。

4. 从社会功能看:循环经济是以人为本的经济

实现全面建设小康社会的目标,根本出发点和落脚点就是要坚持以人为本,不断提高人民群众的生活水平和生活质量。这就要求我们在发展过程中不仅要追求经济效益,还要讲求生态效益;不仅要促进经济增长,更要不断提高人们的生活质量;从满足人的基本物质需求转变为不断满足人民群众的物质和精神文明需求。要真正做到这一点,必须以统筹人与自然和谐发展为指针,大力发展循环经济,搞好资源节约和综合利用,加强生态建设和环境保护,以最少的资源消耗、最小的环境代价实现经济社会的可持续增长。

二、促进和引导循环经济发展的科技重点

科学技术的发展,可以为缓解资源短缺、改善生态与环境质量、促进经济建设与环境保护相互协调提供有效的保障。针对我国未来20年经济社会发展的特点,我国科学技术要从资源及能源开发利用、生产制造、消费等各个环节为发展循环经济提供支撑,研究开发一批经济效益好、资源消耗低、环境污染少的关键技术。促进和引导循环经济发展的科技发展重点领域主要有以下几个方面:

(1)清洁能源和节能技术。把清洁能源技术放在我国科技发展的优先位置,重点发展煤炭多联产;超超临界发电和先进输变电技术;节能技术(包括第三代照明技术);先进核能(第三代压水堆、高温堆、快堆、核聚变);可再生能源,包括太阳能、风能等。

(2)水资源综合开发利用和污染治理。水资源紧缺和水体污染是

制约我国发展的另一重大瓶颈。必须把水资源综合开发利用和污染防治作为科技发展的战略重点,重点发展农业、工业和生活节水;工业和生活水循环利用;雨洪资源利用;重点流域治理;海水淡化等重大技术。

(3)绿色制造和清洁生产。绿色制造和生产是实现循环经济的一个关键环节。发展循环经济,必须把制造业特别是流程制造业技术升级作为重点,改变制造业的生产理念和生产模式。重点发展流程工业绿色化;钢铁短流程循环生产系统示范;精密加工;废弃物再生产加工关键技术;制造业信息化。

(4)清洁节能交通运输系统。交通是能源消耗的重点行业,也是污染排放的重点来源。必须把清洁节能交通工具作为发展的目标。重点发展混合动力节能汽车(3L/100KM);电动汽车;磁悬浮轨道交通等。

(5)绿色节能建筑和住宅。建筑和住宅是生活资源消耗和污染排放的重点环节。我国建筑能耗高、污染大的情况十分严重,必须给予高度重视。要以环保型住宅产业开发为核心,实现人居生活消费与生态环境的良性循环。大力发展生活用水循环利用、生活垃圾无害化处理、绿色建材等相关技术。

(6)新材料。发展新材料是替代日益短缺的矿产资源,满足经济发展对材料需求的有效途径,也是促进资源高效利用和环保的重要技术基础。必须通过新型先进材料的广泛应用,降低对矿产资源的依赖。重点是先进功能材料、先进结构材料及各种绿色环保材料的开发使用。

(7)国民经济信息化。发展循环经济,绝不能把眼光只盯在资源及生产过程,必须从提升产业结构着眼,把以信息技术为基础的高技术制造业和现代服务业作为新的经济增长点,通过信息技术的广泛应用,优化产业结构,提高生产结构的知识化程度。重点是信息制造业、基于信息技术的现代服务业,如电子商务、电子金融、远程教育、电子文化、远程医疗等。

(8)生物技术及其在农业、医药行业的应用。利用生物技术提高农业生产效益,减少农业生产对环境的破坏,提高人民的营养和健康水平。重点是:转基因高产优质动植物新品种;生物节水、抗逆品种选育;

生物质能和材料；高效安全农药和肥料；重大创新药物；重大传染病防治等。

(9)海洋和空间开发与拓展。海洋和空间的开发利用是对地球陆地资源的进一步扩展，它不仅可以开辟新的资源来源，而且更可拓展人类的生存与发展空间。重点是：海洋环境、海洋生物资源开发、深海油气开发、空间信息平台、空间站等。

三、促进循环经济的政策思考

(1)把发展循环经济作为我国经济社会发展的主要目标。目前，要结合国家中长期科技发展规划和"十一五"计划的制定，深入研究循环经济理念及其结构模式，并将其贯穿在规划制定中，把走创新型国家发展道路，建设资源节约、环境友好型社会作为国家主体战略，放在未来发展的突出位置进行部署。

(2)制定循环经济指标体系，并作为国民经济指标核算的主要内容。把发展循环经济作为地方经济社会发展的主要目标，纳入地方国民经济指标核算内容之中，进行重点评估和考核。

(3)提高全民资源、环境忧患意识和可持续发展意识。通过科学普及和宣传，使人们充分认识到对自然资源过分依赖的局限性，以及生态环境恶化的复杂性和巨大威胁。使全体国民保持清醒的认识，树立强烈的忧患意识和紧迫感，从每个行业做起，从每个人做起，在生产生活中充分贯彻循环经济的发展理念，自觉为循环经济的发展作出贡献。

(4)制定促进循环经济的产业政策。按照循环经济的要求，加快产业结构的调整，尽快改造资源消耗多、污染排放大、经济效益差的产业，积极发展技术含量高、经济效益好、资源消耗低、排放污染少的新型产业；统筹规划矿产资源开发，加强资源开采管理；积极推进废旧物资回收和循环利用；鼓励使用绿色产品，大力提倡绿色消费。通过多种政策措施，使资源生产率大幅度提高，废弃物排放显著削减，为初步建立环境友好型、资源节约型社会奠定基础。

(5)加大对循环经济相关科技创新的投资。生态与环境保护作为公益性事业，政府必须发挥主导作用，同时广泛动员社会各方面参与，加大对循环经济相关科技创新的投资,为循环经济发展提供坚实的技术支撑。从我国的现实国情和紧迫需求出发,针对制约经济社会发展瓶颈的资源环境问题,研究开发符合循环经济原则的新工艺和新技术,重点关注大幅度提高能源和资源利用效率的技术、环境友好的先进制造技术、以废弃物为原料的新型工业技术体系。

发展循环经济正在成为 21 世纪人类经济社会发展的一场深刻的发展模式的转变,也意味着综合国力竞争的一场新竞赛。它将深刻地影响未来世界的发展道路和发展格局。我们必须紧紧抓住机遇,紧紧依靠科技进步和创新,大力发展循环经济,为我国全面建设小康社会提供强大的支撑,为人类社会的文明进步作出应有的贡献。

谢谢大家!

（张景安：中国科学技术部秘书长）

加快发展循环经济
促进环境保护工作上新台阶

王 玉 庆

今天,中国循环经济发展论坛2004年年会在上海开幕了。我代表国家环保总局,向本次年会的隆重召开表示热烈祝贺! 向与会的各位专家、学者和管理人员及企事业单位代表们表示热烈欢迎!

党中央国务院领导十分重视我国推进循环经济的工作,胡锦涛总书记、温家宝总理、曾培炎副总理等领导同志都对发展循环经济作出了重要指示。党中央国务院领导的指示,为我国发展循环经济指明了方向。

下面,我就发展循环经济和落实科学发展观的关系、国家环保总局在推动循环经济发展方面所做的探索以及下一步工作打算三个方面,谈一些认识和体会。

一、发展循环经济是落实科学发展观的具体实践

循环经济是一种经济模式,这种经济发展模式,既有利于发展经济,又有利于保护环境,符合我国国情,体现了走新型工业化道路的内涵和要求。发展循环经济可以从源头上解决环境污染和生态破坏问题,实现环境与资源对经济建设的持续支撑,是实现党的十六大提出的全面建设小康社会目标的战略需要。从我国的资源环境情况看,发展循环经济有其必然性;从我国的发展阶段和战略目标看,发展循环经济具有重大现实意义。

1. 发展循环经济是全面建设小康社会的战略选择,是走新型工业化道路的具体体现

在经过二十多年的经济快速增长之后,我国经济总量已居世界第7位,13亿人口初步达到小康生活水平。从目前经济发展形势看,到2020年GDP翻两番应不成问题。但仅仅是GDP的增长并不代表全面建成小康社会。由于我们经济增长很大程度上是实施"高消耗、低效益、高排放"的粗放增长方式。据世界银行和国内有关机构测算,20世纪90年代中期,中国的经济增长有2/3是在对生态环境透支的基础上实现的。2003年,我国消耗了世界钢铁总量的30%、水泥总产量的40%、煤炭总产量的31%,但GDP仅占世界的4%。单位GDP的成本长期以来居于世界前列。生产效率的提高并没有抵消资源投入和污染产出的增加。正因为如此,在GDP高速增长的同时环境污染日趋严重。

一是主要污染物排放总量大,远远超过环境自净能力。2003年我国废水排放量达460亿吨,其中主要污染物COD排放量为1333万吨,超过环境容量68%;城市垃圾产生量每年近1.4亿吨,处理率仅54.2%;工业危险废物每年产生约1000万吨,1/3没有得到安全处置;2003年全国二氧化硫排放量达2158万吨,比2002年增加12%;烟尘排放量1048万吨,增加3.6%。二是大量的污染物排放导致了严重的水和大气污染。2003年七大水系407个监测断面中,符合饮用水源标准的仅占38%,劣五类水质占29.7%。2003年全国340个城市中,达到空气质量二级标准的有142个,占41.7%,超过三级标准的城市91个,占26.8%。三是烟尘造成的大气污染、有机物造成水质污染尚未解决时,机动车污染、土壤污染、化学品污染日益突出,成为新的环境问题。四是生态破坏的局面尚未得到遏制。

严重的环境污染和生态破坏对国家的经济和社会发展带来巨大损失。2001年的有关研究表明,环境污染造成的经济损失约占当年GDP的3%—4%。世界银行20世纪90年代中期估计为8%。环境污染也严重影响了人民身体健康,成为群众日益关注的社会问题,影响了社会稳定和国家的形象。如何解决日益严重的环境问题,不能就环境谈环境,必须从造成环境问题的源头即从不可持续的经济增长方式和消费模式上分析;必须从根源上采取措施,即转变经济增长方式和不可持续的消费模式。而发展循环经济、建设循环型社会即指出了这样一条路。

国际经验和我国的实践都表明,循环经济依靠科学技术手段和市场机制,对社会生产和再生产活动中的资源能源实施调控,提高社会经济活动的生态效率,达到资源能源低消耗、经济高产出、污染低排放。循环经济的这一本质特征充分体现了新型工业化道路"科技含量高、经济效益好、资源消耗低、环境污染少和人力资源优势得到充分发挥"的内涵和目的。因此,大力发展循环经济是贯彻和落实科学发展观的具体实践行动,也是实现全面建设小康社会奋斗目标的战略选择。

2. 发展循环经济适合我国国情

首先,我国人口多,资源相对不足,经济增长快,生产经营方式粗放,技术和管理水平相对落后,生态环境、自然资源和经济社会发展之间的矛盾十分突出。发达国家利用优越的资源和宽裕的环境条件,用了近 200 年的时间逐步实现工业化和现代化。但这样的历史条件,中国和广大发展中国家已不复存在。在这种基础上,要实现一个 13 亿人口大国的现代化,决定了我们必须克服劣势,发挥后发优势,实行跨越式发展,走超常规的发展道路,用 50 年或更短时间达到世界先进水平,除此之外,别无他途。循环经济是对传统经济发展观念和模式的一次革命,能够促进增长方式转变,提高经济增长质量,在实现经济增长目标的同时保护好环境,为我国经济超常规的跨越式发展提供可能。

第二,发展循环经济不是无源之水、无本之木,它是在继承已有可持续发展理论与环境保护的实践基础上总结出来的、符合我国国情的理念和实践模式,是对生态经济、清洁生产、生态工业、生态农业、资源综合利用、绿色消费等一切有利于环境保护、有利于实现社会经济活动"低消耗、高效益、低排放"理论和技术的集成。发展循环经济也是中国环境保护工作的开拓创新,是环保工作从末端治理向生产和消费全过程控制并与国民经济发展紧密结合、促进生产方式转变的重要战略。

二、国家环保总局在推动循环经济发展方面所做的工作

从 1999 年开始,在我国经济快速增长带来的环境压力及国际环保新思潮的影响下,在研究和借鉴国际上发展生态工业、循环经济的经验和做法基础上,从解决污染问题入手,国家环保总局通过推动清洁生产、建立生态工业园、建设循环经济型社会等多种模式,在全国范围内,从企业、区域和社会三个层次进行了循环经济理论的探索和实践的尝试。全国有 20 多个省(自治区、直辖市)的环保系统都积极投入了这项工作。在国家环保总局的大力倡导下,循环经济在我国由一个陌生的名词和理念,迅速成为一个实实在在指导社会经济发展和环境保护的原则和战略。

1. 在试点示范方面

1999 年,国家环保总局在广西贵港市开展了国内第一个生态工业园区的建设,即广西贵港国家生态工业(制糖)示范园区。正式启动了全国循环经济和生态工业建设试点工作。生态工业园区的示范工作,开始主要集中在高物耗、高能耗、重污染行业,除广西贵港外,还有内蒙包头、新疆石河子等 6 个生态工业园区建设试点。在总结经验、提高科技含量的基础上,将生态工业理念引入工业门类齐全、经济综合性强的各类经济开发区、高新区等,在华东、华北、西南和东北等 10 多个工业园区开展生态工业园区建设,同时开展了天津经济技术开发区、苏州高新区等 5 个国家生态工业示范园区建设工作,使得我国工业园区的建设进入环境和经济双赢的新阶段。2002 年,在辽宁省开展了循环经济省的试点工作。目前,除辽宁省之外,江苏、山东等省以及贵阳、盘锦、日照等市也开展了循环经济建设试点。发展循环经济还成为振兴东北老工业基地和生态省、市、县建设的重要抓手。全国各省、市人民政府、环保部门及工业园区、企业开展的试点已达上百个,试点示范的广度和深度不断拓展。

为了及时总结循环经济试点经验,明确下一步的工作目标和计划,国家环保总局今年 7 月在天津经济技术开发区召开了"国家环保总局推进循环经济试点经验交流会",这是全国第一个有关循环经济试点

的经验交流会,环保系统、地方政府、各类开发区、示范园区和试点单位,以及高等院校、科研院所的 200 多名代表参加了此次会议,充分体现了全国各地对生态工业和循环经济建设的关注和积极参与的态势。据不完全统计,全国有 4 个省(市)、50 个城市已经制定了循环经济发展规划,另有 10 多个省(市)也在着手制定相关规划。

2. 在法规制度建设方面

国家环保总局组织制定了循环经济省、市和生态工业园区试点与建设规划指南,并于 2003 年发布了《循环经济示范区申报、命名和管理规定》、《国家生态工业示范园区申报、命名和管理规定》。将包装和废弃物回收及再利用、企业责任延伸制度等循环经济思想纳入修订中的《固体废物污染环境防治法》。今年,作为全国第一个循环经济的试点城市——贵阳市颁布了我国首部循环经济地方法规,开创了循环经济立法的先例。

3. 在研究和宣传方面

国家环保总局建立了由东北大学、中国环境科学研究院和清华大学三家组成的国家环境保护生态工业重点实验室。国家清洁生产中心、国家环保总局政研中心作为我局循环经济和生态工业的技术支持机构,在循环经济和生态工业的理论、方法和科研方面做了大量的工作。一些地方环保部门与大学及科研单位合作建立了相应的研究机构。如山东大学、陕西省建立了循环经济研究促进中心。按照曾培炎副总理要加强循环经济知识系统宣传的指示,国家环保总局举办了多次循环经济和生态工业的研讨会、学术报告会,对国内外循环经济的理论和实践进行了介绍和研讨。今年,有 100 多位来自全国各省市的地方领导干部参加了国家环保总局举办的"环境保护与循环经济"专题研究班,使循环经济的理念更加深入人心。

在科技部的支持下,2003 年的国家科技攻关计划中,专门设立了"循环经济理论和生态工业技术研究"课题,研究我国循环经济发展的理论、方法、战略、指标体系和生态工业支撑技术等,已取得了初步成果。国家环保总局和国家统计局组织了"综合环境与经济核算(绿色GDP)研究",对实物量核算、价值量核算、环境保护投入产出核算以及经环境调整的绿色 GDP 核算进行理论和实践研究。目前已经取得阶段性成果,编制了中国资源经济核算体系框架和中国环境经济核算体系框架,为建立中国绿色国民经济核算体系奠定了基础。

4. 在总结发展模式方面

通过实践探索,逐步形成了循环经济的发展模式和运行机制,主要有"3+1"模式和"2+3"模式。"3+1"模式,即在小循环、中循环、大循环以及废物处置和再生产业四个层面全面推进循环经济。具体包括:"小循环",在企业层面推行清洁生产,减少产品和服务中物料和能源的消耗,实现污染物产生量最小化。"中循环",在区域层面发展生态工业,建设生态工业园区,把上游生产过程的副产品或废物用作下游生产过程的原料,形成企业间的工业代谢和共生关系。"大循环",在社会层面推进绿色消费,建立废物分类回收体系,注重一、二、三产业间物质的循环和能量的梯级利用,最终建立循环型社会。建立废物和废旧资源的处理、处置和再生产业,从根本上解决废物和废旧资源在全社会的循环利用问题。"2+3"模式,"2"是指生产和消费两个领域,"3"是生态工业体系、生态农业体系和废旧资源再利用及无害化处置产业体系。这两种模式有中国特色,正在各地推开。

三、国家环保总局下一步推进循环经济发展的设想

1. 加强环保管理监督职能,推进循环经济发展

通过环保系统十多年来的努力,我国污染防治战略在由末端治理向源头控制、清洁生产和末端治理相结合上转移。国家环保总局将重点加强监督管理职能,完善现有环境管理制度,把推进循环经济与环境管理日常工作结合起来。要进一步加大环境执法力度,认真贯彻《清洁生产促进法》和《环境影响评价法》,逐步建立生产者责任延伸制度,同时要利用市场机制和经济手段保障这些责任制度得以有效实施。当前要抓好危险废物的处置处理和循环利用,贯彻减量化、再利用、再循环的3R 原则。各地环保部门要通过环境影响评价和"三同时"制度,依法严格限制新上高耗能、高耗水项目,加快淘汰落后工艺、设备和技术。如果环保部门能够在"三同时"、环境影响评价上严格把关,实质上就是从另一个方面推动了循环经济的发展。特别要加强对化工、冶金、印染、食品、造纸等重污染行业的生产全过程和排污的控制。建立起完善的排污许可、持证排污、污染物排放总量控制制度。按照《清洁生产促进法》的要求,对当地污染大户和重点排污行业、企业进行清洁生产审核,制定降低资源和能源消耗强度、控制污染排放的详细计划,加强执法和监督,大力推进循环经济工作的开展。

2. 加强和深化试点示范工作

循环经济市和生态工业园区的示范试点,对探索经验、制定政策、积累经验和开展教育宣传等都具有重要意义,是目前我国推进循环经济的重要平台。只有通过试点,总结经验,才能形成一整套适合国情的循环经济模式,才能制定出适宜的政策和法律,才能促进相关技术的开发和产业的发展。国家环保总局将充分发挥自身特点和优势,把循环经济和生态工业示范工作的管理规范化并不断深入,逐步扩大循环经济试点覆盖的领域,丰富其内涵。从生产、消费、回收等环节,从工业、农业、服务业等领域,从城市、农村等区域,探索和实践不同类型的循环经济具体模式。把地方创建生态省、国家环保模范城市、生态示范区与推动循环经济发展结合起来,带动全社会推进循环型社会建设。我们希望与发改委、科技部等部门联合试点,共同推进,形成更大的声势。

环保部门通过试点总结出可行的制度措施,应纳入各项环保法规之中。要配合发改委、财政部等经济综合部门制定有利于推动循环经济发展的经济政策。

3. 规划先行,加强宣传

发展循环经济的主体是各级人民政府、各类企事业单位、工业区或经济技术开发区等。各级环保部门要与地方计划、经济、财政、城建等有关部门密切合作,积极推进循环经济的发展。要积极配合地方政府,组织有关企事业单位和开发区,结合环境和经济现状,因地制宜,重点编制本企业、本地区的循环经济发展规划,并将循环经济发展规划纳入到地方国民经济发展计划中。在规划中要按循环经济的理念调整产业结构和布局,优化资源配置,明确发展循环经济的目标任务、重点行业、重点区域和重点企业名单,拟定实施的重点项目、主要经济和政策措施等,环保部门要组织专家学者在技术上予以把关,保证循环经济在本地顺利实施。

各级环保部门要充分利用各种媒体和手段,大力开展循环经济的宣传教育活动,使企业领导树立循环经济的新观念、新思维;提高公众的环境意识和绿色消费意识。倡导建立政府绿色采购制度,优先采购再生利用产品和环境标志产品;提倡节水、节电和多次重复利用、回收废弃办公用品。通过政府的表率作用,引导社会团体和企业积极参与绿色消费活动。

4. 大力开展循环经济的研究和支撑技术的开发

循环经济的发展需要大量的科学研究作基础,包括循环经济的理论研究,国外情况的研究,结合中国国情的指标体系的研究,经济政策、法规的研究,相关技术的研究等等。国家环保总局继续支持和组织有关循环经济的管理和技术方面的研究和开发,重点放在研究制定清洁生产、生态工业、循环经济的各项指标体系、各种技术规范和标准体系,支持出台相应的管理制度、技术指南和标准等。在技术开发方面,要开发和推广循环经济的技术工具和方法,如物流分析方法、生命周期评估、生态设计方法等。研究和开发符合循环经济原则的新工艺和新技术,如资源循环利用和再生技术、能量梯级利用技术和生态工业关键链接技术、"零排放"技术、中水回用技术等。

在推进循环经济方面,环保部门是一个推动者和先行者。但是推进循环经济是一个系统工程,是一项具有长期性、复杂性、艰巨性的大工程,需要在各级政府领导下,各个部门共同参与。环保部门将根据自己的职能定位,会同国务院有关部门,推动我国循环经济的发展。我相信,在党中央领导关于循环经济重要讲话精神的指导下,在全国人大环资委、各级政府部门、企业界、学术界及社会各界的共同努力下,我国循环经济的发展必将迎来一个新的高潮,走向一个新的台阶。

预祝本次年会圆满成功!

谢谢!

(王玉庆:国家环境保护总局副局长)

大力发展循环经济
建设资源节约型城市

韩　正

发展循环经济是我国全面建设小康社会的一项重大战略任务。今天这个论坛以发展循环经济为主题,为我们提供了一个很好的交流平台。我结合上海实践,就如何大力发展循环经济,建设资源节约型城市谈一些看法。

一、发展循环经济是上海突破资源瓶颈,实现全面协调可持续发展的根本出路

城市是推动我国经济增长的主力军,也是发展循环经济的主战场。对上海这样的特大型城市来说,在科学发展观的指导下,大力发展循环经济显得尤为重要和迫切。

首先,发展循环经济能够从根本上缓解上海发展中面临的资源约束。上海是一个资源约束型城市,面对经济快速发展,资源的需求越来越大,未来发展与资源约束之间的矛盾日益突出。经济要持续发展,资源要永续利用,这就需要上海进一步树立资源短缺的忧患意识和资源利用的节约意识,把发展循环经济作为贯彻落实科学发展观的重大举措,高度重视资源的节约使用和集约利用,实现全面协调可持续发展。

其次,发展循环经济能够更好地促进上海的经济和环境协调发展。上海地域狭小,环境容量有限,生态环境对经济社会发展的承载能力低。随着经济发展和人民生活水平的提高,环境保护的要求越来越高。

我们既要加快经济发展,又要切实保护环境,更不能以牺牲环境为代价来发展经济。为此,只有大力发展循环经济,才能从根本上解决经济与环境的协调发展问题。

二、抓住重点,积极探索,坚定不移地走建设 资源节约型城市的道路

发展循环经济是对传统发展模式的根本变革。近期,上海将以抓好资源节约为重点,大力发展循环经济,重点推进四个方面的工作:

第一,结构调整。主要是通过加快产业结构调整,建立与资源节约型城市相适应的产业体系。上海将按照"两个长期坚持"、"两个优先发展"的产业方针,加快推进产业结构的战略性调整。在产业结构调整中,把资源节约放在重要位置,实行产业政策与资源政策相协调,大力发展优势产业,稳定发展均势产业,坚决淘汰劣势产业。

第二,清洁生产。主要是通过大力推进清洁生产,从源头上减少资源消耗和污染排放。上海将按照《清洁生产促进法》的规定,加大清洁生产的推进力度。落实本市提出的清洁生产"三年工作目标",争取到2007年,基本建立上海发展清洁生产的框架。

第三,资源节约。主要是紧紧抓住土地、能源等对上海发展制约明显的重要资源,全面推进资源节约使用和综合利用,努力提高资源利用效率。土地方面:加强土地规划指导,大力推进"三个集中",建立健全"批项目、核土地"的制度,不断提高地均产出。能源方面:加快能源结构调整,大力发展天然气等清洁能源。认真贯彻有关法规,严格执行能效标准,健全节能管理制度,不断提高能源利用效率。

第四,依法推进。主要是明确责任主体,依法加强管理,把发展循环经济的各项工作落到实处。重在严格执法,进一步加大《清洁生产促进法》、《环境影响评价法》等法律法规的执法力度。在依法严管的同时,辅之以相应的政策引导,建立全社会自觉节约资源、保护环境的机制。

（韩正:上海市市长）

论循环经济

冯之浚

党的十六届三中全会总结了改革开放这 25 年的经验,第一次以中央文件的形式,全面深刻阐述了科学发展观,提出了"五个统筹"和"五个坚持",构成了科学发展观的完整理论体系。从"发展是硬道理"到"发展是第一要务",再到"全面、协调和可持续的科学发展",标志着我们对发展观的内涵有了更加深刻、更加全面的认识。

党的十六届三中全会将要处理的重大关系概括为"五个统筹":统筹城乡发展,统筹区域发展,统筹经济社会发展,统筹人与自然和谐发展,统筹国内发展和对外开放,核心是"统筹"。要科学地把握、正确地认识、全面地理解"发展"的内涵,就要做到"五个统筹"。"五个统筹"是解决改革的力度、发展的速度和社会可承受程度的基础性工作,是全面建设小康社会强有力的保障,是一种新的发展观,它不仅是对客观世界最真实的认识,也是中国特色发展道路的指导思想。

一、人与自然关系的反思和经济发展的三种模式

在统筹城乡发展、统筹区域发展、统筹经济社会发展、统筹人与自然和谐发展以及统筹国内发展和对外开放中,要特别关注人与自然的关系。关于人与自然的关系研究,从来就是人类安身立命的重要命题。在处理与自然的关系上,人类经历了三个阶段:崇拜自然阶段、征服自然阶段和协调自然阶段。

崇拜自然阶段在人类社会的早期,由于生产力极其低下,原始人类

在生产中软弱乏力,因而,同自然之间的关系是十分狭隘的。他们看到有些自然现象给人们带来意外的享受,同时,有些自然现象却给他们带来祸害甚至伤亡。人们虽然想尽办法企图克服自然界带来的灾难,可是所能办到的却极其有限。在这种背景下就产生了一种崇拜自然的原始宗教——图腾崇拜。图腾是一种印第安语的译音。在印第安人那里,图腾就是氏族的意思。19世纪中期,美国民族学家摩尔根考察了北美印第安人的风俗习惯。他发现那里的氏族绝大部分是用动物的名称命名的,如鹤氏族、狼氏族、熊氏族、麋氏族、鹿氏族、兔氏族、羚羊氏族、响尾蛇氏族等等。为什么用动物的名字命名?因为他们认为自己是这些动物的子孙。马克思指出:"一切神话都是在想像中和通过想像以征服自然力,支配自然力,把自然力形象化。"①不仅给人们带来益处的动物会被人们当作祖先,严重危害人类生存的动物也曾被人类当作祖先崇拜过。正如列宁所说:"原始人完全被生存的困难,同自然斗争的困难所压倒。"②远古的人类不仅崇拜动物,对大自然的许多现象,如日月星辰、风雨雷电、土地山河等,无不加以神化并对它们崇拜,祈祷日神、月神、雷公、电母、河伯以及土地爷等神灵保佑平安,帮助人们战胜无法预料又无力抵御的灾祸,其实质是对大自然的恐惧和依赖。人们所崇拜的都是与人们相对立,异己的自然力量。正如马克思、恩格斯所指出的:"自然界起初是作为一种完全异己的、有无限威力的和不可制服的力量与人们对立的,人们同它的关系完全像动物同它的关系一样,人们就像牲畜一样服从它的权力,因而,这是对自然界的一种纯粹动物式的意识(自然宗教)。"③

就在崇拜自然的人类社会早期,先民们已经开始凭简陋的工具、坚忍的意志和不断增长的智慧与险恶的自然环境搏斗。人们在生产斗争中获得了驾驭自然的知识,这些知识鼓励人们作进一步的尝试。在漫长的石器时代。火的使用和农业的发明是人类历史上的两件具有划时

---

① 《马克思恩格斯全集》第12卷,中文一版,第761页。
② 《列宁全集》第5卷,中文二版,第89页。
③ 《马克思恩格斯全集》第3卷,中文一版,第35页。

代意义的伟大创造。当然人类先后发明了青铜器和铁器,生产力水平有了质的飞跃,社会发展速度逐渐加快。

当人类历史进入 16 世纪后,随着资本主义的发展和第一次工业革命的出现,人类进入了大规模征服自然的阶段。在近 400 年征服自然的阶段中,人类依靠科学技术的力量,不断发展生产力。社会生产力从蒸汽机时代进入电气化时代,继而又步入以电子计算机、核能开发、空间技术、生物技术为标志的高科技时代。若从历史的跨度进行比较;人类的历史约有 300 万年,人类的文明史约有 6000 年,科学技术的历史约有 2500 年,近代科学的历史约 400 年,现代科学技术的历史还不到 100 年,然而,这短短的四五百年中,人类社会发生了迅速而巨大的变化。据法国学者的估计:今天社会在 3 年内所发生的变化相当于本世纪初 30 年内的变化,石器时代的 3000 年内的变化。何以如此?靠的是科学技术的力量,如果没有科学技术的发展,这样迅速的社会变化显然是不可能的。

然而,把科学技术作为征服自然利器的人类在此时恰恰缺乏对自然的深刻认识,把自然界当作取之不尽并可肆意挥霍的材料库和硕大无比可以乱掷污物的垃圾桶,巧取豪夺,竭泽而渔的大规模征服自然的做法,终于导致了自然大规模的报复,环境污染、生态失调、能源短缺、城市臃肿、交通紊乱、人口膨胀和粮食不足等一系列问题,日益严重地困扰着人类。

环境污染,包括大气污染、水源污染、土壤污染、噪音污染、放射性污染等等。目前飘尘每年以 4% 的速度增长,大气中的二氧化碳每年以 0.4% 的速率增长,而二氧化硫约有 1.5 亿吨排入大气,它与空气中的水分结合形成的"酸雨",污染土壤、湖泊、河流。噪声是除大气、水质污染之外的第三大公害,它破坏环境,刺激神经,使人烦恼,影响工作,损害健康。

生态失调。生态系统是由生命系统和环境系统在特定的空间组合而成的,必须保持它们之间的一定的平衡,才能使生态系统得以生存和发展。生态系统中的重要组成部分——森林,由于滥砍乱伐,全世界每年减少 2000 万公顷。全世界每年有 600 万公顷土地被日益扩大的沙漠所吞噬,有 2100 万公顷土地受到沙漠化的影响,还有近 500 万公顷土地每年被工业、交通及其他建设所占用。生态失调的日益严重,致使许多生物种群在死亡线上挣扎。到 2000 年,地球上的物种约有 100 万种已经消失。

资源枯竭。整个 20 世纪,人类消耗了 1420 亿吨石油、2650 亿吨煤、380 亿吨铁、7.6 亿吨铝、4.8 亿吨铜。美国矿产局估计,世界黄金储备还可用 24 年,水银为 40 年,锡为 28 年,锌为 40 年,铜为 65 年,铅为 35 年,石油探明储量可供开采 44 年,天然气为 63 年。

此外,城市臃肿、交通紊乱、人口膨胀和粮食不足等一系列问题,也日益严重地困扰着人们。

"身后有余忘缩手,眼前无路想回头。"严酷的事实,迫使人类对自己对待自然界的态度作一次全面的反省。事实教育并警告人们,把自然界看做是人类的对立物或被统治的观点是错误的,只有合理地利用自然界,才能维持和发展人类所创造的文明。马克思、恩格斯曾经告诫人们:"我们统治自然界,绝不像征服者统治异族那样,绝不像站在自然界之外的人似的,——相反的,我们连同我们的肉、血和头脑都是属于自然界和存在于自然之中的;我们对自然界的全部统治力量,就在于我们比其他生物强,能够认识和正确运用自然规律。"[①]人类的科技和经济发展的目标,应当向协调人与自然界关系作战略转移。人类应该进入人与自然协调发展的新阶段。在这个阶段,人类应当充分发挥人的聪明才智,不断升华境界,提高自身的素质,达成"人与自然共同发展"的思想共识,既注意代内需求,更应当关心代际公平,以求得人类同自然协调和谐,共生共荣。

就与环境的关系而言,人类社会在经济发展过程中经历了三种模式,代表了三个不同的层次。第一种是传统经济模式。它对人类与环境关系的处理,人类从自然中获取资源,又不加任何处理地向环境排放废弃物,是一种"资源——产品——污染排放"的单向线性开放式经济过程。在早期阶段,由于人类对自然的开发能力有限,以及环境本身的

---

① 《马克思恩格斯选集》第 4 卷,中文二版,第 383—384 页。

自净能力还较强,所以人类活动对环境的影响并不凸显。但是,后来随着工业的发展、生产规模的扩大和人口的增长,环境的自净能力削弱乃至丧失,这种发展模式导致的环境问题日益严重,资源短缺的危机愈发突出。这是不考虑环境的代价的必然结果。第二种是"生产过程末端治理"模式。它开始注意环境问题,但其具体做法是"先污染,后治理",强调在生产过程的末端采取措施治理污染。结果,治理的技术难度很大,不但是治理成本奇高,而且生态恶化难以遏制,经济效益、社会效益和生态效益都很难达到预期目的。第三种是循环经济模式。它要求遵循生态学规律,合理利用自然资源和环境容量,在物质不断循环利用的基础上发展经济,使经济系统和谐地纳入到自然生态系统的物质循环过程中,实现经济活动的生态化。其本质是一种生态经济,倡导一种与环境和谐的经济发展模式,遵循"减量化、再利用、资源化"原则,采用全过程处理模式,以达到减少进入生产流程的物质量、以不同方式多次反复使用某物品和废弃物的资源化目的,是一个"资源——产品——再生资源"的闭环反馈式循环过程,实现从"排除废物"到"净化废物"到"利用废物"的过程,达到"最佳生产,最适消费,最少废弃"。

著名历史学家汤因比在其代表作《历史研究》向世人公布了他的统计研究成果:世界古往今来共有 26 个文明,并断言在这 26 个文明中,5 个发育不全,13 个已经消亡,7 个明显衰弱。而在其最后一部著作《人类与大地母亲》中,汤因比十分重视并着重论述了文明形成和发展的地理、气候、水利、交通条件等外部环境。汤因比深刻地注意到人类物质技术力量的进步对大自然的毁坏所造成的恶果,他关注着人类将与自然环境建立怎样的关系。英文版"原书简介"中写道:"作者以毫不掩饰的激情,描写了人类的技术进步与其道德和政治的不相适应这一与生俱来的脱节现象。人类已经获得了将整个生存环境连同所有的生命、包括人类自身加以毁灭的潜在能力,汤因比敦促人们考察过去,以求获得对当今世界的更高的洞察力。"在汤因比所论述的 26 个文明中,衰落的特别是那些消亡的,都直接或间接地与人和自然关系的不协调有关,由于人口膨胀、盲目开垦、过度砍伐森林等造成的对资源的破坏性使用是其中的主要原因。

玛雅文明是世界著名的古文明之一,它是美洲印第安人文化的摇篮,对后来的托尔特克文化和阿兹特克文化具有深远的影响。玛雅文化具有悠久的发展历史,其过程大约从公元前 1800 年一直延续到公元1524 年,分为前古典期(公元前 1800 年至公元 300 年)、古典期(公元300 年至 900 年)和后古典期(公元 900 年至 1524 年)等三个阶段。其全盛时期约为公元 400 年至 900 年。古代玛雅人在彩陶、壁画、雕刻、建筑、文字以及天文、历法、医学和数学等方面达到了很高水平。玛雅人制造的陶器、玉器等,工艺非常精细。他们的雕刻和壁画作品,特色鲜明,形象逼真。他们建造的许多建筑工程,规模宏大,布局严谨,技术精湛。古代玛雅人在数学、天文等领域所达到的成就,欧洲人无法望其项背。他们使用"零"的概念比欧洲人要早 800 年。他们很早就掌握了日食周期以及日、月和一些星辰的运行规律,在此基础上创造了精确度很高的历法。然而,一个千古之谜是,曾经如此辉煌的玛雅文化,在没有外力破坏的情况下,于公元 10 世纪初期突然神秘地衰落了。如今生态学的研究发现,玛雅文明衰落的一个最重要的原因乃是由于地力的耗竭。玛雅文明的兴盛导致人口快速增加,由于人口压力不断增加,玛雅人就加快砍伐或烧毁森林以开辟耕地,从而使水土流失日益严重,耕地生产能力严重耗损,使得辉煌一时的玛雅文明因为足够的农业生产能力而走向衰落。

苏美尔文明在世界上最早发明了文字,最早建立了城市国家,它是诞生于由两大河流幼发拉底河和底格里斯河冲积而成的美索不达米亚平原上的伟大文明。如今苏美尔文明已被埋藏在沙漠下,变成了历史遗迹。苏美尔文明的败落曾经被看成是一个秘密,但生态学已对此作出了令人信服的破解:苏美尔文明衰落的根本原因是不合理的灌溉。由于苏美尔人对森林的破坏,加之地中海气候的特点,使河道和灌溉沟渠淤塞。在这种情况下,人们就不得不重新开挖新的灌溉渠道,如此恶性循环,使得水越来越难以流入农田。更严重的是,苏美尔人只知道引水灌溉,不懂得排水洗田。由于缺乏排水,致使美索不达米亚平原的地下水位不断上升,给这片沃土罩上了一层又厚又白的"盐"外套,淤泥和土地的盐渍化,土地盐化问题严重破坏了苏美尔文明赖以生存和发展的灌溉农业。苏美尔地区农田盐化的危害反映在当地的作物品种和单位面积产量上。在文明刚出现的乌鲁克文化遗物中,发现装小麦的容器和装大麦的差不多。当土地开始盐化后,不耐盐的小麦开始逐年减少。公元前 2400 年时的吉尔苏,小麦占 16%,其余则是大麦。到约 100 年后的阿卡德时,小麦降到 3%。随后,在苏美尔地区,人民几乎不能种植不耐盐的小麦了。尽管大麦比较耐盐,但土地的盐化会减少它的产量。吉尔苏出土文献表明:约公元前 2400 年,大麦每公顷收 2537 公升,到公元前 2100 年,降至 1460 公升。约公元前 1600 年,吉尔苏城已完全被弃,土地已经严重盐化了。此时,其邻近的拉尔萨城的大麦产量仅为每公顷 897 公升。这一恶性循环最终导致了在古巴比伦晚期(约公元前 1700 前),以吉尔苏为代表的大批苏美尔城市被永久放弃,苏美尔文明逐渐消亡。

复活节岛是南太平洋上的一个神秘的岛屿,岛上耸立着一排排巨大的石雕人像,显示这里曾经产生过高度发达的文明,但当 1722 年第一批欧洲人登上这个岛时,岛上的土著人却生活在极度原始的状态中,对自己部族曾经拥有过的文明毫无知晓。后来人类学家研究发现,原来是岛上的土著人自己毁灭了自己的文明。复活节岛的人口曾经一度急剧膨胀,而急剧膨胀的人口又使岛上的资源极度紧张,他们大量砍伐树木,用来造船、造房,砍伐将巨石像从岛屿的一端运到另一端所需的大量圆木,砍伐量超过了森林的可持续产量,最终完全依赖渔业生存的岛民们连制造充足的到远海捕鱼的独木舟的木材都没有了,更不用说建造巨石像所需的圆木了。为了争夺越来越少的资源,部族间爆发了的无休止的残酷战争,凡是俘虏都要被吃掉。到 1600 年,岛上的树木全部砍伐殆尽,复活节岛的文明就完全终止,复活节岛人重新成为原始人。

中国古代的天人调谐思想,强调人与自然的统一,人的行为与自然的协调,道德理性与自然理性的一致,充分显示了中国古代思想家对于主客体之间、主观能动性与客观规律性之间关系的辩证思考。根据这种思想,人不能违背自然,不能超越自然界的承受力去改造自然、征服自然、破坏自然,而只能在顺从自然规律的条件下利用自然、调整自然,使之更符合人类的需要，也使自然界的万物都能生长发展。另一方面，自然界对于人类，也不是一个超越的异己的本体，不是宰制人类社会的神秘力量，而是可以认识、可以为我所用的客观对象。这种思想长期实践的结果，是自然界与人的统一，人的精神、行为与外在自然的一致，自我身心的平衡与自然环境的平衡的统一，以及由于这些统一而达到的天道与人道的统一，从而实现了完美和谐的精神追求。

在全球性生态危机凸显的当代，西方的深生态学是非常注重从东方思想，特别是中国的天人调谐思想中汲取营养。天人调谐的思想，不仅对于解决当今世界和中国由于工业化和无限制地征服自然而带来的环境污染、生态失衡等问题，具有重要的现实意义，而且对于当今发达国家和发展中国家人民由于异化和无限制地膨胀欲望而带来的道德污染、心态失衡等问题，具有重要的启迪意义。

二、两种发展"范式"的比较

从人类与环境关系的合理分析中，我们可以借鉴"范式"理论来探讨发展模式问题。范式这个概念是由美国著名学者托马斯·S. 库恩在其代表作《科学革命的结构》一书中提出来的，本义是指科学理论研究的内在规律及其演进方式，用库恩的话讲就是"科学共同体的共有信念"。库恩描述了一种常规时期和革命时期相互交替的科学发展模式。他提出，科学首先在"范式"的支配下，为解决"范式"所提出的"疑点"的高度定向的研究活动，这是科学的常规活动；只有当已有的"范式"不足以应付新的问题的挑战时，这个常规的发展才会暂时中断，科学便因此陷入危机，最后导致新"范式"取代旧"范式"的科学革命。不同的范式拥有不同的前提假设、概念体系、理论方法和社会实践。由此，基于不同的社会历史状况、技术水平、经济发展的前提条件及其运行机制和对环境问题的不同理解与认识，我们借鉴科学发展的范式理论，可以探索和总结出两种不同范式，一种是生产过程末端治理范式，另一种是循环经济范式。

在现阶段，许多国家和地区的经济发展范式仍然以生产过程末端治理为主，其理论依据，前期主要是庇古的"外部效应内部化"理论，提出通过征收"庇古税"来达到减少污染排放的目的；后期主要是"科斯定理"，指出只要产权明晰，就可以通过谈判的方式解决环境污染问题，并且可以达到帕累托最优。再后来，又兴起了"环境库兹涅茨曲线理论"，认为环境污染与人均国民收入之间存在着倒"U"关系，随着人均 GDP 达到某个程度，环境问题会迎刃而解；还有环境资源交易系统的"最大最小"理论等等。这些理论为早期的环境经济学研究提供了理论分析的基础，即"污染者付费原则"的确定。这一范式曾经对于遏止环境污染的迅速扩展发挥了历史性作用。但是，环境恶化、资源枯竭无法从根本上得到遏止，正如恩格斯所说："我们不要过分陶醉于我们人类对自然界的胜利。对于每一次这样的胜利，自然界都对我们进行报复。每一次胜利，起初确实取得了我们预期的结果，但是往后和再往后却发生完全不同的、出乎预料的影响，常常把最初的结果又消除了。"①所以，面对我们赖以生存的各种可用资源逐渐从稀缺走向枯竭的现状，我们不得不进行反思，在理论上探索能够解决目前困境的途径已经十分迫切，走出末端治理范式危机的时机已经成熟。

20 世纪 60 年代，美国经济学家鲍尔丁提出了"宇宙飞船理论"，他指出，地球就像一艘在太空中飞行的宇宙飞船，要靠不断消耗和再生自身有限的资源而生存，如果不合理开发资源，肆意破坏环境，就会走向毁灭。这是循环经济思想的早期萌芽。随着环境问题在全球范围内的日益突出，人类赖以生存的各种资源从稀缺走向枯竭，以资源稀缺为前提所构建的末端治理范式逐渐为循环经济范式所替代。我们称这种替代为范式革命，之所以这样定义，是因为通过比较两种范式，我们发现确实发生了质的变革。

第一，生态伦理观由"人类中心主义"转向"生命中心伦理"和"生态中心伦理"的探索。人类中心主义生态伦理观认为，人类是世界存在的最高目标，人类的价值是最崇高的且是惟一的，其他物种的价值只有在人类使用它们的时候才表现出来。生命中心主义生态伦理观认为，所有生命，特别是动物，都有价值，判别善恶是以是否伤害生命为标

---

① 《马克思恩格斯选集》第 4 卷，中文二版，第 383 页。

准的,导致生物痛苦的行为是不道德的。生态中心主义生态伦理观认为,天下万物,包括无生命的岩石等,都是有价值的,生态系统是一个整体,休戚与共,对局部或个体的破坏就是对整体的伤害,不能为了局部的利益伤害整体。循环经济范式扬弃了人类中心主义生态伦理观,集成人类中心主义、生命中心主义和生态中心主义生态伦理观,强调"生态价值"的全面回归,主张在生产和消费领域向生态化转向,承认"生态位"的存在和尊重自然权利。在这个范式里,人类不应该是自然的征服者和主宰者,而应是自然的一部分,既要维护人类的利益,又要维护整个生态系统的平衡。维护和管理好自然是人类的神圣使命,人类必须在道德规范、政府管理、社会生活等方面转变原有的观念、做法和组织方式,倡导人类福利的代内公平和代际公正,实施减量化、再利用和资源化生产,开展无害环境管理和环境友好消费。

第二,生态阈值问题受到广泛关注。认为生态阈值的客观存在是循环经济范式的基本前提之一。环境的净化能力和承载力是有限的,一旦社会经济发展超越了生态阈值,就可能发生波及整个人类的灾难性后果,并且这个后果是不可逆的。循环经济范式强调在生态阈值的范围内,合理利用自然资本,从原来的仅对人力生产率的重视转向在根本上提高资源生产率,使"财富翻一番,资源使用减少一半",在尊重自然的基础上切实有力地保护生态系统的自组织能力,达到经济发展与环境保护的"双赢"目的。

第三,重新认识自然资本的作用。循环经济范式强调,任何一种经济都需要四种类型的资本来维持其运转:即以劳动、智力、文化和组织形式出现的人力资本;由现金、投资和货币手段构成的金融资本;包括基础设施、机器、工具和工厂在内的加工资本;由资源、生命系统和生态系统构成的自然资本。在末端治理范式中,是用前三种资本来开发自然资本,自然资本始终处于被动的、从属的地位。而循环经济范式中将自然资本列为最重要的资本形式,认为自然资本是人类社会最大的资本储备,提高资源生产率是解决环境问题的关键。要发挥自然资本的作用,一是通过向自然资本投资来恢复和扩大自然资本存量;二是运用生态学模式重新设计工业;三是开展服务和流通经济,改变原来的生产和消费方式。

第四,从浅生态论向深生态论的转变。末端治理模式是基于一种浅生态论,它关注环境问题,但只是就环境论环境,过分地依赖技术,认为技术万能。可是,一旦技术不能解救生态阈值,则束手无策,拿不出解决的办法,甚至产生反对经济增长的消极想法。而循环经济模式是一种深生态论,它不仅强调技术进步,而是将制度、体制、管理、文化等因素通盘考虑,注重观念创新和生产、消费方式的变革。它防微杜渐,标本兼治,从源头上防止破坏环境因素的出现。所以,循环经济模式是积极、和谐的,是可持续的稳定发展模式。

三、循环经济的基本原则、体系和层次

所谓循环经济,就是按照自然生态物质循环方式运行的经济模式,它要求用生态学规律来指导人类社会的经济活动。循环经济以资源节约和循环利用为特征,也可称为资源循环型经济。在现实操作中,循环经济需遵循减量化原则、再利用原则和资源化原则。减量化原则,要求用较少的原料和能源投入来达到既定的生产目的或消费目的,在经济活动的源头就注意节约资源和减少污染。在生产中,减量化原则常常表现为要求产品体积小型化和产品质量轻型化。此外,也要求产品的包装简化以及产品功能的增大化,以达到减少废弃物排放量的目的。再利用原则,要求产品在完成其使用功能后尽可能重新变成可以重复利用的资源而不是有害的垃圾,即从原料制成成品,经过市场直到最后消费变成废物,又被引入新的"生产——消费——生产"的循环系统。资源化原则,要求产品和包装器能够以初始的形式被多次或反复使用,而不是一次性消费,使用完毕就丢弃。同时要求系列产品和相关产品零部件及包装物兼容配套,产品更新换代零部件及包装物不被淘汰,可为新一代产品和相关产品再次使用。这些原则构成了循环经济的基本思路,但它们的重要性不是并列的,只有减量化原则才具有循环经济第一法则的意义。

循环经济的提出,是人类对难以为继的传统发展模式反思后的创新,是对于人与自然关系在认识上不断升华的结果。循环经济从相反

的假设开始探索:将整个经济系统预想为生态系统的一种特殊情况,而且,经济系统总体来说是建筑在生物圈所提供的资源与服务的基础上的,在某种意义上,经济系统是生物圈的赘生物。总之,循环经济把整个经济系统(即所有同产品和服务的生产和消费有关联的活动)作为生态系统的一个特殊形式来看待,基于这一点出发,改进经济系统使之能与生物圈兼容,使之能最终持久生存下去,就成为研究与发展循环经济的根本目的。

循环经济就是要借助于对生态系统和生物圈的认识,特别是产业代谢研究,找到能使经济体系与生物生态系统"正常"运行相匹配的可能的革新途径,最终就是要建立理想的经济生态系统。

地球生命的最初阶段(与现代经济运行方式之间非常类似)是一级生态系统,与其说是一个真正的"体系",倒不如说是一些相互不发生关系的线性物质流的叠加。其运行方式,简单地说,就是开采资源和抛弃废料,这是形成环境问题的根源。

在随后的进化过程中,资源变得有限了。在这种情况下,有生命的有机物随之变得非常地相互依赖并组成了复杂的相互作用的网络系统,如今天我们在生物群落中所见到的那样。不同组成部分之间的——也就是说二级生态系统内部的——物质循环变得极为重要,资源和废料的进出量则受到资源数量与环境能接受废料能力的制约。

与一级生态系统相比,二级生态系统对资源的利用虽然已经达到相当高的效率,但也仍然不能长期维持,因为物质、能量流都是单向的:资源减少,而废料不可避免地不断增加。

为了真正转变成为可持续的形态,生物生态系统进化为完全循环的系统。在这种形态下,对一个有机体来说是废料的东西对另一个有机体来说就是资源。只有太阳能是来自外部的资源。这可称作三级生态系统。在这样的一个生态系统之内,众多的循环借助太阳能既以独立的方式,也以互联的方式进行物质交换,这种循环过程在时间长度方面和空间规模方面的差异性相当大。理想的工业社会应尽可能接近三级生态系统。

总的来说,一个理想的经济生态系统包括四类主要行为者:资源开采者、处理者、消费者和废料处理者。由于集约再循环,各系统内不同行为者之间的物质流远远大于出入生态系统的物质流。

在近亿年的进化过程中,生物圈产生了一个三级生态系统运行所需的一切要素。人类活动,特别是工业革命以来的发展活动,在很大程度上属于一级生态系统的范畴。产品的使用寿命常常极短,往往仅使用几星期,甚至几天。而我们目前的工业体系正艰难地、部分地从一级生态系统向二级生态系统过渡,这只是半循环的,而且这还是由于一些资源的稀少,由于各种各样的污染和立法的或经济的因素所促成的。

循环经济思想的主旨是促使现代经济体系向三级生态系统的转化。转化战略的实施包括四个方面:将废物作资源重新利用;封闭物质循环系统和尽量减少消耗性材料的使用;工业产品与经济活动的非物质化;能源的脱碳。循环经济已经在一些发达国家取得了一些成功的经验,包括企业层次污染最小化方面,以及企业间废弃物的交换和传递,还有产品生产过程中和消费过程中物质和能量的循环。

发展循环经济有企业、产业园区、城市和区域等层次,这些层次是由小到大依次递进的,前者是后者的基础,后者是前者的平台。

在企业层次,与传统企业资源消耗高、环境污染严重,通过外延增长获得企业效益的模式不同,循环型企业对生产过程,要求节约原材料和能源,淘汰有毒原材料,削减所有废物的数量和毒性;对产品,要求减少从原材料提炼到产品最终处置的全生命周期的不利影响;对服务,要求将环境因素纳入设计和所提供的服务中。因此,循环型企业是通过在企业内部交换物流和能流,建立生态产业链,使得企业内部资源利用最大化、环境污染最小化的集约性经营和内涵性增长获得企业效益。在众多循环型企业中,以广西贵糖(集团)和山东鲁北集团较为典型和突出,国外最为典型的是美国杜邦化学公司。

在产业园区层次,生态工业园是一种新型工业组织形态,通过模拟自然生态系统来设计工业园区的物流和能流。园区内采用废物交换、清洁生产等手段把一个企业产生的副产品或废物作为另一个企业的投入或原材料,实现物质闭路循环和能量多级利用,形成相互依存、类似自然生态系统食物链的工业生态系统,达到物质能量利用最大化和废物排放最小化的目的。生态工业园具有横向耦合性、纵向闭合性、区域整合性、柔性结构等特点，与传统工业园区的主要差别是园区内各企业之间进行副产物和废物的交换，能量和废水得到梯级利用，共享基础设施，并且有完善的信息交换系统。生态工业园区有别于传统的废料交换项目在于，它不满足于简单的一来一往的资源、能源循环，而旨在系统地使一个园区总体的资源、能源增值。由于园区企业之间的关系是互动和协调的，这使得企业获得丰厚的经济、环境和社会效益。生态工业园作为循环经济的一个重要发展形态，正在成为许多国家工业园区改造的方向。其中，丹麦卡伦堡生态工业区是目前国际上最成功的一个生态工业区。国内生态工业园的实践始于 2001 年广西贵港国家生态工业(制糖)示范园区的建立，目前国内已经建成或正在建立的生态工业园区包括贵港、南海、包头、石河子、长沙黄兴、鲁北等 11 个国家生态工业园区。

在城市和区域层次，循环型城市和循环型区域通常以污染预防为出发点，以物质循环流动为特征，以社会、经济、环境可持续发展为最终目标，最大限度地高效利用资源和能源，减少污染物排放。循环型城市和循环型区域有四大要素：产业体系、城市基础设施、人文生态和社会消费。首先，循环型城市和循环型区域必须构建以工业共生和物质循环为特征的循环经济产业体系；其次，循环型城市和循环型区域必须建设包括水循环利用保护体系、清洁能源体系、清洁公共交通运营体系等在内的基础设施；第三，循环型城市和循环型区域必须致力于规划绿色化、景观绿色化和建筑绿色化的人文生态建设；第四，循环型城市和循环型区域必须努力倡导和实施绿色销售、绿色消费。

循环经济就是立足于循环型企业、生态工业园区、循环型城市和循环型区域，通过立法、教育、文化建设以及宏观调控，在全社会范围内树立天人调谐观念，实现可持续发展。

四、我国发展循环经济的必要性和紧迫性

目前，我国在发展循环经济时，必须建立起一整套符合其范式要求的政治、法律、经济、文化体制，从"促进人与自然的协调与和谐"出发，

面对资源枯竭和环境恶化,探索新的概念体系和理论方法,建立起满足需要的、符合生态文明要求的循环型企业、循环型区域和循环型社会。发展循环经济是一次深刻的范式革命,是实施可持续发展战略的重要实践方式。这种全新的范式与生产过程末端治理模式有本质的区别,从强调人力生产率的提高转向重视自然资本,强调提高资源生产率,实现"财富翻一番,资源使用少一半"。决不能将末端治理范式简单地套用到循环经济上来,循环经济范式不是对旧范式进行细枝末节的修改、补充和调整,而是一次真正意义上的升华和改造。

我国是自然资源的人均占有量极低、环境容量很不容乐观的发展中大国,实现全面建设小康社会的目标和满足这一目标要求的自然资源储备的矛盾日益突出,发展循环经济的必要性和紧迫性也日益凸显。

1. 发展循环经济是我国推进可持续发展战略的需要

在 20 世纪末,我国政府就已经确定在新世纪中坚定不移地实施可持续发展战略。循环经济要求对污染进行全程控制,在工业生产中实行清洁生产,倡导生态工业,提高全社会的资源利用效率等等,循环经济的这些特点符合可持续发展的要求,具有可持续性、和谐性、需求性和高效性。

发展循环经济还是实施资源战略,促进资源永续利用,保障国家经济安全的重大战略措施。

从资源拥有角度看,我国的资源总量和人均资源量都严重不足。在资源总量方面,我国石油储量仅占世界 1.8%,天然气占 0.7%,铁矿石不足 9%,铜矿不足 5%,铝土矿不足 2%。在人均资源量方面,我国人均矿产资源是世界平均水平的 1/2,人均耕地、草地资源是世界平均水平的 1/3,人均水资源是世界平均水平的 1/4,人均森林资源是世界平均水平的 1/5,人均能源占有量是世界平均水平的 1/7,其中人均石油占有量是世界平均水平的 1/10。

从资源消耗角度看,我国的消费增长速度惊人。改革开放 20 多年来,从 1990 年到 2001 年,我国石油消费量增长 100%,天然气增长 92%,钢增长 143%,铜增长 189%,铝增长 380%,锌增长 311%,10 种有色金属增长 276%。如今,我国的钢材消费量已经达到大约 2.5 亿吨,接近美国、日本和欧盟钢铁消耗量的总和,约占世界总消费量的40%;水泥消费约8亿吨,约占世界的50%;电力消费已经超过日本,居世界第二位,仅低于美国。中国油气资源的现有储量将不足10年消费,最终可采储量勉强可维持30年消费。在铁、铜、铝等重要矿产的储量上,无论是相对还是绝对,中国已无大国地位。2012—2014年,中国将迎来年2.4亿—2.6亿吨铁的消费高峰,未来20年缺口将达30亿吨;2019—2023年,将迎来年530万—680万吨铜的消费高峰,未来20年缺口将达5000万—6000万吨;2022—2028年,将迎来年1300万吨铝的消费峰值,未来20年缺口将达1亿吨。而我国原储量、产量和出口量均居世界首位的钨、稀土、锑和锡等优势矿种,因为滥采乱挖和过度出口,绝对储量已下降了1/3—1/2,按现有产量水平保障程度亦不超过10年。

从资源利用效率来看,我们仍然处于粗放型增长阶段。例如,以单位GDP产出能耗表征的能源利用效率,我国与发达国家差距非常大。以日本为1,意大利为1.33,法国为1.5,德国为1.5,英国为2.17,美国为2.67,加拿大为3.5,而我国高达11.5。每吨标准煤的产出效率,我国相当于美国的28.6%,欧盟的16.8%,日本的10.3%。

从资源的对外依赖度看,未来一个时期,中国的产业结构仍然处于重化工主导的阶段,高能耗、高污染产业仍然具有高需求。由于国内资源不足,到2010年,我国的石油对外依存度将达到57%,铁矿石将达到57%,铜将达到70%,铝将达80%。到2020年,中国石油的进口量将超过5亿吨,天然气将超过1000亿立方米,两者的对外依存度分别将达70%和50%。

从资源再生化角度看,我国资源重复利用率远低于发达国家。例如,尽管我国人均水资源拥有量仅为世界平均水平的1/4,但水资源循环利用率比发达国家低50%以上。资源再生利用率也普遍较低。我国即将进入汽车社会,大量废旧轮胎形成环境污染不断上升。而我国的废旧轮胎再生利用率仅有10%左右,远低于发达国家。因此,加快发展循环经济在节约资源方面是大有可为的。如到2005年工业用水重复利用率若达到60%,可节水580亿立方米,相当于2000年工业取水量的 50% 左右。

总之,我国的国内资源已难以支撑传统工业文明的持续增长。同时,我国的生态环境状况也难以支撑当前这种高污染、高消耗、低效益生产方式的持续扩张。我国现有荒漠化土地面积 267.4 万多平方公里,占国土总面积的 27.9%,而且每年仍在增加 1 万多平方公里;我国 18 个省的 471 个县,近 4 亿人口的耕地和家园正受到不同程度的荒漠化威胁;我国目前的废水排放总量为 439.5 亿吨,超过环境容量的 82%;我国七大江河水系,劣五类水质占 40.9%,75% 的湖泊出现不同程度的富营养化;我国 600 多座城市中有 400 多座供水不足,其中 100 多个城市严重缺水;我国尚有 3.6 亿农村人口喝不上符合卫生标准的水;我国废气中二氧化硫排放量为 1927 万吨,烟尘排放量为 1013 万吨,工业粉尘排放量为 941 万吨,人民身体健康受到严重损害。

2. 发展循环经济是防治污染、扭转防治思路的重要途径

我国长期以来的城市化和工业化过程所引发的环境问题愈来愈不容忽视,再加上经济、科技和历史等多方面的原因,污染问题并没有得到很好的解决,当前我国所面临的环境形势十分严峻。根据全国环境统计公报,2001 年,全国废水排放总量 428 亿吨,全国工业固体废物产生量 8.9 亿吨,排放量 0.3 亿吨。全国七大水系中一半以上的河段水质受到污染,1/3 的水体不适于灌溉,50% 以上城镇的水源不符合饮用水标准。全国年排放生活垃圾超过 1.5 亿吨,固体废物总积存量超过 60 亿吨。

因此,转变经济增长方式,缓解生态压力,遏止环境恶化,加快实施可持续发展战略刻不容缓。发展循环经济势在必行,其要求转变生产方式,从源头上减少污染物的产生,是保护环境的治本措施。各种产品和废弃物的循环和回收再利用也可大大减少固体污染物的排放。据测算,固体废弃物综合利用率每提高 1 个百分点,每年就可减少约 1000 万吨废弃物的排放。

3. 发展循环经济是我国调整产业结构,扩大就业的一条有效途径

我国"十五"发展规划纲要中明确提出,"坚持把结构调整作为主线"。结构调整以提高经济效益为中心,转变经济增长方式、发展集约式经营,围绕增加品种、改善质量、节能降耗、防治污染和提高劳动生产率,鼓励采用高新技术和先进适用技术改造传统产业,带动产业结构优化升级。

循环经济所倡导的新理念正符合结构调整的原则。根据减量化、再利用、资源化的原则,循环经济的核心是资源和能源的少投入,而社会产品产量不减甚至增加。发展循环经济要求摒弃粗放式经营方式,建立生态工业园,在企业中推行清洁生产,提高能源和原材料的使用效率,改进生产工艺和流程,对可能产生的污染进行全程控制。

循环经济不仅仅是在传统经济基础上增加废弃物回收、资源化和再利用环节,更是要带动整个环保产业的发展,或者说发展环境产业。环保产业是循环经济体系的重要组成部分,环保产业的不断发展也是国民经济和就业岗位新的强劲增长点。如按1997年我国第二产业平均劳动生产率22292元/人标准计算,1998年环保产业投资占GDP的比重为1.5%,相应带动GDP增加3025亿元,就可以提供约1350万个就业机会。即使按1997年我国环保产业平均劳动生产率3万元/人标准计算,也可提供10000万个就业机会。而目前(2000年)从事环保产业的职工不到20万人。因此,发展环保产业对于解决下岗职工的再就业和富余劳动力的就业问题具有十分重要的作用。根据2001年底国家环保总局第三次全国环保产业普查结果,2000年我国环保相关产业从业单位为18144个,从业人员为317.6万人,年收入总额近1700亿元,占国内生产总值的1.9%,分别比1997年增长了100%、218%和268%。但与日本每年3862亿美元、美国1000亿美元的规模相比,说明我国发展环保产业的潜力巨大。

4. 发展循环经济是我国应对入世挑战,增强国际竞争力的重要途径和客观要求

我国踏入世界贸易组织的门槛将近两年,国际上各式各样严格的法规和标准接踵而来,如何在日趋激烈的国际竞争中占有一席之地是急需探讨的重大问题。

我国企业走向世界的一个主要阻力是贸易壁垒。近几年,资源环境因素在国际贸易中的作用日益突显,"绿色壁垒"成为我国扩大出口面临最多也是最难突破的问题,有的已对我国产品在国际市场的竞争力造成重要的影响。例如,国际标准化组织的 ISO14000 将被越来越多的国家采纳并可能成为"技术贸易壁垒"——因为绿色消费主义者的影响,进口商不敢进口不符合国家环境标准的商品,在国际贸易中处于不利地位的国家必然采用 ISO14000 系列标准来构筑贸易壁垒。随着经济全球化的日趋形成,企业正面临来自 ISO 的多重压力。一方面企业必须实施 ISO9000 质量标准,以使企业保持竞争力,树立质量形象;另一方面企业必须实施 ISO14000 并通过认证,以此来树立自身的环保形象。未获得认证的企业将有可能被外国政府禁止进口,同时外国企业为保持自身的环保形象,中止与无证企业的生意往来。

对此,我们不仅要有清醒的认识,更要及时和巧妙应对。发展循环经济,可以在资源和能源消耗相对较少的基础上增强企业竞争力,在突破"绿色壁垒"和实施"走出去"战略中也能发挥重要作用。如采用符合国际贸易中资源和环境保护要求的技术法规与标准,扫清我国产品出口的技术障碍;研究建立我国企业和产品进入国际市场的"绿色通行证",包括节能产品认证、能源效率标识制度、包装物强制回收利用制度,以及建立相应的国际互认体系。

目前,国家已经在辽宁、贵阳、广西贵港、广东南海、内蒙古包头、新疆石河子、湖南长沙等地区进行循环经济试点,上海、浙江、山东、海南等地大力发展循环经济,探索一条"科技含量高、经济效益好、资源消耗低、环境污染小、人力资源得到充分发挥的新型工业化路子"的新途径。不少有识之士已经认识到循环经济的范式特征,接受了从生产源头开始的全过程治理的观点。我国已开始了对循环经济的立法调研工作。通过开展系列课题研究、培养高素质人才、提供咨询服务等方式,研究我国实施循环经济的条件和基础分析,为我国产业政策制定、产业结构调整、区域经济发展、循环经济立法和循环型企业的建立提供理论依据,为提高经济增长质量和水平,促进中国特色的循环社会的形成贡献力量。

五、促进循环经济发展的政策选择与法制建设

1. 制定相关经济政策,形成循环经济发展的激励机制

除了在法律法规中体现出对循环经济的扶持外,也应该体现在税收、信贷、征费等其他方面,引导企业自愿发展循环经济。例如,(1)逐步提高各项排污费用,使污水处理厂、垃圾处理单位达到保本或赢利水平,这样既可以吸引国内外资金和技术,保证其良性发展,也可以促使全社会加快实行清洁生产,减少排污,提高社会产品的循环率。(2)对采用清洁生产工艺和资源循环利用的企业给予减免税收、财政补贴以及信贷优惠政策,保证其产品的市场竞争力,为社会树立模范企业,以点代面。另外,对上述企业以及新兴生态工业园的建设要在征地、审批和投资环境方面予以倾斜。

政府有必要设置专门的部门以负责指导和协调全国范围的循环经济建设和实行。就像美国,在环境保护署设立污染预防处,以实行污染预防政策,协调所有污染预防活动,并成立高层污染预防顾问委员会,以确定能在所有政府机构管理中融合进整体性污染防治。

2. 加快建设环境产业市场,发挥市场对循环经济建设的推动作用

将传统的环保产业升级为环境产业,需要先完善环境市场。中国的环境市场,虽然已经有了一定的发展,但是还相当不成熟、不稳定,其原因有三:(1)中国的环境法规及其执行没有发挥出驱动环境产业发展的应有作用。如中国环境税费制中,排污费低于治理成本;污染罚款低于它造成的损失;排污费和罚款由环境保护部门收取和管理而不是收支两条线。这些做法既违反经济学原理,又违反行政管理中的廉政原则。(2)中国长期以来没有找到一条适合中国特点的能确保环保设施有效运行的管理制度。这使中国环保设施长期处于"1/3 正常运行、1/3 带病运行、1/3 停止运行"的不良状况,使运行成本超过预期。(3)政府对环境市场的不恰当的多部门的介入。不仅有国家机械工业体系,还有国家环境保护系统;不仅介入环境市场准入的审批,还介入环境产品的销售,还有地方保护主义盛行。

由此,需采取一些举措以振兴我国的环境市场。(1)要有效地发

挥环境法规的制约作用。中国应从发展环境产业角度,对现有的环境法规(特别是环境标准与环境税费制)进行一番审视,对这些法规执行的可操作性进行一番检查,以确保它们能对环境产业的开拓和发展起到应有的驱动作用。(2)要有效地提高现有环保设施的运行效率。(3)要切实履行政府对环境产业的管理职能。

发展环境产业市场,关键是充分利用环境企业的成本——效益型驱动机制、社会大众对更高生活质量追求而形成的消费需求驱动机制。将"谁污染,谁治理"的模式扩充为"谁污染,谁治理;谁治理,谁受益"的模式。具体来说,需要大力发展以下市场:一是生产活动源头无废或少废产业市场;二是再生资源回收利用市场和多元化经营市场,包括废旧物资交易市场和可再生资源分拣、再加工和综合利用市场以及垃圾末端处置的能源转化市场;三是绿色产品和绿色消费市场;四是相关科技产品市场,如管理软件、技术专利以及先进设备和工艺市场。

政府和各循环产品生产商要积极促进循环产品和绿色产品的标准化,以扫清这些产品进入市场的障碍。

3. 加快相关理论和科技发展,为循环经济发展提供有力的技术支撑

循环经济的减量化、再利用和资源化,每一个原则的贯彻都离不开先进的处理和转化技术,也离不开这些先进的载体——设施、设备的开发和更新,可见,科学技术是发展循环经济的决定性因素。下述相关科技理论和项目应该成为研究人员加快研究,政府加大投入的重要方向:节约能耗和物耗,污染轻或无污染工艺,包括清洁生产工艺;提高材料使用寿命,研发新材料以替代有毒材料和污染材料;开发资源再生技术,特别是废家电、废电池、废电脑及废灯管等特种废物的再生技术,提高资源使用效率;开发各类预测模型,以确定经济效益与循环率、资源再生费用以及产品价格等因素之间的关联度,研究新的成本——效益分析方法;研究不同产业和不同企业间生态链的合理性及稳定性。

4. 建立信息交换平台,保障信息畅通

原有的信息交换是非对称的,废物产生部门只关心处理费用,并不关心处理细节和结果;同时,废物处理部门对废物的性质、组成等技术

性资料也不清楚。要改善这一状况,废物产生部门需要向循环处理部门提供废物的材质、组成、设计和其他技术信息;废物循环处理部门要求向产生部门提供废物处理或循环的细节,包括技术、方法、最终处置地点、符合环节容量的措施以及如何循环资源化。

要保证物质资源的最大综合利用率,达到"物尽其用"的目的,需要通畅的信息渠道和大量的信息资源,从而使不同产业和企业间的物质交换链和生态链保持灵活性和有效性,也可以加快相关理论和技术的传播。各级政府是当仁不让的信息中介,除此以外还应该健全社会中介组织,建立包括清洁生产及再生资源利用相关技术和供求信息的网络,并建立物质、能量和水集成软件及技术集成方法库,建立大型的综合循环经济信息平台。

5. 探索建立绿色国民经济核算体系

传统的国民经济核算体系主要使用国内生产总值(GDP)统计方法。GDP作为一项一国的经济水平与经济实力的综合指标具有重要作用。由于传统GDP不能准确反映一个国家财富的变化,不能反映某些重要的非市场经济活动,不能全面反映人的福利状况,特别是不能反映经济发展给生态环境造成的负面影响,因此,国内外学者对如何衡量经济发展、社会进步和生态环境保护,开展了有关研究。举其要者,盖有绿色GDP(EDP,绿色国内生产总值)、人文发展指数(HDI)、生态需求指标(ERI)、经济福利指标、真实进步指标(GPI)、主观幸福指标(SWB)、国内发展指数(MDP)、联合国环境经济综合核算体系(SEEA)以及各种"净经济福利"指标、"净国民福利"指标、"净国内生产"指标,研究的目的大多是扣除经济发展中的生态损失、环境损失,以获得真实的增长率。绿色GDP受到了特别的关注。绿色国内生产总值(EDP)等于国内生产总值减去产品资本折旧、自然资源损耗和环节资源损耗(环境污染损失)之值。建立循环经济要求改革现行的经济核算体系,从企业到国家探索一套绿色经济核算制度,包括企业绿色会计制度、政府和企业绿色审计制度、绿色国民经济核算体系等,与传统核算体系并行,或者以此为主,以达到结合环境因素和消耗量全面和客观地评价经济状况。目前,绿色GDP指标体系,国内有关单位正在研究之中,并取得一定的成效。同时,我国新的 GDP 的核算体系,将和干部考核、政府绩效挂钩,以改变用单纯的 GDP 取人论事,造成地方政府只关注眼前的 GDP,而对全面、协调、可持续发展重视不够。

6. 加强循环经济的宣传和教育,积极倡导绿色消费

在经济、管理、环境专业高等教育中,设置循环经济相关课程,提高将来的各级领导干部和企业管理人员及科研人员的循环经济认识水平。通过各种媒体和手段,大力开展循环经济宣传活动,积极倡导绿色消费和垃圾分类,使社会各阶层人群了解并认可循环经济,在生产中为发展循环经济贡献才智和力量,在生活中优先使用和采购再生利用产品、环境标志产品和绿色产品,为这些产品培养稳定的市场。

7. 加强国际合作,追踪先进理论和科技

加强与国际组织和外国政府、金融、科研机构等在循环经济领域的交流与合作,大力发展环境贸易,追踪并学习其先进理论和科技,借鉴发达国家发展循环经济的成功经验,引进国外先进技术、设备和资金,并向其展示我们的成果,以期反馈,彼此联合起来,为人类和世界经济的可持续发展,共同努力。

国际社会在 20 世纪 90 年代确立了可持续发展战略,一些发达国家继之把发展循环经济、建立循环社会作为实施可持续发展战略的重要途径。从可持续发展到循环经济,反映了人类社会正在不断寻求与自然相和谐的发展道路。目前,循环经济的发展正方兴未艾,已经波及到人类社会的各个领域,成为一股世界性的潮流和趋势,并以立法的方式加以推进。

8. 加强循环经济法制建设

对于现有的相关法律——如《清洁生产促进法》等——中央和各级政府必须认真贯彻执行并进行完善,要求政府做到监督密切、执行有力、奖惩分明,企业和个人要积极配合,抓住机遇,发展自己。

另一方面,还应该借鉴国内外先进经验,加快循环经济相关法律法规体系的完善。日本是发展循环经济比较成功的国家之一。日本促进循环经济发展的法律法规体系比较健全,可以分成三个层面,基础层面是一部基本法,即《推进建立循环型社会基本法》;第二个层面是综合

性的两部法律,分别是《固体废弃物管理和公共清洁法》和《促进资源有效利用法》;第三个层面是根据各种产品的性质制定的五部具体法律法规,分别是《促进容器与包装分类回收法》、《家用电器回收法》、《建筑及材料回收法》、《食品回收法》及《绿色采购法》。德国也是在发展循环经济方面比较成功的国家之一。德国在1986年制定的《废物管理法》就强调要通过节省资源的工艺技术和可循环的包装系统,把避免废物产生作为废物管理的主要目标,于1996年10月7日生效的《资源循环和废物管理法》已代替《废物管理法》,并成为德国建设循环经济的总的法案,其重点侧重于强调生产者的责任,生产者将对产品的整个生命周期负责,从原料的加工到循环再利用,乃至运输过程。法案把避免产生废物作为优先原则,要求采取低废生产设计,闭环管理,引导消费方式向低废和低污染方向转变。另外,德国还针对不同的废弃物,分别设计了《包装废弃物处理法》、《废旧汽车处理条例》、《废电池处理条例》等单独法案或条例。美国在不断改变环保观念后,通过了《1984年危害性和固体废物修正案》和《1990年污染预防法》等法案,均体现着循环经济的思路。随后联邦政府和各州政府也推行了一系列促进循环经济发展的政策,自从20世纪80年代中期俄勒冈、新泽西、罗德岛等州先后制定促进资源再生循环法规以来,现在已有半数以上的州制定了不同形式的再生循环法规。其他国家,如法国1993年曾立法规定1993年上市的消费品必须有50%的包装必须回收利用。现今,欧洲在产品循环利用、废弃物资源化方面成绩已经非常突出。

我国应当抓紧制定各类相关法律法规,如《再生资源回收管理条例》,《废旧家电回收利用管理办法》,《清洁生产审核办法》,《重点行业清洁生产评价指标体系》,《强制回收的产品和包装物回收管理办法》等,并且完全有必要制定一部详细的《循环经济法》作为发展循环经济的总依据。通过法律法规以确定循环经济在社会发展中的地位,明确政府、企业、公众在发展循环经济中的权利和义务。

党的十六大提出在本世纪头20年全面建设小康社会的目标,其中包括,可持续发展能力不断增强,生态环境得到改善,资源利用效率显著提高,促进人与自然的和谐,推动整个社会走上生产发展、生活富裕、生态良好的文明发展道路。胡锦涛总书记在今年中央人口资源环境工作座谈会上明确指出："要加快转变经济增长方式,将循环经济的发展理念贯穿到区域经济发展、城乡建设和产品生产中,使资源得到最有效的利用。"为实现十六大提出的宏伟目标,就必须坚持实施可持续发展战略和走新型工业化道路,走出一条科技含量高、经济效益好、资源消耗低、环境污染少、人力资源优势得到充分发挥的工业化道路,使经济社会与环境资源得到协调发展。而发展循环经济,树立建立资源节约型、环境友好型、循环经济型的理念,正是实施可持续发展战略和走新型工业化道路的必然选择。

（冯之浚:全国人大环资委副主任委员）

循环经济理论研究

发展循环经济是全面实现
小康社会的必由之路

钱　易

一、全面建设小康社会的宏伟目标

中国共产党第十六次代表大会对全国人民提出了全面建设小康社会的号召,全面建设小康社会的宏伟目标有四个方面:

第一是发展经济的目标,那就是国内生产总值到 2020 年要力争比 2000 年翻两番,使综合国力和国际竞争力明显增强,要基本实现工业化,提高城市化水平,缩小工农差别、城乡差别和地区差别,建立比较健全的社会保障体系,提供比较充分的就业机会;

第二是加强民主法制的目标,包括更加完善社会主义法制,更加落实依法治国的基本方略,使人民的政治、经济和文化权益得到切实的尊重和保障;

第三是关于提高民族素质的目标,包括思想道德素质、科学文化素质和健康素质,为此,应形成比较完善的国民教育体系、科技和文化创新体系、全民健身和医疗卫生体系;

第四是关于增强可持续发展能力的目标,其中明确指出,要改善生态环境质量,显著提高资源利用效率,促进人与自然的和谐,推动整个社会走上生产发展、生活富裕、生态良好的文明发展道路。

全面建设小康社会的目标反映了中国人民的迫切愿望,符合中国人民的根本利益,与可持续发展战略的原则也完全一致。全国人民无不为这个宏伟目标欢欣鼓舞、摩拳擦掌,决心在党的领导下努力奋斗,使我们的祖国更加繁荣富强,人民的生活更加幸福美好,我国出现了一派欣欣向荣的景象。

二、实现小康社会宏伟目标面临的挑战

小康社会的目标是如此全面又如此宏伟,这本身就决定了它不可能是轻而易举、一蹴而就的,要实现它必须付出艰辛的努力,更应该清醒地认识到我们面临的困难。其中有些是我国的自然条件带来的困难,有些则是我们过去所犯的错误或所作的不当的行为所造成的困难。这些困难正是对我们能否实现小康社会宏伟目标的挑战,必须引起我们的高度重视。

首先,应该看到我国是世界上人口最多的国家,虽然采取了坚决、有效的人口控制政策,人口增长率已经大大减少,但预测表明,至 2030 年,我国人口仍将增加,并达到 16 亿的高峰。人口众多使中国的人均资源量平均低下,如水资源人均占有量仅为世界水资源人均占有量的 1/4;耕地仅为世界人均值的 1/3,矿产资源、林草资源也显得短缺。加上水资源的时空分布极不均匀和耕地分布与人口分布不相应等特点,一些地区的资源短缺问题就更为突出。例如北方地区严重缺水,耕地面积大而人口相对稀少。

其次,自改革开放以来,中国迅猛发展的经济对环境和资源产生了巨大的压力,由于一些人的环境观念比较薄弱,重经济轻环保,也由于环保投资偏少,还有环境保护主要着重于末端处理等原因,我国的环境污染和生态破坏已经发展到了相当严重的程度,这不仅威胁着人民的健康与安全,也已经造成了很大的经济损失,必将成为发展经济的主要制约因素,不能不引起高度的注意。

第三,20 多年以来,我国经济取得了持续快速的发展,但代价也是很高的,因为我国的主要经济部门,包括主要的工业生产部门和农业生产,其资源利用效率和能源利用效率还处于很低的水平。据资料显示,在世界各国中,我国单位国民生产总值的物耗和能耗都居于高位。2003 年,我国 GDP 占世界份额的 4%,而主要物耗占世界物耗的份额

却要高得多,如钢铁为 27% ,原煤为 31% ,氧化铝为 25% ,水泥为 40% ,石油则为 7.4% 。我国单位 GDP 的能耗是日本的 11.5 倍,美国的 4.3 倍。正可谓"事倍功半"甚至事倍而功只有 1/10 。这说明,我国的经济增长,是用大量消耗自然资源和能源为代价的。显然,如不改变发展模式,提高资源和能源的利用率,我国的能源、资源与环境将无法支撑社会经济的可持续发展。

此外,全球经济的一体化进程日益加快,这是不可逆转的趋势。我国已经加入世界经贸组织,必须遵从国际规则。所谓的"绿色屏障",就是国际贸易中的一些规则与我国当前的现实存在差距所造成的现象。我们不能要求国际社会降低标准,只能按照国际标准提高自己的产品质量,特别是与人体健康和环境质量有关的质量。全球环境问题的不断加重和众多环境国际公约的制定,也使我国对国际社会的责任日益加重。应该看到,这些正是国际社会对我们的挑战。

总之,我们必须清醒地看到,如果继续沿袭现行的经济发展模式,在 GDP 翻两番的同时,资源(能源、水、主要矿产)投入将同步增长,污染(SO_2、COD、废水、固体废弃物)排放也将同步增长,其严重后果不言而喻。可以想见,届时耕地减少、用水紧张、能源短缺、矿产资源不足、大气污染加剧、水环境恶化、生态失衡等不可持续因素造成的压力将进一步增加,其中有些因素将逼近甚至超过极限值。换言之,如果只顾提高 GDP,不顾生态环境的保护,全面小康的目标是难以实现的。这就是我们面临的严峻挑战。

三、发展循环经济是实现小康社会目标的必由之路

困难虽然很多,挑战也十分严峻,但我们不是悲观主义者,我们坚信,小康社会的目标是可以实现的。为了全面实现建设小康社会的目标,关键是必须在保持经济高速发展的同时,确保环境的良好质量、资源的安全供给和社会的稳定繁荣。国内外已有的经验告诉我们,实现经济发展与资源、环境保护的协调是有可能做到的,其根本的措施就是改变传统的经济发展模式,不折不扣地实施可持续发展战略。

早在 20 世纪 80 年代后期,欧洲一些学者就提出人类必须提高资

源生产率,或称为生态效率,以减少 GDP 对资源的需求和环境的影响。环境影响模式是西方学者常用来估计人口增加、经济发展对环境影响的方程式。

I = PAT

式中:I 环境影响,可用资源消耗量或污染排放量表示;P 人口数;A 人均 GDP;T 单位 GDP 的环境影响。

可以利用上式对我国未来几年经济发展对资源和环境的影响进行情景分析(见表1)。到 2020 年我国 GDP 实现翻两番的目标,资源与环境状况将出现三种可能的不同情景。

情景 1,如果现有的资源生产率(单位资源消耗的经济产出)和污染排放水平保持不变,再考虑到人口的增加,到 2020 年,经济社会发展对资源的需求和环境的影响将是现在的 4—5 倍。

情景 2,如果使资源生产率提高到目前的 4—5 倍,单位 GDP 的环境影响降低到目前的 1/4—1/5,到 2020 年,就可以保持现有的环境质量。

情景 3,如果使资源生产率提高到目前的 8—10 倍,单位 GDP 的环境影响降到目前的 1/8—1/10,到 2020 年,经济社会发展对环境总的影响将降低到目前的 50%,环境质量将会有明显改善。

表1　经济快速增长进一步加重对生态、环境的影响的情景分析

指标 年份	人口总量 (P)	人均 GDP (A)	单位 GDP 的环境影响 (T)	环境影响 (1 = PXAXT)	提高资源 生产率的倍数 (1/T)
2000 年	约 12.7 亿	800 美元/人	1	1	1
2020 年 情景 1	约 14 亿—15 亿 (2000 年的 1.1—1.2 倍)	3200 美元/人 (2000 年的 4 倍)	1	4—5	1
2020 年 情景 2			1/4—1/5	1	4—5
2020 年 情景 3			1/8—1/10	0.5	8—10

显然,情景 1 意味着环境的进一步恶化和资源的大量消耗,是不符

合小康社会的目标的,也是不能容许发生的;情景 2 也远不能使人满意;我们惟一的选择是情景 3。也就是要大力提高资源利用效率,到2010 年,在 GDP 翻一番的情况下,不使生态、环境质量更为恶化并争取有所改善,以实现经济发展与生态、环境的协调。这正是发展循环经济才可以实现的目标。

传统的经济遵循的是"资源——生产——消费——废弃物排放"单向流动的线性经济,在这种开环型的线性经济中,人们从地球上提取大量的资源和能源,然后又以污染物和废弃物的形式大量排向大气、水体和土壤,把地球当做"阴沟洞"或"垃圾箱"。线性经济正是通过把资源源源不断变成垃圾的活动、通过不断增长的自然代价来实现经济的数量型增长。

与此不同,循环经济倡导的是一种与地球和谐共存的经济发展模式,它的要旨是将经济活动组织成"资源——生产——消费——二次资源"的闭环过程,所有的物质和能量要在不断进行的经济循环中得到合理和持续的利用,从而把经济活动对自然环境的不利影响降低到尽可能小的程度。

循环经济的基本原则是:减少资源利用量及废物排放量(Reduce),大力实施物料的循环利用系统(Recycle),以及努力回收利用废弃物(Reuse),这就是著名的 3R 原则。显然,循环经济的实施将使资源和能源得到最合理和持久的利用,并使经济活动对环境的不良影响降低到尽可能小的程度。循环经济完全符合可持续发展战略的思想,对环境和资源的保护有益,对子孙后代有益。在西方国家,循环经济已经成为一股潮流和趋势。德国和日本已经制定了相应的法律加以推进。德国于 1996 年就颁布了《循环经济与废物管理法》,日本则在2000 年制定了《推进形成循环型社会基本法》等一系列环保法规,并已在 2004 年 4 月前相继颁布实施。

循环经济的实施具有高度的综合性,它必须涵盖工业、农业和消费等各类社会活动,并需要各种新型的技术作为支持,需要法律、规章的保障。

例如在工业领域,长期以来,科技的进步和工业的发展多着眼于开发新材料、新产品、新工艺,注意的是新材料的性质、新产品的功能、新工艺的效率,追求的是产品的产量、产品的质量以至寿命,有时也考虑产品的成本,以便获取更大的利润,而工业产品本身及工业生产过程对环境的破坏和危害,却长期被忽略。因此造成了资源的大量消耗浪费,污染的大量排放,甚至还使用或生产了很多有毒有害物质,对人类危害深重。20世纪60年代以来,为了减轻发展给环境所带来的压力,工业化国家通过各种方式和手段对生产过程末端的废物进行处理,这就是所谓的"末端治理"。这种方法可以减少工业废弃物向环境的排放量,但很少影响到核心工艺的变更。很多情况下,末端治理需要昂贵的建设投资和惊人的运行费用,末端处理过程本身要消耗资源、能源,并且也会产生二次污染使污染在空间和时间上发生转移。因此,这种措施是不符合可持续发展战略的,是不能从根本上解决环境污染问题的。

对于"末端治理"的分析批判导致了解决环境污染问题新策略的诞生。20世纪70年代,许多关于污染预防的概念如"污染预防"、"废物最小化"、"减废技术"、"源削减"、"零排放技术"、"零废物生产"和"环境友好技术"等相继问世,这些都可以认为是清洁生产的前身。1989年联合国环境规划署(UNEP)在总结工业污染防治概念和实践的基础上提出了清洁生产的名称,并正式推出了清洁生产的定义:清洁生产是指对工艺和产品不断运用综合性的预防战略,以减少其对人体和环境的风险。自此,在联合国的大力推动下,清洁生产逐渐为各国企业和政府所认可,清洁生产进入了一个快速发展时期,大量的清洁生产实践表明清洁生产可以达到环境效益和经济效益的双赢目标。

清洁生产着眼于污染预防,全面地考虑整个产品生命周期过程对环境的影响,最大限度地减少原料和能源的消耗,降低生产和服务的成本,提高资源和能源的利用效率,使其对环境的污染和危害降到最低。20多年的理论研究和实践表明,清洁生产是资源可持续利用、减少工业污染、保护环境的根本措施。在企业管理和技术层次上,清洁生产不仅能够实现工业污染源达标排放和总量控制的目标,还可以促进企业整体素质的提高、增加企业的经济效益、提高企业的竞争能力,增加国际市场准入的可能性,减少贸易壁垒的影响。可以认为清洁生产是可持续发展战略引导下的一场新的工业革命,是 21 世纪工业生产发展的主要方向,也是循环经济的主要组成部分之一。我国已经在 2002 年 6 月正式颁布了《清洁生产促进法》,可以预料,清洁生产的推行将会走上新阶段。

生态工业园区(Eco-Industrial Park,EIP)是工业生态学的典型实践形式。它谋求工业群落的优化配置,节约土地,互通物料,提高效率,最大限度地谋求经济、社会和环境三个效益的统一。工业生态园区的核心是工业企业,还包括农业部门、居民生活区、信息处理部门等,是一个自然、工业和社会的复合体。工业生态园区通过成员间的副产物和废物的交换、能量和水的逐级利用、基础设施和其他设施的共享来实现整体在经济和环境上的良好表现。

党的十六大提出,实现工业化仍然是我国现代化进程中艰巨的历史性任务,但我们必须走出一条科技含量高、经济效益好、资源消耗低、环境污染少、人力资源得到充分发挥的新型工业化道路。循环经济和清洁生产所追求的目标完全符合新型工业化道路的特征。

生态农业的建设是循环经济在农村的具体体现。合理使用化肥和农药,必将大量减少资源的消耗和残留于继而随径流进入水体的氮、磷污染,对防止耕地质量的退化也大有好处;农村废弃物多为有机废弃物,任意堆放或弃置会造成难以控制的面源污染,收集并加以发酵处理,不仅可获得沼气,可以补充或代替能源,还可以获得优质的有机肥料,进一步减少化肥的使用量,生产绿色食物;农村中的多种经营既是生态农业的表现形式,又是实施循环经济的广阔天地,种植业、养殖业、畜牧业、农产品加工业以及新兴的旅游业、服务业等,完全可以利用生态良性循环的原理连成生态链或生态圈。

城市和农村的消费行为和为消费服务的行业,如零售业、旅馆酒店业、餐饮业等,都应按照上述的 3R 原则改变其方式。首先是提倡在消费中节约资源、保护环境,反对铺张浪费、恣意挥霍,与工业、农业一样,要重视源头控制;其次是要重视循环利用和回收利用废弃物,分类收集垃圾是一项必要的措施,实施分类收集垃圾则需要全民的自觉行动,也需要经济有效的管理系统;另外社会的循环经济实施需要发展新技术,如塑料的回收利用,至今没有能够得到落实,与没有切实地分类收集有关,与缺乏经济合理的回收利用技术也有密切关系。

循环经济的实施不仅应推行上述对工业、农业和消费的新策略,还应精心设计和实践将工业、农业和消费连接成为整体的大的循环圈。包括将工业废料或半成品用于农业,把净化后的城市废水用于农业灌溉,把农业养殖的动植物作为工业原料、消费产品等等。总之,循环经济是一个在可持续发展战略指引下涌现出来的全新的经济模式,其实施途径还需要在实践中进一步探索创造。

显然,传统的经济模式使经济发展与环境资源保护对立,也就必然会损害人民的根本利益,试想,经济发展纵然能使人民的收入增加,但生活在恶劣环境中的人民、为日益枯竭的资源担心“无米之炊”之日来临的人民,又怎能享受生活的美好? 更别说我们的子孙后代将要受到的严重威胁了。

相反,循环经济提倡的是经济发展与环境资源保护的协调,人与自然的和谐,在经济发展的同时充分考虑到节约资源、减少污染,可以做到“事半功倍”,即花费一半的资源创造两倍甚至五倍的财富,同时将排放的污染物大大减少。循环经济还因为提倡将废弃物变成资源而可以创造很多就业机会,因此,推行循环经济,可以获得经济发展、环境保护、社会就业的三赢,反映了小康社会目标的全面要求,发展循环经济是全面建设小康社会的必由之路。

四、我国发展循环经济的优先领域和保障措施

在中国发展循环经济不仅是必要的,而且也是可行的。中国还是一个发展中国家,除了东部沿海的一些省市已经达到相当高的发展水平外,还有更大的国土面积、更多的人口处于经济水平十分低下的状态。如西部地区大开发还处在起步阶段,完全有可能按照可持续发展战略的基本原则和循环经济的主要途径进行发展规划,从一开始就走上健康的发展模式。

东部地区发展水平已经较高,但多数工业的生态效率低下、污染严

重;农业生产使用化肥、农药过量,造成产品和耕地出现质量问题;在消费过程中对资源的浪费现象也十分严重。另一方面,提高资源利用率的潜力很大,这表明推行循环经济可能获得的利益将很显著,推行循环经济的理念也就容易为人们所接受。

此外,还应该看到,中国人民有勤俭持家的传统,在经济比较不发达的过去,废品回收行业相对较发达,国家在20世纪70年代指定的环境保护32字方针中,还包括了"综合利用""变废为宝",创造了一些成功的经验。传统观念的继承、发扬和适合我国特征的经验的推广,将是在我国推行循环经济的很好基础。

发展循环经济是一件十分繁重、复杂、艰巨、长期的任务,但如能明确目标、全民动员、上下一致、不断积累,循环经济是可以从小到大、从局部到整体、从低级到高级不断发展、进步的。根据我国的具体情况,建议在推行循环经济的过程中特别注意以下优先领域:

第一,建立自然资源和生态环境的价值化核算方法,构建绿色国民经济核算体系。如前所述,建设小康社会的目标并不仅是经济增长,全面、协调、可持续发展的科学发展观也指明了协调人与自然、经济发展与环境保护的重要性。为了实施科学发展观,非常有必要研究并科学制定自然资源和生态环境的价值化核算方法,并在此基础上构建绿色国民经济核算体系,以及反映科学发展观的政绩考核体系。

第二,加大经济结构调整和技术改造力度,转变单纯依赖自然资源的经济结构和增长方式。我国还是发展中国家,正处在工业化和城市化快速发展的关键时期,但这并不是说我们可以不顾资源的可利用性和环境的可接受性,只为增加产值而盲目发展。必须认真进行经济结构的调整和技术改造的力度,尽快走上新型工业化道路。

第三,加快循环经济技术开发、示范和推广应用,大力提高资源生产率,尽量实现废物的资源化。特别应注意开发、利用节能、节水和节约资源的各项技术和废旧产品和废弃物的回收利用技术,把污染、破坏环境的废弃物变成造福人民的资源,努力建成资源节约型、环境友好型的社会。

为促进循环经济的发展,需要有相应的政策和机制来保障。主要保障措施有：

法律措施：应在原有法律的修改中补充有关条文，并制定一些新法律。2002 年 6 月底颁布的《清洁生产法》是一部有利于促进循环经济的法律。人大常委会正在讨论的另一部法律《环境影响评价法》，将根据对环境的影响规范发展规划和项目，使经济发展与环境保护协调起来，与循环经济的推行宗旨是完全一致的。此外，我们也有必要参考外国在立法方面的经验加强推行循环经济的立法工作。如加快制定回收利用废弃家电、食品、包装品、汽车等的法律。

技术措施：循环经济的推行必须大力研究、开发、应用先进的技术，如清洁生产、生态工业园区、生态农业、废物回收利用技术、生态旅游方式等。在循环经济原则的指引下，在可持续发展战略的指引下，近十年来科学技术取得了快速的进步，其中不乏很多绿色的、与环境友好的技术，我国除了学习各国的先进经验外，还应大力提倡创新，研究、开发符合我国国情的科学技术，为我国的可持续发展服务。

教育措施：通过大专院校、媒体、党政干部学校及短训班、交流会等多种方式，对不同类型的人进行教育，使政府官员、企业主管、工程技术人员、服务行业人员以及普通百姓都能逐步接受环境伦理学和可持续发展观念，在不同的岗位上为实施循环经济共同努力。

经济措施：通过制定有关的经济政策，如对回收废旧产品的行业减免税收，规定有利于再生资源和能源推广应用的价格等，以鼓励人们在实施循环经济过程中作出贡献。

发展循环经济意味着思想观念、发展模式、科技手段、政策法规等一系列的根本改变，当然是一件十分艰巨的任务，不是一朝一夕所能实现的。但为了全国人民的根本利益，为了我们的子孙后代，我们必须尽快地迈开脚步，必须加倍地努力工作，必须十分重视部门间的合作，我们的目的是能够达到的，全面建设小康社会的理想是能够实现的。

（钱易：中国工程院院士、清华大学教授）

主要参考文献

1. 江泽民:《在中国共产党第十六次全国代表大会上的报告》。

2. 中国环境与发展国际合作委员会循环经济与清洁生产课题组:《工作报告》（2003 年 11 月）。

3. 钱易:《清洁生产与可持续发展》,《中国清洁生产》,1998,1(1):6—10。

4. Suren Erkman:《工业生态学》,徐兴元译,经济日报出版社,1999 年。

5. Berkel R. V. Cleaner Production Perspectives for the next decade（Ⅱ）, UNEP's 6th inter-national high-level seminar on cleaner production, Montreal, Canada, Oct,2000.

6. Muys, B. Wouters, G. & Spirinckx, C. Cleaner production: A guide to information sources.

7. 钱易、唐孝炎:《环境保护与可持续发展》,高等教育出版社,2000 年。

8. 席德立:《清洁生产》,重庆,重庆大学出版社,1995 年。

9. 汪应洛、刘旭:《清洁生产》,机械工业出版社,1998 年。

10. 王学军、何炳光、赵鹏高:《清洁生产概论》,中国检察出版社,2000 年。

11. Geiser K. Cleaner Production Perspectives for the next decade. UNEP's 6th international high-level Seminar on Cleaner Production, Montreal, Canada, Oct. 2000.

12. 涂瑞和:《在中国推广清洁生产:综述与展望》,《产业与环境》,1999,21(4):30—36。

13. 张天柱:《中国清洁生产政策的研究与制定》,《化工环保》,2000,20(4):43—47。

循环经济的工程科学基础

金 涌 等

一、前 言

新世纪我国经济面临的主要挑战是：如何解决在平均资源和能源利用率明显小于世界平均水平，且环境污染生态退化的严重的情况下，实现可持续发展。因此，惟一出路只有通过发展生态产业来建设一个循环经济型社会。

发展循环经济型社会要求在充分利用资源，优化利用能源和保护环境的前提条件下，实现效率和利润的最大化。这一目标是现有常规技术所无法支撑的。循环经济的三个层次和三个支撑的构成如图1所示。由图可见，循环经济中工程科学的基础地位是不容置疑的。

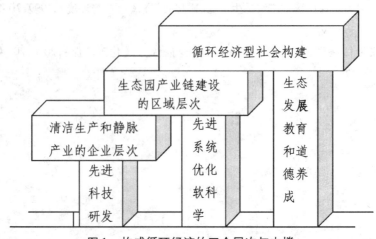

图1 构成循环经济的三个层次与支撑

二、循环经济的科学基础

循环经济的实现具有坚实的科学基础。热力学第一定律说明循环经济所倡导的通过物流、能流的重复利用和优化利用是可能的;热力学第二定律说明物质循环利用要付出代价,即物质和能量的品位会下降;Prigogine 的耗散结构理论说明,必须要引入负熵流,系统才能维持有序和发展,物质品位的提升,就可以重新被利用;另外在适当的条件下,耗散结构的涨落效应可以使线性经济系统转变成为结构和功能更为有序的循环经济系统;近代信息学的发展可以通过对物流、能流、信息流的优化集成使总体系的效益优化增值。爱因斯坦的质能关系揭示了负熵流最终源泉的本质(参见图 2),上述基本原理构成了循环经济的自然科学基础。

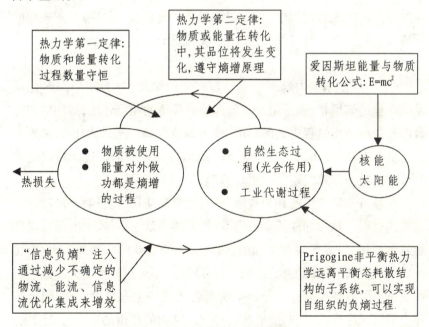

图 2　循环经济的自然科学基础

1.热力学第一定律

物质无论在生产和消费过程之中还是在之后都没有消失,只是从原来"有用"的原料或产品变成了"无用"的废物进入环境中,形成污染,物质的总量保持不变。但"有用"和"无用"是相对的,随着新技术、新工艺、新消费观和新组织构架的建立,一方面,生产和消费过程消耗的资源和产生的废物将不断减少,另一方面,大部分废物将重新成为原材料进入生产和消费过程,形成物质循环利用的循环经济系统。

2. 热力学第二定律

热力学第一定律描述了过程状态变化所遵循的规律,热力学第二定律则描述过程变化方向所遵循的规律:孤立系统总是自发地朝向使系统熵增加的方向发展。统计热力学意义下的熵是分子热运动无序度的量度,分子热运动的无序度越高,熵值就越大。将热力学熵的概念推广,可用广义熵来描述分子热运动以外的其他物质、运动方式、系统的混乱度、无序度和不确定度。

热力学第二定律所表述的熵增加原理只能用于判断孤立系统中过程的方向。在现实过程中,系统通常都是开放系统,与环境有着密切的物质和能量交换。对于开放系统,系统的熵增量如下表示:

$$dS = d_i S + d_e S$$

$d_i S$ 表示由系统内部不可逆过程产生的熵增,称为熵产;$d_e S$ 是原系统环境的熵增量,表示由于系统和外界环境的相互作用,如物质和能量的流进或流出过程引起的熵增,称为熵流。熵产永远大于 0,熵流可正可负。若 $d_e s$ 为 0,则 $dS = d_i S > 0$,此即孤立系统的情况。所以上面的等式是热力学第二定律的更普遍形式。

在经济系统的生产和消费活动中,物质被使用、能量对外做功都是熵增的过程。物质和能量在使用以后,虽然在量上保持不变,但其质已经发生变化,变成无序度增加的状态,典型的如新鲜水变成污水、电功变成废热等,物质和能量的可用的程度降低,不可用程度变大。这些正熵被毫无限制地排放到与经济系统密切相关的生态环境中,引起生态环境系统无序度的增加,造成我们目前所见到的严重的环境污染问题。循环经济系统就是使原本被弃置的处于高熵状态的物质,重新转变到低熵状态加以利用。这一过程必须要付出代价——负熵转化。

3. 耗散结构理论

化学家 Prigogine 在研究某些远离平衡态并且包含多基元多层次

的开放化学系统时,发现这些系统通过耗散运动(与外界进行的物质、能量、信息的交换运动),在系统内部涨落(局部的起伏偏差)的触发下,可以自组织地形成某种动态稳定的时空上有序的结构,称之为耗散结构。Prigogine 的耗散结构理论已被广泛应用到很多领域。

生命系统、社会经济系统都是耗散结构,具有丰富的层次和结构。这些系统内部不断产生正熵,使系统趋向于混乱。为维持自身在空间上、时间上或功能上的有序状态,系统就要不断地从外界引入负熵流,进行新陈代谢过程。

对比线性经济系统和循环经济系统及其熵流。线性经济系统和循环经济系统都是开放系统,它们的负熵流大部分都直接或间接地源于太阳。但线性经济系统将自身进化同与之密切相关的自然生态系统分隔开来,前者的有序进化是以后者的混乱退化为代价,这反过来影响到前者负熵流的有效摄入,加上前者自身的无度发展,熵产增加,趋向于形成 $d_iS > |d_eS|$ 的局面。循环经济系统的发展必须将视野扩大,同自然生态系统形成一个新的更大范围的开放系统,它的有序进化途径是充分利用负熵流,减少自身熵产,形成 $d_iS < |d_eS|$ 的局面,系统进化的代价是以新边界以外的环境系统的熵增为代价。

4. 爱因斯坦的质能关系

在人类的可控核聚变技术最终成熟以前,太阳内部的核聚变能量是循环经济系统赖以存在的负熵流的主要来源。爱因斯坦的质能关系 $E = mc^2$ 揭示了这一负熵流的本质。

太阳能负熵流有两种利用途径:

(1)历史上的太阳能负熵流。以煤、石油、天然气等化石能源的形式间接存在,是目前的线性经济系统生产和消费过程的主要驱动力,也将是早期循环经济系统的主要驱动力,但循环经济系统应当寻求更为清洁和有效的方式来对使作为能量载体的碳、氢等元素得到循环利用。

(2)当前的太阳能负熵流。以太阳能、风能、水电、潮汐能等形式直接或间接地存在,对目前人类的时间跨度而言是可再生的,是未来循环经济系统的主要驱动力。循环经济系统应当寻求对当前太阳能负熵流的深入开发利用。此外,也需要研究地球上核能资源的利用技术。

5. 信息负熵

申农（Claude Shannon）把信息量定义为两次不确定性（用信息熵来表示和计量）之差，信息量就是不确定性（熵）的减少量，也就是负熵。开放系统内部的信息可以有效地减少系统的熵产。与工业代谢过程中的负熵产生过程相比，信息的产生、加工、传播只需要输入很少的太阳能负熵，但却可以产生与输入相比大得多的负熵效应。循环经济系统的发展和建立需要政策、技术、消费观念等方面的全面变革，需要系统内部信息充分的交流，建立生态工业园区内物流、能流、信息流、资金流的最佳集成优化，这些都可以归结为信息负熵的创造和利用。

三、循环经济的支撑技术体系

先进的科学技术是循环经济的核心竞争力。如果没有先进技术的输入，循环经济所追求的经济和环境多目标将难以从根本上实现。循环经济的支撑技术体系由五类构成：替代技术、减量技术、再利用技术、资源化技术、系统化技术。

替代技术是指旨在通过开发和使用新资源、新材料、新产品、新工艺，替代原来所用资源、材料、产品和工艺，以提高资源利用效率，减轻生产和消费过程对环境的压力的技术。

减量技术是指旨在用较少的物质和能源消耗来达到既定的生产目的，在源头节约资源和减少污染的技术。

再利用技术是指旨在延长原料或产品的使用周期，通过多次反复使用，来减少资源消耗的技术。

资源化技术是指旨在将生产或消费过程产生的废弃物再次变成有用的资源或产品的技术。

系统化技术是指主要从系统工程的角度出发考虑，通过构建合理的产品组合、产业组合、技术组合，实现物质、能量、资金、技术的优化使用的技术，如多产品联产和产业共生技术。

多产品联产通过多种产品的联合生产提高资源利用效率。对生产过程中消耗的原材料和能源进行科学的分配来生产不同产品，或者对资源进行深加工，对副产物进行充分开发利用，都可实现多产品联产。

产业共生将不同的产业、行业耦合在一起共同生产来提高资源利用效率。某一个行业生产过程的产品或废弃物，可能正好是另一个行业生产过程所需的原料。在空间上将具有耦合效应的产业配置在一起，可大幅提高生产效率，减少废弃物的生成以及不必要的资源消耗。

以下就一些重大的循环经济技术策略进行简要阐述。

低物耗、能耗煤基液体燃料生产技术。我国石油对外依存度越来越高，成为影响国家战略安全的一个重要因素。将煤气化制成合成气，再由合成气经费—托合成生产汽油、柴油，或利用先进的浆态床一步法工艺大规模生产甲醇（代汽油）或二甲醚（代柴油）清洁燃料，将可有效缓解我国面临的油气资源紧张局面。

通过重要化学元素的工业代谢分析，开发资源循环利用途径：

在工业生产中诸多元素是可能被重复利用和循环利用的。以氯元素为例，诸多生产过程中均以氯元素为原料，但它并不进入（或完全进入）产品，而有可能被循环利用。寻求一种低能耗过程，可以将副产物氯化氢转化为氯气的工艺将有重要价值。

首批可以研发循环利用的其他元素有金属元素 Fe、Cu、Al、Pb……，非金属元素 P、S、Cl、As……，能量循环利用的载体元素 H、C等。

煤化工产品多联产及高附加值利用技术。在煤基液体燃料生产中，利用先进脱硫技术回收煤中硫磺；煤气化后剩余的废渣，作为建材行业的优质原料；同时，将生产过程与燃气—蒸汽联合循环相结合进行热电联产，可进一步提高资源利用效率，有效降低投资费用和生产成本。对于产品甲醇和二甲醚，它们还可以进一步裂解生产低碳烯烃，成为我国急需的乙烯原料的新来源。同石油路线相比，这一新的乙烯生产路线将具备投资和资源利用效率优势。以煤气化为龙头，以煤化工产品多联产为纽带，通过系统集成，建设"煤—化—电—热—建材"多产业共生的生态工业园区，将"脏"煤转变为高效、清洁的能源和化工原料，是一项有重大战略意义的循环经济举措，国家应当对此进行扶持。

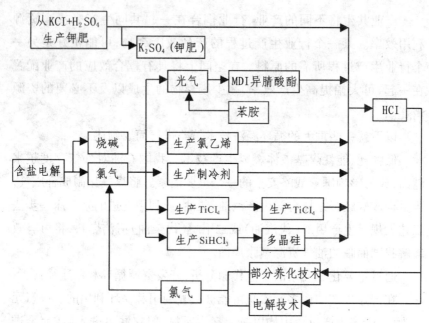

图3 氯元素在工业系统中的循环代谢

（MDI——二苯基甲烷二异腈酸酯）

生物质能转换技术。我国的农业生产每年产生大量秸秆,其中可用于能源的部分相当于1.8亿吨标煤,约为2000年能源消费总量的14%。以村镇为单位,采用高效秸秆气化技术、液化技术、高密度化技术等生产高品位能源或用于小型发电,可有效改善农村用能效率,提高农村生活质量,同时还可减少秸秆直接燃烧造成的环境污染,减少化石能源的消耗。从远期来看,利用现代生物技术培育高产油料作物生产生物柴油,或实现以绿藻为体系的低成本大规模生物制氢,亦可获得可再生的绿色能源。

集约化养殖畜禽粪便的资源化利用技术。我国集约化畜牧生产提供的猪肉、鸡蛋已分别占到全国总产的20%和40%以上。1999年全国养殖业畜禽粪尿排出量相当于当年工业固体废弃物产生量的2.4倍,绝大多数未经处理直接排放,造成严重的环境污染。开发和推广集约化养殖畜禽粪便的资源化利用技术,通过收集、转化、干燥、粉碎、脱臭、包涂等工序,将之转变为工业规模的高效生物肥料,可有效减少环境污染,同时替代相当数量的化肥,也缓解了我国高效有机肥料供应不足的矛盾。

熔融还原冶铁新工艺与钢铁—煤化工产业共生。我国钢铁工业的快速发展对焦炭需求日趋增加。我国焦煤资源有限,炼焦企业出于环保要求又被限制发展,焦炭供不应求已成为必然趋势,非焦炼铁也将势在必行。熔融还原炼铁工艺是前沿炼铁技术,它利用非焦煤生产液态铁,流程短,成本低,污染小,铁水质量好。熔融还原炼铁附产大量煤气,可利用化工过程将之转化为甲醇或二甲醚清洁燃料。工艺概算表明,联合工艺可使能源利用效率提高 1 倍,产品能耗下降 60%,吨钢成本下降 50%。对于传统的炼焦—钢铁联合企业,利用大量剩余焦炉煤气作为原料生产化工产品亦是提高资源利用效率,减轻环境污染的可行途径。在新技术基础上构建新型钢铁—煤化工联合企业或生态工业园区,对未来的冶金、化工、环保和能源的发展具有重要意义。

绿色化学技术。化学工业是国民经济的重要基础产业,也是资源消耗和环境污染大户。化学工业必须向生态化方向转变,绿色化学技术是这一转变的基础。它包括新型催化技术、改进溶剂和反应条件、"原子节约"型清洁合成路线开发、安全化学产品设计等,实现"全生命周期清洁"的过程工业,可从根本上减少化工过程对资源的消耗和对环境的污染。为推动绿色化学研究和绿色化学新工艺快速发展,美国 1996 年起设立了总统绿色化学挑战奖,日本 2002 年起设立绿色和可持续发展化学奖。我国应当充分重视绿色化学技术的开发和应用。

以化学矿物加工为核心的生态工业系统。我国西部地区化学矿产丰富,特别是磷钾资源主要集中在西部。对这些资源加工利用的过程中往往产生大量"废弃物",对生态环境造成很大影响。应按照生态工业思想,对这些资源的加工利用过程进行技术集成、物质集成和能量集成,构建对资源进行充分利用的生态工业系统。如生产 1 吨黄磷副产14 吨左右的"废物",包括磷渣 10 吨,CO 尾气 3.8 吨,磷泥 0.2 吨—0.5 吨,磷铁 0.1 吨。如果利用磷渣生产建材、尾气生产化工产品,磷泥回收利用,磷铁生产纳米级新材料,构建"磷化工——碳化工——建材——新材料"多产业耦合的生态工业系统,则可在磷矿消耗不增加的前提下,仅靠充分利用副产物就获得 3.5 倍于原产值的回报。

水泥生产新工艺。我国经济建设的飞速发展使得对水泥的需求量居高不下。2002年我国生产水泥7亿吨—8亿吨,占世界总产量的40%—50%。但当前水泥生产的结构极不合理,落后的立窑水泥仍占总产量的80%,新型干法水泥产量只占11%,资源和环境代价巨大,劳动生产率很低。国家必须坚持淘汰压缩落后的立窑水泥的产业政策。同时,在技术上,需进一步解决新型干法水泥装备的大型化、节能化和智能化问题,开发劣质能源、工业废弃物在水泥生产中应用的新技术、新工艺和新设备,在保证水泥产品质量的前提下,使水泥生产向节能、利废、环保方向发展。

废旧机电装备再制造技术。我国设备资产有几万亿元,每年因磨损和腐蚀使设备停产、报废所造成的损失愈千亿元。大量设备的报废对环境和资源造成巨大压力。再制造以先进技术和产业化生产为手段,修复和改造废旧机电设备,使之恢复性能甚至获取新的性能,延长设备使用寿命。再制造在节能、节材、降耗、减少污染和提高经济效益上的作用是巨大的。美国有48万人从事再制造,每年可创造530亿美元的产值。研发废旧设备的再制造技术,并将再制造业发展成为一个新产业,是我国作为一个设备大国发展循环经济应有之举措。

"电子垃圾"资源化的单元技术与设备。电子垃圾包括废家电、废电脑等。我国已进入电器废弃的高峰期,每年估计报废500万台电视机、400万台冰箱、600万台洗衣机,未来5—10年电脑报废量也将达到每年500万台以上。电子垃圾主要由金属、玻璃和塑料构成,还包含很多有毒有害化学品。进行填埋和焚烧不仅污染环境,而且浪费资源。应立即着手开发和推广电子垃圾资源化的先进设备和工艺,从不能再利用的电子垃圾中,低成本、低污染、高效率地回收金属、塑料、玻璃等原料投入再生产,将电子垃圾资源化发展成为一个规范的现代化产业。

（金涌:中国工程院院士,胡山鹰、陈定江:
清华大学化工系、生态工业研究中心）

主要参考文献

1. 解振华:《生态工业理论与实践》,北京,中国环境科学出版社,2002 年。
2. 金涌、李有润、冯久田:《生态工业:原理与应用》,北京,清华大学出版社,2003 年。

关于进一步做好循环经济
规划的几点看法

陆 钟 武

本文将提出以下几点看法：

（1）IPAT 方程很有用；

（2）单位 GDP 环境负荷的年下降率很重要；

（3）要认清我国二次资源严重短缺问题；

（4）要下决心穿越"环境高山"。

一、IPAT 方程很有用

式（1）是著名的 IPAT 方程式（见参考文献 1,2）

$$I = P \times A \times T \qquad \cdots\cdots\cdots\cdots\cdots (1)$$

式中：I—环境负荷；P—人口；A—人均 GDP；T—单位 GDP 的环境负荷。式中的环境负荷可以特指各种资源消耗量或污染物产生量（请注意，这里只能用污染物的产生量，而不能用它的排放量，因为末端治理的效果未考虑在内。）。以能耗为例，式（1）可写作

$$能源消耗量 = 人口 \times \left(\frac{GDP}{人口}\right) \times \left(\frac{能源消耗}{GDP}\right)$$

以 CO_2 产生量为例，式（1）可写作

$$CO_2 \ 产生量 = 人口 \left(\frac{GDP}{人口}\right) \times \left(\frac{CO_2 \ 产生量}{GDP}\right)$$

这个公式虽然很简单，但是很有用。它是西方学者在 20 世纪七八

十年代,经过反复讨论才确定下来的(见参考文献3),是经过验证的,可以用来做定量计算。

IPAT 方程还可写成其他形式,例如

$$I = G \times T \qquad \cdots\cdots\cdots\cdots\cdots(2)$$

式中 $G = P \times A$,也就是 GDP。式(2)可称作 IGT 方程。

在编制中、长期规划时,只要按照 IPAT 方程,或从它派生出来的其他方程,通过反复推敲,就可以把规划期内环境方面的有关指标确定下来,把未来的环境状况说清楚。

但是,在有些规划中,环境方面的指标,往往残缺不全,从中无法了解未来的资源、环境状况究竟会怎样。甚至会发现,如按规划稿中的有关数据推算,若干年后的环境负荷会高得惊人,当地肯定无法承受。

其实,只要考虑周全些,把式(1)、式(2)用上去,这些问题是很好解决的。现举两个例题说明这两个方程在规划中的一般用法。

例1. 设我国 20 世纪末,人口为 $P_0 = 12 \times 10^8$,人均 GDP 为 $A_0 = 800$ 美元;21 世纪中叶,人口为 $P = 16 \times 10^8$,人均 GDP 为 $A = 4000$ 美元。(1)如在此期间不允许环境负荷上升,问万美元 GDP 环境负荷应降低多少;(2)如允许环境负荷上升 30%,问万美元 GDP 环境负荷应降低多少。

解:(1)不允许环境负荷上升

设 20 世纪末,环境负荷为 I_0,万美元 GDP 环境负荷为 T_0,则按式(1)得

$$I_0 = 12 \times 10^8 \times 800 \times T_0 \qquad \cdots\cdots\cdots\cdots\cdots(a)$$

设 21 世纪中叶,环境负荷为 I,万美元 GDP 环境负荷为 T,则按式(1)得

$$I = 16 \times 10^8 \times 4000 \times T \qquad \cdots\cdots\cdots\cdots\cdots(b)$$

按题意知

$$I = I_0 \qquad \cdots\cdots\cdots\cdots\cdots(c)$$

故 $\quad 12 \times 10^8 \times 800 \times T_0 = 16 \times 10^8 \times 4000 \times T$

解得 $\quad \dfrac{T}{T_0} = \dfrac{12 \times 10^8 \times 800}{16 \times 10^8 \times 4000} = \dfrac{1}{6.67}$

即,在此期间,万美元 GDP 环境负荷应降低 6.67 倍。

(2)允许环境负荷上升 30%

按题意,本例题中的式(c)改为

$$I = (1 + 0.3)I_0$$

将式(a)、式(b)代入上式得

$$1.3 \times 12 \times 10^8 \times 800 \times T_0 = 16 \times 10^8 \times 4000 \times T$$

解得

$$\frac{T}{T_0} = \frac{1.3 \times 12 \times 10^8 \times 800}{16 \times 10^8 \times 4000} = \frac{1}{5.13}$$

即,在此期间,万美元 GDP 环境负荷应降低 5.13 倍。

例 2. 已知某市 2000 年 GDP 为 $G_0 = 1500 \times 10^8$ 元,新水耗量为 $I_0 = 18 \times 10^8$ 立方米;2020 年 GDP 增至 $G = 7000 \times 10^8$ 元。如新水耗量只允许增加 20%,问 2020 年万元 GDP 新水耗量应为多少,并与 2000 年作对比。

解:i 计算 2000 年万元 GDP 新水耗量 T_0

按式(2) $\quad T_0 = \dfrac{I_0}{G_0} = \dfrac{18 \times 10^8}{1500 \times 10^8} \times 10^4 = 120$ 立方米/万元 GDP

ii 计算 2020 年新水耗量 I

按题意 $\quad I = (1 + 0.2) \times 18 \times 10^8 = 21.6 \times 10^8$ 吨

iii 计算 2020 年万元 GDP 新水耗量 T

$$T = \frac{I}{G} = \frac{21.6 \times 10^8}{7000 \times 10^8} \times 10^4 = 31$$ 立方米/万元 GDP

即:在此期间,万元 GDP 新水耗量应从 120 降至 31 立方米/万元 GDP,即应降低为原值的约 1/4。

在确定中、长期规划中的单位 GDP 环境负荷的规划值时,以上两例可作参考。

顺便提一下,单位 GDP 资源消耗量的倒数,就是"资源效率"。这个名词也是大家经常使用的。好比,例 2 中的某市,在 20 年间万元 GDP 新水耗量应从 120 降为 31 立方米/万元 GDP,降低约 4 倍;换一个说法是,该市在 20 年间"水资源效率"应从 1/120 提高到 1/31 万元 GDP/立方米新水,提高约 4 倍。对万元 GDP 新水耗量来说是降低约 4 倍,而对"水资源效率"来说是提高约 4 倍,因为它们二者互为倒数。

同理,单位 GDP 污染物排放量的倒数,就是"环境效率"。对它的理解,和"资源效率"完全相同,不必再加解释。

请注意,"倍数(Factor)"问题,在中、长期规划中是最重要的,丝毫马虎不得。只要在"倍数"的确定问题上有失误,编制出来的规划就不可能是很成功的。

二、单位 GDP 环境负荷的年下降率很重要

单位 GDP 环境负荷的年下降率,是中、长期环境规划中的重要指标,也是制定年度计划的重要依据。但是,在有些规划中,只能见到 GDP 的年增长率,却很少见到单位 GDP 环境负荷的年下降率。这说明,对于前者重视有余,而对于后者的重要性仍认识不足。

大量事实说明,资源之所以短缺,环境之所以恶化,其根本原因就在于这两个指标之间不成比例,失去了平衡。为此,本文将概要说明应如何掌握这两个指标之间的匹配关系,才能适应资源、环境方面的规划要求。

在下文中,用 g 代表 GDP 的年增长率,t 代表单位 GDP 环境负荷的年下降率。研究表明(见参考文献 4),只有当 t 值等于下式中的 t_k 值时,环境负荷才会与 GDP"脱钩",即无论 GDP 怎样增长,环境负荷也不会上升。这个公式是

$$t_k = \frac{g}{1+g} \qquad\qquad \cdots\cdots\cdots\cdots\cdots(3)$$

式中 t_k 为单位 GDP 环境负荷年下降率的临界值。

若 $t = t_k$,环境负荷与经济增长"脱钩";

若 $t < t_k$,环境负荷必随 GDP 的增长而逐年上升,且 t 与 t_k 之间的差值愈大,环境负荷上升得愈快;

若 $t > t_k$,环境负荷必在 GDP 增长过程中逐年下降,且 t 与 t_k 之间的差值愈大,环境负荷下降得愈快。

按式(3)计算的 t_k 值,如表 1 所示。

表1　t_k 的计算值

g	0.01	0.03	0.05	0.07	0.09	0.11	0.13	0.15
t_k	0.009	0.029	0.0476	0.0654	0.0824	0.0991	0.115	0.1304

由表可见，g 值愈大，t_k 值亦愈大。也就是说，GDP 增长愈快，愈不易实现环境负荷与 GDP 之间的"脱钩"。

在 21 世纪头 20 年中，我国经济将翻两番。这大致相当于 $g=0.07$，即 7%。由表 1 可知，与之相对应的 t_k 值为 0.0654，即单位 GDP 的环境负荷每年必须降低 6.54%，才能使环境负荷与经济增长"脱钩"。如果达不到这个要求，环境负荷必将逐年上升。如何针对各种资源和污染物，合理地确定它们各自的 t 值以及与之相对应的措施，无疑是规划的重点和难点。

有些地方提出 20 年内 GDP 翻两番以上，甚至翻 3 番的要求（g 值大于 0.07，甚至高达 0.11）。在这种情况下，合理地确定各种资源和污染物的 t 值，就更费思索了，因为如果把 t 值定得比 t_k 值小很多，虽然规划实施起来比较容易，但是将来一定会出现严重的资源、环境问题。反过来，如果把 t 值定得很高，使之接近 t_k 值，虽然在资源、环境方面的情况会好得多，但是将来这个 t 值是否能真正落实，也是问题。只有认真对待，反复磋商，才有可能按可持续发展的要求，合理地把这个关键性的指标定下来，否则后果是严重的。

总之，在中、长期规划中，单位 GDP 环境负荷年下降率（t 值）的选取十分重要，必须权衡利弊，慎重抉择。

三、要认清我国二次资源严重短缺问题

这里所说的二次资源，是指各种产品报废后回收的资源，如各种废金属、废玻璃、废纸等。

大家都知道，在生产上，用二次资源顶替天然资源，有不少好处，其中包括提高资源利用效率、节省能源、减少污染物排放等。但是，长期以来，我国的二次资源严重不足，因此在资源和环境问题上，处于不利

地位。而且，这种状况，可能短期内不会好转。这就更加大了我们走新型工业化道路的难度。

在二次资源严重短缺的情况下，大力发展循环经济，尤其是产品报废后的资源循环利用（即"大循环"），更显得重要。实际情况是：有些二次资源并没有得到回收，或多或少地流失掉了。所以，做好回收工作，提高实得率，就可以在一定程度上减轻二次资源不足的压力。以前我们提出大、中、小三种循环并重的主张（见参考文献5），而且似乎也得到了大家的认同。但是，从近几年的情况看，对大循环的重视程度，与中、小循环相比，还有待提高，工作力度还有待加大。在今后制定规划和实际工作过程中，还得更多注意才好。

为了进一步强调二次资源问题，本文将以钢铁工业的废钢资源为例，做如下说明和分析。

我国钢铁工业的废钢资源，从20世纪80年代以来，一直严重不足。所以，铁矿石一直是钢铁工业的主要原料，废钢只占很小的比例。反映在生产流程上，以铁矿石为主要原料的高炉—转炉流程生产的钢占85%以上，而以废钢为主要原料的电炉流程只占15%以下。与废钢资源充足的国家相比，差距很大。例如，美国用上述两种流程生产的钢几乎各占一半。

两种流程相比，电炉流程的优点较多：如流程短、占地少、投资低、天然资源（铁矿）和能源消耗少、污染物排放少、经济效益好等。例如，电炉流程的吨钢能耗仅为高炉—转炉流程的30%左右。所以，凡是废钢资源不足的钢铁工业，在不少方面都处于劣势。

研究工作表明，钢铁工业废钢资源的充足程度，是与钢产量的变化紧密相关的。凡是钢产量逐年增长的国家，其废钢资源一定不很充足，且钢产量增长愈快，愈不充足。相反，钢产量下降的国家，其废钢资源一定比较充足，且下降愈快，愈充足。

我国钢产量，从20世纪80年代以来，持续高速增长，其必然结果是钢铁工业的废钢资源严重短缺。关于这个问题的研究工作，请详见参考文献6、7、8，本文只概略地介绍如下。

正如大家所知道的，钢铁产品的使用寿命一般长达十年以上，所以钢铁工业现在所使用的废钢,绝大部分是十多年前生产出来的钢演变过来的。而当时,我国的钢产量比现在低得多,仅仅是现在的 1/3—1/4。所以,即使这些钢全部能变成废钢,充其量也只能是现在钢铁工业所用含铁原料的一小部分。何况,还有相当大的一部分钢在使用过程中散失、锈蚀或埋在地下设施之中,不可能收集起来成为有用的废钢。这样,在钢铁工业所使用的含铁原料中,废钢所占的比例就更小了,约占 1/5—1/6。而且,年复一年,都是这样。这就造成了我国钢铁工业废钢资源长期严重不足的局面。相反,美国的钢产量,在 20 世纪 80 年代初曾大幅度下降,所以在随后的许多年内,钢铁工业的废钢资源一直十分充足,不仅满足国内的需求,而且大量出口。俄罗斯的钢产量在 20 世纪 90 年代初也曾大幅度下降,所以直到现在废钢仍十分充足。

总之,在其他条件大致相同的情况下,钢产量的变化,决定了废钢的充足程度,也决定了电炉钢在钢产量中所占的比例。这方面的情况,在国与国之间有很大差别,决不可盲目攀比,更不宜进行简单的数字上的对比。

以上就是关于钢铁工业废钢资源状况的简要分析和说明。其他工业的情况(见参考文献 8、9),大同小异,不必多说。

我们的努力方向,只能是把该回收的二次资源尽可能都回收回来,加以利用,在一定程度上缓解二次资源短缺问题。在产品产量继续高速增长的情况下,根本扭转二次资源短缺的局面,是不可能的。物质循环的客观规律,是不会改变的。

不过,可以预料,将来当钢产量进入缓慢增长期,或进入稳定期后,这种局面将逐步好转。到那时,电炉流程的比例将会上升,转炉多吃些废钢的愿望,也将成为现实。

四、要下决心穿越"环境高山"(见参考文献4)

一二百年来,发达国家的经济增长与环境负荷的升降过程以及未来的走势,如图 1a 所示(见参考文献 10)。图中横坐标是"发展状况",它比经济增长的含义更广泛些;纵坐标是"资源消耗",强调的是环境负荷的源头方面。在经济增长过程中,环境负荷的升降分为三个阶段。

工业化阶段:环境负荷不断上升;大力补救阶段:环境负荷以较慢速度上升,达到顶点后,逐步下降;远景阶段(尚未完全实现):环境负荷不断下降,直到很低的程度。

如果把图中的曲线比喻成一座"环境高山",那么这些国家发展经济,就好比是一次翻山活动。大家都知道,在翻山前两个阶段的一部分时间里,有些国家的环境问题,曾经十分严重,付出过沉重的代价。

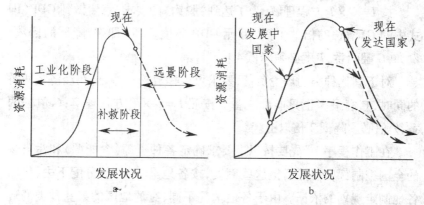

图1 资源消耗与发展状况的关系

发展中国家的经济增长,起步较晚,至今仍在工业化的征途中。这些国家应以发达国家的历史为鉴,吸取它们的教训,不要再去走它们从山顶上翻过"环境高山"的老路,而要改为从它半山腰的一条隧道中穿过去,变"翻山"为"穿山",如图1b所示(见参考文献11)。这样在工业化过程中付出的代价(环境负荷)较低,而前进的水平距离(经济增长)却没变。毫无疑问,这是发展中国家工业化进程的最佳选择。

穿越"环境高山"的思想,对我国尤其重要,因为我国是世界上经济发展最快的国家。如果今后继续走传统的老路,往山顶上爬,那么可以预料,用不了几年,就会发生非常严重的资源、环境问题。老路是走不得的,也是走不通的。惟一正确的选择是下决心在"环境高山"的半山腰穿过去,走出一条新型工业化的路来。这个决心下得愈早愈好,而且,这是属于"机不可失,时不再来"的一种选择。如果错过当前的时机,等若干年后再下决心,就可能为时已晚,后悔莫及!

穿越"环境高山",应成为制定规划的指导思想。而且,要把这个思想落实到规划的各个方面。提出的多项目标、指标、措施等都要服从"穿山"的要求；而不能满足于某些指标稍有改善等无足轻重的成绩。

"穿山"的关键点，是控制住全国的环境负荷总量。我国有些资源已十分匮乏（如土地、水等），有些污染物排放量（如 SO_2，工业废水等）已十分巨大。对于这些资源和污染物，要提出严格的要求，甚至提出零增长，即"脱钩"的要求。

按 $I = G \times T$ 方程理解，为了达到"脱钩"的要求，就要做到 GDP（即式中的 G）增长的倍数，等于万元 GDP 环境负荷（即 T）降低的倍数。例如，G 翻两番，T 就必须降低 4 倍。

对于其他种类的环境负荷，要求可以稍放松一些，但在经济翻两番的同时，它们最多也只能翻一番。按照 $I = G \times T$ 方程理解：G 值翻两番，T 值必须降低 2 倍以上。

在工作程序上，先要按以上要求确定各种资源（含能源）和污染物的全国控制额度。然后把这些额度，按各地具体情况，分配下去，作为各地制定规划的依据。由于各地情况不同，有的地区的某些种类的环境负荷必须实现"负增长"，才能给不发达地区留出"正增长"的余地。

此外，还要按照远期的限额，确定年度工作的目标，也就是说要确定单位 GDP 各种环境负荷的年下降率（平均的），即第 2 点所说的 t 值。只有每年都完成目标任务，最终才有可能实现远期目标。

凡是要求"脱钩"的各种资源和污染物，它们的 t 值必须达到式（3）中的 t_k 值，参见表 1。其他种类的环境负荷的 t 值，虽可比 t_k 值小些，但在 GDP 翻两番的过程中，单位 GDP 环境负荷也不允许超过两倍的增长。这些都是保证穿越"环境高山"的必要条件。

以上所说的做法，是"自上而下设置天花板"的做法，可能会比较有效。

我们的更长远目标，是在经济增长的同时，环境负荷（总量）逐年下降，一直降到很低的程度。为此，必须使单位 GDP 环境负荷的年下降率（t 值）大于按式（3）计算的 t_k 值。相信，将来这是完全可以做到的。事实上，有些发达国家，从 20 世纪 90 年代起，有的环境负荷已开始不断下降了（见参考文献 11）。

以上是我个人的一些粗浅看法,是否妥当,请批评指正!

(陆钟武:中国工程院院士、东北大学教授)

主要参考文献

1. RAO, P. K, Sustainable Development: Economics and Policy, New Jersey, Blackwell, 2000, 97—100.

2. Graedel, T. E, Allenby, B. R, Industrial Ecology, 2nd edition, New Jersey. Prentice Hall, 2002, 5—7.

3. Chertow, M. R, The IPAT Equation and its Variants Changing Views of Technology and Environmental Impact, Journal of Industrial Ecology, Vol. 4, No. 4, 13—30.

4. 陆钟武、毛建素:《穿越"环境高山"——论经济增长过程中环境负荷的上升与下降》,《中国工程科学》,2003 年,Vol. 5, No. 12, 36—42。

5. 陆钟武:《关于循环经济几个问题的分析研究》,《环境科学研究》,2003 年,Vol. 16, No. 5, 1—5。

6. 陆钟武:《关于钢铁工业废钢资源的基础研究》,《金属学报》,2000 年,Vol. 36, No. 7, 728—734。

7. 陆钟武:《论钢铁工业的废钢资源,《钢铁》,2002 年,Vol. 37, No. 4, 66—70。

8. 毛建素、陆钟武:《论铅业的废铅资源》,《世界有色金属》,2003 年,No. 7, 10—14。

9. 毛建素、陆钟武:《关于铅产量对废铅资源的影响的研究》,《中国资源综合利用》,2003 年,No. 7, 38—41。

10. Graedel, T. E, Allenby, B. R, Industrial Ecology, New Jersey, Prentice Hall, 1995, 31.

11. 中国现代化战略研究课题组、中国科学院中国现代化研究中心:《2003 中国现代化报告——现代化理论、进展与展望》,北京,北京大学出版社,2003 年,193—194。

将再生产型经济理念作为
对环境管理的挑战

[德]李泽钢

一、前　言

　　在我们要开始着手讨论对 21 世纪环境管理的看法、它的任务及前景之前,我们应该首先顾虑到的是,20 世纪的环境管理的理念构架。对此人们应进行一系列有依据的预测,这些预测以现实情况为出发点并对其实施过程作出分析。要作出有意义的预测,必须对现有的效应机制作出有说服力的解释。

　　在这篇报告中我将环境管理理解为一种尝试,即经营性的企业在这种尝试中,在保持企业竞争力的情况下,尽量减少在企业经营中所引起的环境污染问题。由于其错综复杂的相互关系,我们只能在长期的,继续发展的趋导过程中才能观察它的效用。如果我们不把眼光局限于短暂的一刻,取而代之从长远的角度来看问题,那么我们能更好地对这一过程进行趋导。

　　这里将工业经济特别是以物质交换为中心以及由其引起的环境问题的长期发展归纳为"再生产型经济理念"。这里牵涉到实现长远性目的的问题,所以不存在所谓的现成的"专利药方"来开发可采取的措施。对此社会及经济个体应能享有充分的自由度,在整个寻求方案的过程中有效发挥自己的创造力来进行改造和革新。人们对于如何将环境管理融入企业管理模式中的方法论已经有了一定的认同。在这里首先可作出确认的是,企业内部的环境管理必须赢得进一步战略上的意义。除此之外在整个环境保护的政策中要从国民经济的角度出发通过预防性的环境管理对环保政策中所运用的一系列的工具作出补充。

二、关于 20 世纪环保管理的出发点

在"环境保护"的概念下,我们首先对此应作出怎样的理解呢?对于专家来说,这一概念是按照常理与所提出的 EMAS 或者 ISO9000 紧密相连的。与之相关的是一系列的企业指导方针、指示、手册及环保负责人。不过这里所关心的是,这些措施是否对症下药,是否对实际情况起到改善的作用。谈到确定有利环境保护措施余地的框架条件的构成问题,我们应关心的是:有哪些社会政治上的力量在整个工业社会的运转中起到作用;到底是谁能在环境管理中起到积极的作用;有哪些主体能对环境保护起到推动或阻碍的作用。如果我们观察一下当前欧洲对于旧车的有关规定,我们能够很快地得出这样的结论:政府部门在作出抉择的过程中并不是完全独立的。估计对目前欧洲范围内街道上约1亿6千万辆旧车所需的处理费用将达 150 亿欧元。如果说在解决这一方面的问题上已超越了国家的权限,那么环境管理,环保政策上的一系列计划及模式还应具备哪些功能呢?

在日本注重整体质量的管理理念中,人们追求将"客户之声"融入产品构成及生产工艺中。这一思想体现在企业日常工作中,以听取所谓的"环境之声"。如果我们观察目前的情况,至少是在德国有停滞不前甚至倒退的现象。尽管如此,我们在 50 年之前就将环保列入了日程——如果我们不想与社会发展趋势逆向而行的话——其中所采取的措施或多或少对环境污染起到了改善的作用。对产品自我负责原则的进一步贯策实施会有长期收效。因为企业家能够由此在对产品的战略决策中更有效地顾虑到产品的利用和回收性。在产品的构成过程中也注重到了与环境有关的一系列标准。环保的理念越来越频繁地体现在企业与供货商的合同之中,诸如在合同条款中作出遵循 LCA 的规定。环保问题在此期间也备受公众舆论的关注。对于全球性空间上、时间上的平等性的讨论在实现复杂的持久性的目标上得到了体现。有关主

体者在全球化的、多样化的、有创新的层次上发起这样的讨论。

通过电信及微型化、低成本化的信息技术的改革更进一步促进了保障持续性发展的进程。有了这些新的技术才有了可能对集中化的结构进行分解,同时减缓了对于宏观科技运用的依赖以及由此带来了能量节约。

企业的环境管理是由多方面组成的,在企业学习和调节过程中起到减少环境污染的作用。对于将来的期待远不局限于仅从技术上来满足对企业提出的放射及污染的指标。在这一意义上投入的技术当然是具备有利于持续性发展的特性的。传统意义上的环保技术,正如在环保博览会上所展出的处理设备等,仅仅是对有利环境技术开发的开端。为了保障实现持续性的发展,我们希望技术上能更进一步地发展,有关的科技也必须得到更进一步的发展。

对与产品生产工艺及产品有关的融合性环保技术的开发,要求从保障持续性发展的角度出发,带入创意。只有这样才能为长远性的节能并最终达到持续性的目的作贡献。对此我们迫切需要对实况加以分析,寻找以生产产品来满足需求为主体的工业发展上的漏洞,并将之与支持持续性发展的可能性作比较。回顾生产史,可见在未来的环保管理中,工艺进程的改革将起着非常重大的作用。

三、物质经济的发展历程

如果与在古代人们就掌握的生产技术相比较,物品生产技术的发展其实在 18 世纪才取得了飞跃。在此之前,人们虽然也根据环境地理的条件对水力、风力进行了利用。工业繁荣却是以煤为能源载体,蒸汽机为能源转换器为开端的。由此人类及动物的劳动力得到了解放。归功于机器的发明及运用,人们实现了当时无法想像的生产量,摆脱了当初的贫乏经济状况。

然而今天通过我们对这些生产工艺的进一步透彻观察,我们无法为之感到欣喜特别是出于工业需要对古生能源的大量焚烧及其所引起的大气中二氧化碳含量剧增对全球范围内或区域内所造成的影响。这些负面影响是人类在其存在的期间内无法进行修复的。有些估计指出,在地球上一年里所消耗古生能源量需一百万年的时间来进行再生。不仅如此,对能源的开采和燃烧度会由于高度的机械化及由经济技术全球化带来的生产工艺标准化得到进一步强化。人类渐渐陷入窘境,好比一个学习魔法的学生,仅学会了启动魔帚的咒语,却未掌握驱动魔帚的能力。不受控制的魔帚既能达到一定的功用,却也带来无法设想的后果。在歌德的诗歌中问题是得到这样喜剧性的解决的:魔术师出现,念叨咒语"魔帚,魔帚,回到你应去的角落"。由此帮助那名学术不高的学生摆脱了困境。就我们的情况来看,我们却需要借助自己的力量来扭转乾坤。

从理论上的认识到实际行动,这一过程往往需消耗一定的时间。这个矛盾变得更加突出,如果问题所处的系统烦冗复杂。比如在工业发展中,由于反应时间过长,人们引入了各种形式的预报系统,以便能够及时地采取有效对应措施。在这一领域起着先锋作用的比如有现代工业领域中的 Forrester,AlGore 及 Schmidheiny 等。在这一方面废物经济获得了突破性的认可。人们从普遍的规则中专业化了有关立法,诸如循环经济法及废物法对企业及社会行为作出了一定的规范。当然对工业进程的趋导是要受到本国及国际上科学研究的支持的。

瓦内科先生带领研究涉及范围甚广的 BMBF 的项目课题"2000 年的生产"。他认为人类在成功地历经了三次工业革命后(以织布机及蒸汽机为标志的第一次工业革命;以电力和流水线为基础的极端机械化为标志的第二次工业革命;以电器化及自动化为本的高灵活性为标志的第三次工业革命),第四次工业革命的时机成熟,即由现代经济循环向循环经济过渡,从供需平衡过渡到经济及生态的平衡,带有保护自然理念的工业取代对自然的单一剥削。瓦内科先生称之为第四次工业革命的目标。这绝非是单一民族的封闭型看法,而应在国际范围内得到实现:比如 1990 年在日本开展的以国际合作为基础的名为"智慧生产系统"项目。这一项目是在以纯粹技术发展为目的的原型上发展起来的。人们在对技术上单一追求的基础上进行了修复,在追求全球贫富均衡的框架下,建立全球环保的均衡。这里指的是,加快技术转让及进一步的技术标准化,以此来加强重要技术的国际交流性及融合性。

重要的也包括开发新型的生产工艺,使之顾虑到人类的创意性,与自然系统和社会系统的和谐性。令人惊讶的是,这些言之于一名工程师之口。瓦内科先生作为 VDI 的主席,德国研究协会 Frauenhoferinstitute 的领导,他的理论是很有说服力的。

通过这些趋导理论的影响,人们会对当今所运用的技术改善的迫切性发以深思。对工程师们来说意味着一系列新的研究及应用领域的开发。所以自然而然,广范围内的具有远虑的环保技术会以生产技术进步为起点。同时在企业经济理论及国民经济理论上都应有相应的发展。

四、再生产型经济的基本元素

循环经济的基本原则对工业的功用下了新的定义。传统工业任务是生产消耗品和消费品,循环经济要求兼顾产品使用后的回收阶段,将其尽量转化为可再使用或至少可再利用的部件或材料。有史已来的回收运作形式是以所谓的"末端技术"为本的,物品在使用寿命终结后,人们才考虑处理废物的问题。新型的经济形式应该尽可能支托循环的概念,在对产品的设计过程中就考虑到将来的回收可能性。产品负责原则的机构化比如可通过延长产品寿命得以体现,同时生产商对环境合理性的产品回收的经济成本也得到了降低。

所以加强实现循环经济要对能将废纸、废铁、废布还原的回收再循环功能予以更高的重视。各大重要集团对具有一定规模的回收行业所表示出的兴趣证明了这一趋势。为了突出一方面以物品生产为目的,另一方面将废物转换并将其带回经济循环为任务的双重性,我们采用了"降减"这一概念。降减经济行业从事对回收经济的发展是循环经济中生产经济的重要伙伴,也是生产经济中的重要元素。对降减经济的理论研究是向企业经济理论发展的挑战。

在"物质交换经济"中降减阶段可看做为生产阶段的反面对向。在降减阶段中可以说是对生产过程的回溯:废旧产品被集中起来、分检出来并被拆卸。在这一过程中,人们根据不同的材质将部件进行归类、净化等工作。值得一提的是,在这一领域相当一部分的工艺还处于工业原始阶段。然而人们希望能像灵活的生产工艺那样使"逆向"生产工艺得到相当的发展,来减少劳动强度,提高经济上的可行性。这里也与制造业及组装工艺的发展密切相关。早在对产品的设计过程中就应考虑到多项牵涉到降减循环的因素。

伴随工业生产发展的是对于生产系统进行描述及模型构建即理论的发展。生产职能的扩张使人们认识到了降减职能的特殊性。这种认识有助于对降减阶段的结构正规化的深入。

要使循环经济名副其实,必需使生产及降减互相补充,从而达到真正意义上的再生产型经济。如果以物质逆向流动为目的的降减无法实现的话,应对由此无法避免产出的废物作出妥善的规定。当然我们不能滥用循环经济的机制,不能为了循环而进行循环。减低利用单位的原材料消耗最本质的是提高物品的使用寿命及频繁率。回收进行经济循环在顾虑到环保标准的同时也要考虑到经济的因素。对降减经济的研究会提出许多有挑战性的课题。新的服务性市场及二级原材料市场会由之形成。但是这些市场由于在投入及产出上缺乏弹性引起价格剧烈震荡,所以对市场利弊发展走向很难作出预测和计算。对于市场机制的运行问题还有待进一步的研究。

循环经济运行的基本思想可以以生态系统为依导。在生态系统中,进化现象作为"系统优化者"能够寻找到长远性的可行性方案。在生物中也有生产者和降减者之分,共同完成自然中的新陈代谢以及生命的创造,自然的产物可以最终回归到自然中。通过一系列化学作用的人工合成产物也要经过一定的处理来实现某种意义上的返祖行为。

人们从生物学中得到启发,将植物运作原理运用于技术上。同样,植物系统的运作原理也可以借鉴到对循环经济进行的构成中,对此可称之为"生命规律学"。在自然界中,依赖于巧妙的机体组建,使新陈代谢成为了可能。工业中的新陈代谢可以理解为在技术领域中对人工合成物质的完善循环。

循环经济的目的是,由于技术或物理性老化的材质或部件应尽其可能对其进行再利用,使之回到技术运用领域中;如果有机降解可能的话,应使之释放到自然界中。在经济条件站得住脚的情况下,应尽量延长物品的使用寿命及运用范围。

值得注意的是,贯彻经济循环物质新陈代谢原则要防止矫枉过正的现象。法律的制定以及对法律的补充——法规的颁布都会对物质的流动起关键的作用。这里涉及的是物质的构建及选择,对产品和生产工艺的设计以及各种再生工艺的发展。这些主要是经济工程学的课题,然而由于其与市场、客户交错复杂的关系,也向管理领域提出许多研究性的问题。有利生态的各类产品必须与市场建立关系,首先是要受到客户的认同及合作的意愿,因为有的产品会要求客户改变其原有的消费模式。这里关系到的是制定新系统结构的基本思想的草案。这一基本思想必须对各经济主体起指导性的作用。制定合适循环经济的纲领的关键在于全社会及各行业的投入参与,开展对话,只有如此才能避免走入技术专制的死胡同。

五、环境管理的新任务领域

对于处于两种系统——一者是由于历史原因建立在对自然剥削的基础上的物质经济运作系统以及另一者持续性发展的经济运作系统——之间的战略性的空缺有待作出进一步明确的分析。未来的环境管理如何来胜任这项任务呢?

首先要提高各企业的环保意识。由于企业在多方面受网络及权力要求群体的牵制,被动性满足环保要求是无法长期立足的。运用与环保相关的系数系统有助于预见环保薄弱环节,加强本身的安全性。这里要着手处理的问题是某些关键数据的收集是以高成本为代价的。

企业内部环保管理要从原先的被动角色中解放出来,积极参与对产品及生产工艺的构成设计。趋势是,从环保专员提升到环保经理,从而有权参与生产战略性计划制定。环节相扣的方案要发展成融合性方案,只有这样才能发挥潜在的创造力。对工业伙伴智慧的利用关键在于对于新的、有效的需求结构进行调节。为了能听取到"环境之声",要赋予员工一定的自由度,使其将环保理念融入自己的行为意识,成为环保主导者。

企业经济是运作在微观层次上。通过各家在微观层次运作上的国际合作,标准化委员会、经济大会、博览会、行业委员会、社会等多种形式能够加速管理型的发展及国际化。然而宏观经济模式往往忽视微观结构的聚合变化。所以应在二者间建立桥梁,使企业性的环保管理与国民经济为主体的环境资源经济相联系,从而使微观及宏观的结构接轨。目前在这两大学术领域上还有摩擦,给在经济进程的新发展及其趋导的共同合作带来困难。

环境管理不仅仅体现于企业内部的环保管理。世界性温室效应问题已经不是由个别企业或单个民族能解决的问题。从古生能源在发源地被萃取,在现代化的工业中人们已投入了卫星监测,到最终多样性的氧化进程及碳酸化。就此我的见解是在国民经济领域里目前也只是进行末端观察,专家们试图在进入消费者使用者环节之前引入信息公开或证书的方式来减轻企业对环境的负荷。问题是,高能耗企业特别是全球运作的企业往往能找到所谓的"绿洲",以此来逃避对其原有的约束。

氧化作用开始于对古生能源的开采,经焚烧到最后各种形式的能量提取。产品负责的原则要对能源开发者就加以运用。实行全球性有效的能源开采税能够通过价格杠杆调节供求关系的市场机制,同时也有助于全球气温的改善。采用统一税率的形式不会对市场经济系统造成扭曲,相反能够达到全球外部影响内部化的效果。

OPEC 的运行机制只能起有限的作用,也许 UNEP 组织可以担任全球环境管理的任务。通过所谓"开发税"的方式组建的基金可以用来补贴原材料被开采国,作为一种对有损持续发展经济的补偿。这一资金的投入提供给原材料原产国斟酌的可能性,自己来控制对原材料的开发。运用这样的方式使国际组织有了稳固的财政基础来完成以持续发展为目标的各种社会任务。

日本建设循环经济的措施

[日]小柳秀明

一、背景介绍

在中国一般被称为"循环经济"的这个概念在日本用"(形成、建设)循环型社会"一词来表示。下面就介绍一下日本制定循环经济的政策法规体系的社会背景。

1. 大量的废弃物产生

日本经过 20 世纪 60 年代到 70 年代的经济高度增长,逐渐形成了通过大量生产、大量消费、大量废弃的形式实现经济增长的社会系统以及资源浪费型的社会结构,其结果是每年产生出大量的废弃物。目前产业废弃物(主要是工厂以及企业排放的废弃物)的排放量一年约 4 亿吨,一般废弃物(主要是家庭及办公室排放的废弃物)一年约 0.5 亿吨。

2. 多种多样难处理的废弃物产生

化学药品、农药、轮胎、电池、小型燃气罐等难处理的、有害、危险的废弃物不断增加,令很多地方政府头疼。

3. 废弃物的最终处理场(填埋场)不足

如此每年产生大量的废弃物,而新建填埋场却越来越困难。现有的产业废弃物填埋场的剩余量全国平均是大约 4 年的量,首都东京周边只剩下 1.2 年的量。实施废弃物的减量化已迫在眉睫。

4. 废弃物的非法倾倒现象频频发生

废弃物的非法倾倒现象不断发生,2001年度发生1150起,有24万吨的废弃物被非法倾倒。

5. 循环利用率迟迟不能提高

相对于日本的资源总投入量(大约21亿吨/年)来讲,循环利用量(大约2亿吨/年)仍处于较低水平,只占大约10%。说明日本已形成了资源浪费型的社会经济结构。

二、建设循环经济的政策法规体系

为解决以上问题,日本在10多年前已经开始了循环经济的政策法规体系的建设。首先,1991年制定现在的《资源有效利用促进法》的前身即《再生资源利用促进法》,制定了促进汽车及家电等的循环利用的判定标准以及事先评估、信息提供等体系。1993年制定了《环境基本法》,1994年政府又根据该基本法制定了《环境基本计划》,决定将循环政策作为环境政策的长期目标之一来实施,并把实现低环境负荷的可持续发展的经济社会体系作为目标。

2000年被定位为"循环型社会元年",不仅新制定了基于"生产者责任延伸制度"的《推进循环型社会形成基本法》以及《建筑材料循环利用法》、《食品循环利用法》、《绿色采购法》等,还修订了《再生资源利用促进法》并更名为《资源有效利用促进法》,修订了1970年制定的《废弃物处理法》,加强了控制废弃物的产生以及不正当处理的措施。之后,在2002年制定了《汽车循环利用法》,使日本成为世界上具有最先进的循环经济法规体系的国家。在此基础上,政府又于2003年3月制定了建设循环型社会的长期指导方针《推进循环型社会形成基本计划》(参看附表)。

三、建立循环型社会的措施体制

循环型社会的建设离不开国家(中央政府)、地方政府、事业者(生产者、流通业者、废弃物处理业者)以及国民的一致努力。因此2000年制定的《推进循环型社会形成基本法》就各主体的合理的责任分担作出了以下规定。

"为推进循环型社会的形成,必须使国家、地方公共团体(注:地方政府)、事业者以及国民在合理承担各自责任的前提下采取必要的措施,并使其公平合理地负担采取措施所需的费用。"

国家(中央政府)以环境省为中心,在各个有关省厅的紧密配合下采取推进循环型社会形成的措施。具体应采取的措施内容由《推进循环型社会形成基本计划》(2003 年 3 月制定)作出规定,而该基本计划是按照由环境大臣起草、交内阁会议审议通过(取得所有省厅的同意)、再提交给国会批准的手续制定的。另外,环境省或独自或与其他省厅共同制定执行促进循环利用的各个单独的法律。

为推进循环型社会的形成,地方政府也发挥着十分重要的作用,因为各个地区的循环经济的实践活动很大程度上依赖于地方政府。地方政府不仅要作为主体开展向市民宣传废弃物的减量化、进行分类收集、取缔非法倾倒、建设最终处理场等工作,还需要对市民及事业者进行具体的指导。地方政府中的环境保护部门在其他部门的配合下发挥核心作用。另外,地方政府的环保部门还与环境省紧密配合,在环境省的指导下执行各项法律。

四、推进循环型社会形成的数值目标

为推动循环型社会的形成,通过国家、国民、NPO(非营利组织)、NGO(非政府组织)、事业者、地方政府等采取切实执行有关法律的措施,在 2010 年预定达成以下目标。

(1)提高资源生产率,与 2000 年相比提高 40%;

(2)提高资源的循环利用率,与 2000 年相比提高 40%;

(3)削减废弃物的最终处理量,与 2000 年相比减少 50%;

(4)削减每个人排放的垃圾量,与 2000 年相比减少 20%;

(5)扩大循环型社会商务市场,提高到 1997 年的 2 倍。

五、结束语

日本建设循环经济的工作花费了 10 年的时间终于开始走入正轨,各领域的再生循环利用事业的运转也逐步趋向收支平衡,即从经济角度来看开始走向自立。此外,绿色采购法的制定不仅促进了中央政府各部门的再生利用产品等的采购,同时也促进了地方政府、事业者、国民等购买再生利用产品,这在很大程度上支持了环保产业的发展。今后,国家、地方政府、事业者以及国民将会继续共同携手推动循环经济的发展。

附表　日本循环经济法规体系的制定年表

1970 年	制定废弃物处理法
1991 年	制定再生资源利用促进法
	修改废弃物处理法(明确写进控制排放、实施再生利用等减量化的措施)
1993 年	制定环境基本法
1994 年	制定环境基本计划
1995 年	制定容器和包装物循环利用法
1997 年	修改废弃物处理法(新规定了再生利用的认证制度、强化了控制非法倾倒的措施)
1998 年	制定家电循环利用法

(小柳秀明:国际环境保护总局中日友好环境保护中心首席顾问、日本专家组组长)

循环经济与立法研究

孙佑海

一、国外循环经济立法的现状和借鉴

循环经济作为一种有效平衡经济增长、社会发展和环境保护三者关系的经济发展模式,首先被经济发达国家所采用,经过长期的实践,一些发达国家已经实现了将循环经济法制化和社会化,运用法律规范推动和保障循环经济的发展和循环型社会的形成。其中,德国和日本的循环经济法律制度最具代表性。

1. 德国循环经济法律模式

德国循环经济立法概况。德国是世界上最早实施循环经济的国家之一,其循环经济法制建设也走在世界的前列。早在 1972 年,德国就制定实施了《废弃物处理法》,但当时立法的目标仅仅是为了"处理"生产和消费中所产生的废物,仍然属于环境问题的末端处理方式,因此,该法尚不属于循环经济性质的立法。1986 年,德国将《废弃物处理法》修改为《废弃物限制处理法》,强调要采用节约资源的工艺技术和可循环的包装系统,把避免废物的产生作为废物管理的首选目标,将立法目的由"怎样处理废弃物"转变为"怎样避免废弃物的产生"。1991 年,德国首次按照从资源到产品再到资源的循环经济思路制定了《包装废弃物处理法》(该法分别于 2000 年和 2001 年两次修订),要求生产商和零售商对于商品的包装物要尽可能减少并回收利用,以减轻填埋和焚烧的压力。1994 年 9 月 27 日,德国公布了发展循环经济的《循环经济和废物处置法》,把资源闭路循环的循环经济思想从商品包装拓展到社会相关领域,规定对废物管理的手段首先是尽量避免产生,同时要求对已经产生的废物进行循环使用和最终资源化的处置。

归纳起来,德国的循环经济立法体系共三个层次:法律、条例和指南。除上文所及的法律、条例外,还有农业和自然保护法、污水污泥管理条例、废旧汽车处理条例、废电池处理条例、有机物处理条例、电子废物和电力设备处理条例、废木材处理条例、废物管理技术指南、城市固体废物管理技术指南等。在立法方法上,通常采取先对个别领域立法,再制定统一规范的立法方式。此外,1999 年 8 月,联邦环境署提出未来市政垃圾处理的指导性策略:到 2020 年,不仅要回收玻璃、纸类、纸板、有机废物和塑料,而且要回收其他所有的市政废物。德国关于循环经济的立法及其实践,对世界各国产生了巨大影响,自 20 世纪 90 年代以来,包括日本、欧盟各国等经济发达国家,都不同程度依据循环经济的思想制定或修订了本国的废物管理的法律规范。

德国《循环经济和废物处置法》是该国发展循环经济的代表性法律规范,自 1994 年公布以后,于 1998 年 8 月作了修改。该法全文共九章,主要内容包括:

一是明确规定该法的立法目的是为了发展循环经济,保护自然资源,确保废物按照有利于环境保护的方式进行处置。

二是规定废物产生者、拥有者和处置者的原则和义务。根据循环经济原则的要求,废物产生者、拥有者和处置者首先应当尽量避免废物的产生,重点是减少废物的产生量及其危害性;其次是将已经产生的废物尽量加以利用或者用来获取能源。关于如何避免废物产生,法律规定避免废物的措施是将设备内的物质循环利用;要生产废物少的产品;要引导消费行为,消费那些废物少和有害物质少的产品。关于废物利用,法律规定废物应当进行无害化利用,表现为物质自身的利用和从中提取能源。对于不利用、长期不在循环系统之内的废物,应当采取不影响公众健康的技术方式和规范的要求进行处置。

三是产品责任。法律规定,谁开发、生产加工和经营的产品,谁就要承担满足循环经济目的的产品责任。其中包括:开发、生产和使用可以多次利用的、技术寿命长的产品;在产品生产中要优先采用可利用的废物或二级原材料;对含有有害物质的产品要有明显标志,并确保对该产品使用后的废物采取有利于环境保护的利用和处置方式;产品标志上要有回收、再利用的可能性和义务的说明以及抵押的规定。对于某些特别的产品,法律根据对该产品处置的代价的大小,分别作出禁止或限制其流通的规定,或者要求以特定的标志进入流通,产品的生产者和经营者负有产品的回收义务。

四是计划责任。法律规定,每年产生 2 吨以上需要特别监测的废物,或者每年产生 2000 吨以上需要监测的废物的制造者,必须制定避免、利用、处置所产生废物的经济计划。废物经济循环计划作为内部计划的工具,根据主管部门的要求,要对废物经济计划作出评估。法律明确规定了废物经济循环计划应包括的内容。

五是监测。法律规定废物的利用和处置要处于主管部门的监测之下。对来自商业或其他经济企业或公共机构的废物的监测和处置,要按它们的种类、特性和数量,以及在特殊范围内对空气和水的危害,易爆、易燃以及可能引起传染病等情况,依本法提出的特别要求接受主管部门的特别检查。

除以上内容外,法律还对公众义务、废物处置人员和主管部门的咨询义务、产生废物的企业组织的通知义务等作出了明确而严格的规定。

2. 日本循环经济法律模式

二战后,日本实行"追赶型"(追赶欧美先进工业国家)和"赶超型"(赶上并试图超过美国)的经济,国民经济多年持续、快速增长,到1968 年,国民生产总值(GNP)已位居世界第二位。但是,经济快速增长是以牺牲环境为代价的。环境污染、生态破坏事件频频发生,严重影响了自然界正常的生态循环,终于演变成严峻的社会问题和政治问题。

究其原因,日本政府认为,在于发展经济指导方针的偏差。经济、产业的运行如同人体内的血液循环,由动脉与静脉两个部分组成。以往,日本发展产业经济,只关注物质资料从生产、流通到消费的动脉系统,而对生产、流通和消费后所产生的废物和其他相关物品(所谓"废物等")的收集、处理、再资源化、再商品化等静脉系统,却等闲视之。

其结果,在经济生活动脉系统中产生的大量废物等直接以大自然作为最方便的处置场所,最终导致环境负荷超过了环境容量。所以,造成日本社会环境恶化的根源,在于大量生产、大量销售、大量消费、大量废弃的经济和产业运行方式,在这种运行方式下,废物在质和量两个方面无限度扩张而增大了环境负荷。

为了谋求环境问题的彻底解决,日本政府认为,应当抛弃传统的经济运行方式,代之以抑制废物的产生、促进废物的再利用为目的,形成废物处理与资源循环再利用一体化的物质循环链条,构筑起抑制自然资源消费、减轻环境负荷的"循环型社会"。在"循环型社会"中,环境因素不再成为制约经济发展的消极条件,反而成为推动技术创新、推进经济改革的原动力,从而孕育着全新的"商机",这样,环境保护与发展经济的关系,将不再难以"兼顾",而可以"协调"、"统合",直到"以人为本",实现社会良性发展。

基于上述认识,日本政府着手制定综合地有计划地推进废物循环利用的法律制度,1999 年 10 月,当时的日本执政党(自民党、公明党、民主党)就建立循环型社会的法制问题达成了"政策合意"。明确提出:"将 2000 年定位为循环型社会元年,谋求制定建立循环型社会的基本框架的法律。"2000 年 4 月 14 日,日本内阁通过了《建立循环型社会基本法案》,同日提交第 147 次通常国会,众、参两院分别于同年 5 月 9 日、5 月 26 日通过了该法案。该法律于 6 月 2 日公布(法律第 110 号),除其中第 15 条、第 16 条自 2001 年 1 月 6 日起施行外,该法律自公布之日起施行。第 147 次国会在历史上被称为"循环国会",2000 年被称为"循环型社会元年"。

日本是目前世界上循环经济立法最为完善的国家。日本促进循环经济发展的法律体系可以分为三个层面:一是基本法,即《建立循环型社会基本法》(2000 年 6 月公布);二是综合性的法律,包括《废弃物处理法》(1970 年公布,分别于 1976 年、1983 年、1987 年、1991 年、1992 年、1993 年、1994 年、1995 年、1997 年、1998 年、1999 年、2000 年修订)、《资源有效利用促进法》(1991 年公布,分别于 1993 年、1999 年、2000 年修订);三是专项法,包括《容器和包装物的分类收集与循环法》

（1995 年公布，分别于 1997 年、1998 年、1999 年、2000 年修订）、《特种家用机器循环法》（1998 年公布，分别于 1999 年、2000 年修订）、《建筑材料循环法》（1999 年公布，2000 年两次修订）、《可循环性食品资源循环法》（2000 年公布）、《多氯联苯废弃物妥善处置特别措施法》（2001 年公布）等。《建立循环型社会基本法》（以下简称《循环基本法》）的公布和实施，标志着日本已经成为世界循环经济法制化的先进国家，其环境保护技术和产业经济发展进入了新的发展阶段，其社会结构开始从过去"大量生产、大量消费、大量废弃"的传统经济社会，向降低环境负荷、实现经济社会可持续发展的循环经济社会转变。

在日本的法律体系中，循环型社会法制的重要性正不断上升。《循环基本法》作为循环型社会法制的"基本法"，在建立循环型社会中起着宪法性的作用。《循环基本法》的立法体例分为三章和附则，共 33 条。正文部分共 32 条，第一章总则（第 1 条至第 14 条）；第二章建立循环型社会的基本计划（第 15 条至第 16 条）；第三章建立循环型社会的基本政策（第 17 条至第 32 条），该章共分两节：第一节国家应实施的政策（第 17 条至第 31 条）；第二节地方自治机关应实施的政策（第 32 条）。附则规定本法的生效时间。《循环基本法》主要规定了以下内容：

立法目的。《循环基本法》第 1 条明确规定三项立法目的：第一，遵循《环境基本法》的基本理念，确立建立循环型社会的基本原则；第二，在明确国家、地方公共团体、事业者及国民职责的前提下，制定形成循环型社会的基本计划，并以此为基础，规定关于形成循环型社会应当实施的基本政策；第三，确保国民现在和将来都过上健康、文明的生活。

对《循环基本法》重要概念的法律界定。（1）"循环型社会"。依据《循环基本法》第 2 条第 1 款的规定，所谓"循环型社会"，是指这样的社会：尽可能抑制产品等转化为"废物等"；将"废物等"视为循环资源，当产品等转化为循环资源后，尽可能妥善地对其进行循环性利用；对于进行循环性利用的循环资源，应确保将其妥善地处置；以上述三个步骤为基础，抑制对自然资源的消费，最大限度地降低环境负荷。（2）"循环资源"和"废弃物等"。依据《循环基本法》第 2 条第 3 款的规定，所谓"循环资源"，系指"废弃物等"中有用的部分。在此之前的日本环境立法,仅有"废弃物"概念,所谓废弃物,仅限于无价值物,但在实际生活中,废弃物制造者(厂商、消费者)常常把废弃物谎称为有价物,从而逃避废物处理法律的规范。为此,《循环基本法》提出了一个"废弃物等"的概念。所谓"废弃物等",包括:一是废弃物(系指在此之前,废物处置法中规定的无价值物);二是曾经使用过的、或没有使用过而被收集的、或废弃的物品;三是伴随人类的活动(产品的制造、加工、修理、销售、能源的供给、土木建筑工程、农畜产品的生产)附带得到的物品(副产物品)。这样,"废弃物等"既包括了传统意义上的无价值物,又包括了有价值物,整个"废弃物等"均可以成为循环资源的原始材料。因此,循环资源与"废弃物等"实际上可视为一体。上述两个概念的明确,有利于促进资源的循环利用。

利用、处置循环资源(废弃物等)的基本顺序。《循环基本法》首次将循环资源(废弃物等)的利用、处置的政策顺序法定化(第5条至第7条)。即:抑制产生——尽可能地抑制在物质生产、流通、消费过程中,原材料、制品转化为废弃物等;再使用、再生利用——对于循环资源(废弃物等),必须最大限度地进行循环性使用(再使用),不能再使用时,可以制成其他制品(再生利用);热回收——对于循环资源(废弃物等)已无可能再生利用或再生利用十分困难时,可以进行热回收,以获得热能;妥善处置——当循环资源的全部或一部分,按照前三个对策顺位之规定已无法进行循环性利用时,必须确保进行无害化处置。上述法定顺序,对在物质生产、流通、消费过程中最大限度地降低环境负荷,发挥了重要作用。

责任原则。日本环境立法,将国家、地方公共团体、事业者和国民视为环境法律关系的主体。建立循环型社会,必须依靠上述主体的共同努力,为此,《循环基本法》规定了上述主体应当承担的责任,主要有排放者责任原则和扩大生产者责任原则。(1)排放者责任原则。所谓排放者责任原则,简言之,系指排放废弃物等的行为人应当承担对其进行循环利用的第一位责任。《循环基本法》第11条第1款规定了从事经营活动时,企业的主要责任是:第一,应当采取必要措施抑制原材料转变为废弃物等;第二,对于原材料已经转变成循环资源的部分,应当主动地自行进行适当的循环,或者采取必要措施,由本企业承担相关费用,使可循环资源得到适当的循环,并对无法进行循环性利用的废弃物等进行无害化处置。《循环基本法》第12条规定了公众的责任。主要是:第一,公众应当遵循循环型社会的基本原则,尽可能延长产品的使用寿命、尽可能使用再生产品、协助分类回收循环资源、抑制产品转变为废弃物等;第二,公众应当协助国家、地方公共团体落实旨在推进循环型社会形成的各项政策。应当指出,关于废弃物等的处理,除了排放事业者与之有直接关系外,收集与搬运业者、中间环节处理业者和最终处置业者也与之有密切联系,这部分人被称为"潜在排放者责任当事人(Potentially Responsible Parties)",针对这部分人的排放责任,有的国家(如美国)制定了承担回收责任的费用制度,但日本《循环基本法》对此并未涉及。(2)扩大生产者责任原则。所谓扩大生产者责任(Extended Producer Resporlsibility—EPR,美国称之为扩大制品责任,系指生产者和销售者在其产品被使用(消费)之后,仍然负有对制品进行物质循环的管理责任。关于扩大生产者的责任,OECD(经济合作发展组织)曾多次呼请各国立法时予以注意。《循环基本法》将其作为重要的责任原则之一,具体规定了以下几方面的内容(第11条第2、3、4款):第一,废弃物等的抑制。即在制定产品阶段,应通过提高该产品和容器的耐久性以及完善其维修体制等措施抑制该产品转变为废弃物等;第二,改进产品和容器的设计,标明其材料和成分,其目的是促进该产品、容器转变成循环资源后便于进行循环性利用;第三,针对具体产品和容器的回收、再利用应有完善措施。应当指出,DECD呼吁的扩大生产者责任原则,其内容共包括两个方面:一是对制品实行回收、再利用的实施责任;二是生产者承担费用的支付责任。后者应为重点,但《循环基本法》只规定了前者。

推进形成循环型社会的基本计划。日本的一些行政法,大多含有两项重要内容,即实施该法律的计划和实施该法律的具体措施。这是日本的立法特色。《循环基本法》关于推进形成循环型社会的基本计划,共有两个法条(第15条、第16条)。综合而言,主要规定了下述内容:(1)政府必须制定有关形成循环型社会的基本计划(以下简称"基本计划"),以便综合地、有计划地推进有关形成循环型社会的各项实施政策。(2)"基本计划"应当规定下述内容:第一,关于建立循环型社会政策的基本原则;第二,政府为了有计划和综合性地推进循环型社会而准备实施的各项具体政策;第三,政府为了推行上述政策而必须采取的其他措施。(3)制定"基本计划"的程序和时间表。(4)"基本计划"与其他国家计划的关系。《循环基本法》明确规定,关于推进形成循环型社会的基本计划,均应以《环境基本法》第15条第1款所规定的"环境基本计划"为依据。除"环境基本计划"以及"建立循环型社会的基本计划"之外,其他有关建立循环型社会的国家计划,也应当以"建立循环型社会的基本计划"为基础。

关于建立循环型社会的基本政策。《循环基本法》第三章具体规定了国家、地方政府为建立循环型社会应当采取的政策法律措施。(1)国家应实施的政策。第一,为抑制原材料、产品等转变为废弃物等而采取的具体法制措施。包括:国家要制定具体实施办法,通过法律手段规范事业者,促进其在经营活动中尽力有效地利用原材料和再利用、再生利用容器等,从而抑制原材料等转变为废弃物等;制定具体办法教育公众主动地、充分地利用产品,并普及这方面的科学知识。第二,为使循环资源得以充分地被循环性利用而采取的具体法制措施。包括:国家应当制定具体实施办法,对于在经营过程中所产生的循环资源,促使行为人(事业者)自主进行循环性利用,对于无法进行循环性利用的循环资源,促使事业者本人负责妥善处置;国家应当制定具体办法,要求公众协助分类回收循环资料;国家应当制定具体实施措施,促使从事产品、容器的制造商、销售商,当该产品、容器转变成循环资源后,主动予以回收、利用;当国家认定某种循环资源的循环利用在经济上是有效益的,在技术上是可行的,并且认定此种循环资源的循环利用对于建立循环型社会有重要作用时,国家应制定必要的实施政策和法律规范,鼓励有能力从事该项资源的循环利用的事业者,投资于该项事业。第三,促进再生制品的使用。国家应当带头优先使用再生制品,并采取措施,促使地方政府、事业者和公众优先使用。第四,促进产品、容器等生产之前的环境影响评价。国家应当制定具体实施办法,要求产品和容器的制造商,将该产品和容器转变成循环资源进行循环利用时必需的有关材质、成分及处置方法等信息,及时提供给有关单位和公众。国家应当制定具体实施办法,从技术上支持事业者在产品、容器的制造、加工或销售等经营活动中,对于下列事项进行事先评价:关于产品、容器的使用耐久性;关于产品、容器转变成循环资源后,对其进行循环利用的难度;关于产品、容器转变成循环资源时的重量、体积;关于产品、容器含有对于人类健康、生活环境(包括与人类生活有密切关系的动植物的生存环境)造成损害的物质种类及其含量等转变为循环资源后因进行处置而给环境带来的影响。第五,防止和排除妨碍环境保护的措施。国家必须制定实施办法,防范排放污染、破坏环境的行为。当国家认定对某项循环资源进行循环性利用或者处置而妨碍了环境保护时,应责令从事循环性利用或处置的事业者,排除妨碍,且对恢复原状承担必要的费用,为此,国家应当制定相关措施。同时,还要建立基金,制定法规,以便在有关企业由于缺乏资金或者由于不能确定企业责任而不能承担费用时,所需费用仍然能够得以支付。第六,与抑制产品和容器转变为废弃物等相关的经济措施。国家应当对于为谋求有效利用原材料、为制造再生利用制品、为对有关资源进行循环性利用或处置而工作的经营者,提供必要而适当的经济性扶持。国家应当对事业者和公众课以公平的经济负担,以促进抑制产品和容器转变为废弃物。当然,国家在采取上述措施时,应当努力取得公众的理解与合作。第七,国家应当采取措施,完善旨在于促进循环资源的循环性利用的公共设施。第八,国家应当采取措施,从经济上支持地方政府为建立循环型社会所发生的费用。第九,国家应当采取措施,振兴有关形成循环型社会的教育以及学习、宣传活动。国家应当采取措施,鼓励民间团体自发地开展为建立循环型社会而进行的各类活动。第十,国家应当开展必要的调查,这些调查包括:循环资源的产生、循环资源的利用和处置的状况、预测循环资源处置给环境带来的影响等。第十一,国家应当采取措施,推进与建立循环型社会有关的科技进步,包括完备研究体制、推进研究开发、普及研究成果、培养研究人才等。第十二,国家应当采取必要的措施,推进有关的国际合作。(2)地方政府应实施的政策。该部分的规定比较笼统,只进行了概括规范,即要求地方政府要从本地区的自然、社会条件出发,实施必要的政策和措施,以便有计划和综合性地推进循环型社会的建立。

3. 美国的有关立法模式

目前,美国还没有一部全国性的循环经济法规,但美国有《资源保护和回收法》(1976 年通过,1980 年修订)和《污染预防法》(1990 年制定),在一定程度上体现着发展循环经济的要求。同时,美国联邦政府和各州政府还推行了一些有利于发展循环经济的政策。自 20 世纪 80 年代中期以来,美国已有半数以上的州先后制定了促进资源再生循环利用的法规。美国加州于 1989 年通过了《综合废弃物管理法令》,要求在 2000 年以前,对 50% 的废弃物,要通过源削减和再循环的方式进行处理,未达到要求的城市将被处以每天 1 万美元的行政性罚款。美国 7 个以上的州规定,新闻纸的 40%—50%,必须使用由废纸制成的再生原料。威斯康星州规定,塑料容器必须使用 10%—25% 的再生原料。加州规定玻璃容器必须使用 15%—65% 的再生原料,装垃圾的塑料袋必须使用 30% 的再生原料。佛罗里达州对向本地市场出售的所有饮料容器征收 5 美分的预付处理税,这些钱直接划入本州循环发展基金,以开展循环经济发展的相关研究。

美国《资源保护和回收法》的主要内容。该法共 8 章 64 条,主要内容可归纳为以下七个方面:(1)明确废弃物的大量产生对环境和健康造成严重影响、对社会财富造成极大的浪费,全社会要予以极大的关注。规定废弃物的收集和处置在继续作为州、地区和地方机构的职责的同时,联邦政府有必要采取行动,通过对新方法和改进方法的开发、论证和利用方面的财政和技术资助及领导作用,以求进一步减少废物的数量,并确保对不能回收利用的废物进行符合环境要求的安全处置。(2)规定该法的立法目的是保护人类的健康和环境安全,保护有价值的物资和能量。其所规定的具体措施是:给州和地方政府以及州际机构提供更高水平的固体废物处理技术(包括更有效的组织安排)、固体废物收集、分离和回收的新方法和得到改善的方法;在管理计划(包括资源回收和资源保护系统)方面提供技术和财政资助;对包括固体废物处置系统的设计、操作和维修的职业培训提供拨款；禁止以后在地上设置垃圾场并要求现存的垃圾场规范化，以期对人类不再造成环境和健康的损害；管制对人类健康和环境有不利影响的危险废物的处理、贮存、运输和处置活动；颁布固体废物收集、运输、分离、回收和处置及系统方面的准则；为改善固体废物处理和资源保护技术，为获得更有效的组织安排以及新的和经过改善的固体废物的收集、分离、回收和再循环方法，为了对不能回收的废渣进行符合环保要求的安全处置，创立一个全国性的研究和开发项目；促进对保护和提高空气、水和土地资源质量的固体废物管理；促进对资源回收和资源保养系统的论证、建造和应用；而且为了从固体废物中回收有价值的物资和能量，要在联邦、州和地方政府及私人企业之间建立密切的协作关系。（3）对有关术语作出定义。诸如危险废物及其产生和管理、可回收的、回收物资、回收资源、资源保护、资源回收系统、资源回收设施等。（4）确定该法的组织管理实施机构及其职权。特别设立联邦资源保护和回收活动的部门协调委员会，负责对由环境保护署、能源部、商务部和依照该法或有关法律进行的其他联邦机构所进行的从固体废物中回收资源的所有活动进行协调。其中资源保护和回收活动，应包括但不限于所有有关资源保护或从固体废物中回收能源或物资的研究、开发和论证方案，以及向上述活动提供的所有技术或财政资助。（5）规定危险废物的管理制度，包括危险废物的鉴定、有关标准和程序，适用于危险废物的生产者、运输者的标准，适用于危险废物的处理、贮存、处置设施的所有者和经营者的标准和许可证制度、检查制度等。这些管理制度的确定，应当遵循法定程序，即发布通告、听取公众意见和与适当的联邦和州的机构进行协调。（6）关于州或地区的固体废物计划的规定。（7）规定商业部长在资源回收中的责任是：为回收的物资规定准确的规格；为回收的物资提供市场开发的刺激；推广经过检验的技术；以及为有关资源回收设施的技术和经济资料的交流提供论坛等措施，鼓励经过检验的资源回收技术在更大的范围内商品化。

4. 其他模式和做法

法国 1993 年前曾立法规定，1993 年及以后上市的消费品，50% 的包装物必须回收利用。

现今，欧洲在产品循环利用、废弃物资源化方面已经取得显著成就。1975年7月15日，欧洲共同体理事会通过了《废物指令》，明确要求各成员国应当采取适当的措施，鼓励废物的预防、再生和加工，鼓励对从废物中提取原材料或者在可能时提取能源并鼓励废物再利用的其他加工形式。这个《废物指令》还要求：各成员国应采取必要的措施，确保废物的处理不会危及人类的健康，也不会损害环境，特别要求做到：不会对水、空气、土壤和动植物带来危害；不会通过噪音和臭气对人类形成危害；不会危害到农村地区或者有特殊利益的地区。该《废物指令》还规定：依据"污染者负担"的原则，减去废物处理的任何收益，废物处理的费用应当出自：（1）通过废物收集者处理废物的持有者或者有关的企业；（2）先前持有者或者产生废物的生产者。该《废物指令》还特别规定：在指定的地区，成员国必须成立或者指派主管部门或相应负责的管理机构，以便对废物的处理工作进行策划、组织、授权和监督。2000年9月18日，欧洲议会和欧盟理事会通过了《报废车辆指令》；2002年6月27日，欧盟委员会通过了《报废车辆指令》附件Ⅱ的修改决定；2003年1月27日，欧洲议会和欧盟理事会通过了《报废电器电子设备指令》。上述法律文件，分别对防止报废电器电子设备及车辆污染环境，促进对有关资源的回收利用和循环使用作出了明确规定，在全世界具有先进性和示范性。

就立法性质而言，目前发达国家有关循环经济的立法模式大体上可分为两种：一种可称之为污染预防型，如美国等国，将资源的回收利用纳入污染预防的法律范畴，属于广义上的环境法；另一种可称之为循环经济型，如上面所提到的德国1994年公布实施的《循环经济和废物处置法》，日本2000年公布实施的《建立循环型社会基本法》，将整个社会活动纳入循环经济轨道，建立循环型社会，已经超出了一般意义上环境法的范畴。笔者认为，污染预防型立法虽然比末端治理前进了一大步，但仍然没有摆脱狭义上的环境保护的理念，没有从根本上解决发展与环境保护之间的矛盾与冲突；循环经济型立法从社会经济运行的内部深处来协调发展与环境保护的关系，通过提高资源利用效率的途径力求将污染物"吃干榨净",以便从根本上杜绝污染物的产生,这是治本之策,具有更加主动、更加彻底的革命意义。

日本虽然发展循环经济、制定建立循环型社会的法律起步较晚,但其起点高,采取的法律措施比较坚决,也比较全面,所取得的环境和经济效果都比较显著,因此,日本的经验,对于我国发展循环经济具有更大的借鉴意义。

二、我国循环经济立法的现状及评价

"循环经济"一词,引入我国较晚。但是,与循环经济有关的一些理念,与发展循环经济有关的一些实质性的内容,在我国早已有人作过研究,在政策和法律方面也有过一些规定,这些都是我国现阶段进行循环经济立法的有利条件和基础。

1. 我国发展循环经济立法的历史和现状

我国在 20 世纪 70 年代开始注意用政策和法规手段推动环境保护和资源的综合利用、循环使用等工作。早在 1973 年第一次全国环境保护工作会议上,原国家计划委员会拟订的《关于保护和改善环境的若干规定》中就提出努力改革生产工艺,不生产或者少生产废气、废水、废渣;加强管理,消除跑、冒、滴、漏等要求。1985 年,国务院又批转了原国家经济委员会起草的《关于加强资源综合利用的若干规定》,该规定对企业开展资源综合利用规定了一系列的优惠政策和措施,并附有相关的产品和物资的具体名录,使企业一目了然。该规定的公布实施,有力地促进了我国资源综合利用工作的开展。资源的综合利用,实际上就是今天我们所称循环经济的内容之一。

我国循环经济的立法现状是:

我国现行《中华人民共和国环境保护法》、《中华人民共和国大气污染防治法》、《中华人民共和国水污染防治法》对污染的预防均有一些规定。《中华人民共和国固体废物污染环境防治法》对资源回收利用则有更为明确的要求,如该法第四条规定"国家鼓励、支持开展清洁生产,减少固体废物的产生量。国家鼓励、支持综合利用资源,对固体废物实行充分回收和合理利用,并采取有利于固体废物综合利用活动的经济、技术政策和措施",体现了发展循环经济的部分要求。然而,上述法律文件还不能称之为循环经济法律规范。1996年8月,国务院发布的《关于环境保护若干问题的决定》中规定:所有大、中、小型新建、扩建、改建的技术改造项目,要提高技术起点,采用能耗小、污染物排放量少的清洁生产工艺。1997年4月,国家环保总局制定并发布了《关于推行清洁生产的若干意见》,要求地方环境保护主管部门将清洁生产纳入已有的环境管理政策,以便更有效地促进清洁生产。为了指导企业开展清洁生产工作,国家环保总局还会同有关工业部门编制了《企业清洁生产审计手册》,以及啤酒、造纸、有机化工、电镀、纺织等行业的清洁生产审计指南。1998年11月,国务院发布的《建设项目环境保护管理条例》明确规定:工业建设项目应当采用能耗物耗少、污染排放量少的清洁生产工艺,合理利用自然资源,防治环境污染和生态破坏。中共中央十五届四中全会《关于国有企业改革若干问题的重大决定》明确指出:鼓励企业采用清洁生产工艺。在国务院机构改革过程中,有关环保产业和清洁生产的职能在新一届政府的各部门中作了重新划分,把如何解决经济发展与环境保护的协调问题作为一个重大问题来对待,国务院综合部门对此负有重大责任。2002年6月29日,《中华人民共和国清洁生产促进法》(以下简称《清洁生产促进法》)获得通过,于2003年1月1日起施行。这是我国第一部以提高资源利用效率、实施污染预防为主要内容,专门规范企业等清洁生产的法律规范。该法的公布实施,表明我国发展循环经济是以法制化和规范化的清洁生产为开端,这是可持续发展的历史性的进步。

多年来,我国一些地方在发展循环经济的法规和规章方面作了不少有益的探索。例如,在《清洁生产促进法》公布之前的1999年,国家经贸委发布了《关于实施清洁生产示范试点的通知》,选择北京、上海等10个试点城市和石化、冶金等5个试点行业开展清洁生产示范和试点。作为试点单位的陕西省、辽宁省、江苏省、山西省、沈阳市等省市相继制定了地方性的清洁生产的法规和政策。再如,陕西省环保局和省经贸委联合下发了《关于积极推行清洁生产的若干意见》,提出将部分排污费返回给企业用于开展清洁生产审计;辽宁省政府制定了《关于环境保护若干问题的决定》，明确要求各地区要将排污收费总额的10%以上用于清洁生产试点示范工程；江苏省政府《关于加快清洁生产步伐的若干意见》，从立项审批、资金扶持、信息支持、科研推广扶持等10个方面制定了具体的清洁生产优惠、扶持政策。辽宁省还率先制定了在全省发展循环经济的计划。上述地方性清洁生产的法规和政策的实施，不仅为本地区推行清洁生产提供了法律依据和保障，也为国家《清洁生产促进法》的制定奠定了理论和实践基础，使该法更具先进性和可操作性。

2. 循环经济单项立法研究

我国是一个区域发展不平衡、城乡发展不平衡、行业发展不平衡的大国，循环经济立法不仅要中央和地方两个层面推动，而且要在基本法和单项法两个层次探索。一方面要积极展开循环经济基本法的立法研究，一方面要积极展开相对成熟的循环经济单项法的立法实践。目前，我国循环经济立法研究与实践的一个重点领域就是清洁生产促进法。

（1）我国清洁生产立法的研究与实践历程。

"清洁生产"这一概念由联合国环境规划署在1989年首次提出，其基本含义是：将综合预防的环境策略持续地应用于生产过程和产品中，以减少对环境和人类的风险性。其主要手段是：在工业生产过程中，通过仿效自然生态系统的结构原则和运行规律，应用专门技术，改进工艺流程和改善管理，从源头削减废料的产生，提高工业生产中的资源利用效率，防止污染的发生。我国政府发布的《中国21世纪议程——中国21世纪人口、环境与发展白皮书》中指出：所谓清洁生产，是指既可满足人们的需要又可合理利用自然资源和能源并保护环境的生产方法和措施，其实质是一种物料和能耗最小的人类生产活动的规划和管理，将废物减量化、资源化和无害化，或消灭于生产过程之中。我国的《清洁生产促进法》对清洁生产的具体含义和要求作了更为明确的规定，即：不断采取改进设计、使用清洁的能源和原料、采用先进的工艺技术与设备、改善管理、综合利用等措施，从源头削减污染，提高资源利用效率，减少或者避免生产、服务和产品使用过程中污染物的产生和排放，以减轻或者消除对人类健康和环境的危害。从以上规定中可以看出,清洁生产的实质是源头污染控制战略,要求企业从生产源头减少污染物的排放,并对产品生产、使用的整个周期进行全过程控制,强调在产品生产、产品使用及其相关服务的各个环节和各个方面,都要坚持节能、降耗、减污、增效,提高资源利用效率,降低对人类和环境的危害,实现经济效益和环境效益的统一。所以,清洁生产对于生产过程而言,包括节约资源、能源,减少废物的排放量、降低污染物的产生和有害性;对于产品而言,旨在减少产品运动周期对于资源和环境所产生的负面影响。清洁生产的基本目标是实现清洁的能源、清洁的生产过程、清洁的产品,避免重蹈发达国家"先污染、后治理"的覆辙,实现经济效益与环境效益的共赢。

清洁生产首先是从工业生产领域开始实施的,但并不仅限于该领域。从世界各国清洁生产的发展历程来看,在工业领域的清洁生产取得了巨大成效以后,清洁生产从生产清洁向产品清洁延伸发展,这意味着清洁生产已经从生产领域扩展到消费领域,从对有形产品的关注,延伸到对无形产品——服务的关注,进而涵盖社会所有经济活动。从宏观经济规划和管理方式看,原本着眼于污染预防的措施和手段已经转化为抓源头的资源利用,通过促进物料的再循环,推进生产的非物质化进程,一些国家甚至提出了物耗、能耗零增长,污染物零排放以及废物零填埋的奋斗目标,许多国家在比较短的时间内,制定了大量的推行社会化清洁生产、循环经济的法律、政策,并认真加以实施。

我国是从 1993 年开始在工业部门推行清洁生产的。1994 年我国政府发布了《中国 21 世纪议程——中国 21 世纪人口、环境与发展白皮书》,其中明确提出,要"重点开发清洁技术,大力发展可再生和清洁能源","大力推广清洁生产工艺技术,努力实现废物产出量少量化和再生资源化,节约资源、能源,提高效率","生产绿色产品"等,明确规定清洁生产与可持续发展的相互关系。我国关于清洁生产的实践活动,可以大致划分为四个阶段:

第一阶段为准备阶段(20 世纪 80 年代至 1993 年 10 月)。20 世纪 80 年代,我国政府确定环境保护是一项基本国策,并提出"预防为主,防治结合"、"谁污染谁治理"等一系列环境保护原则,制定和修改环境保护法,确定"新建企业和现有工业企业的技术改造,应当采用资源利用率高、污染物排放量少的设备和工艺,采用经济合理的废弃物综合利用技术和污染物处理技术"。由国家环保局组织工业企业开发无废、少废工艺,在一些企业中进行试点;组织和参加清洁生产的国内和国际研讨,明确清洁生产的实施方式,加强清洁生产研究的国际合作;开展清洁生产示范项目,开展清洁生产的政策研究;组织实施清洁生产的宣传、教育与培训等。这些实践活动为推行清洁生产做了理念上、组织上和方法上的准备。

第二阶段为试点示范阶段(1993年10月到1999年5月)。1993年10月国家环保局、国家经贸委在上海召开了第二次全国工业污染防治会议,确定了清洁生产在我国环境保护事业中的战略地位,在全国范围内逐步推行清洁生产。与此同时,国家制定修改了部分法律法规,对全过程控制和清洁生产作了较为明确的规定。

第三阶段为大力推进阶段(1999年5月到2002年6月)。1999年5月,国家经贸委选择北京、上海等10个试点城市和石化、冶金等5个试点行业开展清洁生产示范和试点。这使清洁生产得到进一步发展,表现为:清洁生产已经从企业层次进一步拓展;从企业的节能、降耗、减污,上升到更大范围的生态化。在清洁生产的组织方面,通过政府的主导作用,使清洁生产迅速得到社会的认可和接受。2002年6月,全国人大常委会公布了《清洁生产促进法》,标志着我国清洁生产工作进入法制化、规范化的发展轨道。

第四阶段是全面实施《清洁生产促进法》阶段(2003年1月以后)。随着《清洁生产促进法》的公布实施,清洁生产成为我国发展循环经济,实现可持续发展的核心内容,将会引导产业结构、产品结构、能源结构向环境友好化方向发展,不仅提高了我国的国际形象,而且大大增强了我国产品的国际竞争力。

(2)关于《清洁生产促进法》的主要内容。

关于本法的名称。考虑到在社会主义市场经济条件下,应当尊重企业等市场主体的自主性,因此,在立法思路上要注重对清洁生产行为的引导、鼓励和支持,而不宜对其生产、服务的过程进行过多的直接行政控制。这就决定了清洁生产立法应当以对清洁生产进行引导、鼓励和支持保障的法律规范为主要内容，而不是以直接行政控制和制裁性法律规范为主。采用"促进法"这一立法名称有助于准确反映本法的特点和主要内容。国内外法律称"促进法"的也有不少，如日本的《资源有效利用促进法》和一系列产业促进法，全国人大常委会制定的《促进科技成果转化法》、《中小企业促进法》等。同时，采用这一法律名称，也有利于处理清洁生产立法与有关环境法之间的关系。

关于《清洁生产促进法》的立法目的。本法的立法目的是：为了促进清洁生产，提高资源利用效率，减少和避免污染物的产生，保护和改善环境，保障人体健康，促进经济与社会的可持续发展。这一立法目的与我国环境污染防治立法的目的基本一致，但比相关环境法更具先进性，因为它体现了可持续发展的时代要求。

关于《清洁生产促进法》调整范围。《清洁生产促进法》第二条规定："本法所称清洁生产，是指不断采取改进设计、使用清洁的能源和原料、采用先进的工艺技术与设备、改善管理、综合利用等措施，从源头削减污染，提高资源利用效率，减少或者避免生产、服务和产品使用过程中污染物的产生和排放，以减轻或消除对人类健康和环境的危害。"第三条规定："在中华人民共和国领域内，从事生产和服务活动单位以及从事相关管理活动的部门依照本法规定，组织、实施清洁生产。"

本法的适用范围是以联合国环境规划署对清洁生产的定义为主要参考确定的。适用的范围包含了全部生产和服务领域。本法之所以这样规定，一是因为目前国内外对清洁生产的认识已经突破了传统的工业生产领域，农业、服务业等领域也已开始推行清洁生产；二是本法规定的政府职责是以支持、鼓励措施为主，这个范围宜宽不宜窄，事实上也没有必要对不同的生产领域制定不同的清洁生产促进法，如工业领域清洁生产促进法、农业领域清洁生产促进法、服务业领域清洁生产促进法等；三是由于清洁生产的推行是一个渐进的过程，法律应当为其未来的发展留下空间，如果规定过窄，反而会对今后清洁生产的推行造成障碍。

考虑到法律的可操作性，本法着重对工业生产领域的清洁生产推行和实施作了具体规定,对农业、服务业等领域实施清洁生产,只提了原则性要求。对于公民个人在生活领域如何"清洁"地消费产品的问题,法律没有涉及。这样规定,既可以满足当前工业等领域推行清洁生产的迫切需要,也可以为今后在其他领域推行清洁生产提供必要的法律依据和活动空间。

关于政府及其有关主管部门推行清洁生产的责任。《清洁生产促进法》第二章"清洁生产的推行",对政府及有关部门明确提出了要支持、促进清洁生产的具体要求,其中包括要制定有利于清洁生产的政策、制定清洁生产推广规划、发展区域性清洁生产、为企业提供清洁生产的技术信息和技术支持、组织清洁生产的技术研究和技术示范、组织开展清洁生产教育和宣传、优先采购清洁产品等。这样规定,有利于政府为生产经营者自愿实施清洁生产提供支持和服务,创造适宜的外部环境。本法对政府及有关部门提出的要求,归纳了当前国内外政府在推行清洁生产方面的主要经验,突出了政府的引导和服务功能。

本法第五条规定:"国务院经济贸易行政主管部门负责组织、协调全国的清洁生产促进工作。国务院环境保护、计划、科学技术、农业、建设、水利和质量技术监督等行政主管部门,按照各自的职责,负责有关的清洁生产促进工作。""县级以上地方人民政府负责领导本行政区域的清洁生产促进工作。县级以上地方人民政府经济贸易行政主管部门负责组织、协调本行政区域内的清洁生产促进工作。县级以上地方人民政府环境保护、计划、科学技术、农业、建设、水利和质量技术监督等行政主管部门,按照各自的职责,负责有关的清洁生产促进工作。"本法这样规定,主要是考虑到清洁生产不同于单纯的污染控制,不能仅仅依靠单一部门的监督管理,而是需要政府从多个角度、多个环节对生产经营者进行引导、鼓励、支持和规范。因此,在推行清洁生产的体制问题上,本法突出了经济综合主管部门和环保部门等有关部门之间的密切配合。

关于对生产经营者的清洁生产要求。《清洁生产促进法》第三章"清洁生产的实施",规定了对生产经营者的清洁生产要求。本法对生产经营者的清洁生产要求分为指导性要求、强制性要求和自愿性规定三种类型。其中,指导性的要求不附带法律责任。属于此类要求的法律规定包括有关建设和设计活动优先要考虑采用清洁生产方式;按照清洁生产的要求进行技术改造;普通企业的清洁生产审核等。自愿性的规定主要是鼓励企业自愿实施清洁生产,改善企业及其产品的形象,相应可以依照有关规定得到奖励和享受政策优惠。属于此类的规定包括企业自愿申请环境管理体系认证等;强制性的要求规定了生产经营者必须履行的义务,包括对部分产品和包装物要进行标识和强制回收;部分企业要进行强制性的清洁生产审核;对污染严重的企业要按照国家环保总局的规定公布主要污染物排放情况等。本法中有关指导性的规定比重较大,强制性规范比重较小,突出了"促进法"的特点,淡化了行政强制性色彩,以利于引导、规范生产经营者实施清洁生产。

关于清洁生产的鼓励措施和法律责任。为了有效地推行清洁生产,除了加强宣传、提供必要的技术支持以外,还应当对实施清洁生产者给予多方面的鼓励,同时对少数应当采取清洁生产措施而拒不为之的企业给予处罚。

本法将鼓励措施作为一章,对实施清洁生产的企业规定了表彰奖励、资金支持、减免增值税等措施,明确实施清洁生产者可以从多方面获益。例如,第三十二条规定:"国家建立清洁生产表彰奖励制度。对在清洁生产工作中做出显著成绩的单位和个人,由人民政府给予表彰和奖励。"第三十三条规定:"对从事清洁生产研究、示范和培训,实施国家清洁生产重点技术改造项目和本法第二十九条规定的自愿削减污染物排放协议中载明的技术改造项目,列入国务院和县级以上地方人民政府同级财政安排的有关技术进步专项资金的扶持范围。"第三十四条规定:"在依照国家规定设立的中小企业发展基金中,应当根据需要安排适当数额用于支持中小企业实施清洁生产。"第三十六条规定:"企业用于清洁生产审核和培训的费用,可以列入企业经营成本。"

本法对运用税收手段支持清洁生产,作出了突破性的规定。第三十四条明确规定:"对利用废物生产产品的和从废物中回收原料的,税务机关按照国家有关规定,减征或者免征增值税。"这样规定主要是立法机关意识到增值税的征收状况对企业利用废物生产的产品和综合利用产品的盈利水平影响很大,为了鼓励企业实施清洁生产、节约使用和充分利用资源,减、免增值税是必不可少的政策措施,本法对此作出规定,必将对企业的废物回收和利用发挥激励作用。

本法法律责任一章对企业不履行法定义务的行为规定了相应的法律责任。但是从总体看,法律责任的内容较少,这是由于"促进法"的特殊性质决定的。

3. 对我国循环经济法律的若干评价

(1)我国循环经济法律的积极作用。

我国循环经济法律在实践中已经发挥了积极的作用,目前其突出的作用是为我国企业提高资源利用效率,为加强我国清洁生产和废物回收利用工作,提供了法律和政策上的依据和支持,企业和个人依据这些法律和政策也确实得到了一些经济利益上的实惠,这在客观上有利于污染的预防。如辽宁省、上海市、北京市等政府依法在本辖区全面推行清洁生产,均取得了明显的经济和环境效益。

(2)存在的问题。

我国的循环经济立法从总体上看还处于初步阶段。我国虽然有了一些关于污染预防、资源综合利用的规定,在有的环境法中也规定了一些关于循环经济的内容,甚至在一些法律条文中也有若干关于发展循环经济的规定,但是从总体上看,还是初步的,对全局有重大影响的实质性内容的规定并不是很多。与此同时,我国在发展循环经济方面仍有不少法律上的空白。例如:发展循环经济涉及到财政、税收、金融、投资、贸易、资源回收、科技、教育培训等纵向管理与企业经营、包装、垃圾处理、建筑、食品、化学品、家电、服务行业等领域,需要制定法规或者规章的任务很多很重,有许多法律上的空白需要填补。因此,我国的循环经济立法总体上还处于初步阶段,我们对此要保持清醒的头脑。

已有的关于发展循环经济的立法质量有待于提高。从目前的实际情况看,我国关于发展循环经济的立法思路并不是很清晰;已有的一些规定也比较原则笼统,可操作性不够强;若干相关的法律之间还存在着不够协调等问题。上文所及立法质量不高的原因,除了《清洁生产促进法》本身比较原则外,还有一个更大的问题,就是有关的配套措施不到位。而对我国这个人口众多、幅员辽阔、各地发展情况很不平衡的国家来说,法律公布后立即制定实施条例或者实施细则是十分重要的。因此,实施细则与法律不配套的问题必须抓紧解决。

有关法律的修改工作跟不上需要。发展循环经济,与传统环保理念中的末端治理有着根本的不同。现行有关的环境保护法律中的一些制度,例如,"三同时"制度,由于其着力点是末端治理,早已不能适应新形势下污染防治和发展循环经济的需要。因此,需要在适当的时机进行修改。类似的例子还有许多,需要立法机关引起高度重视,以便不失时机地将修改不合时宜的法律列入立法议程。

要认真向德国、日本等循环经济立法和执法均比较先进的国家学习。要在立法理念、立法决策、法律实施等方面采取坚决措施,进行大胆的变革,坚定不移地向着建立循环型经济和社会的法律体系的方向而努力奋斗。

三、我国循环经济立法的若干思路

1. 循环经济立法应坚持的指导思想和原则

(1)要以科学的发展观为指导。

党中央提出的科学发展观,其重大创新就在于它把全面、协调和可持续发展作为核心内涵,解决了要发展、为什么要发展以及怎样发展的重大问题,明确了增长和发展的关系。它要求我们改变过去以单纯追求经济增长为目标的发展观,将人与自然的和谐作基础,以区域、城乡、经济与社会统筹发展为内涵,以国内国际相统筹为手段。发展循环经济是实现人与自然和谐的重要出路。它可以将人口、资源和环境三者有机地结合起来,防止"环境贫困",从而在更高的层次上推进社会公平,缩小生活质量差距,它与科学发展观的指向是完全一致的。因此,开展循环经济立法必须以科学发展观的理论作为立法的指导思想。

(2)立足国情,进一步完善循环经济立法体系。

世界各国的地理条件、环境、资源、人口、文化等各具特点,为了有效地保护其环境和资源,各国必须建立与其特点、需求相适应的法律制度。我国作为一个发展中的大国,地区之间发展极不平衡,自然条件千差万别,环境问题十分复杂,既有极其严重的环境污染,又有触目惊心的生态破坏,因此中国循环经济立法只能坚持从实际出发、有计划循序渐进、突出重点兼顾一般等原则,逐步建立起完备的循环经济法律体系。

(3)在制定有关法律时要重视发展循环经济。

加强循环经济法制建设,不仅要制定完善的循环经济法律法规,而且要在其他法律中充分体现循环经济的要求。这也是《中国21世纪议程》所倡导的"综合决策"在立法过程中的具体体现。

(4)在循环经济立法中要重视经济手段的合理使用。

世界各国实践表明,经济手段是保护环境与资源最为有效的手段之一。为此,在循环经济立法中,要加强经济手段的运用,并以法律的形式加以明确。除了采取现阶段常规的一些经济手段,如价格、利率、信贷之外,还要积极探索一些新的经济手段,如环境税、财政刺激、环境损害责任保险、环境标志等等,并在条件成熟时以法律的形式固定下来,以更好地促进循环经济的发展。

(5)努力解决好循环经济立法中的几个重大问题。

一是可操作性问题。可操作性较差是我国立法中长期、普遍存在的一个老问题,在今后的立法中必须认真解决。法律条文应该尽量具体明确,必要时可以规定一些量化指标,避免过于原则和抽象。这就需要立法机关及其工作机构本着对国家和人民的利益高度负责的精神,在认真调查研究的基础上起草和审议法律条文,在遇到矛盾时,多向人民和各方面专家学习,敢于解决,善于解决,不断制定出一个又一个高质量的循环经济和环境保护的法律法规。

二是借鉴国外先进经验的问题。一个国家的环境问题有时也与全球环境问题相关联,在一定程度上具有共性。我国的循环经济法制建设起步较晚、经验不足,因此更应大胆吸收、科学借鉴国外循环经济法制建设的经验。只要是对我有利、有用的,都可以借鉴。例如,我国长期坚持的"立法宜粗不宜细"的习惯,对人民运用法律带来了很大的不便,我认为,完全可以向西方一些国家学习,尽量写得详细一些,把各种问题和对策考虑得周到一些。

三是"公众参与"问题。许多国家的实践证明,公众参与是促进循环经济发展不可缺少的重要手段。在循环经济立法的过程中,应当广泛听取广大人民群众的意见和呼声,汲取人民群众的智慧,鼓励人民群众参与发展循环经济的积极性和创造性。在这方面,我们要目光远大。现在的问题是,不少立法机关大都召开过立法听证会等会议,人民群众和一些专家也发表过不少合理意见,但是,在涉及一些部门的权力和利益时,立法机关往往过多照顾部门的意见而拒绝采纳人民群众和专家的合理意见,最终使听证会流于形式。这种不尊重人民意见的做法,人民很有意见,现已经到了必须改变的时候了。

2. 循环经济立法的思路

按照从实际出发、有计划循序渐进、突出重点兼顾一般等原则,我国的循环经济立法可以按照以下的思路进行:

(1)要抓紧制定《清洁生产促进法》的配套法规及资源回收利用的规定。

例如,有关部门要抓紧制定强制回收的产品和包装物的目录以及具体回收办法和清洁生产审核办法等。有关部门要抓紧编制有关的生产指南和技术手册等。

要制定促进循环经济发展的有关规定。有关方面要抓紧研究制定节能、节水、资源综合利用等促进资源有效利用的法律法规和规章。要抓紧制定《资源综合利用条例》、《再生资源回收利用管理条例》;研究制定废旧家电及电子产品、废旧轮胎、建筑废弃物、包装废弃物等资源化利用的法规和规章。

要加快循环经济发展相关标准规范的制定。国务院有关部门要加快制定高耗能、高耗水行业的市场准入标准,完善主要用能设备、能效标准和重点用水行业取水定额标准,组织修订主要耗能行业节能设计规范,制定重点行业清洁生产评价指标体系,建立强制性产品能效、环保绩效标识制度,加大资源节约、污染预防、废弃物减量化措施的实施力度。

要研究建立生产者责任延伸制度和消费者付费制度。所谓扩大生产者责任是指生产者即使在其生产的产品被人使用、被人废弃以后,仍负有一定的对其产品进行适当的循环利用和处置的责任。由于生产者最熟悉自己的产品是否具有一定的污染性,而且比消费者更有能力承担废弃物的处理工作,因此应承担更多的环保风险。通过建立上述制度,明确生产商、销售商、消费者等对废物回收、处理和利用中的义务;要研究建立大宗废旧资源回收处理的收费和押金制,以推进资源的回收和利用。

要建立健全发展循环经济的统计和核算制度。有关部门要加快研究以资源生产率、资源消耗降低率、资源回收率、废物最终处置降低率等为基本框架的循环经济评价指标体系。还要逐步完善与循环经济相关的统计报表制度。

(2)要抓紧修改有关的法律法规。

要抓紧修改《固体废物污染环境防治法》和《节约能源法》。在修改《固体废物污染环境防治法》时,要注意增加发展循环经济、促进资源回收利用等规定。在修改《节约能源法》时,要强化法律责任部分,以强化节约,杜绝各种浪费能源的行为。

此外,还应抓紧修改和完善其他相关的法律制度,例如,在适当时候修改宪法,将实施可持续发展战略和发展循环经济的内容写进宪法;修改和完善环境保护的法律制度,对"三同时"制度进行修改等;修改预算法和有关的核算监督制度,建立绿色国民经济核算制度;修改产品责任制度,扩大产品生产者的环境保护责任。与此同时,进一步建立完善的市场经济制度,充分发挥市场在资源配置和促进循环经济发展中的积极作用。

(3)要及时研究制定《循环经济促进法》。

制定循环经济促进法的必要性有以下几个方面:

第一,随着循环经济的迅速发展和人民对循环经济认识的迅速提高,随之各类循环经济法规和文件的大量制定,客观上需要从全局的高度,考虑制定一个能够统揽全局的、带有基本法性质的促进循环经济发展的法律。循环经济是一种全新的经济发展模式,其核心是最有效地利用资源,提高经济增长的质量,从根本上保护和改善环境。它首先强调的是资源的节约利用,然后是资源的重复利用和资源再生。发展循环经济是一场经济、环保和社会的重大变革,迫切需要在上层建筑的法律领域,也进行一次重大的变革,通过制定一部高质量的循环经济和社会的法律,来支持这个伟大的变革。从具体操作的层面看,我国虽然已经制定了一些与循环经济有关的鼓励清洁生产和资源综合利用的法律和政策措施,但是我国至今并没有一部法律将清洁生产、固体废物利用、环保产业发展和资源循环利用等相关内容统一纳入到循环经济法律框架内进行综合考虑,还缺少从国家发展战略、规划和决策层次系统规范循环经济发展的法律规则。目前的《清洁生产促进法》、《固体废物污染环境防治法》和《节约能源法》,它们受各自的法律定位所限,无法发挥从全局的高度统领发展循环经济,建立循环型社会的使命。发展循环经济、建立循环型社会是实现可持续发展的重要途径,也是保护环境和预防污染的根本手段,涉及社会、经济、资源与环境各个方面,是对传统经济发展模式、环境治理方式以及相关战略和政策的重大变革,因此需要权威的法律手段作为支撑、保障和引导,迫切需要全国人大在总结已有的立法经验的基础上,整合已有的法律措施,制定具有基本法性质的建立循环型经济和社会的法律。

第二,循环经济的实践提出了新的立法要求。近年来,关于循环经济的理论在国内学术界迅速发展。一些与循环经济相关的理论,如工业生态学、清洁生产、绿色产品等学科和相关政策的研究正在加紧进行,并取得重大成果。循环经济的实践活动也在向前推进。国家环保总局在全国重点支持了循环经济的八大示范园区,探索不同地区不同行业的发展模式,如广西贵港以甘蔗制糖为主,辽宁着眼于老工业基地改造,包头强化对重化工污染行业的整治,南海则是新兴工业园的尝试等。此外,我国在城市推进了创建"循环经济型城市"活动;在农村和以农业为主的地区,开展了生态示范区、生态县、生态市和生态省建设。所有这些实践活动目前还缺乏规范的激励政策,"优惠"政策没有完全到位,因此迫切需要将这一系列的政策上升到法律的高度来落实。

第三,全国人大代表、政协委员、国务院有关部门和一些地方的立法机构多次提出制定循环经济促进法的建议。在九届人大期间就有全国人大代表提出关于制定循环经济促进法的建议。在十届人大一次会议上,又有人大代表提出关于制定循环经济和废旧物资回收及综合利用法的议案。第十届全国政协委员也向全国政协十届一次会议递交了应当抓紧制定循环经济促进法的提案。此外，在征求第十届全国人大常委会期间的立法规划建议时，在最近几年召开的有关会议上，国务院有关部门和一些著名专家学者多次提出应当尽快制定循环经济促进法。

第四，从国际经验看，专门制定发展循环经济、建立循环型经济和社会的法律，对于推动循环经济的发展、对于提高自然资源的利用效率，对于从根本上预防污染，是十分必要的，是成功的。

综上所述，我国在条件成熟时，制定一部具有中国特色的《循环经济促进法》，不仅是必要的，也是可行的。

四、循环经济促进法研究

1. 循环经济促进法的调整对象

循环经济促进法的调整对象，是在发展循环经济、建立循环型社会中所产生和存在的社会关系。循环经济促进法调整的社会关系也因此可分为两大类，一类是从事循环经济相关管理活动的部门与从事生产、服务和消费的单位和个人在发展循环经济时产生的社会关系；另一类是从事生产、服务和消费的单位和个人之间在发展循环经济时产生的社会关系。

循环经济促进法适用的主体范围包括一切从事生产、服务和消费活动的单位、个人以及从事相关管理活动的部门。由于发展循环经济是对整个社会提出的要求，即一切从事生产、服务和消费的单位和个人都有义务采取适应循环经济发展的措施，实现"废物"的减量化、再利用和资源化，所以循环经济促进法的适用范围比一般法律要广泛得多。与其他环境保护的法律相比，循环经济促进法的主体不仅包括从事生产的单位和个人，还包括从事服务和消费的单位和个人。这里的"单位"可以是企业，也可以是其他社会组织。因为考虑到个人是社会的重要组成因素，是建立循环经济社会不可或缺的一分子，所以循环经济促进法的主体也应包括个人在内。本法的适用主体还包括与从事循环经济相关管理活动的部门。由于本法是循环经济的促进法，因此在实施循环经济的过程中需要政府行政主管部门负责组织和协调，并对企业加以引导和扶持。

循环经济法律关系的客体,是指为实现"废物"的减量化、再利用和资源化目标而需要规范和鼓励的人的行为及其结果。

循环经济法律关系的内容,主要指有关主体应享有的权利和应履行的义务,在循环经济促进法中,应当明确各级政府、有关部门及个人在建立循环型社会中的权利和义务。

2. 循环经济促进法与有关法律的衔接和整合

单独制定循环经济促进法是切实可行的。制定统一的循环经济促进法可以将清洁生产、生态工业和生态农业等所采取的措施加以整合,并以此来推动调整产业结构和产品结构,调整农业结构和布局,指导经济发展和合理消费,真正实现经济发展、环境保护及社会进步三者的协调。

但是,我国将来要制定《循环经济促进法》,必然涉及到现行的《清洁生产促进法》是否要保留的问题。这个问题不能回避。笔者认为,实施清洁生产和发展循环经济都是贯彻可持续发展战略的重要组成部分,它们之间虽然有联系,但也不完全相同。其区别是:首先,清洁生产重视生产过程,从源头削减污染物的产生。与清洁生产相比,循环经济则从国民经济全局的高度和广度将环境保护引入经济运行机制,将环境保护延伸到国民经济活动的一切相关领域。其次,清洁生产更重视技术的要求,主要侧重于微观层次,而循环经济虽然也涉及技术问题,但更注重整个循环型经济和社会体系的建立,更侧重于宏观层次。第三,清洁生产侧重对企业提出要求,循环经济则在重视生产经营者的同时也强调了消费者的责任。这就是说,循环经济和清洁生产的目标是一致的,但是循环经济的概念和范围要大于清洁生产,清洁生产可以包含在循环经济之内。因此,《循环经济促进法》的调整范围应当大于《清洁生产促进法》的调整范围。这同时说明,如果国家在条件成熟时制定《循环经济促进法》,就可以考虑将《清洁生产促进法》中的基本内容吸收到《循环经济促进法》中来,而相应将《清洁生产促进法》废止。至于《清洁生产促进法》中一些内容有用但没有吸收到《循环经济促进法》中的条款,可以考虑在以后制定有关的条例和细则时纳入其中。

笔者经研究还认识到,循环经济的理念和政策源于废物的回收利用和合理处置,因此,一旦国家制定《循环经济促进法》,必然也会将现行的《固体废物污染环境防治法》中的相当一些内容纳入其中,因此,同时废止《固体废物污染环境防治法》,也就不失为一个合理的选择。也就是说,条件成熟时要将《清洁生产促进法》、《固体废物污染环境防治法》并入《循环经济促进法》,通过整合实现"三法"的合一。这样处理有助于减少法律之间的矛盾和冲突,有助于理顺管理体制,方便基层单位和广大人民群众,也有助于进一步实现循环经济法制的科学化和现代化,进而促进我国经济建设与环境资源保护的协调发展。

在未来整合有关法律,制定《循环经济促进法》后,就可以考虑建立以《循环经济促进法》为龙头的循环经济法律体系。对有关各类资源的回收利用等,国务院和有关方面可以分别制定或者修改有关的条例和规定,使其成为《循环经济促进法》的配套法规群,以便于国家依法进行科学和规范的管理。

循环经济促进法与环境保护法律之间并不矛盾,二者的目标是一致的,只是各有分工、职责各有侧重。发展循环经济的目的不仅仅是保护环境,更重要是在保护环境的同时,更加合理地提高资源的利用效率,进一步节约资源和能源,保证经济和社会的健康发展。在国外,也常常是既有环境保护、污染防治的法律,又有资源循环利用的法律。如美国,既有污染预防法,也有资源保护和回收利用法。再如日本,既有《环境基本法》,也有《建立循环型社会基本法》。

在考虑制定上述法律的同时,为了保证循环经济真正发展起来,还应考虑制定循环经济企业投资融资法、可持续消费法等。

3.《循环经济促进法》中拟创设的法律制度

为了推动循环经济的顺利发展,在《循环经济促进法》中拟创设的法律制度至少应包括四个部分:一是必要的行政强制措施;二是经济激励手段和措施;三是其他激发民间自愿行动的手段和措施;四是政府和有关主体的义务和责任。

具体制度包括:

（1）发展循环经济的规划制度。

要将发展循环经济确立为国民经济和社会发展的基本战略目标之一，进行全面周到的规划。将其与环境保护规划相协调后，纳入中央和地方的国民经济和社会发展计划，并运用财政预算等手段予以支持，以保证循环经济规划和有关规划的全面实施。

（2）循环经济的科技支撑和示范制度。

鼓励依靠科技进步采用降低原材料和能源消耗的无害或低害的新工艺、新技术，鼓励产业界的积极创新和开发。要求各级政府部门加大科技投入，组织力量研制开发清洁生产技术，推广无害或者低害的新工艺、新技术，大力降低原材料和能源的消耗。对研究和处理废弃产品的研究机构给予政策上的扶持。

（3）绿色消费鼓励制度。

社会再生产的末端是消费者，在传统的环境法律体系中，消费者承担着很少的环境保护义务。但在循环经济法律体系中，消费者应当承担更多的义务。因此，在循环经济法律制度中，应当规定消费者也应为回收利用其消费过的物资承担一定的回收利用义务。公众通过树立与环境保护相协调的价值观和消费观，实行资源的综合利用，可以最大限度地使废物减量化、再利用、资源化和无害化，从而把危害环境的废物减少到最低限度。

（4）产品回收利用制度。

明确规范对产品的回收利用、奖励及相关责任制度。企业在设计、生产产品的过程中，应把产品的再商品化率作为一项重要指标，纳入到企业经济考核指标中来，为企业履行回收产品的义务创造必要的条件。

（5）循环经济发展激励制度。

该类制度包括以下内容：拓宽循环经济融资渠道，建立完善循环经济多元化的投资机制；实行资源回收奖励制度，鼓励公众回收有用物资的积极性；鼓励废旧物资回收和再生利用的产业发展，实现废旧产品商品化；调整税收、信贷、财政等政策，对再生资源加工企业及购买再生资源加工产品的企业和个人实行税收优惠，也可以考虑对利用可再生能源之外的其他能源及其间接产品加征税收，如通过增设新鲜材料税、垃圾填埋税、生态税、碳税等税种,鼓励企业、公众多用再生物品,少用原生物料。政府机关购买物品时应优先采购再生物品,并规定适当的比例;同时,政府通过宏观调控手段,促进废旧物品回收市场的发展、固体废物资源化产业链的建立。

(6)相关的中介组织服务制度。

中介组织不是指垃圾处理等企业,而是一些具有媒介性质的组织机构。通过将有回收产品和包装废物意愿的企业联成网络,并发布废品回收信息,使个人、企业、政府联结为一体,沟通信息,调剂余缺,推动废物的减量化、资源化和无害化。

(7)公众参与制度。

发展循环经济、建立循环型社会离不开广大人民群众的参加,循环经济促进法应当明确规定公众参与建立循环型社会的内容、渠道、方式,鼓励和支持公众的创造精神,逐步建立起公众参与、公众受益、公众监督下的生态文明。

(8)规定中央政府和地方政府在发展循环经济、建立循环型社会中的各项责任。

各级政府及有关部门除了制定和实施有关的规划外,还要明确他们在发展循环经济中的其他职责,以各负其责,把促进和保障循环经济发展的任务落到实处。同时加强对循环经济法律实施的监督力度,对违反循环经济法律的行为进行有力的限制和制裁。

(9)要求重点污染企业必须实施循环经济。

要制定强制实施循环经济的企业名录,将一些大量消耗资源、严重污染环境的重点企业列入名录之中,要求其必须实施循环经济,必须承担回收和循环利用废弃产品以及负担部分处置费用的义务,并在法律中规定重点产品的回收标准。如果在规定的期间内达不到标准者将受到相应处罚,如果达到标准者国家应在税收等方面给予优惠和奖励。

(孙佑海:全国人大环资委)

"上升式多峰论"与循环经济

段宁 邓华

　　人类生存和发展面临的诸多问题中,经济增长与物质消耗之间的矛盾是一对尤其突出的矛盾:物质是经济快速增长的基础,人类社会经济发展对物质消耗有很强的依赖性;但物质作为经济动力因素的同时,由于可能产生的逐渐耗竭及使用过程中带来的生态、环境问题,都会严重阻碍经济的发展。这对矛盾伴随着人类社会的发展,在不同的阶段表现出了不同的特点,深刻勾勒了人类社会与自然界之间的复杂关系。进入工业化时代以来,人类对自然的掠夺达到了前所未有的高峰,大量不可再生资源逐渐耗竭,由此引发的各种灾难性后果使人类处在极度危险的边缘。越来越多的人认识到如果不尽快改变当前的经济增长模式,人类最终的命运必将是伴随着地球这一茫茫宇宙中的"飞船"走向毁灭。

　　本文对 OECD(经济合作与发展组织,下同)1960—1995 年的能源消耗、经济增长情况以及欧盟和美国的物质总需求状况进行描述、分析,初步验证了西方发达国家工业化过程中,随着经济的增长,物质消耗总量水平在 20 世纪 70—80 年代中期出现下降后,又于近年来重新"复钩"的重要事实,提出人类社会物质消耗的表现形式是"上升式多峰"这一新理论,并进一步阐述了其观点、机理和驱动力,以及未来实施循环经济的重要性与迫切性。

一、"脱钩"理论及其对循环经济的影响

鉴于西方发达国家进行工业化建设以来,随着经济快速增长出现的物质巨量消耗进而造成生态环境严重破坏的情况,许多西方研究人员对物质消耗与经济增长之间的关系做了大量的研究工作,并先后提出了"脱钩"理论。

本文所说的"脱钩"(decoupling),指的是在工业发展过程中,物质消耗总量在工业化之初随经济总量的增长而一同增长,但是会在以后某个特定的阶段出现反向变化,从而实现经济增长的同时物质消耗下降。

Jänicke 等人曾对以联邦德国为代表的工业化水平较高的西方发达国家物质消耗与经济增长关系进行了研究(见参考文献1)。

图 1 是联邦德国 GDP(本处 GDP 以 1980 年的固定价格和汇率计算)增长与主要工业物质消耗量之间的关系图。从图中可以看到,联邦德国 GDP 与能耗和道路运输量的脱钩始于 20 世纪 70 年代末;GDP 与水泥消耗的脱钩始于 20 世纪 70 年初;GDP 与原钢消耗的脱钩始于 20 世纪 60 年代。

此外,Jänicke 还对比利时等其他非物质化工作卓有成效的欧洲国家 1970 年到 1985 年期间的几项重要物耗指标进行了统计、研究,得出了与联邦德国相似的研究结论,并认为工业化基本完成国家的物质消耗与经济增长正在逐步实现"脱钩"(见表 1)。

表 1 欧洲工业化国家 1970—1985 年期间经济增长与物质消耗"脱钩"情况

国家	一次能耗	原钢消耗	水泥消耗	道路运输量	GDP
比利时	7.1	−24.5	−17.6	−2.2	42.7
丹麦	−2.7	−15.6	−33.2	20.1	40.8
法国	30.3	−34.8	−23.4	−14.5	51.6
瑞典	26.4	−37.9	−41.2	−21.4	32.7
英国	−2.3	−43.5	−28.7	−18.2	32.4

(资料来源:参考文献 1)

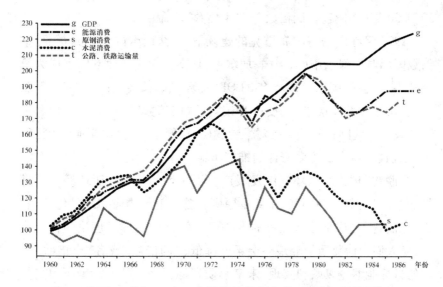

图1　德国20世纪70—80年代经济增长与物质消耗"脱钩"情况

（资料来源：参考文献1）

近30年以来，西方包括 Carter、Malenbaum、Weiszäcker 和 U. Ayres 在内的十几位科学家分别从不同角度对"脱钩"概念进行了描述、研究，得出了比较一致的研究结论：人类经济发展对物质的依赖程度逐渐降低，物质消耗与财富增长的相互关系进入了一个相对的良性循环轨道，经济发达国家已经局部实现了"脱钩"（见参考文献2）。西方国家七八十年代出现的物质消耗与经济增长状况也确实验证了这个结论。

受到"脱钩"理论的鼓舞，以 Weiszäcker 为代表的"罗马俱乐部"科学家于1995年正式提出了"四倍数"全球资源革命的目标，指出可以借助技术进步，在将资源使用量减少一半的同时将社会福祉增长一倍，从而最终将资源的生产率提高四倍，保证在经济增长的同时环境质量不差于现在。施密特·布雷克更是早在1993年就曾提出只有实现将资源的生产率提高十倍的"十倍数"革命，才可能维持人类生存环境的现状。（见参考文献4）

无论是"四倍数"还是"十倍数"，对未来社会的资源减量使用都提出了积极的目标。国际社会在广泛关注的同时普遍认为人类在未来

30 到 50 年内将实现"四倍数"和"十倍数"革命目标。

1994 年在施密特·布雷克的建议下,于法国卡内斯勒成立了"十倍数国际俱乐部",中国、美国、加拿大、日本和大多数西欧国家成为第一批 14 个会员国家。1996 年的 OECD 环境部长会议以及 1997 年联合国"可持续发展策略"纲要中都接纳了"四倍数"的概念。奥地利和芬兰政府对此问题开展了针对性专题研究,德国、荷兰和瑞典等国已经把"四倍数"革命作为政府计划推广实施。

"脱钩"理论对循环经济发展产生了深远的影响。循环经济所遵循的"减量、再用、循环"三个基本原则中首先就是物质的减量化使用,因此"脱钩"理论是循环经济的重要组成部分。"脱钩"理论的初步成立,使人们相信物质消耗最终会不断降低,"四倍数"或者"十倍数"革命的目标能够得以顺利实现,未来物质资源保障与环境污染压力走势将比较乐观。

二、"复钩":关于物质消耗与经济增长关系的再认识

1. 发达国家的"复钩"趋势

(1)OECD 国家的能源消耗状况与经济增长水平。

考虑到产业更替过程中消耗的主要物质种类可能会发生变化:那些与成熟工业相关的低质量物质有可能会逐渐被高质量或技术适应性更强的物质所替代,因此,我们放弃过去研究中使用较多的矿产资源、水泥、钢铁等传统重工业耗材消费指标,转向选用可以贯穿不同工业发展阶段、通用性较强的能源消耗数据作为研究对象。

首先看一下 OECD1960—1995 年的能源消耗状况与经济增长水平(本处 GDP 以 1990 年的固定价格和汇率计算)相关数据情况(见参考文献 5)。

如图 2 所示,我们可以清晰看到:世界发达国家能源消费在 20 世纪 70、80 年代中期两次出现了"脱钩"情况,但是在 90 年代中后期却重新迎来了能源消费的新一轮高峰,而且这次能源消费较之 70 年代末期所经历的巨量能源消费更加猛烈。以法国为例,1978 年人均能源消费量为 141PJ,1986 年降为 112PJ,到 2000 年又重新上升至 172PJ(见

参考文献6)。

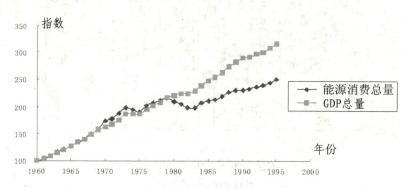

图2　OECD1960—1995年经济增长与能源消费状况

（资料来源：参考文献5)

这种物质消耗在经历了一定时期与经济增长逆向变化("脱钩")之后,于近年又重新同向变化的现象比较早地在 de Bruyn 和 Opschoor 的研究中被称为"复钩"(Re-link)(见参考文献7)。

(2)欧盟等西方发达国家物质总需求变化情况。

在对能源这一贯穿不同经济发展阶段的通用物质的消耗总量进行研究之后,我们再转向观察物质需求总体水平的指标——物质总需求(TMR)的变化情况。2001年欧洲环境署对欧盟等西方发达国家的物质总需求进行了研究(见参考文献4、8),研究的最终结论从物质流核算的角度证明了"脱钩"的成立缺乏足够证据;相反,"复钩"现象的发生得到了验证。

第一,从欧盟物质总需求角度看:

如图3所示,从欧盟人均物质总需求的总体趋势来看,没有明显的证据能够说明物质消耗的下降;相比而言,倒是欧盟成员国人均物质总需求在1988年到1997年期间上升了11.1%。尽管1994年这个数字出现下降,但是1995年相对于1994年又重新上升了12%,1997年同1995年相比也上升了4%。

又如图4所示,1988年到1997年期间,随着欧盟GDP总量增长了36%,其物质总需求量也增长了将近30%,发达国家的经济增长继续

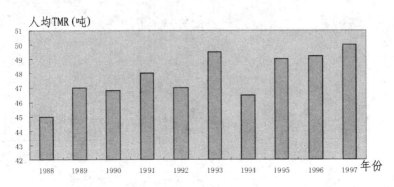

图3 欧盟 1988—1997 年人均 TMR 变化

（资料来源：参考文献4）

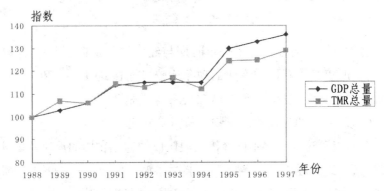

图4 欧盟 1988—1997 年经济增长与变化图

（资料来源：参考文献4）

依赖于物质的大量消耗。

第二，从西方国家人均物质总需求与人均 GDP（本处 GDP 以 1990年的固定价格和汇率计算）变化关系角度看：

如图 5 所示，欧盟成员国以及日本、美国、波兰等国近年来的人均物质总需求与人均 GDP 增长之间的关系呈现出以下两个特点：首先，各国经济增长与物质需求变化幅度不同。随着经济的增长，一部分国家人均物质总需求明显上升，有一些则变化不大，还有一些呈下降趋势。其次，经济增长与物质需求之间总体关系是同步增长。大多数国家的人均物质总需求是随着人均 GDP 的上升不断变大，可见，图中所

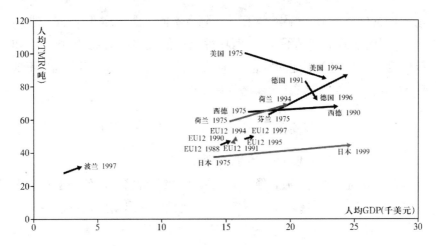

图 5　西方国家人均物质总需求与人均 GDP 变化

（本处 GDP 以 1990 年的固定价格和汇率计算）

（资料来源：参考文献 4）

列国家的经济增长对物质的需求超过以往。

2. 对"复钩"现象的进一步认识

通过上述研究中关于 OECD 能源消费量和美国与欧盟等西方国家物质总需求量近年来变化情况的描述，我们认为发生了"复钩"现象。"复钩"现象的出现使我们必须突破原有的"脱钩"观念束缚，重新认识物质消耗与经济增长之间的关系：

（1）"脱钩"和"复钩"是经济发展过程不同阶段的必然产物，但都不是最终产物。在不同的经济发展水平、产业结构下，不同物质的消耗种类差别很大、数量起伏剧烈。

（2）"复钩"的出现说明了在当前技术、经济发展水平下，顺利完成"四倍数"、"十倍数"革命关于物质消耗总量减少这一目标任务艰巨，需要更多关注与努力。欧盟绝大多数成员国都是基本完成了工业化进程的发达国家，但是 TMR 总体上还在维持自 20 世纪 70 年代中后期以来的持续增长的趋势，因此对经济水平和技术水平更加落后的大量发展中国家而言，资源减量目标的实现难度更大。

（3）经济增长与物质消耗关系研究中的传统理论里，对于"脱钩"

的评价指标体系不尽科学,没有考虑到在不同工业化程度、不同产业结构、不同生活需求水平下,物质消耗种类可能发生的替代、转移。比如碳强度就已经随着工业附加值的增长在大多数国家呈下降状态,而纸张的利用却呈上升状态(见参考文献7)。

三、"上升式多峰论"的观点、机理和驱动力分析

1. "上升式多峰论"的基本理论观点

现代工业进程中,随着经济的发展,物质与经济之间的关系不是简单的"脱钩"或是"复钩"所能概括的,因此我们提出新的理论模式——"上升式多峰论":人类社会发展进程中的物质消耗在"多峰"起伏的基础上呈现总量不断上升的状态。"上升式多峰论"的理论假设模型如图6所示。

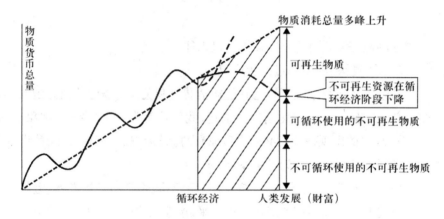

图6 物质消耗与经济增长的"上升式多峰论"理论假设模型

该理论由产业转移、技术进步、综合效应三个基本观点组成:

第一,产业转移。

社会经济发展不同阶段的主导产业会随着当前的社会需求的变化发生转移与变动,从而造成与产业相关物质消耗种类与需求总量出现相应变化。

一个新产业兴起和兴盛过程中,与该产业密切相关的物质的消耗量必然大量增加,而被新型产业所替代的旧产业物质的消耗量必然逐

渐回落。这一阶段,各种不同种类的物质的消耗情况伴随着产业演替,有的出现上升,有的出现下降;此后,遵从一般经济长波理论,随着技术、经济的不断进步,原先的新产业会逐渐经历起步、成长、成熟直至衰落成为旧产业,更新的产业又将出现,新一轮的升降起伏现象又发生在不同种类的物质上,如此周而复始,推动人类文明的不断前进。

就像传统工业在工业革命之初替代农业一样,在科学技术与人类物质需求高速发展的今天,以信息技术为代表的后工业经济又逐渐替代了工业经济的地位,成为现在和将来相当长一段时间内的支柱产业。世界大多数国家水泥需求量的下降,印证了传统工业的逐渐成熟;而信息产业消费的典型物质工业用多晶硅却大幅上升。

多晶硅作为电子产品制造的重要原材料,从 20 世纪 90 年代中期以来,即使在 20 世纪末全球经济萧条时期,其需求量仍然强劲上升(见表 2)。

表 2　世界工业用多晶硅 1994—2000 年供需量表

年份	1994	1995	1996	1997	1998	1999	2000
硅片需求量 (亿平方英寸)	28.9	35.15	37.2	37.4	34.2	37	40
多晶硅产量合计 (吨)	10500	11550	12800	16050	16200	16400	17000

(资料来源:http://www.jz.gov.cn)

我们再看一看美国信息产业的出现与发展对能源消耗的影响。美国作为世界信息产业头号强国,1996—2001 年间,其信息产业占经济总量的 8%—9%,创造了年均 GDP 增长 4.6% 中的 1.4%,在美国经济增长中的贡献几乎占 1/3。强大的信息产业对传统工业的能源消费产生了很大冲击,电子技术、互联网技术、软件技术等低耗能的产业对经济增长的贡献越来越大,改变了传统的钢铁、水泥等烟囱工业在 GDP 中所占的比例,从而产生了巨大的"替代效应",使工业部门使用的能源大大降低;但与此同时,信息产业产生的"收入效应"使商业、交通、居民生活以及相关的能源消费数量大大增长(见参考文献 9)。半个世

纪以来,由于新产业的出现与发展,美国产业转移的一个明显特征就是国家能源消费发生了很大的部门变化,如图7:

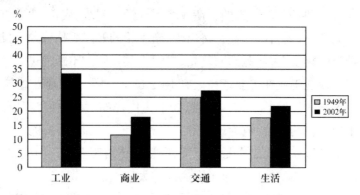

图7　美国的能源消费部门构成变化

（资料来源：参考文献10）

尽管新兴产业的快速发展对传统能源消费部门的消费结构产生了影响,使工业部门能源消费总量下降了,但是从整体来说,社会文明的进步和居民物质生活的进一步富足导致其他部门能源消费大量上升,其结果是能源消费总量呈上升趋势。如图8所示美国能源信息管理局根据1970—2002年的数据统计以及在此基础上作出的至2025年的能源消费预测可以看到,尽管在能源消费过程中曾经出现过多峰起伏变化,但是"上升"是美国能源消费的总体趋势。

第二,技术进步。

技术进步一方面会通过改进生产手段,提高能源和物质的利用效率,从而使生产相同数量的产品所需物质消耗下降,比如随着机械工程技术的全面进步,制造相同功能汽车的能耗物耗已经不断降低;技术进步另一方面会促进劳动生产率的提高使产品供应充足,降低产品价格,最终刺激消费、带动物质消耗总量的上升,比如当今信息技术的快速发展对物质消耗的影响:信息科学快速发展大幅度提高了传统工业技术水平,更大规模、自动化程度更高的工业生产方式和更高的劳动生产率使人们拥有和更换汽车、家电等机械电子产品更容易,也更频繁,于是相关消费所消耗掉的物质也会随之增加;同时,人们的生活方式、消费

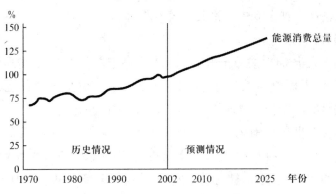

图 8　1970—2025 年美国能源消费总量历史与预测情况

（资料来源：参考文献 11）

习惯也产生了巨大的变化：人们越来越习惯于通过电子商务坐在房间里快速购物与支付，节省了购买的时间，从而也更快、更容易地消费掉原本可能需要更长时间来消费的商品；由于收入的提高和闲暇的增多，人们越来越倾向于投入更多的费用来改善居住条件和提高生活质量，从而消耗掉更多的供热、供电、家居装修材料和交通燃料。

　　从历史上看，第二次世界大战之后随着开采技术、输送技术和有机化学技术的提高，许多不可再生资源市场价格大大下降，结果化纤衣物愈来愈多地替代了棉织品，燃料动力替代畜力作业，许多可再生自然资源被化石燃料、金属和非金属矿物等不可再生资源所替代（见参考文献 12）。最近几十年水电技术、太阳能、风能等可再生能源技术的大规模应用与推广，又重新大大减低了对传统化石燃料的依赖。当前科学家所从事的大量研究工作如从麻风树中获取清洁柴油和从秸秆中提取生物质能燃料的目的也都是希望能够通过新技术的出现产生人类所预期的物质替代，缓解当前短缺物质的消费压力。

　　正是由于技术进步，才使得物质的使用功能可以在不同功能载体之间流动、转移、扩散，实现不同物质的功能替代，最终导致了各种物质的消耗在不同时期的上升与下降，形成多峰的状态。同样是由于技术进步引起的物质替代，在循环经济时代，随着对不可再生物质的高效率循环再用和对可再生物质的大量开发、使用，必将极大降低对不可再生物质的消耗。如图6中理论假设模型所示。

（3）综合效应。

由于人类GDP总量上升的速度大大高于单位GDP的物质消耗量下降速度，因而物质消耗在"多峰"的基础上必然呈现总体上升的状态。这是经济增长与物质消耗之间关系的关键问题。

尽管在世界范围内单位GDP物耗（IU强度）总体呈现下降的趋势，但是由于世界物质财富总量上升更快，因此总的说来物质消耗总量是大大增加的。比如被称为"发达国家俱乐部"的OECD成员国1960—1995年期间能源IU只下降了32.4%，而GDP却上升了119.2%（见参考文献5）。另外有统计显示，人类创造财富的速度越来越快：假设1500年世界GDP总量为1的话，那么1820年为3，1900年为8.2，1950年为22，到1998年世界GDP的总量则达到了135（见参考文献13）。可以看出，世界经济总量的增长是巨大而迅速的，但同期IU的下降却远远不能抵消财富的增长，因而物质消耗的总体上升趋势不可避免。

产业转移与技术进步的综合效应使物质消耗在经济增长的同时呈现多峰与上升的特点。无论是从某一种物质消耗量来看，还是从整个社会所需全部物质消耗总量来看，其与经济增长之间的关系都可能在不同时间段存在同向、反向起伏错落，呈现"多峰"的特点；并且在较长时间范围考察，随着产业转移的拉动与技术进步的推动，其消耗总量必将在多峰的基础上呈总体上升趋势。

这里值得指出的是，物质消耗在某些特定的阶段是存在下降可能的：比如产业转移过程中，有些旧产业已经衰落而新产业还未成熟，物质消耗可能在短期内下降；也有可能是因为在物质替代过程中，某些重要的非物质化技术进步在长期的"平台"期量变积累后，某一时刻突然通过质变升入高一级技术"平台"，使得一定时期内降低物质消耗。西方工业化国家上世纪出现的"脱钩"现象可能可以归于上述两种原因。

在图6中在对未来物质消耗的预测时，我们认为"循环经济时代"会成为人类文明的新发展阶段。在循环经济时代的物质消耗总量同样是不断上升的，但是由于经济增长所消耗的物质越来越依赖于可循环利用的物质,将逐步把不能循环使用的不可再生物质比例降低,因此未来的物质供给在满足经济增长需要的同时是可持续的。

2. "上升式多峰论"的机理

价值规律决定着经济增长中物质代谢的流向和流速,因此物质消费的"多峰"与"上升"仅仅是表征现象,其内在机理是市场规律下对经济利益的追逐。

按照熊彼特经济长波理论,无论社会工业化程度如何,只要存在利润空间,都会促使社会寻求技术创新,突破原有的经济、技术平衡状态从而获得利润。一旦技术创新获得成功,这种超额利润的获得会刺激技术创新快速扩散,掀起新技术乃至新产业的发展高峰,促进经济的增长(见参考文献4)。这些与时代发展特点相匹配的产业发展越快,相应种类的物质消耗量也越大。

从经济学的角度考虑,引起物质替代的一个关键因素是相对价格比率。例如历史上用石油代替鲸油,由塑料和铜代替木材,用煤代替薪材等等,都是由于新物质的价格大大低于旧物质的价格而实现的。

3. "上升式多峰论"的驱动力

人类对美好生活的期望是使物质消耗呈现"多峰"、"上升"状态的内在驱动力。对物质的期望可以分为两个方面,一是其自身追求对物质的享受、占有和支配,二是期望其他人对物质的享受、占有和支配不限制自己的这种追求。

人类具有对物质的无穷无尽的占有本性,这种本性既是生存的需要,也是更进一步发展、满足更美好生活期望的需要。人类无数次战争与冲突,都是因为物质资源的占有与被占有、限制与反限制造成的,比如中东地区纠缠不清的民族矛盾、国家矛盾中的一个重要原因就是各方对水资源和石油资源的反复争夺。综观人类的历史,由于这种对物质的占有天性,使每个社会发展的新阶段都会比前一个时期拥有更多的物质,享受更优的消费。人类之所以能够在自身进化过程中产生了"钻木取火"这一伟大能源消费技术的飞跃,归根到底还是因为人类向往更加舒适、美好的物质生活的本性,促使人类在发展过程去尽力摆脱"茹毛饮血"的旧生活方式,从而转向健康、文明的新生活方式。今天的人类社会在物质丰富程度已经比原始社会高出不止成千上万倍的情况下,仍然在孜孜以求更大的发展,希望获得更多的物质消费满足。

通过对"上升式多峰论"的驱动力进行分析,我们就不难理解在人类获得信息技术所带来的更快捷、更智能的物质生活享受的同时,西方国家的物质消耗在新的产业结构下经历短暂"脱钩"之后又很快"复钩"是必然的事实。

四、"上升式多峰论"对发展循环经济的启迪

大量的数据、事实和相关研究都说明,随着全球工业化进程的不断加快,新兴产业的崛起拉长了物质的平均代谢路径,工业发达国家的生态足迹变得比过去更广更远。因此,对 20 世纪 70—80 年代中期以来工业化国家物质消耗与经济发展"脱钩"的结论应持慎重态度,对中国未来循环经济发展要有更清醒的认识。

从国外情况来看,西方发达国家在人均 GDP 已经达到 15000 美元以上的情况下,物质消耗仍然在不断上升,而我国 2003 年才刚刚达到 1000 美元;从国内情况来看,我国长期以来"追赶型"经济战略和当前处于重工业化阶段的严峻现实必将使基础设施建设和工业体系构建所需的能源与物质数量加大,同时以信息产业为代表的新的产业结构对居民生活、交通出行方式等方面带来的巨大冲击也会使非工业部门的物质消费呈现快速上升势头。

因此,根据"上升式多峰论"来看,我国的物质消耗不是可以简单脱钩的,而是要面临物耗总量不断上升的事实:2003 年中国的 GDP 是 1.4 万亿美元,占世界的 4%,但经济增长的资源消耗总量为 50 亿吨,其中原油 2.52 亿吨占世界的 7.4%(进口占 34%),原煤 15.79 亿吨占世界的 31%,铁矿石 3 亿吨占世界的 30%(进口占 50%),钢材 2.71 亿吨占世界的 27%,氧化铝 1168 万吨占世界的 25%(进口占 50%),水泥 8.36 亿吨占世界的 40%(见参考文献 15)。有科学家预测我国钢铁需求高峰期要持续到 2020 年以后。

从本文可以看到,已经完成工业化的发达国家的物质消耗仍然在多峰的基础上呈现上升状态,因此在世界范围内若再延续传统经济增

长方式,人类未来的发展必将穷途末路,难以为继。在我国,循环经济发展是求真务实、推行科学发展观的有效载体(见参考文献15),实施循环经济是解决长久以来经济增长与物质消耗之间矛盾的必由之路,是克服物质资源的短缺并解决由于大量、粗放消耗物质所带来的环境问题的必由之路。我国只有通过大力发展循环经济,不断提高国民经济中可循环使用物质的比重,逐步压缩不可再生物质的使用至最低,才能切实保障在满足全社会物质需求总量的同时,实现经济发展和人口、资源、环境相协调,实现生产发展、生活富裕、生态良好的文明发展。

由于循环经济是为了实现可持续发展目标所建立的新型经济模式,势必要求我们从组织制度和技术手段上提高物质的使用效率、降低物质需求总量、减少污染排放。我们必须通过制度创新、技术创新,在循环型社会建设过程中逐步形成有中国特色的循环经济运行体制。一方面要尽快制定我国循环经济的发展模式与计划,从政策、法律等方面提供有力保障;另一方面要加大循环经济技术体系的研究力度,以重点污染物控制和短缺资源循环利用为目标,加强技术攻关,为发展循环经济提供重要技术保障。

(段宁:中国环境科学研究院副院长、研究员)

主要参考文献

1. Robert U. Ayres, Udo E. Sinmonis, Industrial Metabolism [M], The United Nations University, 1994.

2. Christian Azar, John Holmberg, Sten Karlsson, Decoupling-past Trends and Prospects for the Future [R], Ministry of the Environment of Sweden, May, 2002.

3. Ernst Ulrich von Weiszäcker, Amory B. Lovins, L. Hunter Lovins:《四倍数——资源使用减半,人民福祉加倍》,台湾联经出版社,2000 年。

4. Stefan Bringezu and Helmut Schütz, Total Material Requirement of EU-tech55 [R], European Environment Agency, 2001.

5. J. W. SUN and T. MERISTO Measurement of Dematerialization/Materialization: A Case Analysis of Energy Saving and Decarbonization in OECD Countries, 1960—95, Technological Forecasting and Social Change 60, 275—294 (1999).

6. Energy Statistics Yearbook, United Nations Publications, 1970—2003.

7. 邓南圣、吴峰:《工业生态学——理论与应用》,化学工业出版社,2002 年。

8. 陶在朴:《生态包袱与生态足迹》,经济科学出版社,2003 年。

9. Kae Takase, Yasuhiro Murota, The Impact of IT Investment on Energy: Japan and US Comparison in 2010, Energy Policy [J]32 (2004).

10. Annual Energy Review 2002[R], Energy Information Administration, 2004, 3.

11. Annual Energy Outlook 2004 (AEO2004), Energy Information Administration, 2004, 3.

12. 曲福田:《资源经济学》,中国农业出版社,2001 年。

13. T. E. Graedel, B. R. Allenby:《产业生态学》,清华大学出版社,2004 年。

14. 武春友、张米尔:《技术经济学》,大连理工大学出版社,1998 年。

15. 马凯:《未来我国经济社会发展面临的形势和需要解决的若干重大问题》,中国经济导报 1048 期(2004.3.5)。

16. 解振华:《坚持求真务实 树立科学发展观 推进循环经济发展》,《光明日报》2004 年 6 月 23 日。

从生态效率的角度深入认识循环经济

诸大建　朱　远

一、引　言

从 2002 年开始,循环经济的发展得到了中国最高决策层的直接关注。江泽民同志在 2002 年的全球环境基金成员国会议上,发表关于"只有走以最有效利用资源和保护环境为基础的循环经济之路,可持续发展才能得以实现"的重要讲话。在 2004 年的中央人口资源环境工作座谈会上,胡锦涛总书记明确指出:"要加快转变经济增长方式,将循环经济的发展理念贯穿到区域经济发展、城乡建设和产品生产中,使资源得到最有效的利用。"当前在党和政府把发展循环型社会摆上重要议事日程的背景下,我们需要在新的高度上推进循环经济的理论与实践。本文从生态效率和减物质化的角度,指出当前循环经济理论和实践的不足,结合脱钩理论阐述我国发展循环经济的模式选择。

二、对循环经济的现有认识以及不足

循环经济理念是 20 世纪 90 年代在国际上形成,1998 年引入我国并已广为流行。所以,有必要对我国发展循环经济的进程作一个回顾和小结,以更好地为下一阶段深化认识和发展循环经济奠定基础。

1. 循环经济的四个已有认识

近年来,国内学者已就循环经济的以下四个方面达成共识:(1)确立了 3R 即减量化(Reducing)、再利用(Reusing)、再循环(Recycling)为循环经济的操作原则；（2）把循环经济视为环境与发展关系的第三阶段，它不同于以前的传统的线性经济发展模式和末端治理模式；（3）从可持续生产的角度出发，对企业内部、生产之间和社会整体三个层面的循环进行整合；（4）从新型工业化的角度审视循环经济的发展意义，认为循环经济是经济、环境和社会三赢的发展模式。

2. 对循环经济的认识误区

以上共识已成为当前指导循环经济实践的重要杠杆工具，但不可否认的是，我们对循环经济理论还存在着一些重要的认识误区。主要表现为以下几个方面：

（1）仅仅从物质回收和利用角度阐述循环经济，把循环经济的"3R"归结为资源化（Recycle），结果忽视了循环经济在物质消耗和污染排放上的源头预防和全过程控制意义；（2）仅仅从企业间的物质闭路循环角度去理解循环经济，结果忽视了循环经济需要在小循环、中循环、大循环等三个层面展开，而且建设区域性的循环经济体系显得更为重要；（3）仅仅从生产环节的物质闭路循环角度去了解循环经济，结果没有把重要的消费过程以及物质流通的其他环节纳入循环经济的视野；（4）仅仅注意工业物品等的技术性还原系统，结果大大忽视了开发和利用自然界本身具有的生态性还原能力；（5）仅仅强调发展循环经济需要规划、法律等传统管制性手段的保障，结果忽视了经济手段在循环经济发展中的激励和约束作用；（6）仅仅从传统的环境质量指标或修正的经济增长指标去衡量循环经济的评价标准，结果疏漏了对前述基于生物物理或物质消耗的各种减物质化指标的深入；（7）仅仅强调了要建设循环经济的各种工程和项目，却缺少对这些工程和项目的成本—收益分析，结果导致所谓的循环经济本身既不是经济的也不是环保的。

三、生态效率：对循环经济的再认识

回顾我国发展循环经济的进程可以发现，我们不能停留在为循环经济而搞循环经济，亟须进一步深入挖掘循环经济的本质，并把它视为一种重要的发展战略。本文引入生态效率概念来深入认识循环经济的本质。

1. 生态效率的内涵与指标

循环经济关注的目标不再是单纯的经济增长,而是生态效率(Eco-efficiency)的提高。生态效率是经济社会发展的价值量(即 GDP 总量)和资源环境消耗的实物量比值(如公式(1)),它表示经济增长与环境压力的分离关系(decoupling indicators),是一国绿色竞争力的重要体现。

$$生态效率(资源生产率) = \frac{经济社会发展(价值量)}{资源环境消耗(实物量)} \quad (1)$$

根据式(1)可得,生态效率的指标和资源生产率(或资源效率)的指标以及环境生产率(环境效率)的指标密切相关。由此进一步得出与资源生产率相关的指标:单位能耗的 GDP(能源生产力)、单位土地的 GDP(土地生产力)、单位水耗的 GDP(水生产力)和单位物耗的 GDP(物质生产力);而与环境生产率相关的指标是:单位废水的 GDP(废水排放生产力)、单位废气的 GDP(废气排放生产力)和单位固废的 GDP(固废排放生产力)。通过这些指标可具体计算出我国的资源效率,由表 1 可见,我国的资源生产率与世界上发达国家的差距还是比较明显的。

表1　中国与其他国家的资源效率比较

	中国	日本	奥地利	荷兰	德国	美国
人口(百万)	1250	127	8	16	82	273
面积(千平方公里)	9597	378	84	41	357	9364
人口密度(人/平方公里)	134	336	98	466	235	30
GDP(10 亿美元)	980.2	4078.9	210.0	384.3	2079.2	8351.0
人均 GDP	3291	24041	23808	23052	22404	30600
地均 GDP (亿美元/千平方公里)	1.02	107.9	25.0	93.7	58.2	8.9
TMR(百万吨)	50000	5461	560	1056	6150	21840
人均 TMR(吨/人)	40	43	70	66	75	80
NAS(吨/人)	16(?)	9.7	11.5	8.3	11.5	7.7
物质强度(公斤/美元)	51.01	1.34	2.67	2.75	2.96	2.62
资源生产率(美元/吨)	19.6	746.3	374.5	363.6	3378	381.7

2. 生态效率的情景分析

多年来,我国一直关注着分子的 GDP 增长,而忽视分母中环境负荷的相应增长,换言之,我国一直关注如何让 GDP 变重,而没有同时关注如何使 GDP 变轻。理想状态下生态效率的提高可以通过双增双减来实现(增加经济增长和人类福利;减少资源消耗和污染排放)。但同时应该清楚,式(1)中的分子与分母存在四种不同的关系组合(图1)。

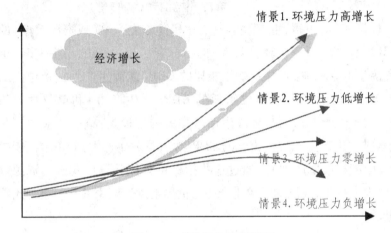

图1 生态效率的四种情景

由图1可见,当环境压力增加的速度小于经济增长的速度时,二者分离的情景才会出现,基于这样的一种判断标准,我们对二者可能存在的四种不同的组合关系逐一展开分析:

情景1:经济和环境压力同步增长,这即是传统的经济增长模式。

情景2:经济增长和环境压力出现了不同步的增长趋势,环境压力相对低的增长,这种情景虽然相对情景1而言要好,二者开始出现相对脱钩(relatively de-linking)的情景。发展中的经济主要表现这种状况。

情景3:经济仍在增长,而环境压力呈零增长趋势,二者开始出现绝对脱钩(absolutely de-linking)的情景,发达经济需要达到这种状况。

情景4:经济仍在增长,而环境压力出现拐点并呈下降趋势,这是发展循环经济的最高目标。

我国的经济增长和环境压力现状属于情景1,而循环经济的最终目标就是达到绝对脱钩的情景。由此可见,我国的循环经济模式仍需要经历很长的一段发展历程。

四、我国发展循环经济的模式选择

1. 增物质化发展和减物质化发展模式

根据上述的分析,中国未来经济发展存在两种可选择的路径:增物质化和减物质化战略(如图2)。

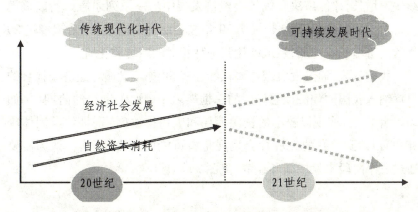

图2　从增物质化到减物质化的两种选择

笔者把前者定义为 A 模式,也是当前绝大多数发展中国家的经济发展模式。它和以往中国经济发展存在类似的规律,遵循传统的发展模式:GDP 的增长依赖资源投入总量的增加;GDP 的增长伴随污染排放总量的增加;如果继续保持现有的经济发展模式,所需的资源投入与污染排放将随经济同步增加。如果我国继续按照现有资源利用方式和污染产生水平,未来经济社会发展对环境的影响将是现在的 4—5 倍。显然,这种模式属于危险的发展道路,意味着可能带来社会的不稳定和环境退化。

相应的,笔者把后者定义为 B 模式,也就是当前发达国家所沿用的发展模式,它属于绿色的发展道路,这种发展对环境所带来的影响将通过一系列革命性的改革计划得到解决。就中国而言,如果到 2020 年在经济增长翻两番的同时,希望环境压力有明显的减轻(例如比现在减少一半),那么资源生产率就必须提高 8—10 倍。然而从我国当前的技术能力和管理水平来看,要推行这个高方案的模式难度很大。

2. C 模式:适宜中国的循环经济发展模式

既然不能继续遵循传统的发展 A 模式,也不能立即沿用西方发达国家的 B 模式,那么,是否存在一种"中间路线"的模式适合我国? 为此,笔者提出适合我国国情的循环经济发展模式,简称 C(China)模式。

C 模式也称 1.5—2 倍数发展战略,因为只有保证我国 GDP 的持续快速增长,才能解决我国社会经济发展中的一系列矛盾。所以该模式将给予我国的 GDP 增长一个 20 年左右缓冲的阶段,并希望经过 20 年的经济增长方式调整,最终达到一种相对的减物质化阶段。

我们认为,通过发展减物质化的经济,并把建设循环经济型社会的目标纳入我国的经济社会发展的总框架之中,到 21 世纪的前期(例如 2020 年左右)实现以较小的资源消耗和废物排放(特别是各类固体废弃物)以达到较好的经济社会发展是有可能的。为此,笔者认为需要通过三个阶段来发展循环经济(见图 3)。

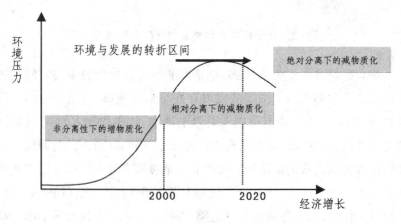

图3　中国循环经济的发展阶段设计

(1)当前以高加工业以及消费增长为主的发展阶段。此阶段的目标是争取资源消耗和污染排放的总体增长速度能远小于经济增长的速度,即亚洲发展银行研究人员提出的环境相对于经济的弹性系数应小于 1 的情景 2。特别是要使废弃物的产生量或排放量从高增长向低增长转化。

（2）本世纪初以来进入后工业社会物质消费趋于稳定的阶段（大约在 2020 年以后）。在该阶段，一方面通过产业转型，实现高技术制造业和知识型第三产业为主推动经济增长的同时，另一方面要争取在实现经济增长的同时使资源消耗和污染排放保持在一个相对稳定的水平，即实现某些资源消耗和固体废弃物的零增长，届时技术的生态效率必须是现在的 3 倍，即单位 GDP 减少 60%—70% 的物质消耗的污染排放（即情景 3）。

（3）未来所谓"无重量"的经济成为主流、进入实现循环型生产和循环型消费的较高发展阶段。该阶段在继续推进经济社会发展的同时，争取资源消耗和污染排放相对于 21 世纪初有稳定减少，实现倍数 4 的生态经济效率（即情景 4），达到可与发达国家相比较的水平。

该模式也可以通过如下的模型加以具体描述（见表 2）。

表 2　中国减物质化适宜模型（C 模型:倍数 1.5—2 战略）

资源环境管理指标		2000 年	2020 年	2050 年
经济	GDP 总量 人口 人均 GDP	1 万亿美元 12.76 亿 800 美元	4 万亿美元 （2000 年的 4 倍） 15 亿（2000 年的 1.2 倍） 3000 美元（2000 年的 4 倍）	16 万亿美元 （2000 年的 16 倍） 14 亿 12000 美元 （2000 年的 16 倍）
社会	城市化率 人类发展指数	36% 0.721	55% 0.8	80%（2000 年的 2 倍） 0.9
能源	能源消费总量,其中: 矿物燃料 再生能源 能源生产率 （GDP/吨能源）	14 亿吨 90% 9%	29 亿吨（2000 年的 2 倍） 70%（平均每年减少 1%） 30% （平均每年增加 1.0%—1.5%） 2000 年的 2 倍	30 亿吨（2000 年的 2 倍） 50%（平均每年减少 1%）

续表

资源环境管理指标		2000 年	2020 年	2050 年
材料	不可再生原料材料生产率（GDP/吨材料）		增加 100%（2000 年的 2 倍）2000 年的 2 倍	+0%（相当于 2000 年）
水	用水总量 人均用水量 水 生 产 率（GDP/每立方米）	5531 亿立方米 430 立方米 1.95 美元	6800 亿立方米（2000 年 的 1.2 倍）464 立方米（2000 年 的 1.1 倍）37 美元（世界平均水平）	+0%（相当于 2000 年）+0%（相当于 2000 年）93.3 美元（英国 1991 年水平）
土地	建设用地（住宅和交通）农业用地 林业用地 土地生产率（GDP/单位土地）		每年增加 3%—4%（2000 年的 1.5—2 倍）转向生态型农业（基本农田 16 亿亩）转向自然型林业（增加生态用地）	
排放	二氧化碳 二氧化硫 氮氧化物 农用杀虫剂 环境生产率（GDP/污染排放）	8.81 亿吨碳 1620 万吨容量 1880 万吨容量	12 亿吨碳（2000 年的 1.5 倍）4000 万吨（2000 年的 2.5 倍）3500 万吨（2000 年的 1.8 倍）减少 50%（2000 年的一半）	+0%（相当于 2000 年）

　　同时，我们也应该注意，由于我国地域广阔，区域和行业存在不平衡的发展局面，所以针对不同行业领域和不同区域应该制定出不同的目标（见表 3）。具体而言，东部在生态效率倍数增长上可能更高一些，而中部和西部更要强调发展的同时，其倍数目标可能要低一点，东部发达地区应该留出空间给发展中的中西部；此外，即使是同一地区也要因地制宜制定不同的目标，比如上海的市中心区域和郊区，其发展目标也

应该存在一些不同。

表3　中国减物质化的区域差别

	平均经济增长	环境压力变化	弹性系数	环境压力倍数	适用不同地区
1991—2000 年	7%			1	
强物质化情景	7%	7%	≥1	4.5—5 倍	当前状况
相对分离情景	7%	3.5%	<1；>0	2.25—2.5 倍	中部西部
稳态发展情景	7%	0%	=0	1 倍	沿海地区
绝对分离情景	7%	-3.5%	<0	0.5 倍	少数示范

五、我国全面发展循环经济的主要领域和基本维度

1. 循环经济的全面展开

本文对当前循环经济认识的误区分析,也反映出当前对循环经济的理论研究还很不够。从现在起的十几年循环经济要全面推开,笔者认为需要特别加强具有经济意义的循环经济理论研究,从以下四个方面入手:

(1)把循环经济纳入科学发展观。新的发展观的重要特点就是确立减物质化的发展战略,对照西方先进的"四倍数(Factor4)"理论,判断我国的"脱钩"现象是否形成,如果没有脱钩就意味着循环经济还没有达到应有的效率。

(2)深化产品生命周期经济,从可持续生产与消费的层面进行整合。当前的小循环和中循环仅仅涉及生产领域,大循环也只是涉及处理领域。对照联合国提出的可持续生产和消费联合原则可知,我国尚未把百姓的消费、生活方式和生产联合形成,急需把现在以末端治理为特征的环保产业群转化为以自然修复为特征的真正意义上的环境产业群或具有逆向意义的第四产业群。

(3)从城市、区域、国家等不同的空间规模发展循环经济。循环经济不仅仅是单个企业的示范工作,这种示范对整体不起任何作用,必须立足城市、区域和国家三个层面,把循环经济整合起来。

（4）从技术变革延伸到社会变革,深化循环经济的支持体系。发展循环经济不仅需要从技术角度提供支撑,更需要管理的角度提供制度安排和政策支持,以便决策者、企业家、消费者可以内生性地将循环经济的理念纳入产业提升、企业产品开发、生活模式更新的实践之中。

2. 我国发展循环经济的基本维度:以上海为例

一般而言,循环经济发展形式有三种不同的规模:一是企业内的物质闭路循环(所谓小循环),二是企业之间的物质闭路循环(所谓的中循环),三是包括生产和消费整个过程的物质闭路循环(所谓大循环)。以此为逻辑起点,本文结合上海发展循环经济的目标,提出实施经济活动的减物质化运动的三个维度。

（1）从产业结构中挖掘减物质化的宏观潜力。

首先,由于以劳务或服务为导向的第三产业发展,是有利于减物质化的,因此,上海在产业结构发展中需要持续不断地提升无重量的第三产业的比例。如果注意到美国今天的 GDP 比 50 年前增加了 5 倍,但 GDP 的物质重量没有增加多少,其中的主要原因就是第三产业的比例增加,那么我们就需要使上海第三产业的发展速度更快一些,特别是不能低于上海经济增长的平均速度。对于那些高层次的知识型第三产业,它们既是减物质化的高增值产业,又是世界级城市的支柱性产业,上海无论花多大的力气去予以推进都不为过。其次,上海的经济增长在很长一段时间仍然需要强烈地依赖于第二产业,但我们在关注降低工业进入上海的"商务成本"的同时,也要充分考虑降低上海制造业发展的"物质消耗成本"。在上海发展的工业,既需要比周边地区有更高的经济效益,也需要比周边地区有更少的物质消耗。其三,要发展具有逆向意义的第四产业群。一是要发展能把各种技术性废弃物还原为再生性资源的静脉产业,例如废旧物质回收利用、中水回用、废热回用等;二是要通过再自然化的生态手段修复各种被人类活动大大干扰了的城市自然空间,例如对水系、湿地、林地以及各类城市废弃地的生态修复等等。

这包括重视上海城市农业的自然资本生产能力和上海城市生态的自然资本再生能力,前者可以提高上海大都市的资源供给能力,后者可以提高上海大都市的环境消纳能力。如果说正向的生产和消费过程中的努力是具有"节流"意义的减物质化,那么逆向的物质还原和生态修复过程则是具有"开源"意义的减物质化,两者是上海大都市实现减物质化经济增长的宏观保障。

(2)从空间建设中挖掘减物质化的中观潜力。

为此,上海需要研究和发展两类具有减物质化意义的生态聚集空间。一要发展以企业与企业之间的物质流能够闭路循环为特征的生态型产业园区;二要发展以最大程度地减少物质消耗和废物排放为特征的生态型居住园区。前者使一个企业的废物排放成为另一个企业的生产原料,从而有利于实现生产系统的减物质化和减污染化;后者通过自然化的设计降低了居民社区的能源、用水、土地等消耗并能使生活废水、生活垃圾等回收利用,从而有利于实现生活系统的减物质化和减污染化。

(3)从产品功能上挖掘减物质化的微观潜力。

一是要鼓励生产和使用具有耐用性质的生活用品和城市设施。用性能好、持久性的产品取代质量差、一次性的产品,就是延长了物质为社会服务的时间。以"用完就扔"为特征的一次性用品大量泛滥,是增物质化经济增长的重要方面,上海的未来发展需要大幅度地减少对一次性用品的依赖。二是要鼓励和使用具有共同享用性质的生活用品和城市设施。在城市公共领域对私人化用品的过多依赖是不利于城市经济的减物质化的。

(诸大建:同济大学经济与管理学院教授、博导

朱远:同济大学经济与管理学院博士生)

主要参考文献

1. [美]戴利:《超越增长》,上海译文出版社,2001 年。

2. [瑞士]埃尔克曼:《工业生态学》,经济日报出版社,1999 年。

3. [美]布朗:《环境经济革命》,中国财政经济出版社,2000 年。

4. [德]魏茨查克等:《四倍跃进》,中华工商联合出版社,2001 年。

5. 诸大建:《建设循环经济型的国际大都市》,上海社会科学院出版社,2004 年。

6. 诸大建等:《努力实现环境可持续的现代化》,上海社会科学院出版社,2002 年。

7. 诸大建等:《生态型城市与上海生态环境建设》,上海社会科学院出版社,2001 年。

8. 诸大建:《循环经济的崛起和上海的对策》,《上海环境科学》,1998(10):13—17。

9. 诸大建:《建设绿色都市:上海 21 世纪可持续发展研究》,同济大学出版社,2003 年。

10. 诸大建:《科学发展观与经济增长方式根本性转变》,《中国教育经济与管理》,2004(1):1—9。

11. 诸大建:《上海建设循环经济型国际大都市的思考》,《中国人口、资源与环境》,2004(1):67—72。

12. 诸大建:《循环经济理论与全面小康社会》,《同济大学学报(社会科学版)》,2003(3):107—112。

13. UNDP, World Energy Assessment:Energy and the Challenge of Sustainability [R], WEA 2000, New York.

14. Christian Azar, John Holmberg, Sten Karlsson, Decoupling—Past Trends and Prospects for the Future[R], Ministry of the Environment of Sweden, May, 2002.

中国循环经济高端论坛

对我国发展循环经济的思考与建议

周 宏 春

循环经济的概念在我国出现的时间虽然不长,但关于循环经济的理论研究、企业实践总结的文章纷纷见诸于媒体,使人们对循环经济的概念有了一定的了解。那么,循环经济的内涵是什么? 与我国原来提出的资源节约、清洁生产等有什么关系? 循环经济发展的驱动力是什么? 我国如何发展循环经济? 本文就此做一些粗浅讨论,以供有关部门参考。

一、循环经济的内涵及其与有关概念的关系

在迄今已经发表的关于循环经济的文章中,均或多或少地讨论了循环经济的定义。有关研究表明,现有关于循环经济的内涵,主要是从人与自然关系、技术范式、经济形态等方面表述的;从经济学的角度研究"循环经济"的文章并不多。虽然还没有形成一个关于循环经济的公认定义,但对含有"资源——产品——再生资源"的物质反馈过程这一循环经济的实质,国内基本形成了共识。

我国发展循环经济有着深厚的文化基础和一定的实践基础。我国人民崇尚节俭、尽量做到物尽其用,是发展循环经济的文化基础。发展循环经济在我国有一个内涵不断扩大、思路逐步清晰、重点不断调整的过程,并具体表现为国家通过法律法规、政策激励等措施,鼓励企业开展资源节约和综合利用,工业"三废"的"吃干榨尽",20 世纪 90 年代开始推行清洁生产,现在又倡导发展循环经济,这些都是我国寻求社会

经济可持续发展的实践探索。可以推断,循环经济将成为我国社会经济可持续发展的重要实现形式。

循环经济与资源节约综合利用、污染治理、清洁生产,既一脉相承,又各有侧重。对处于工业化和城市化加速阶段、人均资源占有量低于世界平均水平的我国来说,循环经济首先是一种资源节约战略。它追求的不是简单地降低资源消耗,而是使资源尽可能得到高效利用和循环利用,从而达到提高资源利用效率和减少废弃物排放的目的。西方主要国家的工业化过程是以大量生产、大量消费、大量废弃的资源掠夺性开采为特征的。无论从政治理念还是从经济可能性来讲,我国都不具备按照这种模式来推进工业化、城市化的条件。特别是在许多重要矿产资源不能自给、不少地区水土资源十分稀缺的条件下,尤其应将资源节约放在重要的战略地位。原材料利用的减量化以及废弃物的回收利用,一直是我国资源节约的主要手段,也是循环经济的重要内涵之一。

循环经济的另一个题中应有之义是减少污染物排放。因此,发展循环经济本身就是重要的环境保护措施。工业污染防治的初始手段主要是"末端治理"。这是一种只投入而不产生经济效益的措施,即便是发达国家也早已放弃了这种费而不惠的解决污染问题的技术路线。与此相比,清洁生产强调了生产全过程控制,通过提高资源利用效率来削减污染物排放;实际上,这也是企业层面循环经济的主要实现形式。然而,清洁生产主要在单个企业施行,而循环经济则可以在更大的空间范围内配置资源和能源,实现清洁生产;通过延长产业链,将上游产业的废物变成下游产业的原料,以及梯级利用能源,变废为宝,化害为利,保护生态环境。比如,火力发电厂外排的粉煤灰是一种固体废弃物,但可以用来生产多种建材,从而变成具有市场价值的商品,实现经济效益和环境效益的有机统一。

作为一种新的发展理念、发展模式和经济形态,循环经济以"减量、再用、循环"为原则,以资源的高效利用和循环利用为基本特征的社会生产和再生产活动;用这一理念重构经济运行过程,以实现最优化生产、最适度消费、最小量废弃。循环经济的实质是以尽可能少的资源消耗、尽可能小的环境代价实现最大的发展效益。它改变了传统经济"资源——产品——废弃"的物质线形(单向)流动方式,是对传统工业化"大量开采、大量消费、大量废弃"发展模式的根本变革,是可持续的生产和消费模式,是走新型工业化道路的必然要求。关于循环经济的内涵,还需要说明以下两点:

其一,循环经济有广义和狭义之分。狭义的循环经济,主要是指废物减量化,相当于"垃圾经济"、"废物经济"范畴。广义的循环经济覆盖所有社会生产活动。一般来说,经济是相对于一定的社会生产活动而言的,且总要有产业相伴随。例如,提出循环经济概念的德国和日本,与之对应的是"静脉产业"。所谓"静脉产业"是指废弃物资源化形成的产业;它是相对于"动脉产业"而言的。"动脉产业"是指开发利用自然资源形成的产业。根据我国的基本国情和近阶段煤、电、油、运全面紧张的现实,我国要倡导和推进的循环经济,不应局限于狭义的范畴。

其二,循环经济和循环经济系统是两个不同的概念。前者指我们的研究对象中凡有节约或循环利用资源活动的,就可以称之为循环经济。例如,一个家庭有节电、节水、垃圾分类等活动;一幢办公大楼有节能、利用太阳能等可再生能源、循环利用中水、分布式冷热电联供等,企业有节约降耗、资源综合利用、清洁生产等,社区开展的垃圾分类回收等,这些都是循环经济。循环经济系统则是相对于研究对象而言的。例如,一个家庭、一幢办公楼、一个企业等,就是一个循环经济系统。

然而,循环经济并不是"筐",凡有产业联系的都可以往里"装"。例如,电——高能耗产业耦合(如电解铝厂建在水电站附近)、资源的深加工等,这些在市场经济条件企业会考虑的产业活动,不应算作循环经济。

二、发展循环经济的驱动力是什么

发展循环经济,本质上是要遵循生态规律和经济规律安排经济活动。据有关研究,生态系统的规律可以概况为"整体、协调、循环、再生"等。如森林生态系统中含有多样性的动植物,它们相生相克,共生共存,形成一个整体;当受到外部冲击时有一定的"弹性"或恢复功能;自然要素在一定的条件下循环、再生。循环经济只是借用了生态规律中的两个字:"循环",有学者将循环经济称为本质上的生态经济不无道理,也可能更准确些。

自然要素的循环需要一定的外部条件。以水循环为例。太平洋的水在太阳照射下进入大气层,在季风作用下向西北部移动,受到冷空气或气流的影响降落到地表,再渗透进入地下或进入河流,"一江春水向东流",形成水分的"大循环";对于某一个地区而言,还存在"小循环"。这可能是我国一些地方循环经济规划中大"圈"套小"环"图形的理论依据。这里需要强调的是,水循环是靠"永恒"的能源——太阳维持的。如果没有太阳,水循环就不能持续进行下去。同理,要使许多规划中的物流"环"在市场条件下自动地运行,也是需要能量投入的;对企业而言,这就是机会成本:如果投入不能产生利润,企业会选择其他的投资项目,因为企业生产要追求利润最大化。

如果循环经济能够在市场条件下自发地运行,还要政府倡导、推进干什么?这样的道理不言自明。前已述及,在不同时期我国都存在循环经济,例如生态农业、生态工业等,这些案例不少的已经被总结出来,并介绍在各种媒体上。如果没有这些实践基础,循环经济的理论就成了"无源之水",也就失去了生命力。那么,什么样的"循环经济系统"能在市场条件下自发地运行呢?

首先,看生态农业。20世纪50年代我国就产生了生态农业的"顺德模式"。而今,顺德不再以"生态农业"闻名,沿海地区一些"生态农业"典型也因耕地用途的改变而消失。然而,这并不意味"生态农业"就不存在了,中西部地区和山区还大量存在。这一事实至少说明了两个问题:其一,"生态农业"是农业经济条件下资源能够得到最有效利用的模式,因而是可持续的农业发展模式。其二,当单位土地面积上出现更好经济效益的生产活动时,低效益的经济系统将不可避免地被高效益的经济系统所替代(如工业替代农业)。即社会生产活动是以追求效率和效益最大化为目标的。

其次,看一下减量化问题。减量化的途径主要有节约降耗、综合利用、清洁生产等。从宏观层面看,这些活动有利于资源的永续利用和环境保护,因而是功在当代、惠及子孙的好事;从微观层面看,这些活动可以降低生产成本,企业因而应该是有积极性的。多年来,我国在推进节约降耗、资源综合利用等方面取得很大成绩,粉煤灰、煤矸石等大宗废弃物甚至成了大家抢着用的"宝贝"。既然在宏观和微观层面上都是有利可图的事情,为什么还要国家优惠政策扶持呢? 其原因,一是我国的自然资源相对廉价;二是污染物治理费用没有完全由污染者承担。这就导致原本可以由市场解决的问题,还需要国家政策引导。清洁生产也是如此。我国从 1993 年开始提出清洁生产,2003 年《清洁生产促进法》正式施行,但并没有得到普遍推广。为什么? 我们在调研中听到一种说法:企业老总辛辛苦苦地抓清洁生产,一年也节省不出多少钱,远不如上新项目的"政绩"来得显眼。这种说法虽然并不一定具有代表性,但至少说明,在我国目前的市场条件下,开展清洁生产产生的经济效益,还不足以引起企业特别是国有企业领导的重视。

再次,看资源化。我国的资源"再利用"可以说是世界各国做得最好的。然而,由于缺乏相应的标准和监管措施,市场上出现一些不规范行为,如"地沟油"、"黑心棉"以及报废汽车的"五大总成"等。由于发展阶段和统计方面的原因,我国的资源回收利用率明显低于发达国家。但如果要求我们的废旧物资回收利用率达到发达国家的水平也是不现实的。目前,我国的废纸回收利用率约 30% ,低于 42% 的世界平均水平。具体分析一下就可以发现,一是我国许多卫生用纸无法回收,即使是报纸在边远地区或不发达农村,用于糊墙的效用可能比回收好;二是回收利用的废纸无法准确统计,因为废纸主要由农民回收,回收的废纸很大一部分又送到小造纸厂,在我国现行统计制度下这些废纸都无法统计。我国的废钢铁回收利用率低,主要与发展阶段有关。2003 年我国的钢铁一半以上产量用于建设,这些是短期内无法回收的。我国的小汽车刚刚进入家庭,还没有进入大量报废期。发达国家的废钢铁回收利用率高,因为他们的许多产品早已进入使用寿命的"末期"。

为什么我国的过度包装难以禁止? 因为过度包装的产品有市场需求。以月饼为例。有专家做过调查,一盒 3800 克的月饼,其中 2900 克是包装物。如果制定法律禁止过度包装,而不改变当前集团消费(特别是礼品)的现实,守法的生产者就会吃亏,因为过度包装的产品有人要。即使设定押金制度,押金也会有人"埋单";如果提高包装废物丢弃的费用,用户会将这些包装物贱卖给收破烂的农民。为什么塑料瓶、包装箱等废旧物品,不用什么激励或约束措施就被回收了,因为这些东西能卖钱,即利益在起作用。因此,限制过度包装,需要一整套的制度设计,否则难以达到预期效果。

从技术经济角度看,垃圾减量化和无害化更要国家政策扶持。例如,利用电厂的脱硫石膏,在著名的丹麦卡伦堡生态工业园中是经济的,在我国的情况就不同了:由于买天然石膏矿成本较低,而用脱硫石膏要上设备进行预处理,就不合算了。一般而论,对企业而言,废物既不处理也不综合利用而直接向环境排放是最经济的。对一个地区而言,将污染型企业转移到外地是减轻环境压力的最经济途径。因此,制定环境排放标准,加大执法力度,披露环境信息是发展循环经济的必要的强制措施。只有使环境污染的外部成本"内在化",才能促使企业主动开展资源节约和综合利用,发展循环经济,并达到保护环境的目的。

从上面的讨论可见,法律强制和经济利益是循环经济发展的两个主要驱动力。无论是法律强制还是经济激励,无论是统计体系还是具体的指标,都不是市场自身所能解决的,而要发挥政府的作用。因此,发展循环经济离不开政府的推进,政府要为循环经济的发展创造政策环境和市场环境。

三、近阶段我国应如何发展循环经济

循环经济涉及每个公民、每个家庭、每个社区、每个企业、每个地区乃至整个民族。我国现阶段发展循环经济的重点应当结合中国的工业化、城市化阶段,用发展的思路解决社会经济发展中面临的主要资源环境问题。

要在三个层次推进循环经济的发展:一是将循环经济的发展理念贯穿在区域经济发展和城乡建设中,合理进行经济布局,减少资源配置对交通运输和生态环境的压力,最大限度地共享经济区(包括城市圈)

内的基础设施,使其效用最大化;将这一理念贯穿在产品生产中,开展产品生态设计,减少资源消耗和废物排放,减少有毒有害物质使用,做到容易拆解回收利用,使其在整个生命周期中的环境影响最小。二是转变发展模式,用集约型的发展替代粗放型的发展,用依赖自然资源和再生资源投入的经济增长替代依赖自然资源投入的经济增长,用资源的高效、循环利用替代资源的低效利用,形成资源节约型的国民经济体系和消费体系。三是形成新的产业形态,通过培育相应的产业/产品体系,包括节约型产业/产品体系(如节能型产品和节水型产品等)、资源综合利用产品体系(如利废建材、煤矸石发电等)、废旧物资再生产品(如再生纸、再制造产品)体系等,形成新的增长潜力。

做好长远规划,加强宏观指导:在社会主义市场经济条件下,编制和实施规划对实现国家战略目标,弥补市场失灵,有效配置公共资源,具有十分重要的意义。在研究制定"十一五"经济和社会发展规划、确定城市总体规划和重大项目等工作中,要按照"走资源消耗低、环境污染少、经济效益好"的新型工业化道路的要求,把节约资源、降低消耗放在突出位置,全面推行清洁生产,加快循环经济发展。编制节能、节油、节电、节水、资源综合利用等专项规划,并纳入"十一五"国民经济和社会发展规划,发挥规划的指导作用。从短期看,要从缓解资源约束和环境污染的矛盾入手,将工作重点放在节约降耗、资源综合利用、清洁生产和发展环保产业等方面。

调整产业结构,优化经济布局:我国正处于工业化和城市化的加速阶段,资源消费增长是不可避免的。如果没有资源的消耗,就不可能建起高楼大厦,也就不可能实现城市化的目标。因此,在进一步扩大国内供应能力的同时,必须"走出去",充分利用国内外"两种资源",优先保证我国国民经济和社会发展的市场需求。做好空间规划,选择合理的土地利用与交通模式,是宏观层面上的、带有根本性的资源节约手段,必须予以高度的重视。应尽快全力推动国土规划工作的开展。否则,不合理的、地区间恶性竞争态势下产生的城市和交通体系一旦成型,不仅长期浪费能源,改造起来也要大量投资。同时,要以资源节约和环境保护为原则优化产业结构,发展高新技术产业和第三产业,用高新技术改造传统产业,淘汰那些高物耗重污染低效率的产业,形成节约型的国民经济体系和节约型社会。

依靠技术进步,利用激励机制。循环经济的发展离不开技术进步的作用。产品能否经久耐用,报废后能否回收利用,回收的废旧物资能否进行高附加值的利用等,都取决于我们是否拥有经济上可行的技术手段。因此,应将有利于循环经济的技术开发纳入国家科技计划。组织开发有推广意义的资源节约和替代技术、能量梯级利用技术、产业链延长和链接技术、"零"排放技术、有毒有害原材料替代技术、可回收利用材料和回收处理技术,特别是降低再利用成本的技术等。制定和发布相关技术政策,加快新技术、新工艺、新设备的推广应用。此外,由于循环经济的发展,有着资源节约和环境保护的双重功效,即具有公益性的特点,因而需要政府的政策引导,通过有效的激励和约束手段加以推进。

提高意识和认识,做好试点示范。发展循环经济,应从重点地区和重点行业入手,用发展的思路统筹解决社会经济发展与资源环境的矛盾。东南沿海城市,应将发展环境保护产业作为重点,资源型城市和老工业基地的改造要将资源综合利用作为产业转型的重要内容,西部地区应将生态农业作为重点,培育新的经济增长点。在行业层面上,当前应抓高能耗高物耗重污染的行业,如冶金、有色、建材等行业,先行启动,积累经验,循序渐进。

(周宏春:国务院发展研究中心研究员)

循环经济预警管理信息系统的构建

上海大学循环经济研究院

　　传统的环保型经济基本上停留于末端治理,而循环经济则强调整个经济运行的环保节能,尤其突出从源头的削减,因此对循环经济模式的运行进行预警管理就显得特别重要,为此,笔者提出要构建循环经济预警管理信息系统。

一、循环经济预警管理系统的工作原理

　　为确保循环经济运行模式在各省市的推行,必须对循环经济进行动态监测。为此,要建立循环经济的衡量标准,这个标准要能将经济和社会发展维持在能够满足当前需要而又不削弱子孙后代满足其需要的能力的状态。具体讲,可以将循环经济可实现的理想状态作为标准,将现实受损状态与之加以比较,分别以“偏离率”衡量发生退化的比例,即循环经济安全的广度指标;以“偏离程度”衡量现实状态与理想状态的距离,即循环经济(不)安全的深度指标。可以将广度和深度指标综合成“循环经济安全指数”。同时,依据对一地区社会经济发展的影响程度,对循环经济相关因素给予不同的指数,综合成一地区的“循环经济安全总指数”,进行一地区不同时期的时序纵向比较和不同地区的剖面横向比较。详见下列内容。

循环经济预警管理的警戒性指标体系及评判标准

(1)循环经济预警信号构成。

表1　循环经济预警信号

预警信号	地区类型
红色	循环经济恶化区
黄色	循环经济薄弱区
绿色	循环经济达标区
浅蓝色	循环经济良好区
蓝色	循环经济优良区

（2）警戒性指标设计与运行。

第一，循环经济的原则。

综合有关文献资料，笔者认为循环经济模式的推行要由最早提出的"3R"（Reduce，Recycle，Reuse）原则向"三化"（减量化、资源化、无害化）原则的内涵提升转变。

减量化原则：包括资源减量化和废弃物减量化两个方面，以资源投入最小化为目标。减量化原则要求转变传统经济发展模式，充分提高资源与能源的利用效率，最大限度地减少进入生产和消费过程的物质和能源，最大限度地减少废物排放，尤其要在输入端预防和减少污染物的产生，实现从源头开始削减废弃物的排放。

资源化原则：包括再循环（Recycle）、再利用（Reuse）两个方面，以废物利用最大化为目标。资源化原则要求针对产业链的中间环节，对消费者采取过程延续方法最大可能地增加产品使用方式和次数，有效延长产品和服务的时间强度；对生产者采取产业群体间的精密分工与高效协作，使产品——废弃物的转化周期加大，以经济系统物质能量流的高效运转，实现资源产品的使用效率最大化。

无害化原则：包括废弃物处置无害化和对生物物种的无害化。无害化原则一方面要求对那些难以避免且又无法实行回收、利用和转化的垃圾，实施无害化处置；另一方面要求人类的经济行为和消费行为不对生物物种造成危害，经济生产和社会生活由生态环境掠夺型向友好型转变。

第二，循环经济警戒性指标体系。

预警管理主要是对那些具有较强警戒性的特征指标进行量化管理的一种方法,而不是对所有指标的全面预警管理。基于上述分析,结合国家环保总局关于循环经济特征指标的界定以及相关的研究成果,笔者提出循环经济预警管理的警戒性指标体系主要设计如下表2:

表2 循环经济警戒性指标设计

主要指标标准值		蓝色	浅蓝色	绿色	黄色	红色
减量化	单位产值标准废物排放下降率	5	4	3	2	1
	单位产值主要原材料消耗下降率	5	4	3	2	1
	单位产值标准当量能源消耗下降率	5	4	3	2	1
	单位产值水资源消耗下降率	5	4	3	2	1
资源化	废旧物质回收与综合利用率	5	4	3	2	1
	城市中水回用率	5	4	3	2	1
	水资源重复利用率	5	4	3	2	1
	原材料重复利用率	5	4	3	2	1
	能源重复利用率	5	4	3	2	1
无害化	生活垃圾无害化处理率	5	4	3	2	1
	工业三废无害化处理率	5	4	3	2	1
	医疗废弃物无害化处理率	5	4	3	2	1
综合评判值		60—48	48—36	36—24	24—12	12—0
警级分类		无警	轻警	中警	重警	巨警
综合评判对策		很安全	安全	注意	治理	重点治理

关于指标的说明:标准废物排放是将废水、废气和固废根据一定标准折算成标准废物,具体可参考《2004年中国可持续发展报告》中提供的方法。

标准当量能源消耗是将各种类型的能源按照热量值换算成标准当量。

废旧物质回收与综合利用率包括:废电器回收利用率、废纸回收利用率、废塑料回收利用率、废金属包装物回收利用率、城市垃圾的分类回收率等。

关于指标的赋值：

采用简单分类评分法,对循环经济预警管理系统的各个指标进行量化处理。各指标均使用五级记分法,设五个分值为：1、2、3、4、5。

(3)数学模型。

第一,数据标准化处理模型。

依据所确定的指标体系得到有关原始资料后,采用极差标准化(或正规标准化)公式对原始资料进行无量纲标准化处理,得到客观指标,具体处理方法为：

对于越大越好型指标,公式为：

$$B_{ij} = (X_{ij} - X_{min}) / (X_{max} - X_{min}) \qquad (1—1)$$

对于越小越好型指标,公式为：

$$B_{ij} = (X_{max} - X_{ij}) / (X_{max} - X_{min}) \qquad (1—2)$$

其中,B_{ij} 是 X_{ij} 经标准化处理后的标准化指标值,X_{ij}、X_{min}、X_{max} 分别为未经标准化处理的原始指标值及指标矩阵中的最小值、最大值。

第二,综合评判模型。

对循环经济预警管理系统的各个指标进行量化处理后,用模糊综合评判模型对循环经济进行综合评价。模糊综合评判模型是对多种因素所影响的事物或现象作出总的评价,即对评判对象的全体,根据所给条件,给每个对象赋予一个非负实数——评判指标,再依次求出综合评判值,其数学模型为：

$$F(x) = \Sigma W_i * X_i (i = 1, n)$$

其中,W_i 为第 i 个指标的权重；X_i 为第 i 个指标的量化值。用上述模型和指标评分方法可对循环经济进行综合评价。

二、循环经济预警管理信息系统的构建

前面介绍的是人工管理的循环经济预警管理系统(我们称之为原系统),为了提高原系统的工作效益和效率,即降低原系统的服务成本,提高服务质量,可以在原系统中引进先进的计算机技术和信息技术,形成由人和计算机共同管理的循环经济预警管理信息系统(笔者称之为新系统)。新系统的构建可从如下几个方面展开：

1. 需求分析

在充分了解原系统的工作原理基础上,从用户的信息需求及处理需求的角度对新系统展开分析。

(1)数据流程图。

我们可用数据流程图来描述新系统的工作过程,如下图所示:

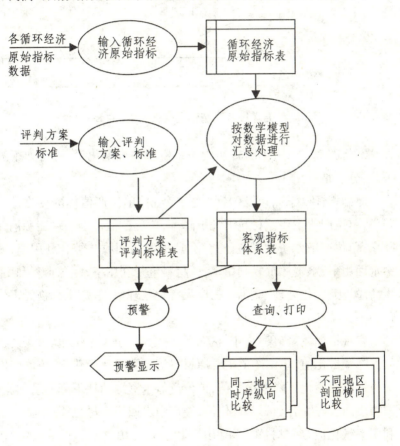

图1 "循环经济预警管理信息系统"的数据流程图

(2)数据模型分析。

①绘制新系统的实体联系图(E—R图)。从图中的数据流程中,可以看出新系统所涉及的信息实体有四种,分别为:"原始指标"、"客观指标体系"、"数据标准化方案"、"综合评判方案",各实体及实体间

的联系如下图所示：

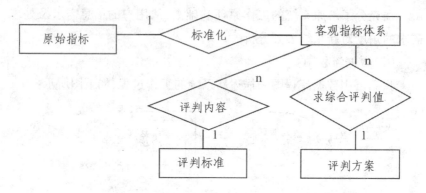

图2　"循环经济预警管理信息系统"的E—R图

②将图2的E—R图转换成关系模型并规范化后,可得如下五个关系,分别是:

原始指标(编号,市、区名称,采集年份,单位产值标准废物排放下降率,单位产值主要原材料消耗下降率,单位产值标准当量能源消耗下降率,单位产值水资源消耗下降率,废旧物质回收与综合利用率,城市中水回用率,水资源重复利用率,原材料重复利用率,能源重复利用率,生活垃圾无害化处理率,工业三废无害化处理率,医疗废弃物无害化处理率);

客观指标体系(编号,市、区名称,采集年份,单位产值标准废物排放下降率量化值,单位产值主要原材料消耗下降率量化值,单位产值标准当量能源消耗下降率量化值,单位产值水资源消耗下降率量化值,废旧物质回收与综合利用率量化值,城市中水回用率量化值,水资源重复利用率量化值,原材料重复利用率量化值,能源重复利用率量化值,生活垃圾无害化处理率量化值,工业三废无害化处理率量化值,医疗废弃物无害化处理率量化值,综合评判值);

综合评判方案(指标项,权重值);

单项指标评判标准(指标值,预警信号,地区类型);

综合评判标准(综合评判值,预警信号,地区类型,警级分类,综合评判对策)。

2. 数据库详细设计

经过前面的数据模型的分析和代码设计,可得新系统的主要数据库表如表3至表7所示:

表3 原始指标

名称	类型	长度	选项说明
BH	文本	8	编号
SSMC	文本	10	省市名称
CJNF	日期/时间		采集年份
X1	数字(双精度)	8	单位产值标准废物排放下降率
X2	数字(双精度)	8	单位产值主要原材料消耗下降率
X3	数字(双精度)	8	单位产值标准当量能源消耗下降率
X4	数字(双精度)	8	单位产值水资源消耗下降率
X5	数字(双精度)	8	废旧物质回收与综合利用率
X6	数字(双精度)	8	城市中水回用率
X7	数字(双精度)	8	水资源重复利用率
X8	数字(双精度)	8	原材料重复利用率
X9	数字(双精度)	8	能源重复利用率
X10	数字(双精度)	8	生活垃圾无害化处理率
X11	数字(双精度)	8	工业三废无害化处理率
X12	数字(双精度)	8	医疗废弃物无害化处理率

表4 客观指标体系

名称	类型	长度	选项说明
BH	文本	8	编号
SSMC	文本	10	市、区名称
CJNF	日期/时间		采集年份
B1	数字(双精度)	8	单位产值标准废物排放下降率量化值
B2	数字(双精度)	8	单位产值主要原材料消耗下降率量化值
B3	数字(双精度)	8	单位产值标准当量能源消耗下降率量化值
B4	数字(双精度)	8	单位产值水资源消耗下降率量化值

续表

名称	类型	长度	选项说明
B5	数字（双精度）	8	废旧物质回收与综合利用率量化值
B6	数字（双精度）	8	城市中水回用率量化值
B7	数字（双精度）	8	水资源重复利用率量化值
B8	数字（双精度）	8	原材料重复利用率量化值
B9	数字（双精度）	8	能源重复利用率量化值
B10	数字（双精度）	8	生活垃圾无害化处理率量化值
B11	数字（双精度）	8	工业三废无害化处理率量化值
B12	数字（双精度）	8	医疗废弃物无害化处理率量化值
B	数字（双精度）	8	综合评判量化值

表5 综合评判方案

名称	类型	长度	选项说明
ZBX	文本	2	指标项
W	数字（单精度）	4	权重值

表6 单项指标评判标准

名称	类型	长度	选项说明
ZBZ	数字（单精度）	4	指标值
YJXH	文本	6	预警信号
DQLX	文本	16	地区类型

表7 综合评判标准

名称	类型	长度	选项说明
ZHPP	数字（单精度）	4	综合评判指标值
YJXH	文本	6	预警信号
DQLX	文本	16	地区类型
JJFL	文本	4	警级分类
ZHDC	文本	10	综合评判对策

3. 软件总体设计

一数据流程图的分析,循环经济预警管理信息系统的主要功能包括:评判方案、标准的输入和修改,原始指标数据输入、修改与查询,数据处理,预警显示,查询打印等功能,即新系统的功能层次结构图如下图所示:

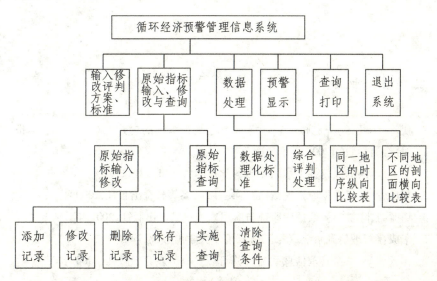

图3 "循环经济预警管理信息"功能层次结构图

三、循环经济预警管理对策

循环经济预警管理对策在表2中已简要列示,具体而言:

第一,当循环经济预警管理信息系统显示的警级进入中警区时,政府相关部门应采取注意对策,对警源、警兆、警情给予关注。首先要注意主要警情;其次要注意主要警情的主要原因。

第二,当循环经济预警管理信息系统显示的警级进入重警区时,政府相关部门应采取积极有效措施遏制警源、警兆、警情的发展势头。治理对策有:加大环境监管力度;采取强有力的措施打击环境污染和生态破坏行为;消除和控制主要警源、警情。

第三,循环经济预警管理信息系统显示的警级进入巨警区时,政府相关部门应采取应急对策。首先是实施应急预案，应急预案的编制与修订应在黄灯亮时即开始着手进行，红灯亮时立即付诸实施；其次要集中人力、物力、财力，重点解决最突出的问题。

（本文执笔人：陈秋玲　邹清郦）

主要参考文献

1. 秋玲：《秦巴经济走廊生态环境整治与预警系统的构建》，《上海大学学报（社会科学版）》2003 年第 3 期。

2. 玉琳、赵保华：《软件工程》，中国科学技术大学出版社，1992 年。

3. 师煊、王珊：《数据库系统概论》（第三版），高等教育出版社，2000 年。

4. 杨丽丽、陈雷等：《数据库原理与应用》，人民邮电出版社，2001 年。

5. 华成：《管理信息系统》（第三版），清华大学出版社，1999 年。

6. 梯云、李一军：《管理信息系统》（修订版），高等教育出版社，2000 年。

循环经济与资源节约型社会

季昆森

　　我国政府决定,从 2004 年到 2006 年在全国范围内组织开展资源节约活动,全面推进能源、原材料、水、土地等资源的节约和综合利用工作;牢固树立科学发展观,加快建设资源节约型社会,推动循环经济发展,解决全面建设小康社会面临的资源约束和环境压力问题,实现国民经济持续快速协调健康发展。

　　早在 2003 年 11 月召开的中央经济工作会议上,胡锦涛总书记就强调:"要突出抓好节约能源、节约原材料和节约用水工作,积极开发利用新能源,搞好重要资源的综合利用,大力发展循环经济。要淘汰消耗高、污染严重的落后设备,支持研发和推广使用先进高效的节能、节水设备和器具,增强节约意识,加快建设节约型社会。"胡锦涛总书记在 2004 年 3 月 10 日中央人口资源环境工作座谈会上进一步指出:建立资源节约型国民经济体系和资源节约型社会。最近,胡锦涛总书记在江苏考察工作时又强调:各地区在推进发展的过程中,要抓好资源的节约和综合利用,大力发展循环经济,抓好生态环境保护和建设,构建资源节约型国民经济体系和资源节约型社会。温家宝总理也多次在重要会议上强调要发展循环经济,建设资源节约型社会和生态保护型社会。

　　党和国家已把发展循环经济和建设资源节约型社会摆上了重要的议事日程。这既是我国必须长期坚持的战略性任务和目标,又是当前经济发展中一项紧迫工作。

一、建设资源节约型社会是一项带有全局性、根本性、长期性、紧迫性的战略任务

加快建设资源节约型社会,对缓解资源瓶颈制约,转变经济增长方式,实现全面建设小康社会目标,保证国民经济持续快速协调健康发展,具有重要的现实意义和深远的历史意义。

1. 开展资源节约活动迫在眉睫

近年来,我国的经济发展受资源约束的矛盾日益凸显出来。2003年我国经济增长达到9.1%,呈现出多年所期盼的增长比较快、效益比较好、活力比较强的良好势态。但由于增长方式粗放,尽管我们实现了快速增长,但付出的资源环境代价过大,这既加剧了能源资源短缺的压力,又加大了投入品价格上扬以及通货膨胀的压力,还带来了煤、电、油、运的全面紧张,整个经济运行已经绷得过紧。现在每增加1元GDP,需要投资高达5元,而在"六五"、"七五"时期,只需要2元。2003年我国消耗的各类资源约合50亿吨,原油、原煤、铁矿石、钢材、氧化铝和水泥的消耗量大约分别占世界消耗总量的7.4%、31%、30%、27%、25%和40%,而创造的国内生产总值仅相当于世界总量的大约4%。今年我国一季度国民经济增长速度为9.7%,煤、油、电等再度紧张,不转变不合理的经济增长方式,不要说难以维持9.1%的增长速度,即使保持7%的速度也有相当的难度,处理不好甚至会引发经济的大起大落。

目前我国经济的快速增长在很大程度上是依靠物质资源的高消耗实现的,并没有从根本上改变"高投入、高消耗、高排放、不协调、难循环、低效率"的粗放型增长方式。我国经济今后还将以较快速度增长,资源短缺和经济快速发展之间的矛盾将日趋加剧。要保持经济持续快速协调健康增长,就必须重视节约资源、有效利用资源,使有限的资源实现效益的最大化。

2. 建设资源节约型社会任重道远

我国总体上是一个资源紧缺的国家,这是一个基本国情。我国人均水资源占有量仅相当于世界人均水资源占有量的1/4;在全国600

多个城市中,有400多个城市供水不足。人均耕地不足1.5亩,不到世界平均水平的1/2。如此宝贵的耕地,每年还以近千万亩的速度在减少。人均矿产资源占有量只有世界平均水平的一半,其中主要矿产资源还不足一半,除煤炭和少数有色金属外,矿产资源的富集度也比较低,比如我国国土面积占世界的7.2%,而石油储量仅占世界的2.3%。

由于经济增长方式的粗放,我国自然资源的消耗增长迅猛,浪费大、污染重,单位GDP能源、原材料和水资源消耗大大高于世界平均水平。建国50多年来,我国GDP增长了10多倍,但矿产资源消耗增长了40多倍。按现行汇率计算,我国单位资源的产出水平相当于美国的1/10,日本的1/20,德国的1/6。每吨标准煤的产出效率,我国只有785美元,相当于美国的28.6%,欧盟的16.%,日本的10.3%;每立方米水的产出效率,世界平均水平是37美元,我国只有2美元,英国是93美元,日本是55美元,德国是51美元;我国每万美元GDP消耗的钢材、铜、铝、铅、锌分别是世界平均水平的5.6、4.8、4.9、4.9和4.4倍,即使按购买力评价计算,也高出许多。从主要产品的单位能耗来看,火电供电煤耗比国际先进水平高22.5%,大中型钢铁企业吨钢可比能耗高21%,水泥综合能耗高45%,乙烯综合能耗高31%。我国能源利用率为33%,工业水重复利用率为55%,矿产资源回收率为30%,分别比国际先进水平低10个、25个和20个百分点。

过去的20年,中国是世界上经济增长最快的国家之一,也是世界上国内储蓄率(指银行储蓄额占GDP的百分比)水平最高的国家之一。世界银行(2000年)的统计显示,中国近20年的经济增长率平均为10.3%,在全球206个国家和地区中居于第二位(仅次于非洲国家博茨瓦纳)。但是,由于中国资源的浪费、生态的退化和环境的污染,在很大程度上抵消了"名义国内储蓄率"的真实性,即中国国内储蓄率中的相当部分是通过自然资本损失和生态赤字所换来的,这种以资源超常消耗和生态环境的严重退化作为代价的经济收益,必须进行有效地修正。这是事关中华民族的长远发展,事关子孙后代的福祉的艰巨任务。

3."节约"的双重含义

其一,是相对浪费而言的节约。勤俭节约是中华民族的传统美德。节约光荣,浪费可耻。要在全社会大力弘扬勤俭节约的美德,每个单位、每个公民都应从自己身边每一件小事做起,节约一张纸、一滴水、一度电、一块煤,成为节约型单位、节约型公民。因此,人人都能为建设节约型社会出力。其二,是要求在经济运行中对资源、能源需求实行减量化。即在生产和消费过程中,用尽可能少的资源、能源(或用可再生资源),创造相同的财富甚至更大的财富,最大限度地充分利用回收各种废弃物。笔者认为这是建设资源节约型社会的最关键所在,也是最难解决而又非解决不可的大问题。因为这种节约要求彻底转变现行的经济增长方式,进行深刻的技术革新,真正推动经济社会的全面进步。比如,新加坡的华人工程师李恩洛对马达系统进行了 35 项改进,终于把马达的电力节约一半左右,成本在一年内可回收。马达消耗了世界电力的一半之多,若全球对马达系统都能进行这 35 项改进,那么就可节约世界电力的 1/4,相当于美国的 160 座巨型电站的发电量。"节约"的这两重含义是内在统一的,必须统筹兼顾,不能片面理解。其核心,要求我们充分认识我国国情,不断增强资源意识、节约意识、环保意识,始终坚持艰苦奋斗的作风。

二、循环经济是 21 世纪国家经济发展战略的必然选择

自 20 世纪八九十年代起,发达国家为提高综合经济效益、避免环境污染,以生态经济理念为基础,重新规划产业发展,提出一种新型的循环经济发展思路。近年来,循环经济已经逐渐成为一股新经济的潮流和趋势。

1. 循环经济是追求更大经济效益、更少资源消耗、更低环境污染和更多劳动就业的先进经济模式

循环经济是对传统线性经济的革命。传统经济运行方式遵循一种由"资源—产品—废物排放"所构成的物质单向流动的开放式线性经济。这种经济运行方式能够持续发展下去必须基于两个前提。一是自然资源必须取之不尽用之不竭,而且廉价;二是经济社会发展所产生的环境污染和生态破坏,永远不超过自然生态系统的自净能力,不影响人

类自身的生存和发展。显然,当人类社会发展到上个世纪中叶以后,这两个前提已逐渐不再成立。自然资本已经成为经济发展的稀缺资源和瓶颈制约因素,环境污染和生态破坏已给人类带来深重的灾难。这种线性经济发展模式正日渐难以为继。联合国规划署(UNEP)2002年在巴黎发布的《全球环境综合报告》以日益恶化的全球环境呼唤循环经济为题,着重指出:"过去10年,传统的线性经济方式进一步导致环境退化和灾害加剧,对世界造成了6080亿美元的损失——相当于此前40年中的损失总和。""最新气候模型表明,除非大大减缓资源使用,推行循环经济模式,否则到100年后的2100年,地球温度将比现在上升6度,必然导致气候变暖、生物多样性减少、土壤贫瘠、空气污染、水极度缺乏,食品生产减少和致命疾病扩散等全球性重大环境问题。"

随着可持续发展战略成为全球共识,循环经济应运而生。它使人类实现可持续发展的梦想成为可能。相对于线性经济,循环经济倡导的是一种与环境和谐的经济发展理念和模式,以实现资源使用的减量化、产品的反复使用和废弃物的资源化为目的,用"资源——产品——再生资源"的环状反馈式循环理念重构经济运行过程,最终实现最优生产、最适消费、最少废弃。众所周知,一个成熟的、稳定的自然生态系统是由生产者、消费者、分解者三个部分组成的有机整体,即植物生产、动物消费、微生物分解,完整地形成一个良性循环的有效系统。这就是大自然的奥妙。循环经济借鉴自然界这种长期进化的模式,在一定区域自然、社会、经济复合生态系统中,指导"生产者"、"消费者"达到效率最高、物料最省、需求得到充分满足(提高经济效益,减少资源消耗,降低环境污染),同时构建"分解者"(增加劳动就业),对生产和消费过程中产生的废弃物和污染物进行自净、消纳,使人类经济社会发展,像自然界一样生生不息。

2. 循环经济遵循"4R"原则。即减量化(Reduce)、再利用(Reuse)、再循环(Recycle)、再思考(Rethink)的行为原则

这是循环经济标志性的特征。减量化原则,即减物质化,为循环经济的首要原则,也是最重要的原则。该原则以不断提高资源生产率和能源利用效率为目标,在经济运行的输入端,最大限度地减少对不可再生资源的开采和利用,尽可能多地开发利用替代性的可再生资源,减少进入生产和消费过程的物质流和能源流。制造商(生产者)通过减少产品原料投入和重新设计制造工艺来节约资源和减少排放;消费者通过优先选购包装简易、循环耐用的产品,减少废弃物的产生。

再利用原则,就是尽可能多次以及尽可能多种方式地使用人们所购买的东西。通过再利用,可以有效延长产品和服务的时间强度,防止物品过早地成为垃圾。在生活中,人们把一种物品扔掉之前,应该想一想在家中或单位里再利用它的可能性。

再循环原则,就是尽可能多地再生利用或资源化,把废弃物返回工厂,在那里经适当加工后再融入新的产品中。通过对废弃物的多次回收利用,实现废物多级资源化和资源的闭合式良性循环。资源化能够减轻垃圾填埋场和焚烧场的压力。

再思考原则,就是不断深入思考在经济运行中如何系统地避免和减少废物,最大限度地提高资源生产率,实现污染排放最小化,废弃物循环利用最大化。人们对事物发展规律的把握有着不断认知的过程,科技进步没有止境,构建一个最理想的循环经济模式不可能一次就可以完成。大自然的奥妙是物竞天择、长期进化的结果,发展循环经济必须长期坚持,不断思考,不断创新,不断发展,以追求更大经济效益,更少资源消耗,更低环境污染和更多劳动就业。

3. 我国当前发展循环经济的侧重点应放在减量化

这是由我国国情和综合国力水平决定的。许多发达国家,如日本和德国,都把发展循环经济的重点放在废物的管理利用上。与世界发达国家相比,我国的经济发展水平相对比较落后,发展仍然是我国的第一要务。正如邓小平同志所说,解决中国所有问题的关键靠发展。因此我国发展循环经济的核心还是要发展,重点抓好资源的减量化工作。减量化不是单纯地减少对资源、能源的利用,其实质在于提高资源生产率和能源利用效率,意味着科技进步和经济社会的全面、协调、可持续发展。要在保持国民经济快速增长的同时,资源、能源消耗量的增幅呈下降趋势。同时,要综合运用这四个原则,使循环经济发展达到最优化。

目前,循环经济已经在一些发达国家取得了明显的成效。从企业层次污染排放最小化实践,到区域工业生态系统内企业间废弃物的相互交换,再到产品消费过程中和消费过程后物质和能量的循环,都有很多很好的成功实例。一些国家也纷纷通过立法的手段大力推行循环经济。近几年,我国循环经济发展迅速,在理论和实践上进行了有益的研究和探索,循环经济研究取得了丰硕成果,涌现出一批像鲁北化工和贵糖集团发展循环经济的先进典型。

三、以循环经济为抓手,加快推进资源节约型社会建设

建设资源节约型社会与发展循环经济是密不可分的。这是一个问题的两个方面。建设资源节约型社会,要求我们牢固树立全面、协调、可持续的科学发展观,增强资源意识、节约意识、环保意识,用循环经济理念和模式优化经济增长方式。发展循环经济是建设资源节约型社会的一把必不可少、行之有效的金钥匙。

1. 全面开展减物质化活动,提高资源生产率

这是循环经济减量化原则在建设节约型社会中的运用。要尽快扭转高消耗、高污染的粗放型经济增长方式,逐步建立资源节约型国民经济体系。通过技术进步改造传统产业和推动结构升级,尽快淘汰高能耗、高物耗、高污染的落后生产工艺,提高资源生产率,逐步形成有利于资源持续利用和环境保护的、合理的产业结构。重点抓好节电、节煤、节水和建筑节能工作,推广应用先进高效的节能、节水设备和器具,大力发展服务经济,促进生产者实现从推销产品到推销服务的转变,从强化物质的消耗到强化产品的使用转变。推动高新技术产业和第三产业的发展和升级,这是摆脱经济增长严重依赖资源的重要措施。

2. 加强宣传教育,增强全社会的资源意识、节约意识和环保意识

要运用各种手段和舆论传媒加强对循环经济和节约型社会的宣传教育,以提高公众的资源意识、节约意识和环保意识。要把宣传重要意义和相关知识常识结合起来。如在宣传教育中发放介绍垃圾处理知识和再生利用常识的小册子,鼓励人们积极参与废旧资源回收和垃圾减量工作。要加强对中小学生的宣传教育,做到以教育形式影响学生,以

学生影响家长,以家庭影响社会。通过宣传教育,引导人们尽可能减少垃圾排放,进行绿色消费,优先购买经过生态设计或通过环境标志认证的产品,以及经过清洁生产审计或通过 ISO14000 环境管理体系认证的企业的产品,鼓励节约使用、反复使用或多次使用所购买的物品,对生活耐用品如衣服、旧家电、家具等自己不用了可以送给别人使用,不要随意丢弃。这也是循环经济再利用原则的体现。

3. 大力发展环境产业,充分开发利用再生资源

世界经济发展趋势和世界经合组织研究表明,建立在循环经济理念基础之上的环境产业必将作为新的经济增长点与信息技术、生物技术并列为当代最具发展潜力的三大领域,是 21 世纪世界性的主导产业之一。通过发展环境产业,加强"三废"综合利用,充分开发利用再生资源、新能源和可再生能源,延伸产业链,开辟新的生产领域,增加就业岗位,同时担负起分解者的职能,对无法再次循环利用的污染物进行无害化处理。据美国全国物质循环利用联合会公布的数字,全美共有5.6 万家公私企业涉及废弃物的回收利用行业,为美国人提供了 110 万个就业岗位,每年的毛销售额高达 2360 亿美元,为员工支付的薪水总额达 370 亿美元。据 1997 年日本通产省产业机构协会提出的"循环型经济构想",到 2010 年,发展循环经济将使日本新的环境保护产业创造近 37 万亿日元产值,提供 1400 万个就业机会。

4. 推动资源节约科技的研究和开发,加快科技成果转化

发展循环经济,建设资源节约型社会,必须要有相关的技术作支撑。重点加强对节能技术、节水技术、链接技术、新材料技术、生物技术的研究开发,促进技术进步和科技成果转化,降低能耗、水耗,实现废物转变成资源的链接或进行无害化处理,以可再生资源替代自然资源,用高新技术和先进适用技术改造传统产业,提高资源节约的整体技术水平。要在我国国民经济体系中组建专门从事资源节约科技研究和开发的机构,不断思考和探索,对资源节约技术进行革新和升级。

(季昆森:安徽省人大常委会副主任)

循环经济的核心内涵
是资源循环利用

——兼论循环经济概念的科学运用

陈 德 敏

循环经济的思想是人类克服环境污染、资源短缺的困境,追求可持续发展的思想产物。循环经济理念的演进与人类合理利用资源的实践紧密结合在一起,相互依存、相互促进,共同构成资源层面实现可持续发展的基本内涵和实现途径。

结合我国资源综合利用的实践研究,借鉴发达国家倡导循环经济的成功经验,我们经过分析研究得出的基本结论为:循环经济的核心内涵是资源循环利用。我们认为,把握住这个理论的关键点,可持续发展理念指导下的中国循环经济进程就有了一个坚实的理论支撑点,对循环经济要义的认识会更加清晰;同时也为我们在循环经济理念指导下的行动展示了可操作的基本路径。

一、循环经济是我国 21 世纪经济发展的必然选择

无论是中国还是西方,回收利用生产、生活中产生的可再生资源古已有之。但是人们开始意识到资源回收利用的战略意义,则源于 20 世纪六七十年代出现全球性环境与资源危机之后。从世界各国最初对环境资源的关注到今天实施可持续发展和探索循环经济路径,大体经历了三个发展阶段。

第一阶段是从 20 世纪 60 年代到 70 年代中后期的废弃物资源回

收利用时期,这个时期人们关注的重点在于对现有经济模式为何会导致环境资源问题的反思,开始采取行动。

第二阶段是从 20 世纪 70 年代中后期到 80 年代中期的可持续发展理念酝酿和提出时期。人们的关注重点开始从污染的末端治理转向对资源利用的全程控制,清洁生产和生态工业等企业和产业层面的资源循环利用形式开始进入实践。资源合理利用成为一种国际共识。

第三阶段是从 20 世纪 80 年代中期到 90 年代中期。这一时期,从可持续发展理念出发,出现了许多新思想,但着眼点都在于如何实现人类社会的可持续发展。20 世纪 90 年代中期,德国等欧洲国家的有识之士首先提出了循环经济理念,立即在发达国家企业界和民众中得到响应。德国、日本等国家先后制定了发展循环经济或循环型社会的法律,采取政策手段给予推动,包括国家税收财政政策,产业组织与市场结构、企业内部经营管理等方面,对实现资源循环利用进行理论探讨和产业实践。这一趋势正在进一步深化和扩展。

从指导思想来看,人类社会经济的可持续发展理念是循环经济运作方式的目标和归宿;从产业领域看,在资源回收利用基础上发展起来的清洁生产,以及比清洁生产更进一步的生态工业运作方式使得循环经济获得了有效的实现途径;从最终结果来看,循环经济运作方式将极大地减少新增资源需求以及彻底消除生产、生活中未经处理的废弃物排放,既解决了人类面临的资源短缺问题,又可以使我们获得一个良好的生态环境。

我国经济发展迅速,长期以来依靠粗放型经济增长方式,对资源需求量较大。由于过度开采和低水平利用,许多资源已后备不足,未来资源形势十分严峻,且已经对经济发展和社会进步形成制约。

从现在到 2020 年的近 20 年间,是中国全面建设小康社会的重要时期,同时也是我国经济迅速增长但我国资源最为紧张、环境压力最大的时期。我国由于人口众多,资源总量丰富但人均资源相对贫乏,随着人们生活水平提高和资源消耗量增大,人均资源需求量还将进一步增长,从而形成资源超常规利用、生态环境日益恶化的巨大压力。能否稳定持续地实现资源供给以保证国民经济快速健康发展便成为亟待解决的重大课题。

从更宏观的意义上讲，未来的 20 年，将是中国的历史性发展机遇期，同时中国将面临严峻的挑战。如果我们能够克服因经济快速增长加上人口总量进入峰值阶段所带来的资源短缺最为严重的时期，实施好中央既定战略目标，那么过了这 20 年，随着人口高峰的过去、人口素质和科技水平的提高，我国的资源紧张状况将趋于缓解。当前克服资源短缺矛盾的重要手段就是提高资源利用效率，推进可再生资源的开发利用。否则，我们就不可能从根本上具有保障国民经济发展的资源供给能力，到本世纪中叶也就难以实现社会主义现代化的任务。

面对危机，循环经济是中国 21 世纪实现社会经济可持续发展的必然选择。

二、循环经济的科学界定

循环经济是从资源合理利用与生态环境保护实践中提出的新认识，但其一经提出，就被扩展到从经济运行宏观层面即社会再生产层面来概括，以更深入全面的角度推进经济与资源、环境的结合，同时对经济提出了循环、节约、洁净的要求。循环经济不是一个目标，而是一个过程，是可持续发展指导下的社会经济运行模式。

1. 循环经济的指导思想是可持续发展

可持续发展理念实际上是对整个人类社会处理人口、资源、环境与社会经济发展关系的一个总体指导体系。"可持续"指的是人类社会经济发展所依托的自然资源与人工资源的合理开发与保护。可持续发展理念的提出便是来自对资源的关注，其目的是为了实现物尽其用，使资源在技术进步的前提下可以多次循环利用，最后才成为没有利用价值的废物，并对其进行焚化回收能量或填埋。

可持续发展理念的进一步发展体现在两个方面，一是合理开发资源，包括开采、加工、形成产品、最终消费等各个环节的资源节约和合理利用，一是将开发、加工的过程与资源的循环利用相结合。从社会生产和再生产四个环节来看，就可以提出以资源为基础的循环经济概念。而循环经济在西欧、日本也正是遵循这样的轨迹而发展起来的。

我们认为,循环经济是由环境与资源危机而提出,并进而扩展到国民经济与社会整体的协调发展层面,其目标是实现资源合理利用和社会的可持续发展。因此,循环经济是人类进步的战略性基本理论、政策性基本对策,是在更大层面和领域(国民经济与社会整体协调发展)对可持续发展的自觉认识和能动行为。

2. 循环经济的基本概念

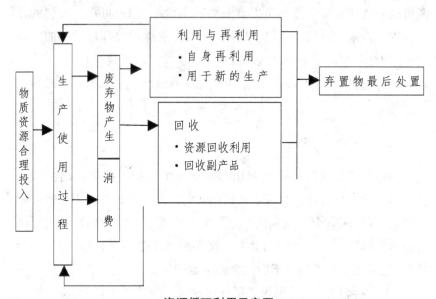

资源循环利用示意图

我们认为,循环经济的基本概念是:为保护环境,实现物质资源的永续利用及人类的可持续发展,按照生态循环体系的客观要求,通过清洁生产、市场机制、社会调控等方式,促进物质资源在生产与生活中循环利用的一种经济运行形态。(见上图)循环经济是以资源的反复利用为核心,依托于科技进步,促进经济、环境与人类社会协调发展的运行状态,其依据是可持续发展的理论体系,是从总体上对经济发展与资源、环境的协调,而从国民经济宏观体系上提出的新概念、新观点。

3. 循环经济的核心内涵

我们认为资源循环利用是循环经济的核心内涵。循环经济的中心含义是"循环",强调资源在利用过程中的循环,其目的是既实现环境友好,也保护经济的良性循环与发展。"循环"的直义不是指经济循环,而是指经济赖以存在的物质基础——资源在国民经济再生产体系中各个环节的不断循环利用(包括消费与使用)。资源循环利用是指:自然资源的合理开发;能源、原材料在生产加工过程中通过适当的先进技术尽量将其加工为环境友好的产品并且实现现场回用(不断回用);在流通和消费过程中的最终产品的理性消费;最后又回到生产加工过程中的资源回用——实现以上环节的反复循环。

需要指出的是我们应当有两个基本认识:一是资源短缺和市场需求是资源综合利用的根本引导力量;二是资源循环利用的根本推动力是科技进步。每当新技术出现总会开拓出新的资源领域及新的使用方式,推动资源综合利用不断向广度和深度进军。因此,着力于科学技术的创新和实际应用,是加强资源综合利用的关键环节。

4. 循环经济的基本特征

客观性:也可称为内在规律性,是指循环经济的出现是人类社会经济发展进程中所必然出现的一种社会生产和再生产方式,是不依人们的意志为转移的社会经济发展的客观现象,是人类社会发展到一定程度之后的面对有限的资源与环境承载力所作出的必然选择。

科技性:循环经济的出现和发展是以先进的科技作为依托的。只有通过不断的技术进步,才能实现更大范围和更高效率的资源循环利用,同时不断拓展可供人类使用的资源范围,从源和流两个方面解决人类所面临的资源短缺和生态环境保护问题。

系统性:循环经济是一个涉及社会再生产领域各个环节的系统性、整体性经济运作方式。在不同的社会再生产环节上,它有不同的表现形式,但不能因此将其割裂开来看待。只有通过整个社会再生产体系层面的系统性协调,才能真正实现资源的高效循环利用。

统一性:包括两个层面的含义。第一层含义是指通过循环经济的社会再生产方式,既可以解决人类目前所面临的资源、环境两大危机,又能实现人类社会经济的可持续发展,因此循环经济是人类社会经济发展和生态环境保护的统一。第二层含义是指循环经济无论是在社会再生产的宏观层面还是在产业和企业的中微观层面,其核心都统一于资源循环利用。

能动性:循环经济是人类对自身面临的资源和环境危机的理性反思的产物,是人类对客观世界认识的进一步深化。

5. 循环经济的目的要求

循环经济理论与行动的目的是达到节约资源、减废治污、治理和保护环境,进而从整体上推进经济持续发展与社会全面进步,以实现人类社会与自然和谐、公平、良性的互动循环。

这种循环的推动力是科学技术进步。在以上过程中,环境保护与治理是一直伴随着的行动和措施,以实现生态环境与资源得到保护的目的,最后达到人与自然的和谐。

三、循环经济概念科学运用中应注意的几个问题

1. 应注意区分循环经济的整体性与局部实现途径

循环经济是一个科学的系统,是一个涉及社会再生产各个环节的整体性经济运作方式。但是,其在不同的环节循环经济具有不同的实现方式:在生产环节表现为生态工业或清洁生产;在消费环节表现为生产者严格的产品责任和回收义务;在分配和交换环节表现为废弃物资源的回收利用。这些不同环节的表现形式是一个统一的有机整体,决不能将其割裂开来分别看待,否则就会导致在低层次上出现概念混乱,无法充分发挥循环经济理念应有的引领作用。

2. 在企业和产业层面普及资源循环利用的科学概念

循环经济的最终实现离不开具体的企业和产业。但是,如果没有全局性的协调和系统的眼光,每个企业只是局限于自身的资源单项利用而无法实现在整个社会经济层面的资源有效利用,则循环经济将变成一句空话。因此必须在企业和产业层面形成对循环经济概念的科学认识,让企业的管理者和产业政策的制定者走出对循环经济片面和狭隘的认识,才能真正推动我国循环经济的发展。

3. 应注意政策制定中对循环经济概念的准确使用

循环经济本质上仍然是市场经济,但是与工业时代的市场经济相比更强调政府在宏观资源配置中的作用,是一个政府干预取向的市场

经济模式。因此,政府的政策对于循环经济的有效运作具有极其重要的意义。这就从客观上要求我国各级政府在相关政策的制定过程中,注意理论性和实践性相结合,将循环经济概念放在科学的层面对待,避免出现内涵模糊和标签化趋势,使我国的循环经济发展得到科学的政策体系的有力支撑。

通过以上分析我们可以看到,人类对循环经济认识的深化过程是与实践紧密结合在一起的,只有通过实践才能形成新的理论突破并走出原有的理论藩篱。

抓住资源循环利用这个核心概念,并与我们的政策指导、产业发展、环境保护、资源开发及相关法规制定等主要工作环节紧密结合,这就为我国循环经济的推进、环境保护与治理提供了广阔的空间,这也必将为我国的经济与社会可持续发展开辟无可限量的光辉前景。

（陈德敏:重庆大学副校长）

中国古代天人调谐思想是
循环经济的重要文化资源

郭　强　王凤春

　　循环经济不仅是一种经济增长方式,同时,也是一种文化模式。文化有三大研究领域,即人与自然的关系、人与人的关系、人自身与身心关系。人与自然的关系,是研究文化模式的重要内容,也是人类安身立命的重要命题。中国传统文化十分重视人与自然关系的研究,汉代著名的思想家司马迁曾说:"究天人之际,通古今之变,成一家之言。"(《汉书·司马迁传》)这里所说的"际",就是关系。中国自古以来,就有研究人与自然的优良传统,也称为天人之学,与义理之学、会通之学并称为三大学问。中国古代思想文化流派纷呈、观点杂陈,但不论儒家还是道家,不论主张天人合一还是天人相分,其主导精神都是主张天人调谐的。可以说,天人调谐是中华文化的重要特征,研究、继承、发展中国古代的天人调谐对当代的循环经济的研究与建设无疑将具有重要作用。

一、中国古代天人调谐思想的由来与含义

1. 天人调谐思想的由来

　　天人调谐包含天人合一与天人相分两方面的意义。天人合一的历史前提与逻辑前提是天人相分。但人类有能力将自己与"天"区分开来是进入文明社会以后的事。此前是"民神杂糅"(《国语·楚语下》)的神话时代、混沌时代,也可以叫做原始的天人合一时代。其实,人与环

境是直接同一的、一体的。到了传说中的颛顼时代,天人方才慢慢分离开来,天人关系逐渐成为人类必须认真解决的核心课题,而巫、祝、宗、史之类承担天问天对等使命的专业人士则是后来阴阳家的直接渊源。

夏商两代中国的天人关系乃是以天为主的,天人之学基本是一种神学。西周代商后,中国的文化发生了一次深刻的变化,"殷人尊神,率民以事神,先鬼而后礼"(《礼记·丧记》)的商文化转向"周人尊礼尚施,事鬼敬神而远之,近人而忠焉"(《礼记·表记》)的周文化。在天人关系的天平上,神格天的地位开始式微,人的分量慢慢加重,可以说,西周的天人之学是天、人并重。到了春秋时期,周天子权威渐失,学问也逐渐民间化。在社会动荡和技术革命(铁器代青铜)的双重推动下,以孔子为代表的经典儒家诞生,天人关系的重点逐渐向人倾斜。孔子不语怪力乱神,经典儒家的核心思想全在一个"仁"字上。"仁也者,人也"(《孟子·尽心下》),因之,儒家学说正不妨谓之人学。庞朴先生认为,儒家的一个大创造,便是将社会的规则和义理归之于天,创造了义理的天;或者说,他们本着从社会性看人的习惯,也从社会性去看天帝,认为它是社会原则的化身。所以儒家所说的天人关系,实际上是社会体和社会人的关系,或人的社会和人自己的关系。这样的关系,从根本上便是合一的。孟子把这层关系明白确定下来并予以神圣化,将社会升格为天,人净化成心,强调天理自在人心,内潜即得超越,天人如此合一。汉代董仲舒讲天人感应,提出"天人之际,合而为一"(《春秋繁露·深察名号》)。明确提出"天人合一"四字成语的是张载,他说:"儒者则因明致诚,因诚致明,故天人合一,致学而可以成圣,得天而未始遗人。"(《正蒙·乾称》)

2. 天人调谐思想的含义

天人合一与天人相分统一构成了天人调谐思想,统一构成了中国古代天人之学的精华。

"天人合一"的含义并没有准确和一致的说法。导致"天人合一"难以有准确和一致定义的原因主要是在两个问题上众说纷纭。一个是如何理解"天人合一"的"天",再一个是如何理解"天人合一"的"合"。

关于中国传统文化中的"天",冯友兰先生认为主要有五种含义,即物质之天、主宰之天（或意志之天）、命运之天、自然之天、义理之天（或道德之天），简单地讲，天可以分为有道德意义的"天"和无道德意义的"天"（"道"），这两种关于"天"的概念大略分别为儒家和道家所持有。

关于"天人合一"的"合"，主要有两种方式。一是发端于孟子、大成于宋理学的天人相通的思想，二是汉代董仲舒的天人相类的思想。天人合一思想的主流是天人相通思想，天人相通又可分为两派：一是以朱熹为代表的所谓人受命于天，"与理为一"的思想；二是以王阳明为代表的"人心即天理"的思想。按照张岱年先生的说法，所谓天人相通，其意义可分为两层。第一层意义，是认为天和人不是相对峙之二物，而乃一息息相通之整体，其间实无判隔。第二层意义，是认为天是人伦道德之本原，人伦道德原出于天。在今观之，在天为根本的，自一意义言，亦是在人为根本的，因人为自然中之一物。然自另一意义言，所谓人性，常指人之所以异于非人者，即人与他类物不同者；而人与他物相同的，虽为根本，亦不含于所谓人性之中。以此义言，人固以自然为根本，而人性乃是后起之特殊的性质，非即是普遍的天道。将天道与人性合而为一，表面上似将天道说为人性，而实际乃是将人性说为天道。孟子说："尽其心者，知其性也，知其性，则知天矣。"（《孟子·尽心》）这里的逻辑前提是"人性天授"，所以只要充实和发挥人性，就可以达到"知天"的境界。孟子把仁、义、忠、信等说成是"天"之所赐，称为"天爵"，实际上却是把人的道德理念也当作"天"的属性，这种"天人相通"的思想，为后来宋代的理学家所继承。

天人调谐的另一面天人相分是由荀子提出的，而后刘禹锡等思想家又对其有所发挥。荀子认为，天是一个自然环境，它为人和生物提供生存条件，它也有自己的运行规律，但与人事无关。用他自己的话来说，叫做："天行有常，不为尧存，不为桀亡。应之以治则吉，应之以乱则凶。强本而节用，则天不能贫；养备而动时，则天不能病；循道而不贰，则天不能祸。故水旱不能使之饥，寒暑不能使人疾，妖怪未至而凶。受时与治世同，而殃祸与治世异，不可以怨天，其道然也。故明于天人之分，则可谓至人矣。"（《荀子·天论》）当然，荀子没有把天与人绝对分开，他认为，天既包括"列星随旋，日月递照，四时代御，阴阳大化，风雨博施"等自然界的物质和现象，也包括人生而有之的器官和情感，他把人的"好恶喜怒哀乐"称为"天情"，把"耳目鼻口"称为"天官"，把"心居中虚以治五官"称为"天君"。又说："财非其类以养其类，夫是之谓天养；顺其类者谓之福，逆其类者谓之祸，夫是之谓天政。"(《荀子·天论》)而圣人的作用是"清其天君，正其天官，备其天养，顺其天政，养其天情，以全其天功"。圣人虽然是"明于天人之分"，但也能脱离天，更不能取代"天"的职能或改变"天"的运行，但可以在掌握"天"的运行规律的基础上利用它为人类谋福利，即所谓"制天命而用之"。这种"天人相分"的观点，使"人"从对神性的主宰之天的恐惧中解放出来，但不是"人类中心主义"。在荀子看来，人虽然处于非生物和生物发展阶梯的顶层，"最为天下贵"，但并非自然界的主宰，而只是与"天""地"并立的自然过程的参与者；人和自然并不因为"天人相分"而处于对立状态，相反，人类和天地万物共处于和谐的整体之中，"各得其和以生，各得其养以成"。

近代以来我国思想界普遍将天人合一与天人相分二者对立起来，并展开了激烈争论。改革开放以前，思想界的主流认为，以荀子为代表的天人相分思想是朴素的主客二分的观点，是主张人定胜天的进步哲学，是中国古代思想的红线；改革开放以后，思想界的主流认为，中国古代的天人之学的主流是天人合一，天人合一能够拯救西方主客二分哲学指导下的工业化——现代化所造成之人类困局。在相关的争论中，赞同天人合一者认为主客不分是中国哲学的优点，反对主客二分，赞成天人合一者则认为主客二分是西方哲学的优点，中国古代非主流的天人相分思想才是有价值的思想。然而，无论是赞成还是反对，都建立在对中国哲学的误解之上。争论双方都存在一个致命的缺陷，那就是把天人合一与天人相分看成根本对立的思想。这种看法忽略了中国思想史的历史真实，这种所谓的根本对立在中国古代是不存在的，完全是近代以来我国思想界按照西方哲学的方法"重建中国哲学史"的结果，是按照西方式的二分对立的逻辑人为虚构的中国古代思想斗争史。其实中国古代在天人之学方面是高度一致的，那就是主张天人调谐。天人合一与天人相分是相辅相成的。天人合一无疑是强调主客合一,但主客合一是以主客二分为前提的。主客二分是哲学认识的起点,主客合一则是其价值理想的归宿。主客二分是认识论上的,主客合一则是价值论上的。这种观念明显地体现在被称为"六经之首"的《周易》中。《周易》讲天、地、人"三材",首先将作为主体的人与作为客体的天地区分开来。天地作为客体,是主体认识和探究的对象("仰观天文,俯察地理")。与西方哲学不同的是,中国哲学的主客二分仅仅是认识的起点,而不是最终的归宿。在主客二分的基础之上,追求主客合一。中国哲学所讲的主客合一,绝非主体与客体的消融与泯灭,而是在价值上,实现人与天、地的三者合一。例如《孟子》所讲的"尽心、知性、知天",《中庸》在进一步发挥时所讲的"唯天下之至诚,为能尽其性;能尽其性,则能尽人之性;能尽人之性,则能尽物之性;能尽物之性,则可以赞天地之化育;可以赞天地之化育,则可以与天地参矣。"都是通过对主体对于客体的认识,而在价值上取法于天地,从而在价值上与天、地合一,这也就是儒家学者们常讲的天、地、人并列为"三极"。可见,赞同天人合一者把中国哲学从思维方式归结主客合一并以之为优于西方的主客二分,属于一种误解。在认识论上,中、西方在主客二分这一点上是共同的,所不同的是在价值论领域二者立场不同。反对天人合一者批评中国主流哲学没有主体与客体的分化,从而仍停留在极低的哲学水平,这也属于一种误解,这种源自于黑格尔的误解同样没有看到中国哲学在认识论上是主客二分,在价值论上是主客合一的,并不低于在认识论与价值论上都主张主客二分的西方哲学,而其主客合一的价值论对西方工业文明还是有纠偏意义的。

二、天人调谐思想的特征

从现代的角度看,包含了天人合一与天人相分两方面含义的天人调谐思想有以下一些主要特征。

1. 天人一体的世界观

与西方近代哲学的人与自然(主体与客体)的对立基本观念不同,中国古代大多数思想家在人与自然的关系问题上采取了一种整体主义的立场,把人与自然看做一个不可分割的整体。这种观念源远流长,影响深远。

在最早成书的《易经》和《洪范》中,就提出了朴素的整体思想。《易经》中的八卦说是从自然界中选取了八种东西作为说明世界上其他更多东西的根源,它们是天、地、雷、火、风、泽、水、山。其中天地是总根源,天地为父母,产生雷、火、风、泽、水、山六个子女。《洪范》中的"五行"说,把金、木、水、火、土这五种最基本的物质看成是构成世界万物的不可缺少的元素。在这些十分朴素的万物生成的自然观中就蕴含了整体观点。《老子》一书指出:"天下万物生于有、有生于无","无,名天地之始,有,名万物之母","道生一、一生二、二生三、三生万物。万物负阴而抱阳……"《老子》用有与无、始与母、一与二、阴与阳的对立统一关系来表达自然界的整体性。老子说:"人法地,地法天,天法道,道法自然",他认为,道是贯通自然界与人类社会的根本法则,换句话说,人与自然虽可分而言之,但究其根本则是一体的。

另外,惠施讲"泛爱万物,天地一体"、"天与地卑"。庄子提出"至大无外,谓之大一;至小无内,谓之小一","天地与我并生,万物与我为一",这些观点都是强调要从整体的角度观察事物。

宋代周敦颐的"太极图"和邵雍的"先天图",从不同角度论证了世界的本体及其形成发展的整体图式,提出了描述世界的构成和发展的系统模型。宋代的陈亮则从整体的角度说明"理一分殊"的关系就是部分与整体的关系。他认为"理一分殊"的理一是天地万物的理的整体,分殊是这个整体中每一事物的功能。整体的理必须是各部分功能的总和,也就是说,全体只能是部分组成的全体。他还用耳目鼻口与人的全部身体关系来说明"理一分殊"的意义。他说,"尝试观诸其身耳目鼻口,肢体脉络,森然有成列而不乱,定其他于一体也,一处有阙,岂惟失其用,而体固不完矣。是理一而分殊之说也,是推理存义实也"。这就生动地从整体角度论述了部分与整体的关系。

中国传统文化的整体思维,不仅表现在考察和分析自然现象方面,而且在工程、建筑、医学、艺术等社会实践中,也充分体现出整体思维的魅力。

2. 天人合德的价值观

中国古代哲学在提出"天地与我并生，万物与我为一"的朴素整体观的同时，也明确承认人在世界中具有重要的地位。老子很早就指出人在世界中具有卓越的地位。老子说："域中有四大，而人居其一焉。"（《老子·第二十五章》）荀子则进一步认为，水火有形体（"气"）而无生命（"生"），草木有生命而无知觉（"知"），禽兽有知觉而无道德观念（"义"），惟独人既有形体、生命、知觉又有道德观念，因而"人最为天下贵"。这是从生理、心理和道德能力三个方面论证人的优越性。周秦之际儒家则从宇宙论的角度论说人的卓越："人者，天地之心也，五行之端也。"（《礼记·礼运》）人禀受"五行之秀气"，位居万物的顶端，为造化之尤物。然而，自然化育出的人，又是自然为其本身所立的灵明知觉，因此人又是"天地之心"。秦汉以后的中国哲学，主要是依据这条路线来论述人的地位和人性问题的。

尽管明确体会到人在自然中的优势地位，但中国文化从来不主张征服自然，在对待人与自然的实践关系问题上，中国古代绝大多数哲学家都主张应以人与自然的和谐为目标，并将其作为人生最高理想。其中最具代表性，也是对后世影响最大的，是《周易》中提出的天人合德的思想。这里所说的"德"并非现代汉语中所理解的"道德"，而是广义的"德性"，或曰精神价值。《周易》认为，人乃阴阳二气所化，故兼有刚柔两重禀性。阳刚之性要求人"自强不息"，即发挥主动的创造精神；阴柔之性则要求人"厚德载物"，即以宽大的胸怀接纳万物。在对自然的实践中，"自强不息"就是要积极地参加自然的演进，而"厚德载物"则是要求人类的活动不超出自然的限度，如此，才能达到"与天地合其德，与日月合其明，与四时合其序"的境界，这是一种以人与自然和谐为最高目标的道德规范。最早明确提出"天人合一"命题的张载说："儒者则因明致诚，因诚致明，故天人合一，致学可以成圣。"这里所讲的，就是天人合德的人生最高理想。

3. 天人相参的生态观

中国古代的主流生态观是在天人相分基础上追求天人合一的天人相参。天人相参最早是荀子提出的，他说："天有其时，地有其财，人有其治,夫是之谓能参。舍其所以参,而愿其所参,则惑矣。"(《荀子·天论》)"天地者生之始也,礼义者治之始也,君子者礼义之始也,为之、贯之、积重之、致好之者,君子之始也。故天地生君子,君子理天地;君子者天地之参也……"(《荀子·王制》)"参",同"叁",原指三者并立在一起而存在。而作为动词的"参"意思是参加,参加到天地的功能里面去。参加进去干什么呢?"赞天地之化育",即赞助天地的生化养育工作。荀子认为,人是有这种参加能力的,这叫"能参";人凭着一套群、分、义的本领去参,这是"所以参";天地之化育,是参加的对象和目的,是为"所参"。所谓天人相参,就是天地人三者相互并存,构成了一个天地人三者相互联系的生态系统。这个天地人生态系统,通过"天行有常"的"诚"(天德)和"人有其治"的"诚"(君子至德)统一起来,各自既有不同的分工,又彼此之间相互作用。董仲舒说:"何为本?曰:天、地、人,万物之本也。天生之,地养之,人成之。……三者相为手足,合以成体,不可一无也。"(《春秋繁露·立元神》)把天地人三者看成是情同手足、合为一体的关系,且三者分工不同,又彼此作用,共同成为"万物之本"。天地人共为万物之本的天人相参说就是认为,人与天地并列,既非大自然(天、地)的奴隶,又非大自然的主宰,而是以自然过程的参与者的身份出现的。在天地人的统一体里,人和自然是相互协调的,是互养共生的。互养共生就是"各得其和以生,各得其养以成","苟得其养,无物不长;苟失其养,无物不消","财非其类以养其类,夫是之谓天养"。这里的所谓"养"就是要注意不去打断天地万物互养共生的这种自然再生产过程,进而采取适当的措施去辅助它和促进它,并有节制地加以利用,以期达到和谐发展、永续利用的目的。《礼记》"祭义"记载说:曾子曰:"树木以时伐焉,禽兽以时杀焉。"夫子曰:"断一树,杀一兽不以其时,非孝也。"

天人相参,互养共生,不仅是中国古代的哲学概念,更是中国古代的生态伦理规范。古代中国人根据对自然和生命的节律的掌握制定了各种禁令,就是所谓"时禁"。关于"时禁",《礼记》"月令"篇有最丰富的记载,其要旨就是当春萌夏长之际,不仅特别不许破坏鸟兽之巢穴,不许杀取或伤害鸟卵、虫胎、雏鸟、幼兽,也一般地禁止人们各种有害于自然生长的行为。所禁的行为对象范围不仅包括动物、植物,也涉及山川土石。而其中的"毋变天之道、毋绝地之理、毋乱人之纪"则可视为基本的原则。

三、中国古代天人调谐思想的有益启迪

中国古代的天人调谐思想是中国传统文化的精华,它强调人与自然的协调统一,既改造自然,又顺应自然;既不屈从自然,又不破坏自然。人既不是大自然的主宰,也不是大自然的奴隶,而是大自然的朋友,要参与大自然造化养育万物的活动。我们应该深入挖掘这一思想对中国乃至世界反思价值观念,重建生态伦理,建立循环经济,发展循环社会的有益启迪。

1. 人是自然的一部分

中国传统文化认为,人类和万物一样,是天地自然而然的产物,人类社会是自然发展的结果,人是自然的一部分。但是,人具有卓越的地位,不等同于自然界的万物。"盈天地之间者惟万物",这万物之中,只有人,才可与天地相提并论,合称"三材"。"有天道焉,有人道焉,有地道焉。兼三材而两之,故六。六者非他也,三材之道。"(《易传·系辞下》)天地人三材之学凸显人与天地万物的内在关联。它强调,在归根结底的意义上人是内在于而非外在于天地万物的。《易传·序卦》明确指出:"有天地然后有万物,有万物然后有男女。有男女然后有夫妇,有夫妇然后有父子。有父子然后有君臣,有君臣然后有上下。有上下然后礼义有所错。"显然,天地万物的存在,是人和人类社会存在的前提。《易传·说卦》指出:"昔者,圣人之作易也,将以顺性命之理。是以立天之道曰阴与阳,立地之道曰柔与刚,立人之道曰仁与义。兼三材而两之,故易六画而成卦。分阴分阳,迭用柔刚,故易六位而成章。"这里将天、地、人纳入一卦六爻的符号体系内,体现了天、地、人三材统一的整体观念。张岱年先生认为,三材之道,分开来说,天道、地道、人道有一定的区别;总起来说,"一阴一阳之谓道"是普遍性的。这说明,天、地、人作为各自独立的形态虽或有别,但作为一个宇宙生命的整体,则是同本同根,遵循着共同的变易法则的。在生生不息的天地间、万物

中,人应当"与天地合其德,与日月合其明,与四时合其序",并能够将仁爱之心推广及于天下,泽及草木禽兽有生之物,达到天地万物人我一体的境界,天、地、人合德并进,圆融无间,这就是天人调谐的最高境界。

2. 尊重自然的内在价值和客观规律

在西方哲学中,一直存在着事实与价值分离的倾向,价值判断是人以自身为尺度的,自然的价值仅限于对人的工具性价值。中国哲学从一开始就明确肯定自然本身具有内在价值和客观规律。

《易传》说,"天地之大德曰生",又说"生生之谓易"。"易"是自然创化的本质,是自然的事实;而自然的创化又是自然生生之德的实现,这是自然的价值。同是一个自然,从事实的角度讲,其本质是永恒的变化;从价值的角度讲,其意义在于生生不息的创造活力。对自然本身来说,这两者是合二而一的。

自然不仅有其内在价值,而且有其普遍规律,尊重其内在价值就要服从其普遍规律,服从其普遍规律才算真正尊重其内在价值。《易传》认为,天有天之道,地有地之道,人有人之道。"立天之道曰阴与阳,立地之道曰柔与刚,立人之道曰仁与义"。天地之道,即指自然界阴阳刚柔的变化法则、规律。人道指的是道德准则和治国原则。人道应当效法天道,也就是说,人要服从普遍规律,正所谓,"天生神物,圣人则之;天地变化,圣人效之"。当然,不仅圣人应该效法天道,"三材"之中的人都应"崇效天,卑法地"。《易传》说:"天地养万物,圣人养贤以及万民",这是效法天地养物的功能,养育万民;"天险不可升,地险山川丘陵也,王公设险以守其国,险之时用大矣哉",这是效法天地自然之险,设险守国,防止侵略;"天地感而万物化生,圣人感人心而天下和平",这是效法天地交感化生万物的特性,感化人心,治国平天下;"日月得天而能久照,四时变化而能久成,圣人久于其道,而天下化成",这是效法自然变化不已,生生不息的品质,恒久坚持人文化成的正道。在《易传》中,最能集中反映"崇效天,卑法地"思想的莫过于《象传》。如乾卦《象传》说:"天行健,君子以自强不息。"指出君子要效法天道刚健有为,周而复始的品格,努力奋斗,自强不息。坤卦《象传》说:"地势坤,君子以厚德载物。"指出君子要效法地道平顺居下负载万物的品格,醇厚品德,承担重任。其他如屯卦《象传》说:"云雷,屯,君子以经纶。"蒙卦《象传》说:"山下出泉,蒙,君子以果行育德。"大畜卦《象传》说:"天在山中,大畜,君子以多识前言往行。"益卦《象传》说:"风雷益,君子以见善则迁,有过则改。"这些都表明在"天道"与"人道"之间存在着内在同一性,人们通过认识和效法天道,就可以从中汲取教益,引申出人事所遵循的原则。

在当代,自然已经被人类大规模改造、破坏了,与此同时,人类也破坏了自己安身立命的自然基础。因此,在当代,尊重自然的内在价值,"崇效天,卑法地",应该提到一个更高的高度了,那就是"明于忧患","迁善改过"。中国人自古就有深沉的忧患意识,《易传》称之为"明于忧患与故"。孔子说,"危者,安其位者也;亡者,保其存者也;乱者,有其治者也。是故君子安而不忘危,存而不忘亡,治而不忘乱,是以身安而国家可保也。"又说,"人无远虑,必有近忧"。有了忧患意识,就要趋吉避凶,而趋吉避凶的途径则是"迁善改过"。《易传》说:"君子以见善则迁,有过则改。"如何迁善改过?关键是要有决心改,要有知耻之心,那就是要深刻反省,知道悔恨。《周易》一书出现过 33 次"悔"字,强调只要知道悔恨,迁善改过,就可以"无咎(灾害)"或"无大咎"。人类已经到了必须深刻反省的时候了,只有在强烈的忧患意识下,迁善改过,改变传统的仅仅将自然视为人类满足自我的工具的观念,以尊重自然内在价值的态度,大力发展循环经济,建设循环社会,人类才能够逐渐改善与自然之间的紧张关系,恢复天人和谐,从而也使人能够安身立命。

3. 肯定人的主观能动性

天人调谐思想不仅强调天、地、人三材的统一,也强调人有其自身的独立性,要充分发挥自己的主观能动性。中国传统文化中也长期存在"制天"的思想,不过这种"制天"思想与近代西方的"主客对立"和"征服自然"的思想有着根本的不同。"制天说"源出荀子,荀子首先是从天人相分、三材并列的事实出发,看到人在自然界中具有独特的地位,"水火有气而无生,草木有生而无知,禽兽有知而无义,人有气有生有知亦且有义,故最为天下贵也"(《荀子·王制》)。正是由于看到人的这种独特性,才要求人们既要在自然界面前发挥人的主观能动性,"制天命而用之"。"制天命而用之"的基本意思是在掌握自然规律的基础上加以利用,它和《易传》提出的"裁成天地之道,辅相天地之宜"基本上是同一意义。"制天说"绝对不是要求人们盲目地征服和改造自然,而是强调"制天"的前提是"顺天",这与西方近代的"征服自然"是根本不同的。其前提是"顺天"。

中国传统文化主张天人调谐,但反对泯灭人的天赋特殊性,不主张通过弃绝工具,返回原始状态来追求天人调谐,而是强调人的特殊性与主观能动性,重视人类自身的生存与发展,强调要善用自然规律为自身服务,同时,克尽人类对天地万物"参赞化育"的责任。可以说,中国的天人调谐思想是一种全面又积极的天人关系思想,一方面强调天、地、人相统一,另一方面强调人的特殊性,将人与自然的关系定位在一种积极的调谐关系上。所谓积极的调谐关系就是既要立足天人相分的事实和自然规律的客观性,遵循自然的生态学的季节节律(天地之道)和物质循环法则(天地之宜),又要利用人的天赋智慧,积极研究、利用自然规律,为己所用,为万物所用。

在当代,讲可持续发展,讲爱护环境保护生态,都不可能要求人类全面放弃自己的科学文化知识,放弃自己的生产力,回到工业化以前的社会经济状态。今天,我们讲可持续发展,讲爱护环境保护生态,主要的战略是发展循环经济,用循环经济的发展模式取代传统的经济增长方式,这就是积极的天人调谐,是坚持发展的天人调谐,是天人调谐基础上的发展。

4. 天人调谐是处理人与自然关系的合理模式

中国文化的基本特质就是追求人之自我身心、个人与他人、人与自然、人与超越之天地宇宙的普遍和谐。追求普遍和谐是中国哲学中包括《周易》哲学、儒家哲学与道家哲学共同具有的价值取向。以儒家而言,对普遍和谐的追求自孔子起就已奠定了基本精神方向。他明确提出了对日后整个中国哲学均产生了深刻影响的"和而不同"思想。《中庸》指出:"中也者,天下之大本也;和也者,天下之达道也。致中和,天地位焉,万物育焉。"建立在"中"这一天下之大本基础上的"和"是天下之达道,人能够达致天下之达道,则可以使天地万物达到各安其所的理想境界。朱熹对《中庸》"致中和,天地位焉,万物育焉"的思想做了进一步的解释和发挥,他认为,"致,推而极之也。位者,安其所也。育者,遂其生也。自戒惧而约之,以至于至静之中,无少偏倚,而其守不失,则极其中而天地位矣。自谨独而精之,以至于应物之处,无少差谬,而无适不然,则极其和而万物育矣。"(《中庸章句集注》)这是说,通过人的践性成德以致中和,其极致即可达到"天地位"而"万物育"的理想境界。可以说,人作为天地间惟一具有主观能动性因而最为珍贵的存在者,其重要的存在使命就是消除不和谐状态,促成"天地位焉,万物育焉"的和谐状态,以充分体现天道之"仁"。对于怎样才能完成这样的使命,实现这样的理想,中国文化提供了两个法宝,一是"中",一是"和"。

总之,中国古代天人调谐思想是思辨、实践与审美的高度集成。天人调谐思想,不仅对于解决当今世界和中国由于工业化和无限制地征服自然而带来的环境污染、生态失衡等问题,具有重要的现实意义,而且对于当今发达国家和发展中国家人民由于异化和无限制地膨胀欲望而带来的道德污染、心态失衡等问题,具有重要的启迪意义。对于循环经济和循环社会的建立和发展而言,天人调谐思想既是重要的价值标尺,又是深厚的理论资源。宋代大儒张载有著名的"横渠四句"——"为天地立心,为生民立命,为往圣继绝学,为万世开太平",这四句话充分体现了中国古代思想家的"仁者气象"和"天地情怀"。今天我们在继承中国古代天人调谐思想的基础上研究和建设循环经济和循环社会,正是要实现"为天地立心,为生民立命,为往圣继绝学,为万世开太平"的伟大理想。"为天地立心",就是要校正现代社会关于天人关系的主流价值观,重建天人相参的生态观,培养尊重自然内在价值,与自然和谐共处的新人类;"为生民立命",就是要通过建设循环经济和循环社会,解决因征服自然而造成的生态恶化、资源枯竭的人类生存危机,改变人类有物质而无幸福的生活品质,真正安身立命,实现真正的发展和真正的幸福;"为往圣继绝学",就是要继承老子、孔子、孟子、庄子、荀子等伟大思想家所倡导的,近代以来被否定、被抛弃的天人调谐思想,并立足当代世界科学文化发展的水平,进一步发展、深化天人调谐思想,使之成为全人类共享的精神财富;"为万世开太平",就是要通过发扬光大天人调谐思想,通过全世界人民的共同努力,最终全面建立起全球性的循环经济发展模式,建成循环社会,使人类永久性地摆脱能源危机、生态危机、发展危机、生存危机,摆脱为争夺资源、财富、地位而形成的战争危机、政治危机、社会危机、心理危机,实现人类的真正的和谐共处、永久和平。

（郭强：中共中央党校　　王凤春：全国人大环资委）

产业系统生态化

—— 现代企业之可持续发展道路

王　曦　富若松

工业革命以来,人类社会的发展进程大大加快,为人类积聚了大量财富,但随之也加速了资源的枯竭、环境的污染。从古典经济学的"经济人"假定到新制度经济学的"新经济人"观点,再到循环经济理论所蕴含的"生态经济主体"理论,不难看出,环境问题的不断涌现,正迫使着人类对以往那种非可持续的企业发展模式进行反思并加以调整,改变传统工业发展模式,探索一条可持续经济发展道路。循环经济理论的诞生,为人类解决了这一问题。

循环经济实质上是将生态循环理论于社会生产活动中的运用,试图模拟自然生态系统,构建出一个社会活动平衡系统。循环经济包含的层次有宏观、中观、微观三层,应该说各个层次在系统总循环中的作用都是不可忽视的。但碍于篇幅的限制,本文仅围绕微观循环主题——现代企业的可持续性加以论述,希望能够有所突破。

一、"生态经济人"理论的诞生

1. 产业社会定位的理论变革

"经济人"的概念最早可以追溯到古典经济学家亚当·斯密的《国富论》,按照其观点,在经济活动中,经济当事人是从自私的利己动机出发,有理性地追求自身的经济利益最大化,这是当事人经济活动的惟一目的,因此,企业生产经济管理活动的目的,就是一本求利,实现盈利最大化。后来在新古典经济学家的理论论述中,将斯密的这种理论扩大到全部微观经济主体的范围,即包括企业和消费者。

但是,随着社会经济和企业规模的发展,这种假定越来越无法对不断涌现的社会问题作出合理解释,尤其是在企业与社会、经济与环境的冲突与矛盾发生时。人们不得不承认,在现实的经济实践过程中,所谓的"经济人"并不是单纯的经济动物,它还具有独特的社会属性。因此,新制度学派提出了"新经济人"观点,试图将企业的利益目标与其社会形象、荣誉、地位等要素相融合,在企业追求利益最优、最大化前提下,会因为这些因素的存在而发生偏差。

虽然,"新经济人"理论考虑到企业的社会性存在,但这并不是现代企业的真实描述。

首先,它所兼顾的企业与社会、微观与宏观利益仅限于当代人。其次,它所描述的企业仅限于追求局部、短期利益,而忽视了社会的长期利益。再次,它所强调的仅限于经济利益和某些属于精神方面的社会利益,而对于生态利益则不加考虑。由此不难想像,如果假定成立的话,一旦社会生态利益、社会整体利益、社会长远利益与企业发展利益发生冲突,企业的行为导向势必会偏向私利,那么企业经济行为的外部性也就成为理所当然的了。这绝非现代企业的真实写照。

在旧有经济人理论推动下,整整几个世纪在地球上演进着掠夺性的生产模式,企业家为了追求眼前发展而剥夺了社会长远发展,为了局部发展损害了整体发展,为了自我发展危害着他人发展,使得人类生存与发展的生态代价和社会成本远远超过了其所创造的经济效益,使人类的工业文明不断被扭曲、病变。而今,这种工业模式正走向衰落,加之环境问题的涌现、自然灾害的爆发、生态质量的下降使我们今天不得不为过去的行为付出巨额的成本。面对这样的困境,人们不得不重新思考企业的真实本质何在。

2. 生态经济人新观念的提出

社会生态经济人观点的提出,是具有突破意义的,它作为微观企业可持续发展的理论基础,发挥着重要作用。

首先,所谓社会生态经济人,即指在承认"经济运行主体会追求更多的经济利益的偏好"这一前提下,突出强调企业作为微观经济主体,有义务在促进个人与社会、微观与宏观的经济利益、社会利益、生态利益相统一与最优化的过程中,必须保证当代人的福利的增加并不使后代人的福利减少的代际公平的实现。因此,现代企业既是一种谋取经济、生态、社会利益的统一体,企业既是经济人,更是社会人、生态人,必须努力扮演好各种"角色",才能使企业实现真正的自我的、长久的、健康的发展。

其次,这种观点的突破性就在于,它是将生态学与社会经济活动相结合,通过模拟自然生态系统的循环,试图构建出一个"生态——经济——社会"复合循环系统,这为环境问题的解决提供了新的方法论依据。以往的观点只认识到企业的经济功能、部分社会功能,而现在,将企业定位为具有经济、社会、生态三大功能的复合主体,无论是在宏观管理与配置还是在微观的战略制定方面都有了理论支持。

再次,强调企业生态功能,并不仅课以义务或是让企业放弃部分经济利益的追求,相反,企业可以充分地发挥这种生态功能而为其创造出财富。例如企业为社会提供生态产品和服务,企业的环境友好行为可为其自身带来社会荣誉和人们的认可等等。而这种无形的资产往往是投入再多的资金、人力也无法换得的。

企业性质的重新定位给我们思考环境问题与社会发展带来了新的视角,但问题不仅仅限于此。因为,在传统生产理念的熏陶下,要让现代企业自身主动发挥出这种生态功能、承担起这种生态义务是缺乏可操作性的。如何能激发企业社会生态经济人的本质,挖掘其生态功能进而发挥其功效,是又一个现实问题。这就必然触及更深一层的问题,即企业的发展模式。

二、生态工业模式与清洁生产

1. 生态工业模式

生态工业模式,是在工业生态学基础上建立起来的,起源于20世纪80年代末 R. Frosch 模拟生物的新陈代谢过程和生态系统的循环再生过程所开展的"工业代谢"研究。

前面我们已经论述过,企业是社会生态经济主体,而社会经济系统就是由一个个这样的主体所构成,因此,整个社会经济系统也可以看做是一个具有自我代谢功能的物质循环的开放的工业生态系统。生态工业模式与传统工业模式的区别在于该系统把生态作为一项物质因素加以考虑,将环境保护纳入其发展目标。其核心是追求工业的合理、协调发展。

生态工业建设的主要措施有以下几种:推行清洁生产、绿色技术创新、绿色产品开发、工艺技术创新等等。而最能体现循环经济原则的就是清洁生产模式,它既是循环经济的基础,也是生态工业的前提要求,是建立微观企业循环系统的最优途径。

2. 清洁生产是现代企业绿色化的最佳途径

清洁生产作为一种绿色生产模式,从产业经济的角度看,是生态工业的基本模式;从微观经济学角度看,是企业生态化的理想模式。

(1)"清洁生产"概念内涵。"清洁生产"是由联合国规划署工业与环境规划活动中心于20世纪90年代首先提出的,该中心将其定义为:"清洁生产是综合预防的环境策略持续的应用于生产过程和产品中,以便减少对人类和环境的风险性。对生产过程而言,清洁生产包括节约原材料和能源,淘汰有毒原料并在全部排放物和废物离开生产过程以前减少它们的数量和毒性。对产品而言,清洁生产策略旨在减少产品在整个生产周期过程(包括从原料提炼到产品的最终处置)中对人类和环境的影响。清洁生产通过应用专门技术,改进工艺技术和改变管理态度来实现。"

从上述表述可以将清洁生产概括为四方面内容:第一,清洁生产的目标是节省能源,降低原料消耗,减少污染物排放;第二,清洁生产的基本手段是通过改进工艺技术、强化企业管理,最大限度地提高能源和资源的使用效率;第三,主要方法是排污审计,即通过审计发现排污部位、原因,以便于筛选消除或减少污染物的措施;第四,最终目的是保护人类与环境,提高企业的经济效益。

可见清洁生产实质上是使资源能源得到合理的、充分的、节约的、优化的利用,从而使企业生产经营活动对生态环境和人体健康的影响最小化,实现企业生产经营的经济有效性和生态安全性的有机组合,最终寻求一种企业外部经济性与内部经济性的统一。

(2)清洁生产是生态工业的基本模式。首先,清洁生产有助于形成封闭环路工业生态系统。清洁生产实质上是实现废物最小量化,从而达到物资消耗最小化、产品产出效率最大化,而这恰恰是实现生态工业的理想途径。

其次,有助于推进工业生态化进程。清洁生产要求的是对生产的全过程进行监控,应用生命周期评价方法,从工业生产的最初开始,到产品投入使用,最后到废物最终处置,以寻求资源、能源和资本使用的最优化;通过清洁生产审计,设计出清洁生产技术方案;通过技术工艺改革,提高资源的利用率和产品的生产效益。从而推进生产各个环节上的生态化与经济效率化的结合。

最后,有助于企业管理和技术改造。清洁生产是提高企业管理水平的重要措施,而不断地调整和完善企业管理手段又是实行清洁生产的基本保证和前提。可以说,实行清洁生产更有助于缓解企业管理层面上实现环保与生产的矛盾。

(3)清洁生产是生态工业的最佳模式。根据生态经济学理论,资源价值和环境价值二者是呈现相互依存转化关系的。二者在空间上是并存的,资源是环境的物质内容,环境是资源的总体形式;在时间上是循环的,资源通过生产,以经济产品形式离开环境,经济产品通过消费,又以"废物"形式回归环境。按照这一客观规律,只有构建"资源环境与生产消费"相结合的转换模式,才能最充分地实现这两种价值。而在清洁生产过程中,从资源离开环境成为经济产品,到经济产品经过消费以"废物"形式回归到环境中,始终是按照这一模式进行转换的,从而使资源价值与环境价值得以最大限度的实现。

清洁生产是工业可持续性发展的最佳途径。清洁生产在保持经济增长的同时,实现了资源的可持续利用,不断改善环境质量,不但考虑到当代人能够从大自然中获取其所需资源,还兼顾到后代人能够继续利用资源和环境。之所以说它是最佳模式,是因为其实现了经济发展、经济效益和生态平衡、环境效益的有机统一,实现了生态产业经济学所追求的目标:人口—经济—生态的协同发展,即给人类生存创造出物质基础,又为人类生存创造出优良的环境。

三、营造良好的企业经济可持续发展的环境

企业要想走绿色发展道路,真正实现生态工业系统物流循环,形成可持续发展的经济模式,经济产业转型是必不可少的,只有从传统产业模式走向生态产业模式,实施清洁生产,企业的生态功能才能得以充分体现,资源与环境的价值方能够最大限度地实现。

第一,倡导以功能经济为导向,改变传统的利润最大化导向。功能经济鼓励消费者所购买的是产品的服务功能而非产品本身,产品仍由生产者所有,而这种所有体现在,生产者可以适时地将产品回收、再加工、再利用,通过这样的物质循环过程,实现产品在使用后的最大的再利用价值(环境价值),进而优化现有投入的资本管理,不但会增加财富的总价值,还能够扩大生产的规模。

第二,宏观上,加强政府宏观调控,指导企业创建绿色发展模式。通过合理有力的绿色优惠政策的引导手段,对绿色产品和绿色产业加以扶持,鼓励企业的环境友好行为;对破坏环境的行为加以整治;奖励清洁生产工艺技术的应用,设立绿色税目把侧重点从劳动力要素转移到对自然资源与污染行为的征收上。

积极推进企业的绿色转变,开展绿色试点工作,培育出一批可持续性经济发展企业。以这些绿色企业带动整个企业界的生态经济模式的转型,带动整个行业的可持续经济发展。

第三,加快产业结构调整步伐,实现产业结构优化和产业升级,形成新型的生态产业结构格局。

(1)产业生产者:主要是三大产业的生产。对于产业生产者主要侧重于产品设计的生态化以及生产或服务过程的清洁化。

第一,产品研发的生态化。产业生产者在系统中主要任务既是生产支持整个系统运行的物质精神产品。从产品设计和生态性能入手,推行产品生产结构生态化是实现清洁生产的最基本环节,也是最优效率途径。这样的投入虽然会增加一定的产品生产成本,但这种生态投

资将带来的有形和无形的生态回报将是巨大的,更可观的是将为企业实现可持续的经济发展奠定稳固的基础。而对于整个产业界发展和社会生态质量改善而言,不但可以为社会提供更多具有生命价值的生态产品,而且对于资源的合理利用、人们生活质量的提高、产业生态化进程的推进都有着不可或缺的重要意义。

第二,生产服务的清洁化。清洁生产的实现很大一部分需要依靠产品和服务的清洁技术的支持,通过技术、工艺、环保设备等清洁技术的不断更新,企业的清洁生产模式才不会是空中楼阁,因此,推进技术转型与升级,提高企业在生产经营活动中的清洁化程度,才能真正实现减耗、增效、节能目标。

清洁化程度的提高还要依托产业生产者自身是否形成科学而合理的内部物质循环系统。这就对企业的经营决策提出了挑战,某种程度上,企业是否愿意采取清洁生产模式,很大程度上取决于决策者的主观倾向,除了在政策和经济上的引导之外,还需要在产业界形成环保势力,通过行业、惯例、道德以制约环境不友好行为的发生。

具体到如何设计企业自身的内部循环体系,主要包括:资源与能源的综合利用开发系统;生产和服务过程中的废物减量化系统;生产者内部的物质循环再利用系统。只有在遵循产品生命周期的前提下设计出来的生产运行模式才是真正摆脱传统模式的最佳途径。

(2)产业分解者:生态产业系统中的分解是整个系统循环代谢环节,是实现各个器官顺利运作的决定性步骤。相对于生产者自身内部所建立的纵向闭合循环系统,分解者在系统中的作用主要表现为一种横向耦合关系。在不同行业中,为企业排放的废弃物质找到下游"分解者",使企业的废物能够在不同行业、企业之间得以充分地回收与利用,这种产业间的互补关联所形成的产业链网所带来的社会就业的增加、企业资金的节约、物质能量的优化配置等都是极具生态、社会、经济效益的。

因此,设计出废物资源化循环系统,发展以废物合理化回收利用为主的产业结构调整是生态产业的重要内容。

(3)产业消费者:产品和服务在使用过程中废物的发生量最小化

是产业结构生态化的另一要求。消费者是指产品的使用者和服务的享受者。消费行为是否是可持续性的对于生产者和分解者有着重要的影响力,过度的奢侈性消费会致使生产者与分解者的负担过重,进而使得整个系统的负荷量增大,长此下去系统势必会难以运作。

因此,应当构建一种绿色性消费模式,无论是产业本身的消费或是社会大众的消费都应努力促进绿色营销消费机制的形成。

产业生产者、消费者、分解者在实践中并不是绝对的,生产者在对于自身废物的循环再利用过程和对于其他生产者废物的消耗时,则表现为分解者角色,产业生产者和消费者在维持自我生存与发展的过程中在对资源和产品的消耗时,又表现为消费者角色。因此,无论是处于何种生态系统环节,产业行为本身都应当遵循减耗、降污、高效、回收再利用的清洁生产原则。

(4)优化产业布局,发挥区域耦合优势,突出主导产业。

除了企业内部、企业与企业之间的耦合关联以外,产业生态化的另一个重要的研究内容就是区域的循环系统设计。因此,产业生态学中又提出了生态工业园区的概念,指合理、有效地利用空间资源以达到经济获利、环境质量的改善和人力资源的优化配置目标。

生态工业园区的经济学原理在于"合作剩余",当双方都采取合作友好的态度时,双方的资源得以共享、信息实现沟通、优劣得以互补,形成一种共赢性关系;但当彼此相互割裂,采取敌对不信任态度时,各自都将为防范和获取宝贵资源、信息而增加额外的高额成本,那么从整体上来看,系统的消耗是最大的、获取的收益是最低的、环境的外部性也是最严重的。因此要想构建产业生态格局,生态工业园区是实现整体效益的最优方式。

区域是产业生态经济发展的空间载体,要想形成真正意义上的生态产业系统,就必须从区域层面上考察与设计出系统循环机制的运作模式,从而发挥出系统的整体效应,实现区域内部的资源、能源的最优化利用与配置、外部废物的最小化排放,进而实现整体系统的可持续发展。

丹麦哥本哈根西部的卡伦堡镇是一个典型的生态产业园区,被誉为产业生态学中的典范。在该区域内部形成了一种互惠互利的合作关系。以电厂为例,它将多余的"工业用热"变成蒸汽提供给炼油厂,还通过管道将热水提供给生物技术企业集团用于生物反应器的杀菌作用,同时,电厂还并网进入其他镇的供热网已进行家用供热,电厂剩余的热量则用于养鱼,鱼池的淤泥作为肥料出售。炼油厂所获得的蒸汽量仅占电厂排放的40%,为生物制药厂所提供的热水以达到该生物技术集团所需的全部热能,为居民提供热量使全镇减少了3500个家庭锅炉。炼油厂废水经过生物净化处理,每年通过管道为电厂提供70万立方米的发电冷却水,减少了电厂25%的淡水消耗。

(5)加强法制建设,加快有关环境立法工作,从法律保护与引导手段出发,为构建产业生态系统营造良好的法制环境。

综观世界先进国家的相关循环经济立法,都在工业生产的各个环节上加以规制。无论是德国的《废物管理法》、美国的《资源保护回收法》、日本的《废物处置法》,还是韩国的《废物管理法》等等都体现着源头治理、综合治理、循环利用的精神。相比之下我国现有的《清洁生产法》较之其他国家还有很大差距,有许多政策在与法律结合的过程中还存在着偏差,在具体的操作层面上,尚和我国国情及中国的具体环境问题相互脱节,这对于合理合法的实施推广清洁生产模式,推进工业生态化进程极为不利。

这种差距主要表现在:第一,中国《清洁生产法》停留在源头防污阶段,尚未形成全社会经济运行的循环阶段,呈现源头预防的立法模式。第二,调整手段主要还是政府为主,没有充分发挥出市场和企业的作用,这显然是不够的。第三,管理手段上推行清洁生产主要以政府经贸行政主管部门为主,环保部门为辅的模式。这样在实际管理当中难免会出现行政权益冲突、权力分散化所导致的政府管制低效的现象出现。第四,缺乏可操作性。该法出台至今尚未有相关实施细则出现,这对推进产业生态化进程无疑是不利的。

基于此,建议:第一,完善立法体系。首先,国家应尽快制定和颁发实施细则;地方也要因地制宜地制定相关法规、条例,使清洁生产规范化、系统化,同时积累实践经验,适时地作出调整,为在真正意义上实现循环经济社会奠定基础。第二,在内容上要注重发挥企业的积极性,发挥市场作用,诸如用财税、金融、投资、贸易等经济手段来促进产业生态格局的自发形成。第三,在治理理念上,在源头治理的基础上,要加强运用综合治理手段,在各个环节上都加以规范,以实现向循环型经济社会过渡。第四,废止、修订相关法律法规,将循环经济写入宪法。清洁生产促进法的出台对于原有的先行增长模式是一种否定,原有的许多政策和法规都与之相违背,因此应该加以梳理,避免法律体系上的混乱,丧失法律的权威性。同时清洁生产作为循环经济的初级阶段,尚未被列入宪法当中,宪法作为根本大法,应当对我国的环境政策加以肯定,并作出适时的调整,因此,应当将建立循环型经济社会的战略写入宪法当中,为更多迈向循环经济的措施的顺利实施提供法律基础。

(王曦、富若松:上海交通大学法学院
环境资源法研究所)

区域循环经济实践经验

发展循环经济
推动老工业基地加快振兴

杜 秋 根

循环经济是一种新的经济发展模式,其核心是最有效地利用资源,提高经济增长质量,保护和改善环境。积极推进循环经济发展,是落实科学发展观,实现经济增长方式转变的有效载体。

一、发展循环经济是加快辽宁老工业基地振兴的必然选择

按照党中央、国务院的战略部署,我省正在实施老工业基地振兴战略。省委、省政府提出了到 2010 年,基本完成老工业基地振兴任务,基本实现工业化,为提前实现全面建设小康社会目标奠定坚实基础。2003 年,我们在开展全省可持续发展环境保护战略研究时,认真分析了省情。虽然近年来我省的污染物排放总量大幅度下降,环境质量有了显著改善,但由于长期沿用传统粗放型经济增长方式,导致我省资源、能源利用效率低,污染物排放强度大。全省万元产值水耗 66.5 吨,是国内先进水平的近 3 倍;万元产值能耗 2.11 吨标准煤,是发达国家的 4 倍;二氧化硫排放强度 12.45 千克/千美元,是发达国家平均水平的 6 倍。环境污染和生态破坏严重,二氧化硫、COD 等主要污染物排放量远远超过环境自净能力,污染较为严重的辽河流域 COD 排放量超过环境容量一倍多,全省 14 个省辖城市中仍有 7 个城市环境空气质量低于二级标准。资源的过量消耗和环境破坏相当程度上抵消了 GDP 的高增长,全省每年由于生态灾害、土地退化、环境污染造成的经济损

失约 140 亿元,约占全省生产总值的 2.5%。因此,辽宁要在资源存量和环境承载力有限的条件下,实现老工业基地的振兴,走出一条新型工业化路子,就必须改变传统粗放型的经济发展模式,必须走以最有效利用资源和保护环境为基础的循环经济之路。

发展循环经济,可以最大限度提高资源和能源的利用效率,降低污染排放。我省在老工业基地振兴中,将重点建设现代装备制造业和重要原材料工业两大基地,能源、钢铁、建材、化工等高能耗、高污染排放的行业仍将是我省的主导产业。通过发展循环经济,综合运用"3R"原则,一方面大力推行清洁生产,降低企业的能耗、物耗、水耗和排污强度,提高企业的运行质量;另一方面,推行产业共生,开展企业间物流和能量流的梯级利用,实现区域内资源和能源的最大利用效率,减少污染排放,促进经济技术开发区和老工业区的产业结构调整和布局优化。

发展循环经济,可以促进资源枯竭地区经济转型。我省阜新、抚顺、本溪等市的主导产业是在一种或几种优势矿产资源基础上建立起来的,随着资源的过度开采和大量消耗,已经面临"矿竭城衰"的危机。以循环经济理念为指导,一方面重新构建资源枯竭地区产业体系,积极开发利用废弃资源和采矿伴生的矿资源,发展替代产业,形成新的产业链;另一方面对已破坏的生态环境进行修复,使之再生,重新形成生态良好的环境。

发展循环经济,可以促进废弃资源的开发利用,培育新的经济增长点,增加就业。随着工业发展、城市化进程加快,工业废物和生活废物排放量、贮存量逐年增加,再生利用潜力很大。通过发展循环经济,开展工业废渣综合利用、废水处理回用,建立生活垃圾及废旧物资分类回收利用系统和城市生活污水处理回用系统,充分开发利用各种再生资源,既有利于保护环境,又可以发展再生资源产业,形成新的经济增长点。同时,延伸的产业链增加了社会的就业机会。

二、辽宁省发展循环经济的实践探索

2002 年,国家环保总局批复我省在全国率先开展循环经济试点建设以来,我们积极借鉴国外先进经验,并结合我省的实际情况,提出了

"3+1"的循环经济发展模式,以及"政府主导、法律规范、市场推进、公众参与"的推进机制。两年多来,我省结合老工业企业改造、资源枯竭地区经济转型、老工业区的调整改造、经济开发区的整合提升、废弃资源的再生利用等方面全方位开展了循环经济建设,并取得了初步成效。

小循环,在企业层面建设循环经济型企业。我们提出要结合技术改造,在600家重点污染企业推行清洁生产,创建一批清洁生产示范企业,使单位产品能耗、物耗、水耗和污染物排放达到或接近国内先进水平;在冶金、电力等行业创建一批废水、废气"零排放"企业;在鞍钢等大型联合企业,开展能源、水的梯级利用和各种副产品、废物的循环再用,建设"杜邦模式"的循环经济示范企业。

目前,全省已完成350多家重点污染企业的清洁生产审核,实施清洁生产项目(方案)6000多个,取得了显著的环境与经济效益。初步统计,年实现经济效益12亿元,年节水1.5亿吨,节电1.5亿千瓦小时;年减排废水1.6亿吨,COD1.4万吨,二氧化硫1.4万吨,烟粉尘2.5万吨。着力提高工业用水重复利用率,以轧钢、选矿、洗煤废水和电厂冲灰水"零排放"为重点,创建了铁煤集团、北票电厂等50余家废水"零排放"企业。鞍钢已经建成钢铁渣开发、瓦斯泥和转炉煤气回收、水资源回收利用等40多项废物综合利用工程,水循环利用率达到91.7%,实现了当年冶金渣"零排放"和转炉煤气、焦炉煤气的"零放散",基本形成了发展循环经济的雏形。

中循环,在区域层面上,建设生态工业园区。我们提出结合三个方面建设生态工业园区,一是结合抚顺、阜新等资源枯竭城市经济转型,开发利用各种废弃物和伴生矿资源,发展替代产业,重点抓抚矿集团;二是整合、提升各级各类开发区,引进关键链接项目,形成企业间共生和代谢的生态网络关系,重点抓大连开发区;三是结合老工业区改造,科学引进建设项目,实现物流、能流、技术的集成和信息与基础设施的共享,重点抓沈阳铁西新区。

目前,抚矿集团、大连开发区和沈阳铁西新区已完成生态工业园区建设规划的编制和专家论证工作。2004年4月,国家环保总局批准抚矿集团和大连开发区建设国家生态工业示范园区。在编制规划的同时,启动实施了油页岩炼油、中水回用等一批链接项目。

大循环,在社会层面,建设城市资源循环型社会。重点围绕城市垃圾和污水再生利用建设循环型社会。一是建立城市生活垃圾分类回收体系,建设废电池、废家电、废电脑、废纸、废金属包装物、废塑料、废橡胶、废荧光灯管等特种废物回收利用系统;二是结合城市污水处理厂建设,建立城市中水回用系统,积极推广小区中水回用。

目前,全省已有鞍山西部第一污水处理厂等7座开展中水回用,日回用中水40万多吨,主要用于工业、城市河道景观和绿化用水。积极开展住宅、学校、工厂等小区中水回用,全省已建成小区中水回用工程80多项,日回用中水2.5万吨。以垃圾分类回收为主题的创建"绿色社区"活动已在全省展开,2003年创建20多个绿色社区。

静脉产业,建设区域性资源再生产业基地。以煤矸石和粉煤灰为重点,加强工业固体废物综合利用,综合利用率达到50%以上。重点建设一批废旧物资资源化项目,发展资源再生产业。建设再生资源回收利用机械设备加工制造基地,提高成套化、系列化水平。

目前,全省已经建成朝阳华龙集团公司等30多个粉煤灰、煤矸石综合利用项目。2003年全省粉煤灰、煤矸石综合利用率分别达到47%和74%,分别比2001年提高了10个、45个百分点。

作为循环经济试点建设省份,我们还着力在建立和完善推进机制上进行了探索,并逐步建立了"政府主导、法律规范、市场推进、公众参与"的推进机制。一是省及各市都成立了由政府主管领导任组长,由环保、计委、财政、科技等部门为成员的领导小组,组织、监督、检查循环经济建设进展情况。为保障试点工作落到实处,我们将试点建设内容纳入了省长与各市市长签订的环境保护工作目标责任状,并建立了日常调度和年终考核奖惩制度。二是大力开展循环经济宣传培训,要通过开展多种形式的循环经济理论和实践的宣传,提高社会各阶层,特别是各级领导干部的认识,把循环经济理念贯穿到生产、消费的各个领域。三是编制了一批不同类型的循环经济规划。省及14个市政府都制定了发展循环经济方案,明确了发展循环经济的目标和任务;编制完成了鞍钢建设循环经济型示范企业规划,抚矿集团、大连开发区和沈阳铁西新区生态工业园区建设规划及盘锦市发展循环经济规划。四是研究制定了一些鼓励清洁生产和循环经济的政策措施,如环保专项资金、清洁生产周转金、世行小额贷款不再安排末端治理项目,集中用于清洁生产中高费方案和循环经济项目的实施。

三、深化循环经济建设的几点想法

今后一个阶段,我们将紧紧围绕辽宁老工业基地振兴中心任务,深入开展循环经济理论与实践的探索,推动老工业基地振兴,为在全国开展循环经济建设积累经验。

一是继续按照"3＋1"模式推进循环经济建设。小循环要继续推行清洁生产,重点是转入清洁生产审核中高费方案的实施。深入开展"零排放"企业创建工作,到 2005 年年底,电力、冶金、煤炭、选矿行业废水要基本实现全行业"零排放";在石油加工和开采行业,引进先进膜技术,开展废水处理后回用,有条件的创建废水"零排放"企业;开展冶金行业的高炉煤气、转炉煤气、焦炉煤气等"零放散"工作。通过以上举措,到 2010 年,使全省主要行业能耗、物耗、水耗和污染物排放强度达到或接近国内先进水平。中循环重点抓好已完成建设规划论证的抚顺矿业集团、大连开发区、沈阳铁西新区三个生态工业园区的建设,到 2010 年,上述三个园区要建成国家生态工业示范园区。大循环在继续开展城市中水回用、垃圾分类回收的同时,组织开展废家电、废电脑等特种废物的回收利用。资源再生产业,要继续以煤矸石、粉煤灰为重点,推进废轮胎及硼泥回收项目,发展资源再生产业。

二是进一步加强循环经济理论研究和典型宣传。紧紧围绕树立和落实科学发展观,建设资源节约型社会,以及如何在老工业基地振兴过程中走出一条新型工业化道路,通过各种形式,开展循环经济的宣传教育,使广大干部群众真正认识到发展循环经济是老工业基地振兴的必然选择,是全面建设小康社会的重要内容,在全省上下形成政府、企业、公众共同推进循环经济发展的氛围。

三是建立和完善促进循环经济发展的政策法规体系。加快发展循环经济的地方法规建设,尽快出台《辽宁省循环经济促进条例》,规范政府、企业、公众在发展循环经济中的权利和义务。借鉴国内外先进经验，积极研究制定资源税费政策和污染税费政策，制定有利于可再生资源回收利用优惠政策，有利于淘汰落后工艺和设备的行业技术政策，从而推动循环经济的快速发展。

四是建立推动循环经济发展的多元化投融资和运营体系。逐步探索实行开放市场和资本准入，鼓励各类所有制经济投资和经营中水回用工程、垃圾资源化处置工程等循环经济项目;鼓励和支持民营企业投资建设和运营以资源化处置项目为主的生态工业园区。在全省发展循环经济中逐步实现投资主体多元化，融资渠道多样化，运营主体企业化，运行管理现代化。

五是进一步开展全省发展循环经济的战略研究和编制行业发展循环经济规划。目前，我们正在与清华大学共同开展全省发展循环经济的战略研究，以及组织专家编制本溪钢铁集团公司建设循环经济型企业规划和辽宁石化行业循环经济发展规划。在此基础上，有理论、有计划、有实践地开展我省的循环经济建设。

建立循环经济模式、走新型工业化道路，涉及经济、社会、技术、管理等诸多方面，是一项长期而复杂的系统工程。作为全国的试点省份，我省将在理论和实践上进行不断的探索，逐步建立起发展循环经济的机制和框架，从而推动辽宁老工业基地的振兴。

（杜秋根:辽宁省环境保护局局长）

以资源节约综合利用为抓手
大力发展循环经济

江苏省经济贸易委员会

江苏是经济大省、人口大省,人口密度居全国省区之首,但同时又是人多地少、资源短缺、环境容量狭小的省份。随着经济的快速发展,人口、资源、环境压力逐步加大,瓶颈制约日益加剧。做好资源节约综合利用工作对于保持我省经济持续快速协调发展具有十分重要的意义。现就我省资源节约综合利用工作基本情况、发展循环经济的总体思路和近期工作打算汇报如下。

一、全省资源节约综合利用工作基本情况

近年来,在省委、省政府的领导下,在国家发改委的指导下,我省以科学的发展观为指导,以资源节约综合利用为抓手,大力发展循环经济,取得初步进展。一是节能、节水成效明显。全省 GDP 能耗由 2000年 1.54 吨标煤/万元下降到 2003 年 1.40 吨标煤/万元,工业增加值能耗由 1.65 吨标煤/万元降到 1.46 吨标煤/万元,万元工业增加值取水量(不含火电厂)由 110 立方米下降到 101 立方米。二是资源综合利用水平有新的提高。2003 年全省工业固体废弃物综合利用量 3500 万吨,综合利用率达到 89%,比 2000 年提高 3 个百分点。粉煤灰、煤矸石、冶炼废渣等主要固体废弃物综合利用率分别达到 102%、92%、93%。三是清洁生产逐步推行。1000 多家工业企业在政府的引导下,开展清洁生产审核试点,实施一批改造方案,增收节支 10 多亿元,主要

污染物平均削减约 20%。四是墙改和发散工作成效显著。2003 年全省新型墙体材料占墙体材料总量 64%,比 2000 年提高 28 个百分点,新型材建筑应用比例 82%,提高 29 个百分点。2003 年散装水泥供应量 3237 万吨,比 2000 年增长 173%,散装率 45%,提高 19 个百分点。

全省资源节约利用工作的主要特点是:

1. 着眼全省经济社会发展全局,加强资源节约宏观指导

一是大力推进全省资源节约活动的深入开展。国务院在全社会开展资源节约电视电话会议结束后,省政府及时召开了全省深入开展资源节约活动电视电话会议,全面部署全省资源节约活动。随后,我委组织召开全省资源节约工作座谈会,研究推动资源节约综合利用工作、发展资源节约型工业、建立资源节约型经济体系的具体工作措施。研究制定的《资源节约活动实施方案》,即将由省政府印发。《全省资源节约宣传计划和活动方案》已出台实施。二是积极推动循环经济发展。会同有关部门编制《江苏省循环经济建设规划》,已上报省政府审议。研究制定的《加快推行清洁生产实施意见》,即将由省政府印发各地执行。三是加强全省可持续发展有关重大问题研究。研究分析我省工业化进程中,产业结构高度化对能源供需及利用现状的影响,就确保能源安全、建立节能新机制提出对策和建议。最近,我委正在与省委研究室等部门研究起草《省委省政府关于贯彻科学发展观促进可持续发展的意见》。这一文件的出台,对我省资源环境工作必将产生重要的推动作用。

2. 全力抓好节能工作,缓解能源瓶颈制约

一是加强节能法制化建设。出台实施《江苏省节能监测办法》(省政府第 15 号令)。加强节能执法,依法组织节能监测机构对重点用能单位、重点用能设备进行监测,增强用能单位执行节能法律、法规、规章和标准的自觉性。制定下发《节能监测执法程序》等 11 项制度,规范执法行为。二是突出抓好节电工作。2002 年 3 月,在全国率先出台《江苏省电力需求监测管理实施办法(试行)》,提出电力需求监测管理的政策和技术措施。组织实施电蓄能、最大需求量控制、水泥磨机扩容、绿色照明、变频调速等 65 个需求监测管理示范工程项目;组织推广蓄能、能源管理系统、绿色照明、交流电动机调速节电等技术措施,经测算,年节电量达 6 亿千瓦时。三是加强节能宣传工作。2004 年节能宣传周期间,在南京鼓楼市民广场举办了由数十名专家参加的大型现场节能咨询宣传活动,宣传普及节能、节电知识,解答市民关心的有关问题,受到有关方面好评。近年来,我省还统一制作了面向小学生的宣传幻灯片,发放面向居民社区和工矿企业的统一宣传张贴画 40 万张,促进全民节电意识的增强。

3. 大力推行清洁生产,推动循环经济发展

一是广泛宣传,营造良好氛围。《清洁生产促进法》颁布后,我委通过在省内主要媒体刊登省领导署名文章,向全社会公布清洁生产审核合格企业名单等形式展开宣传。分期分批对企业领导和管理人员进行培训,普及清洁生产知识。通过坚持不懈的努力,清洁生产促进工作在我省日益受到重视。在 2003 年先后出台的《省委、省政府关于加强生态环境保护和建设的意见》、省人大《关于加强环境综合整治和生态省建设的决定》对清洁生产都提出了明确的目标和要求,并将其纳入《全省生态省建设规划纲要》、《全省循环经济建设规划》目标体系之中。2004 年省人大还就《清洁生产促进法》贯彻执行情况进行执法检查,所有这一切为依法全面推行清洁生产创造了良好的外部条件。二是加强部门协调,研究制定促进清洁生产的政策措施。与财政厅、环保厅联合下发《关于进一步落实排污费扶持清洁生产有关政策的通知》,明确在地方排污收费中安排不低于 10% 的资金用于资源综合利用率高、污染物产生量少的清洁生产技术、工艺的推广应用。争取有关部门扶持,利用省级财政预算资金安排无锡威孚、常林股份等 5 个清洁生产省级示范项目建设。三是组织企业开展清洁生产审核和示范试点。会同省环保厅制定出台《江苏省"十五"后三年清洁生产实施方案》,就贯彻落实苏发[2003]7 号文,提出了明确的进度和要求。近年来,我省以太湖流域、淮河流域为重点,先后在化工、纺织、轻工、冶金、建材等行业组织 1037 家企业开展清洁生产审核试点。

4. 大力发展环保产业,增强技术支撑能力

一是加强宏观指导。会同省发改委、建设厅等 8 个部门研究制定

加快我省环保产业发展的指导性意见,印发各地实施。在编制《江苏省国际制造业基地建设总体规划》时,将环保产业作为重点发展的9个产业之一,进一步明确发展目标和重点。二是积极落实发展环保产业的优惠政策。做好综合利用企业和产品的认定,积极落实税改优惠政策,全省共有1400多家企业通过综合利用产品认定,24家企业通过综合利用电厂认定,增值税、所得税年度减免5亿多元,有力地推动了综合利用深入开展。三是积极推进环保设备制造业技术开发和技术改造。"十五"以来,利用省新产品开发贴息和技改贴息资金,分别有重点地支持了50项环保新产品开发项目和16项技术改造项目建设。全省环保设备(产品)制造业已建立国家级和省级"一站两中心"(博士后工作站、行业技术中心和企业技术中心)5家。

二、发展循环经济的总体思路和近期工作打算

目前,我省循环经济的实践已经起步,但普及面较小,深度不够,质量不高,实践模式还有待进一步探索。下一阶段,我们工作的总体思路是:用科学的发展观为指导,以增强可持续发展能力为目标,以转变经济增长方式为主线,以资源节约、综合利用、清洁生产为载体,以科技进步为动力,以减量化、再利用、再循环为原则,分类试点,有序推进,逐步建立起循环型经济体系、社会体系和与之相适应的资源和环境基础。

1. 推动循环经济试点

尽快出台实施《江苏省循环经济建设规划》。研究制定全省发展循环经济指导性意见。选择若干园区、重点城市进行循环经济试点工作,积极探索发展循环经济的有效途径,及时总结试点经验,认真加以推广。

2. 全面推行清洁生产

加快完善清洁生产政策、法规和标准,建立企业自觉实施清洁生产机制。到2010年,纳入强制实施清洁生产审核范围的排污企业完成一轮审核。太湖等重点流域的生产企业普遍开展自愿性的清洁生产审核。

3. 抓好资源的节约和综合利用

发挥科技进步在促进资源节约中的作用,充分发挥技改贴息、两类税减免等扶持政策的导向性作用,重点支持一批资源节约和综合利用技术开发和改造项目。根据国家统一部署,会同建设、水利、质监等部门在全省范围内组织开展资源节约专项检查。根据检查中发现的问题,采取措施,督促企业和有关部门及时进行整改。

4. 大力发展环保产业

办好宜兴、苏州、常州三个环保高新技术产业园。加快烟气脱硫技术设备、城市垃圾资源利用与关键技术设备、环境监测设备仪器的国产化进程,提高产品质量水平和成套能力。采用信息、生物和新材料等高新技术,改进和提升污水处理、垃圾处理等环保技术和产品。

这次全国人大环资委召开中国循环经济发展论坛,非常及时,十分重要,为我们搞好当前和今后一个时期资源环境工作指明了方向。我们将按照这次会议的有关精神,进一步细化措施,狠抓落实,全面推进资源节约综合利用工作,努力探索具有江苏特色的循环经济发展之路。

扎实推进江苏循环经济建设工作

江苏省环境保护厅

发展循环经济,有利于提高资源利用效率,促进经济增长方式转变;有利于开发利用再生资源,培育新的经济增长点;有利于削减污染物排放,改善环境质量;有利于提高地区经济竞争力,应对入世带来的新挑战。近年来,在国家环保总局的关心指导下,在江苏省委、省政府的正确领导下,我省积极开展循环经济建设工作,取得了一些成效。

一、取得成绩的原因

1. 领导重视

江苏省委、省政府高度重视循环经济建设工作,把它作为生态省建设的主要抓手。省委书记李源潮在省委十届五次全会讲话中强调,要"树立循环型经济的发展理念,推行清洁生产,努力建设一个青山常在、碧水长流、清新怡人的'绿色江苏'"。省委、省政府《关于加强生态环境保护和建设的意见》(苏发[2003]7号)明确指出"积极推进,坚定走循环经济发展之路",并提出了循环经济建设的目标、任务和措施,为发展循环经济提供了政策保障。

2. 规划先行

我省面向全国招标,组织清华大学、南京大学、南京农业大学、江苏省社会科学研究院等开展了循环型农业、循环型工业、循环型三产和循环型社会的研究工作,在此基础上,省环保厅、省经贸委会同省有关部门编制了《江苏省循环经济建设规划》(送审稿),并报省政府审议。全省各地也启动了循环经济建设规划编制工作。其中,扬州市以循环经济建设为主要内容的生态市规划通过了国家环保总局组织的专家论证,苏州市循环经济建设规划大纲也通过了专家论证,2004 年年底将形成规划成果;张家港、常熟、昆山市等县(市)以及苏州高新区、苏州工业园区、无锡新区等开发区的循环经济建设规划通过了江苏省环保厅组织的专家论证,苏州高新区、苏州工业园区的生态工业园建设规划还通过了国家环保总局组织的专家论证,并经国家环保总局批准,成为我省首批建设生态工业示范园区的单位。

3. 宣传发动

在循环经济建设的初期,我省各级环保部门克服畏难情绪,主动与各有关经济部门协调,做好企业的思想工作,大力宣传循环经济的基本理念,推进循环经济工作的起步实施。省环保厅专门编制了《循环经济资料汇编》和《循环经济资料新编》,并围绕循环经济建设举办了数十场报告会、研讨会和交流会。2003 年 2 月,我省特别邀请了中国资源与环境国际合作委员会的专家,举办了循环经济报告会,普及了循环经济的基本理论、基本知识和成功实践。

4. 示范引路

自 2002 年以来,我省结合实际,相继确定 108 家循环经济建设试点单位,涉及农业、工业、服务业不同产业和企业、园区、社会不同层面。同时,将试点单位的进展情况作为环保重点工作,加强督察,积极推进。各试点单位围绕“减量化、再利用、再循环”的目标,积极推动资源在企业内部、不同企业、不同产业之间的循环,取得了明显的经济效益、环境效益和社会效益。为及时总结经验,交流做法,提升循环经济建设水平,2003 年 10 月,省环保厅组织召开了循环经济建设现场会,听取了扬州市、苏州市及张家港市、常熟市等 7 家单位交流发言,现场参观了10 家示范单位,另有 9 家单位以书面形式进行了交流,起到了很好的示范和推进作用。

在充分肯定成绩的同时,我们也清醒地看到,目前循环经济在江苏尚处于试点起步的初级阶段,许多理论问题、技术障碍、实践模式有待进一步探索,特别是思想认识还有待于进一步统一和提高。下一步我省循环经济建设工作,要以党的十六大以及十六届三中全会精神为指导,坚持以人为本,牢固树立和落实全面、协调、可持续的科学发展观,严格按照"五个统筹"的要求,紧紧围绕江苏"两个率先"总体目标,进一步确立在发展经济中解决环境问题的指导思想,紧紧抓住经济增长方式转变这个根本,以先进的环保理念、极大的政治热情、强烈的工作责任感,全面深化循环经济建设工作,加强循环经济的规划研究,制定循环经济与资源综合利用的地方性政策、法规,建立有利于发展循环经济的综合决策和协调管理机制,开展环境友好的科学技术研究,加强与循环经济有关的能力建设,进一步推动、促进江苏循环经济的发展。力争到 2005 年,初步形成循环经济建设的推进机制,建成一批循环经济建设的示范工程,成为国家循环经济建设示范省;到 2010 年,基本形成促进循环经济发展的法律法规体系,基本建立发展循环经济的机制和框架;到 2020 年,基本形成以科技含量高、经济效益好、资源消耗低、环境污染少、人力资源得到充分发挥为特征的循环经济体系,产业结构不断优化,资源利用效率明显提高,环境质量逐步改善,可持续发展能力显著增强。

二、今后工作要点

1. 广泛宣传,在全社会树立循环经济理念

循环经济是一个新生事物,做好循环经济的宣传发动工作十分重要。一是要大力宣传循环经济理念,正确理解循环经济的内涵和实施途径。从我省情况看,目前试点单位大多集中于经济发达地区,属于高新技术企业,是规模化的大企业。事实上,实施循环经济主要是确立一种理念和指导原则,所以,经济欠发达地区、一般企业、小企业都是可以学习的,都可以从自己做起。这是需要首先转变的观念。二是推动促进循环经济是环保部门义不容辞的分内之事,也是环保部门监督管理的重要内容。从职能看,循环经济应当是经济部门的事,在具体落实上,也是以企业为主,但只要有利于环境保护工作,有利于改善环境质量,我们都要积极地做,主动地做,密切配合有关部门去做。在这个问题上我们要树立战略意识和全局观念,做推进循环经济发展的"促进

派"。同时,随着环境保护监督管理范围的不断拓展,职能的进一步强化,环保部门也应解放思想,与时俱进,将单一的污染源管理、企业监督向更深层次上开拓。三是做好领导、企业、公众等各个层次的宣传工作。全面加强对领导的宣传工作,使领导理解和认识循环经济。我们的宣传工作做得好不好,关键要看循环经济在领导的实际行动中有没有体现,有没有将循环经济工作落到实处。领导宣传好了,各个部门、乡镇、企业这些层次的问题也就迎刃而解了。另一方面,要向广大人民群众进行宣传。循环经济的很多工作,要靠群众的自觉行动,如绿色消费、垃圾分类等。要把循环经济的理念宣传到大街小巷,使之成为人们的自觉的行动,成为一种社会风尚。要加强与报刊、电台、电视台的密切合作,充分发挥新闻媒体的作用,在循环经济的宣传上形成特色,作出成效。

2. 加强领导,建立循环经济建设的工作机制

要逐步建立起"以政府为主导、以企业为主体、公众积极参与"的管理体制和运行机制,形成发展循环经济的持续动力。一是进一步明确建设循环经济的重要性、必要性,分析目前存在的问题、优势和潜力,提出下一步的工作打算,争取各级政府的支持。二是建立各部门的协调体制和运行机制。循环经济的实施主体是政府及综合经济部门。要加强部门协调,发挥政府各有关部门的职能作用,将循环经济建设规划的各项工作分解落到实处,抓出实效。同时将循环经济建设规划的各项工作分解落实到各部门的工作计划中,建立责任制,加强监督检查和考核。

3. 突出重点,继续抓好循环经济示范和规划编制

循环经济建设工作是一个长期的、渐进的过程,不可能一蹴而就。在发展循环经济的指导思想上,将始终坚持"典型引路,由点到面;先易后难,稳步推进"的原则,切忌操之过急。一是抓紧完善循环经济规划。坚持以规划为龙头,以规划为基础,详细制定建设计划。目前《江苏省循环经济建设规划》已送省政府审议,我们将根据审议的意见作进一步修改完善,一方面尽快下发实施,另一方面报请国家环保总局组织专家论证,批准我省创建国家循环经济建设示范省。二是组织有关部门和专家对 108 家试点单位进行分类指导。区域层面的以规划编制及实施情况为主;企业层面的以取得的成果和效益为主。通过这些典型,不断总结经验,发现问题,探索规律,为深化面上的工作提供理论和实践指导。三是扩大试点范围,做好试点的延伸工作。我省通过产业结构调整、技术改造和清洁生产等工作,涌现出一批技术含量高、经济效益高、污染物排放量少的循环经济典型,但总体数量仍偏少,类型单一,而且主要集中于第二产业,而在农业、服务业和社会等方面能较好体现循环经济理念的试点单位还较少,甚至较为缺乏。要继续选择基础好、有条件的单位,逐步培育各层次和类型的示范点。在产业选择上,要由传统的第二产业为主,向一、三产业延伸;在区域层次,要从企业、村的微观层次向市、开发区、乡镇等宏观层次延伸。四是开展循环经济示范区和生态工业示范园区创建工作。根据国家环保总局《国家循环经济示范区申报、命名和管理规定(试行)》等文件的要求,选择有条件、有基础的市(含县(市))和开发区(含大型企业集团)分别申报国家循环经济示范区和生态工业示范园区。由于我省苏南、苏中、苏北经济发展水平差异明显,市县之间、各级各类开发区之间发展也不平衡。同时,国家环保总局在示范区的数量方面有较为严格的限制。为此,本着积极鼓励、分类指导、突出重点、逐步推进的原则,我省也在准备开展创建省级循环经济示范区和省级生态工业示范园区工作,并在此基础上选择条件好的市(县)和开发区创建国家循环经济示范区和国家生态工业示范园区。

4. 科技主导,着力解决循环经济的技术问题

循环经济的主要推动力是依靠技术创新,有相应的技术作支撑。目前,虽然循环经济的理论已经取得很大的发展,但其关键技术的研究和应用明显滞后,特别是各行各业的循环经济建设的方式和实施途径也不一样,需要具体操作的措施和专业的技术指导。一是要加快建立专家咨询库,对循环经济发展的核心技术进行咨询论证。不仅要有环境技术、环境工程等方面的专家,还需要管理、法学、社会、经济等方面的专家,取长补短,形成合力。二是切实将循环经济攻关纳入到科技攻关计划。2002 年以来,为加强规划指导,支持各地编制规划,我省已确定有关循环经济建设的研究课题 30 多项,共投入研究经费 1000 多万元。今后还将增列一些科研项目,对本地循环经济的技术难点开展攻关。三是利用江苏高等院校和科研单位多、技术力量强的优势,开展协同攻关,集中力量解决一批促进循环经济发展的关键技术,重点是污染治理技术、废物利用技术、清洁生产技术等。同时,也要做好循环经济技术研发、贮备、推广等工作,使其尽快转化为现实防治能力。四是要构建循环经济信息平台。组织政府部门和高等院校的研究力量对发达国家自 20 世纪 90 年代以来发展循环经济的做法进行系统的研究,为江苏经济运行向循环经济转化提供第一时间的经验和启示。五是坚持改革创新。发扬自力更生精神,把产、学、研结合起来,研究和开发一批具有国际先进水平的拥有自主知识产权的技术和产品,用高新技术和先进适用技术改造传统产业。

5.改革创新,着眼建立循环经济法规和政策体系

推动循环经济建设,政策法规是保证。目前,我国还没有循环经济建设的专项法规,但循环经济建设的思想已经在有关法律中得到体现。一是要与其他法律法规的实施结合起来。如《节约能源法》、《清洁生产促进法》、《环境影响评价法》和国务院《关于进一步开展资源综合利用的意见》等,都有很多与循环经济建设工作有关的内容,要充分利用"搭便车"来搞好循环经济建设工作。二是从实际出发,加紧研究和出台《促进循环经济发展条例》。我们设想通过这个条例,确立循环经济在社会经济发展中的地位和作用,规定政府、企业、公众在发展循环经济中的权利和义务,明确比较具体的优惠政策和推动措施,为推进江苏循环经济的发展提供法律保障。三是加紧制定推动循环经济实施的相关经济政策,特别是循环经济的引导性政策,如循环经济基金制度、资源回收奖励政策、贴息、提供贷款、设立可回收保证金、征收新鲜材料费等。

这次生态工业循环经济建设试点单位经验总结交流会为各地发展循环经济提供了很好的学习机会,我们将认真贯彻会议精神,结合江苏实际,切实采取有效措施,全面推进循环经济建设工作。我们相信,只要坚持不懈努力,循环经济的新典型一定会在江苏不断涌现!

山东省发展循环经济的实践与思考

张凯

一、山东推行循环经济的历程回顾

山东省循环经济发展历程大体可以分为三个阶段:萌芽阶段、点源推进阶段和系统探索阶段。

1. 萌芽阶段

20世纪80年代末到90年代初,特别是1987年可持续发展概念提出到1992年,许多企业在快速发展的同时,承受着巨大的治污压力,污染治理问题已成为制约企业发展的重要因素。在这种情况下,人们开始反思过去的发展模式,探索走可持续发展道路。这里以兖州矿务局利用煤矸石、煤泥发电为例。

煤矿开采会产生大量煤矸石和煤泥,不仅运输困难,而且堆放占用耕地多,污染重,制约煤矿发展。在80年代末,兖州矿务局开始煤矸石和煤泥综合利用研究,1992年建起了全国第一座煤矸石发电厂。10年累计投入近10亿元,相继新建了兴隆庄、东滩鲍店、济二煤矿煤泥热电厂和济东新村热电厂等6座综合利用热电厂。2002年燃用煤矸石达70万吨,发电量7.9亿千瓦时,创利润5500万元,就业人数近3000人,成为兖矿集团非煤产业的支柱,其中,兴隆庄煤泥发电厂是国家科技攻关项目,曾被能源部授予"优秀节能工程项目"称号。

2. 点源推进阶段

20世纪90年代初到本世纪初,主要以1993年我省在企业推行清洁生产试点到 2003 年我省提出建设生态省为标志。1993 年，国家召开第二次全国工业污染防治工作会议，提出工业污染防治必须从单纯的末端治理向生产全过程转变，实行清洁生产（即循环经济在企业范围内的小循环）。

1994 年国家清洁生产中心成立，我省随即成立了清洁生产中心，开始在企业中进行清洁生产试点。1994 年，国务院实施淮河流域治理，要求流域内鲁、苏、豫、皖四省的所有工业点源在 1997 年实现工业废水达标排放。山东以此为契机，对省内重点污染源提出了同样要求，有力推动了节能降耗、治污达标。

1996 年，国务院作出《关于环境保护若干问题的决定》，实施三河三湖治理，对所有工业点源限期在 2000 年达标，"十五土（小）"企业一律在 1996 年 9 月 30 日前取缔关停。当时乃至目前，山东取缔、关停的力度是全国取缔、关停力度最大的省份之一，这对转变经济增长方式产生了巨大的推动作用。

从 1994 年以来，山东省清洁生产中心在全省建立清洁生产审核网络，先后组织举办了 12 期企业清洁生产和生态工业培训班。在造纸、纺织印染、石油化工、酿造、淀粉、氯碱、冶金、电子、机械制造、化工、制药等 10 余个行业 200 多家企业推行清洁生产，其中 64 家企业通过清洁生产审核。省清洁生产中心出版了由宋健同志题名的《中国清洁生产》期刊杂志。2001 年，山东大学在全国率先开始专门培养循环经济方面的研究生。2002 年 1 月，山东省清洁生产中心被国家环保总局列为全国第一批清洁生产审核机构试点单位。

据统计，200 多家企业通过实施清洁生产，废气排放量削减 10.0%，万元产值废气排放削减率为 9.36%；二氧化硫排放削减率为 16.9%，万元产值削减率为 34.2%；烟尘排放削减率为 17.9%，万元产值削减率为 15.1%；废水排放削减率为 27.5%，万元产值排放削减率为 22.5%；COD 排放削减率为 29.3%，万元产值排放削减率为 23.2%，固体废物排放削减率为 15.2%，万元产值削减率为 14.4%；企业年增加经济产值在数百万元到数千万元，经济效益增加率在 1%—5%。

对东营市 5 家完成清洁生产审计企业的复验结果表明,清洁生产投入资金 720 万元,每年节约资金 1930 万元,节水 1290 万吨,减少废水排放量 820 万吨,减少用煤量 1.1 万吨。

应该看到,2000 年以前不少企业治理污染更多的是考虑满足达标排放,渡过逾期不达标停产治理的"难关"。随着人民群众的环境需求不断增强,市场经济的逐步完善,企业成本意识不断提高,治理技术研究开发速度明显加快,为发展循环经济提供了逐步成熟的条件。

3. 系统探索阶段

本世纪初至今,主要以 2003 年我省提出大力发展循环经济、努力建设生态省为标志。2002 年《清洁生产促进法》的颁布,标志着推行清洁生产纳入了法制化轨道;2003 年战胜非典,我们对发展有了更加全面、深刻的理解;树立科学的发展观和正确的政绩观,坚持以人为本,全面、协调、可持续发展,统筹人与自然和谐发展,成为越来越多的人特别是各级党政领导的自觉行动,这为发展循环经济促进生态省建设提供了前所未有的机遇。发展循环经济越来越引起各级党政领导和企业负责人的广泛关注和重视。

2003 年 6 月 3 日,中共山东省委八届五次全委会作出的《关于进一步解放思想干事创业加快现代化建设步伐的决定》指出:"坚持可持续发展,积极推行循环经济模式,发展循环经济,建设生态省。"2003 年 6 月 4 日,省委书记张高丽强调:"加强生态环境建设的治本之策在于发展循环经济。"省人大在相关法规中确定了发展循环经济的重要地位,为依法推进循环经济奠定了基础。如 2001 年 12 月,省人大通过的《关于修改〈山东省环境保护条例〉的决定》第五条规定:"各级人民政府及有关部门应当结合产业结构的调整、经济增长方式的转变制定优惠政策,发展循环经济,加强生态保护和生态建设,鼓励资源综合利用,推行环境管理系列标准和清洁生产。"2002 年 9 月,省人大通过的《山东省实施〈中华人民共和国固体废物污染环境防治法〉办法》,对减少废物产生,实现资源的高效利用和循环利用作出了具体规定。2003 年 9 月,省人大常委会通过的《关于建设生态省的决议》中指出:"发展循环经济是建设生态省的核心。"韩寓群省长在 2003 年 9 月全省生态省建设动员大会上指出:"发展循环经济是时代的潮流,是提高区域竞争力的先进发展模式。"2003 年省政府颁布的《山东省生态省建设纲要》指出,要实施可持续发展战略,遵循生态规律和循环经济理念,抓住环境保护、生态建设和循环经济三大重点。

自 2001 年开始,我们以点(在企业推行清洁生产)、线(已在化工、造纸、煤炭等六个行业为主线进行)、面(已在两个市、县政府的社会层面开展)系统试点,在山东全面推行循环经济。鲁北企业集团被国家环保总局批准为国家生态工业示范园区,并作为"中国鲁北模式"在全国推广。日照市、烟台经济技术开发区、潍坊海洋化工高新技术开发区分别被批准为省循环经济试点市、生态工业示范园区建设试点、循环经济示范区建设试点,兖矿集团有限公司等 6 大行业的 7 个企业被批准为省循环经济试点企业。

二、理论的探索

山东以"点、线、面"的"小、中、大"循环为特色的系统循环经济试点以来,取得了一些实践知识,同时在这阶段也注重了理论上的探索。我们曾就循环经济是经济转型期的基础理论、循环经济的开放性等方面发表过文章,并在山东大学招收了以区域循环经济为研究方向的研究生,今年已毕业一期。今天在会上交流我们几点认识:

1. 循环经济与市场经济的同一性

循环经济本质上是一种生态经济,是遵循生态学和经济学原理及其基本规律,按照"减量化、再利用、再循环"的原则,运用系统工程的方法,实现经济发展过程中物质和能量循环利用的一种新型经济形式。它是以环境友好的方式利用自然资源和环境容量,保护环境和发展经济,通过提高资源利用效率,进而提高环境效率和经济发展质量,实现经济活动的生态化,达到经济、社会、环境效益的共赢。

市场经济是以市场作为实现资源优化配置的基础性手段,以市场机制来启动和调节经济的运行方式。在市场经济条件下,一切经济活动都是直接或间接地处于市场关系之中,所有的劳动产品和生产要素都通过市场加以配置。生产者生产的目的是实现利润最大化,生产什么、生产多少、如何生产,由供求关系以及由此决定的价格机制进行调节。市场机制是推动生产要素流动和促进资源优化配置的基本运行机制。

循环经济和市场经济都追求资源的高效利用和优化配置,从根本上说,二者都符合经济发展规律,是经济发展观念和模式的不同反映,存在同一性。

(1)循环经济和市场经济都遵循基于自然资源稀缺性的成本与效率原则。

按照亚当·斯密奠定的经济原理,经济学有两个基本观点:一是人类发展的资源存在着某种稀缺性;二是人类发展需要最有效地配置稀缺资源。当前人类面临的稀缺资源类型已由18世纪工业化运动时期的人力资源稀缺转变为自然资源稀缺,更确切地说是包括自然资源和生态能力在内的自然资本的稀缺。当前,日趋衰减的自然资本已成为经济发展的主要限制性要素。

循环经济考虑的正是如何在既定资源存量下提高资源的利用效率和经济发展的质量问题,把资源环境的消耗严格限制在它的阈值内。它是根据环境的自净能力和资源的再生能力来使用资源和环境,通过运用"3R"原则和实施清洁生产、建设生态工业园区和循环型社会,来实现资源的高效利用和对环境的协调,实现社会效益的最大化。

市场经济认为价格取决于要素的稀缺程度。当某种要素变得稀缺从而使价格升高时,就促使经营者从投入产出的成本与效益出发去节约它;或者经营者去寻求替代物。然而,问题在于自然界中不仅不可再生资源是有限的,即使是可再生资源,如果使用量超出其再生能力,也会转化成不可再生资源。因此,市场经济的成本与效率原则,迫使参与竞争的各方设法提高资源的利用效率,进而达到社会效益的最大化。

可见,循环经济和市场经济都是在自然资本成为制约人类发展主要因素的前提下,运用成本和效益原则,通过提高对资源的利用效率来实现社会效益的最大化。

(2)循环经济能够从根本上消除环境外部不经济性,促进市场经济的规范有效。

在传统市场经济条件下,企业与社会的经济行为都追求利润最大化,企业的具体经济行为很少关心甚至不关心外部成本或社会成本,致使产生外部负效应。现代经济学认为,因为企业行为而产生的外部不经济性会导致市场失灵,在市场失灵的情况下,需要政府干预,将经济行为的外部负效应内部化。目前解决问题的手段主要有三种:一是征税或罚款,使其支付环境成本,以促使企业管理减少排污;二是基于公共利益的需要,利用行政或法律手段,要求企业限期治理污染;三是通过界定环境产权来解决外部负效应问题。根据科斯定理,若市场交易费用为零,只要权利初始界定清晰,则资源配置便可通过市场交易达到最优。环境是一种资源,在一个完全竞争的市场经济中,如果对排污权有明确规定,在发生对环境外部负效应时,责任方将会考虑自己的行为给他人带来的影响,通过谈判协调及排污许可证交易,来达到环境资源的有效配置。发展循环经济可以在生产的各个环节(输入端、生产过程中、输出端)全方位地节约资源和保护环境,能够从根本上消除环境外部不经济性问题,避免因环境外部负效应而发生的市场失灵,促进市场经济的规范、有效。

(3)循环经济是市场经济条件下的最佳经济运行方式。

循环经济体现出节约资源、优化生态与提高效益的统一性,反映了一种越是生态环保越有效益的经济发展趋势。发展循环经济,不仅能够使企业获得更大更长远的经济效益,而且能使生态环境得到进一步改善,使人们的生活质量得到进一步的提高。从当前经济社会发展的趋势来看,只有循环经济才是21世纪市场准许采取的最有效的经济运行方式,主要是基于以下三点:第一,符合生态环保标准是企业生存的必要条件。生态环保标准在各国正在成为强制标准。第二,符合生态环保标准已成为允许企业产品进入市场的通行证。随着人们环境意识的提高,消费者自我保护意识的增强,"绿色壁垒"和消费者的自觉抵制已成为阻碍产品进入市场的重要因素,不符合环境标准的物品很难在市场竞争中获胜。第三,只有越符合生态环保标准的产品,附加值才越高,才越有效益。从当前国际市场上看,有机食品、绿色工业品的价格远远高于同类产品,而且越是绿色产品,市场占有份额越来越大,越受欢迎。可以说,生态环境就是生产力,发展循环经济就是发展生产力。循环经济将是市场经济条件下的最佳经济运行方式。

综上所述,无论是从循环经济和市场经济遵循的原则,还是从规范市场秩序和发展的趋势上看,二者都具有同一性,都是遵循不以人的意志为转移的客观经济规律。

2. 循环经济对环境库兹涅茨曲线的良性影响

环境与经济的关系问题,有一个著名的假定曲线——环境库兹涅茨曲线,即:生态与环境恶化同经济发展水平之间遵循倒 U 形状的曲线假定。

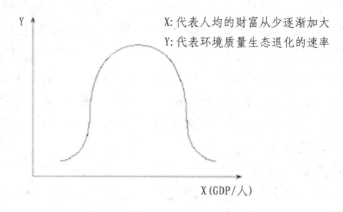

X:代表人均的财富从少逐渐加大
Y:代表环境质量生态退化的速率

图 环境库兹涅茨曲线

环境库兹涅茨曲线反映了经济增长不同阶段所对应的环境状况,这一假定,已被发达国家经济与环境发展的历史轨迹所证明。在 20 世纪 70 年代末、80 年代初,美国、德国、日本等发达国家分别在人均 GDP 达到 11000 美元、8000 美元、1 万美元左右时跨越倒 U 型曲线顶点,实现环境质量的逐步改善。山东省 2003 年人均国民生产总值为 1650 美元,如果我们沿用发达国家这种发展道路走下去,照此推算,环境污染还需再加重 27 年,才能开始逆转,后果不堪设想。这就要求我们必须寻求一条科学发展道路,实现在较低的经济规模和较低的污染水平下跨越环境库兹涅茨曲线顶点,使顶点在横向左移,在纵向下移。循环经济模式,将会使之成为现实。

（1）循环经济对环境库兹涅茨曲线的横向影响分析。

表　我国和有关国家环境政策的发展阶段比较表

政策阶段	中国	日本	德国	时间差
启动环境政策	1973年，国家召开环保会议，出台三废标准	50年代初开始，地方出台环保条例	1935年颁布了《自然保护法》，但是真正意义上开始则是第二次世界大战之后	23—27年
制定法规	1984年出台水环境保护法1989年环境保护法出台	1958年出台水质保护法1967年出台公害对策基本法	1976的《控制水污染防治法》1972年德国出台环保法	8—26年
污染加剧	20世纪80年代末，环境污染问题激化	20世纪60年代大量公害病产生四大公害	污染严重，水生物多样性急剧减少，以莱茵河水为例，原水中有200多种鱼类，20世纪70年代初剩下80多种	20多年
强化水污染治理对策	1995年以来，强化污染防治，国家实施了33211重点工程，取得了显著成效	20世纪70年代，国会被称为公害国会（意指其主要精力放在处理公害问题上），70年代中期，点源污染得到很好治理后，1979年，实施水质总量控制，水环境改观	20世纪70年代，出台了一系列环保法律规章，强化法制和实施了严格的污染控制措施。	20多年
跨越曲线顶点，环境生态好转	2010—2015年（努力改善环境质量，争取用10—15年的时间使环境走向生态恢复的阶段）	80年左右，环境保护重点由污染治理，转向生态恢复。流域生态恢复，但湖泊生态环境恢复缓慢	环境质量从20世纪80年代达到最高峰后开始改善	

从上表可以看出,中国和发达国家的环境保护都基本经历同样的时期:启动环境政策、制定法规、污染加剧、强化污染治理对策等,但在同样的环境政策阶段,中国的经济规模相对较小,如以环境保护法(日本为公害对策基本法)颁布时期的经济指标来看:日本1967年的人均GDP约5359美元,中国1989的人均GDP约为340美元,远远低于日本的经济发展水平。而单纯以同一时间的经济状况做比较的话,2002年,山东省人均GDP是日本的1/23.3,德国的1/13.3,只相当于德国和日本20世纪60年代的水平,但在出台环境保护法律法规方面,却很接近。

若沿用发达国家走过的道路来分析,人均经济水平,中国与日本、德国尚有近40年的差距,但在环保政策和污染治理方面的差距,时间差只有25年左右。这说明,只要我们努力发挥后发优势,我们可以以较低的人均经济水平,提前跨越环境库兹涅茨曲线顶点。

日本和德国是国际上推行循环经济的先行者,他们在几十年的工业化历程中,都经历了从公害国走向环保典范国的历程。实践中,通过吸收发达国家的经验教训,发展循环经济,发展中国家就可以对环境库兹涅茨曲线产生积极的影响,使曲线横向左移,在经济发展的同时,使环境得以改善。

(2)循环经济对环境库兹涅茨曲线的纵向影响分析。

实施循环经济,不仅能使环境库兹涅茨曲线在横向左移,同时也能促使环境库兹涅茨曲线在纵向下移。

通过对各国的有关经济指标和环境指标的比较看出,一是从能源利用效率上看,中国20世纪90年代的水平相当于日本、德国50年代的水准(日本从70年代前期开始强化环境对策以后的相当一段时间,在经济持续增长的同时,各年度的一次能源总供应和最终能源消耗量基本没有增加);二是从产业结构方面比较,中国目前第二和第三产业的结构比,相当于日本和德国50年代前后的水平。两个滞后说明,我们在调整经济结构和提高能源利用效率方面尚没有充分发挥我们的后发优势。

两个滞后,既是制约我国经济社会发展的突出问题,同时也应视为我们的潜力所在。要从根本上解决这一问题,需要在节约能源、提高能效、提高资源利用效率上寻找出路。发展循环经济可以提高资源利用率,可以降低生产过程中的污染成本,减少消费过程对生态的破坏,实现生产方式的科学超越。通过发展循环经济,我们不仅可以以较低的人均经济水平,提前跨越环境库兹涅茨曲线顶点,而且可以直接决定我们需要跨越多高的高度问题,这对我们有非常现实的意义。实施循环经济,是促使环境库兹涅茨曲线的顶点纵向下移的关键所在。

(3)循环经济使环境库兹涅茨曲线左移和下移的实践。

循环经济正在山东逐渐成为一个广泛的共识,山东的许多地区,特别是一些沿海地区,通过发展循环经济,已取得环境库兹涅茨曲线良性调整的成效。

威海市多年来,坚持环境优先原则,把环境与资源的承载作为重要因素加以考虑,把城市定位于保护环境和实现资源可持续利用上,走出了一条发展循环经济,实现经济跨越之路。在18%的经济增长速度发展下,环境质量始终保持着较高水平。1997年,威海市首批荣获"国家环境保护模范城市"称号,此后,所辖的荣成市、文登市、乳山市,先后加入到国家环境保护模范城市行列,2002年,威海市建成我国第一个国家环境保护模范城市群。威海市由于在"改善人居和城市环境方面的突出贡献",荣获2003年度"联合国人居奖"。2003年,威海市人均GDP为33762元人民币,约合4000美元,多项数据表明,实际上威海在达到人均GDP4000美元以前已跨越了环境库兹涅茨曲线顶点,这最高点远远低于发达国家历史上经过的最高点。威海的实践证明,只要积极发挥后发优势,发展循环经济,走可持续发展道路,是可以在较低的经济水平和较低的污染程度下(曲线左移的同时纵向下移)积极调整环境库兹涅茨曲线。

青岛是一个老工业城市,由于工业布局和产业结构不尽合理,重污染企业较多,历史上曾为全国十大重污染城市之一。青岛市较早地把实施可持续发展战略作为经济发展的基本战略。城市的环境质量明显改善。先后获得"全国创建文明城市工作先进城市"、"国家园林城市"、"国家环境保护模范城市"等荣誉称号。青岛市的环境质量表明,青岛市已经或正在跨越环境库兹涅茨曲线顶点。2003 年青岛市的人均 GDP 为 24250 元人民币,近 3000 美元。青岛模式证明,即使在污染曾较为严重的地区,也有可能和有能力在较低的经济水平下跨越环境库兹涅茨曲线顶点。

近几年来,全省一些综合指标也有了良性发展的趋势。当然表述山东省环境和生态质量水平的指标很多,尤其是在生态环境的改善和恢复方面,需要一个过程,但我们完全有理由确信,只要大力推行循环经济,加快生态省建设的进程,实现这一转折的时间为时不远。根据山东生态省建设规划纲要,山东省将会大力推行循环经济,积极调整环境库兹涅茨曲线,实现经济、社会、环境的协调发展。

3. 循环经济系统的稳定性

(1)循环经济系统的动态稳定性。

循环经济系统在运行过程中,所处环境是不断发生变化的,这就要求系统自身随之调整与其适应。在这样一种动态环境下,循环经济系统稳定性的持续实现就是动态稳定性。

①循环经济结构的链结稳定性。循环经济的链网结构是指循环经济系统的建立必须包括类似自然生态系统中的"生产者"、"消费者"、"分解者"组成的有机的稳定循环链接结构。它们之间要通过相互协调组成具有"食物链网"特征的网络化体系。由此使这一体系中的各部分紧密相连,形成遍布整个链网的物质流、能量流和信息流,从而使各种物质和能源能够在系统的循环过程中得到合理和持久的利用。

循环经济的链结结构特点将其与传统的线性经济严格区别开来。它把经济活动对自然环境的影响降低到尽可能小的程度,使经济系统和谐地纳入到自然生态系统的物质循环过程之中,从而最终实现人与自然的和谐统一。构建循环经济的稳定链接结构,使链条保持完整而不易被打断,对整个系统的成功运作起着至关重要的作用。

②循环经济节点的柔性。循环经济结构链结的特点决定体系中的各节点有机相连,这就使系统在运行中会受到刚性的约束,即一旦内、外部环境出现变化,整个系统将会趋于不稳定甚至系统崩溃。这样,构成循环经济系统的节点是否具有柔性特征就显得十分重要了。当系统

内、外部环境出现变动时,节点的柔性能够使系统维持稳定的状态,避免在运行上出现大的波动和失效。

耗散结构下系统分岔的原理说明循环经济是一个开放性的体系,体现了螺旋上升发展的模型,这个模型中多个循环交叉的节点,即上一环节废物成为下一个环节原料的结合点,在循环经济开放性的运作模式下,经高科技的挖掘,不断延长、分岔,体现出更多的"功效",整个系统的循环绩效因此逐步提升,也就具备了更强的抗冲击能力。可以说循环经济螺旋上升的开放式运作模式,也是循环经济体系中节点的柔性不断提高的外在表现。

循环经济结构的整体有机性和节点柔性的能力决定了循环经济系统的动态稳定性。即环境发生变化时,链接关系可能因此断裂,结构的有机性需要断裂后的节点重新组合以建立新的链接,这个过程中系统处于不稳定状态;但节点的柔性能力会促使其重建更趋合理的链接关系并以此形成更富多样性的链网结构,从而使系统又处于稳定状态。这一稳定状态的不断发展、进化,就使得节点之间的链接得到了进一步优化,使循环经济系统处于动态稳定之中,并逐渐趋于类似自然生态系统的动态平衡状态,具有更强的抗冲击能力。循环经济系统的稳定性研究是必须引起重视的大课题。

(2)影响循环经济系统稳定性的因素。

其一,产业多样性。循环经济系统的产业构成是否多样意味着整个系统抵抗风险的能力是否强。因此,系统内产业的多样性是循环经济系统稳定性的重要因素。当多个上游企业和多个下游企业并存时,产业链会更丰富,系统的网络化程度提高,一般来说稳定性也就相应增强。

其二,系统的完备性。循环经济系统的完备程度影响着系统自身的稳定状态。通常,当循环经济系统的组成要素(产业数、食物链、产业相互关系、系统运行机制等)越完备则该系统越稳定。系统越完备则系统的抵抗能力越强,越能抵抗冲击。

其三,系统协调性。系统协调性意味着循环经济系统内部各产业之间的关系非常有序,从而使系统的稳定和修复能力得以上升,使系统更加协调,从而也使循环经济系统的稳定性增强。

(3)保证循环经济系统稳定的措施。

第一,丰富循环经济系统的产业链。丰富循环经济系统产业链的目的在于防止企业对于某一上游或下游企业的过度依赖,从而降低企业的风险。当企业的上游或下游企业极少时,上、下游企业的变动会极大的影响其自身生产活动,甚至造成整个产业链的解体。因此,拥有多个上、下游企业并使之具有一定的替代性,更容易保持本企业生产活动的稳定,进而保持产业链的稳定。

第二,增强企业进入、退出的灵活性。产业的有机进入、退出支持循环经济系统的开放性,从而优化系统结构,使系统的经济效益提高,企业也将有更高的动力加强合作使得这种生产方式有内在的动力维持下去。几种开放系统的科技储备显然会有助于系统的安全和稳定性。

第三,加强科技创新。科技创新是使循环经济系统中节点保持柔性的根本推动力。科技是第一生产力,科学技术的发展使循环经济链网体系中的节点体现更多的用途,柔性得到提高,从而增强了系统的稳定性。因此,要充分发挥科学技术的支撑作用,这样,循环经济的产业链才可以不断得到延伸,形成的链网才更丰富,整个循环经济体系才能够更加有序、稳定地持续运作。

(张凯:山东省环保局)

山东省建设资源节约型社会

张国敏

近年来,在国家发改委和山东省政府的领导下,我们认真贯彻党的十六大和十六届三中全会精神,牢固树立和认真落实全面协调可持续的科学发展观,围绕一个核心,搞好两个结合,按照三个层次,通过四个途径,落实五项措施,把资源——产品——再生资源的循环经济理念贯穿到国民经济发展、产品生产和城乡建设之中,使之逐步深入人心,落到实处,资源生产率持续提高,各项消耗指标大幅降低,促进了经济社会的可持续发展。

一、坚持以提高资源生产率为核心,紧密结合建设资源节约型社会和生态省,推动循环经济发展

山东省人口众多,资源相对不足,经济社会发展面临巨大的资源约束压力。主要表现在三个方面:一是资源的人均占有水平低,支撑力不足。人均矿产资源仅为全国的 65%,人均耕地低于全国平均水平,人均水资源不足全国的 1/6。二是资源型、初加工型工业比重高,经济发展对资源的依赖性大。采掘业、原材料工业和以农产品为原料的工业所占比重超过 60%。三是能源、资源的过度消耗带来严重的环境问题,末端治理方式无法从根本上消除环境污染。如果继续沿用传统的经济发展模式,资源难以为继,环境不堪重负。因此,省委省政府提出要以科学发展观为指导,坚持一个核心,搞好两个结合,大力发展循环经济。一个核心就是以提高资源生产率为核心,彻底摈弃传统经济

"大量开采、大量消费、大量废弃"的发展模式,力求以最少的资源消耗和最小的环境代价实现最大的发展效益。两个结合就是紧密结合资源节约型社会建设和生态省建设,实施以节能、节水、节地、节约矿产资源为重点的资源节约战略,实现经济与社会、资源与环境协调发展,人与自然和谐发展。省领导同志多次强调,要唱响循环经济主旋律,把发展循环经济纳入经济社会发展的总体规划和日常工作之中。省人大通过的《关于建设生态省的决定》及规划纲要,省政府《关于开展资源节约活动的通知》以及正在制定的《大力发展循环经济建设资源节约型社会的意见》等重要法规、规定,都明确提出把发展循环经济作为建设资源节约型社会和建设生态省的战略措施与重要途径。一个核心两个结合确立了循环经济的重要地位,为推动循环经济发展奠定了基础。

二、按照三个层次,通过四个途径,构建循环经济体系

我们认识到,发展循环经济是覆盖全社会的系统工程,必须以工业企业为基础、园区为平台,按照企业、园区和城市三个层次,通过资源节约、综合利用、清洁生产和资源再生四个途径,构建循环经济体系。

按照这个思路,我们首先从培育循环经济型企业抓起。通过节能降耗、资源综合利用、清洁生产等措施,减少生产过程资源、能源消耗,实现企业层次的循环。济钢集团、鲁北企业集团、新汶矿业集团、海化集团等一批企业为实现这一目标开展了大量工作,取得初步成果。二是培育循环经济型园区。依据循环经济理念和工业生态学原理,研究和建立入园企业的链接关系,合理规划园区内的资源流和能源流,整合园区各种要素,建立园区产业代谢和共生关系,通过废物交换、循环利用、清洁生产等手段,实现区内物质、能量和信息集成,把上游企业产生的废物转化为下游企业的原料,实现园区的废物零排放。三是建设循环经济型城市,这是第三个层次的循环。就是在建设循环经济型企业和园区的基础上,按照"减量化、再利用、资源化"原则,构建城市循环经济体系,最终实现全省范围内物质和能量的循环。

我省发展循环经济的四个途径是:

第一,坚持"开发和节约并举,把节约放在首位"的方针,广泛开展

节能、节水、节地、节约矿产资源等资源节约工作,2003 年万元 GDP 能耗 1.055 吨标煤、耗水 176 吨,分别比"八五"末的 1995 年降低 40% 和65%,节能 8700 万吨标煤,节水 409 亿吨,以较少的能源、资源消耗实现了经济的快速增长。我们以耗能耗水大户为重点,通过技术创新、管理创新、机制创新等手段,提高资源利用效率,减少资源消耗。连续多年开展节能增效活动,组织创建节能节水型企业和节水型城市,有 7 个城市获得全国节水型城市称号。合同能源管理等节能新机制逐步推广,政府与企业通过协议促进节能降耗的节能自愿协议试点工作取得明显成效,济钢、莱钢两个试点企业能耗指标显著降低,2003 年一年节能 22.4 万吨标煤,减排二氧化硫 4000 吨、二氧化碳 13.4 万吨。

第二,认真贯彻《清洁生产促进法》,全面推行清洁生产。省政府出台了《关于全面推行清洁生产的意见》,指导企业从源头治理污染,推行清洁生产。省经贸委会同有关部门开展了清洁生产审核,制定并组织实施了《山东省关闭不能稳定达标排放的麦草浆和酒精生产线实施方案》,推广了济钢等企业创建清洁生产工厂的经验。

第三,大力开展以共伴生矿和工业固体废物、废水、废气为重点的资源综合利用。资源综合利用产业以每年 20% 以上的速度增长,2003 年实现产值 185 亿元,有 30 多户企业资源综合利用产值超亿元。利用工业固废 3000 多万吨,煤矸石、粉煤灰、冶炼废渣、化工废渣等大宗工业废渣得到普遍利用。全省认定的综合利用企业超过 800 户,综合利用电厂装机容量达到 150 万千瓦。

第四,对退出消费过程的各种产品进行再生利用。传统的废旧物资回收工作稳步发展,每年回收废金属 450 万吨,废塑料 150 万吨,废纸 100 万吨。近年来重点加强了报废汽车、废旧电子产品、城市生活垃圾的回收和再生利用工作。全省 19 个报废汽车回收拆解中心有序经营,每年回收报废汽车 9.9 万辆。济南复强动力公司在再制造国家重点实验室和多名院士指导下进行的退役发动机再制造研究取得重大突破,过去只能报废处理的退役发动机获得了新生,价值利用系数由3%—5% 提高到 80% 以上,开辟了退役发动机再利用的新路子。以临沂再生产业园为代表的再生资源园区健康发展,为再生资源的集中处理、分类加工、规模经营、高效利用提供了平台。以海尔集团为依托的废旧家电回收拆解中心也在筹建中。

三、配套联动,从五个方面落实发展循环经济措施

1. 加快产业结构调整,提高资源利用效益

按照《山东省工业产品结构调整意见》组织实施了"3646"工程,即大力发展新材料、生物技术、节能环保高新技术产业,用高新技术、先进适用技术和清洁生产技术改造提升轻工、纺织、化工、机械、建材、冶金6大传统产业,重点发展46类消耗低、污染小、效益高的产品。在此基础上又制定了汽车、船舶、服装纺织、食品、石化、家电、电子信息七个产业链的发展规划。出台了加快建设胶东半岛制造业基地和打造山东制造业强省的意见。在这些规划意见中都特别强调要遵循循环经济理念,从产品设计开始,大力发展低消耗、高附加值的企业和产品。我们还不断优化能源结构,发展新能源和可再生能源,开发清洁能源,太阳能发电初具规模,风力发电、潮汐发电、沼气以及水煤浆等新能源、洁净能源技术都取得长足发展。

2. 加快技术进步,建立循环经济技术支撑体系

在循环经济发展进程中,技术进步发挥了巨大作用。围绕发展循环经济研究开发了上百项重大的关键技术和共性技术。我省氮肥企业开发的合成氨蒸汽自给技术使吨氨综合能耗降低 400 多公斤标煤。德州大坝公司在国内首创的"双掺、高掺"粉煤灰水泥新工艺,粉煤灰掺加比例达到 36% 以上,推动了全省水泥生产原料变革,开辟了大批量利用粉煤灰的有效途径。鲁北企业集团在全国第一个攻克磷氨、硫酸、水泥联产关键技术,用生产磷铵排放的废渣磷石膏制造硫酸并联产水泥,硫酸又返回用于生产磷铵,整个生产过程没有废物排出,资源得到高效循环利用。新汶矿业集团研发的煤矸石硬塑挤出技术和设备填补国内空白,并开创煤炭地下气化大规模应用先河。海化集团科学规划,实现海水"一水五用",不但丰富了产品品种,更降低了生产成本,资源综合利用率达到了 100% 。济钢集团实施的含铁物料、煤气、余热和水"四闭路"技术,带动了钢铁企业向废物零排放企业迈进。

3. 加强法规建设和政策引导,依法推进循环经济

我省在认真贯彻执行国家节能、清洁生产、土地、水资源、环保等法律法规的同时,结合实际,研究制定了一系列地方法规规章及标准规范,保障和推动了循环经济发展。省人大1997年颁布了《山东省节能条例》,2001年颁布了《山东省资源综合利用条例》。省政府先后制定并发布了《关于开展资源综合利用的意见》、《山东省煤矸石、粉煤灰综合利用办法》、《山东省节能管理规定》、《关于加快发展环保产业的通知》、《关于全面推行清洁生产的意见》、《山东省节水管理办法》等文件。省经贸委出台了《关于大力发展循环经济推进新型工业化的意见》,会同有关部门制定了包括能耗限额、取水定额、城市生活用水标准、建筑节能标准、土地集约利用标准为主要内容的《山东省资源节约标准》,并通过统计考核、执法检查等形式督促实施。我们还充分利用国家优惠政策,引导企业发展资源综合利用、新能源、环保三大绿色产业。积极落实资源综合利用产品免税政策,加大关停小火电力度,扶持资源综合利用电厂。由于优惠政策的有力扶持,企业开展资源综合利用,开发新能源,发展环保产业的积极性空前高涨。

4. 发挥示范带动作用,促进循环经济全面发展

我们先后培育了新汶矿业集团、海化集团、菱花集团等10个资源综合利用示范企业,皇明太阳能公司、长岛风电公司等10个新能源和可再生能源示范企业,济钢、莱钢、胜利油田、海尔等20个节能示范企业,山水集团、青岛啤酒公司二厂等30个清洁生产示范企业,济南锅炉厂等18个环保产业示范企业,以及烟台经济技术开发区、潍坊海化开发区等循环经济型示范园区,并尝试在济南、青岛、东营、烟台、威海、日照等市进行循环经济型城市示范。济钢、新汶矿业集团、济南复强动力公司等企业还被确定为全国循环经济示范企业。2000年以来,我省承担的8项国家资源节约与环境保护重大示范工程,都已圆满完成建设任务,对我省乃至全国发挥了很好的示范带动作用。其中莱钢实施的废水"零排放"工程使吨钢耗水降至3.75吨,达到国际先进水平;黄台电厂脱硫工程脱硫率达到95%以上;济钢清洁生产工程、国大黄金公司综合利用工程等也都实现了预期目标。我们十分

注重总结示范单位发展循环经济的先进经验和做法,通过交流会、现场会以及媒体报道等多种形式宣传推广,发挥典型的示范和引导作用,推动全省循环经济发展。实践证明,这是一项十分重要而有效的工作措施。

5. 开展宣传教育,培育崇尚循环经济理念的社会风尚和消费方式

我省重视发挥新闻、出版、广播、影视、文化等部门和社会团体的作用,大力宣传发展循环经济的法律法规、方针政策及先进典型,对浪费资源、破坏资源的行为,公开曝光,使公众充分认识我省的资源形势和发展循环经济的重要意义。几年来,我们把集中宣传和经常性宣传有机地结合起来,开展了为期五年的"综合利用大有可为"系列宣传,举办资源综合利用成果展览、节能节水与可持续发展论坛及每年一次的节能宣传周活动。在省级主流媒体上开展的《资源的红灯亮了》、《资源,除了节约别无选择》等大型系列宣传活动,产生了巨大的社会冲击力,引起各界的广泛关注和积极响应。公众节能、节水、回收再生资源的自觉性明显提高,许多地方的居民自发开展了创建节能节水社区和循环经济社区活动。

最近,省政府正在制定《关于大力发展循环经济,建设资源节约型社会的意见》,提出从 2004 年年底起到 2020 年我省发展循环经济的主要目标是:到 2006 年,万元 GDP 能耗降到 1 吨标煤以下,万元 GDP 耗水降到 150 吨以下,每公顷建设用地产出 GDP 提高到 150 万元以上。到 2010 年,万元 GDP 能耗降到 0.90 吨标煤以下,万元 GDP 耗水降到 125 吨以下,每公顷建设用地产出 GDP 提高到 180 万元以上。到 2020 年,万元 GDP 能耗降到 0.63 吨标煤以下,万元 GDP 耗水降到 75 吨以下,每公顷建设用地产出 GDP 提高到 300 万元以上,资源开采、消耗类和加工类企业基本建成循环经济型和资源节约型企业,工业园区和中心城市建立起完善的循环经济体系,初步建成资源节约型社会。

(张国敏:山东省经贸委副主任)

广东省推动循环经济的实践与设想

广东省环境保护局

中共中央总书记胡锦涛在 2003 年中央人口资源环境工作座谈会上指出："要加快转变经济增长方式,将循环经济的发展理念贯穿到区域经济发展、城乡建设和产品生产中,使资源得到最有效的利用,最大限度地减少废弃物排放,逐步使生态步入良性循环。"2003 年全国人大会议上温家宝总理的《政府工作报告》中也写进了"发展循环经济和清洁生产"的内容。

广东省委、省政府高度重视发展循环经济,并作为树立和落实科学发展观的一项重要工作来抓。由于广东省资源能源短缺、环境容量有限,积极探索发展循环经济的新路子具有重大的现实意义。省环境保护局根据广东省的实际情况,在企业内部、企业之间以及全社会等不同层面上,积极组织力量认真推行循环经济,现将主要工作情况报告如下:

一、在企业内部层面上,以清洁生产为突破口促进循环经济

广东省的清洁生产在近年来取得显著成效,2001 年 10 月省经贸委、省科技厅、省环保局三部门就联合发布了《广东省清洁生产联合行动实施意见》,提出了"十五"期间要建立"一支队伍"、实现"三个100"、形成"政策机制"的具体目标,即建立一支有企业经营者、专家和技术人员等组成的推行清洁生产的专业队伍;培植 100 家高标准、规范化的清洁生产示范企业;推出 100 个原污染严重,经治理效果明显的清

洁生产典型案例;研究推广100项以上成熟有效的清洁生产技术与产品;形成促进企业自觉实施清洁生产的有效机制。

2002年1月,广州市环科所、信息产业部电子五所被国家环保总局批准列入国家清洁生产审核机构试点单位。2002年7月,省经贸委、省科技厅、省环保局联合公布了广东省第一批清洁生产技术依托单位共计11家。2003年4月省环保局成立了"广东省环保局清洁生产促进中心"(挂靠在省环境科学研究所)。

2002年,经各市组织推荐和省三部门的审核,确定了广东省第一批55家清洁生产试点企业。2003年5月三部门联合颁发了《广东省清洁生产企业验收管理办法(暂行)》,并对清洁生产企业进行了验收,有22家企业通过了验收,成为我省首批"清洁生产企业"。

2003年省环保局编印了《广东省清洁生产工作指南》,省环保局局长李清亲自撰写序言。2004年5月由省环保局组织,省环保产业协会主编了《循环经济科技成果汇编》一书,该书已由汕头大学出版社正式出版。

2004年省环保局制定了"2004—2005年广东省环保局推行清洁生产工作方案",在此基础上,省经贸委、省科技厅、省环保局等三部门又联合制定了"2004年广东省推行清洁生产工作方案"。

2004年5月13日,省环保局、省经贸委、省科技厅在东莞市联合召开了"广东省化工行业清洁生产示范现场会"。政府管理部门和企业代表共300多人参加了会议,省环保局局长李清同志、省经贸委副主任罗坚生同志、省科技厅助理巡视员张超同志以及东莞市副市长梁国英同志出席会议并分别做了重要讲话。与会代表参观了中成化工有限公司的清洁生产示范现场,听取了该公司清洁生产的先进经验介绍。通过示范现场会,使与会代表受到很大启发,起到了非常好的示范效果。

作为一家股份制民营化工企业,广东中成化工有限公司于1994年建成投产,短短10年间发展成为世界上最大的保险粉生产经营企业和中国最大的双氧水生产经营企业,其保险粉国内市场占有率达80%,出口量占世界总出口量的40%。中成化工能在短时间内取得如此辉煌成就,原因在于该公司率先研究开发了具有国际领先水平的保险粉清洁生产技术,既降低了能耗物耗,又从废物中回收了多种副产品。从1998年开始,该公司每年组织实施一期清洁生产工程,至今已连续实施五期,共投入资金1.2亿元。实施清洁生产后,产品的制造成本从3233元/吨下降到2615元/吨,电耗从519KW/吨下降到389.2KW/吨,蒸汽消耗从1.79吨/吨下降到1.67吨/吨。单位产品的电耗、蒸汽消耗和水耗仅相当于国外同类企业(以日本三菱为例)的86.5%、27.8%和25.0%。与此同时,资源的利用率则不断提高,二氧化碳回收率从0提高到70%,钠原子回收率从91.2%提高到98.1%,硫原子回收率从94.4%提高到99.0%,溶剂回收率从97.5%提高到99.3%。该公司从废物中回收各种有用物质,创造了十分可观的经济效益:年回收甲酸钠15000吨,创效益1500万元;年回收海波5000吨,创效益500万元;年回收二氧化碳4万吨,干冰8千吨,创效益3200万元;保险粉包装桶回收率48%以上,节约薄铁板1.2万吨,创效益3600万元。资源的综合利用,带来了可观的经济效益,也大幅度削减了污染物。据统计,该公司废水排放量减少1200吨/天,废水中COD排放总量减少98%,二氧化碳排放量减少100吨/天,其污染物排放的控制达到同类企业领先水平。通过持续实施清洁生产工程,使公司取得了环境效益、经济效益和社会效益的三赢。

最近,省环保局、省经贸委、省科技厅联合发布了《关于下发广东省第一批应依法实施清洁生产审核企业名单的通知》,公布了我省33家应实施清洁生产审核的重点污染源名单。

二、在共生企业群层面上,积极扶持南海国家生态工业园建设

对广东来说,经济基础好、信息化程度高,发展"生态工业园"有着先天的优势。早在2001年,为进一步发挥珠江三角洲的经济优势,积极探索产业升级的有效途径,积累在工业园区规模上进行循环经济试点建设的经验,经国家环保总局批准,南海国家生态工业示范园区暨华南环保科技产业园于2001年11月29日正式建立。

南海国家生态工业示范园区位于我国最活跃的珠江三角洲经济圈

腹地——广东佛山,是我国首个以循环经济和生态工业为指导理念建设的综合性环保科技产业园。园区总面积 35 平方公里,计划滚动投资 50 亿元,将其建设成为面向珠三角、辐射华南的体现循环经济的第三代工业园,为广东乃至全国的产业升级改造、探索可持续的经济发展模式发挥示范作用。

生态园的建设和发展得到国家和各级政府以及社会各界的广泛关注和支持,国家环保总局局长解振华、广东省省长黄华华、副省长许德立等领导同志都亲临现场主持了挂牌仪式并做了重要指示。解振华高度称赞"南海园区是我国第一个全新型规划建设的国家生态工业示范园区,这在世界上都是一个创举",他还"希望广东省能在生态工业园区和环保产业园区的建设方面,通过示范建设为我国提供宝贵的经验"。黄华华省长表示"广东省政府和佛山市政府要制定相关的鼓励政策和措施,推进园区的建设进程,争取用 5 到 10 年的时间将园区建设成国际一流水平的环境、科技与生态工业基地"。

为了加快园区的建设,省环境保护局专门成立了园区建设领导小组、顾问小组等,并会同省科技厅于 2002 年 1 月 28 日下发了《关于加快建设南海国家生态工业示范园区暨华南环保科技产业园的意见》,明确指出南海国家生态工业示范园区暨华南环保科技产业园的建设对提升我省环保产业发展水平,促进我省经济结构调整和可持续发展具有重要的意义,同时也为我国生态工业园建设起到示范作用。要以循环经济和生态工业理念为指导,以环境保护产业为主导产业,按国家高新技术产业开发区的要求,高标准、高起点建设好国家生态工业示范园区。

自 2001 年 11 月 29 日南海国家生态工业示范园区暨华南环保科技产业园建立以来,始终坚持以循环经济和生态工业理念指导园区建设,并结合"把南海建设成为可持续发展的生态城市"的发展战略和创建国家环保城市的工作,积极推动园区的各项建设,成效显著。经过两年多的精心打造和经营,国家级的南海国家生态工业示范园区进入了收获的季节,2004 年头两个月固定资产投资 1.7 亿元,是 2003 年同期的 8 倍,引进资金 2.3 亿元,是 2003 年同期的 4 倍,工业总产值达 10

亿元,同比增长44％,3项指标都创下了历史新高。

三、在全社会层面上,初步形成资源回收及综合利用体系

首先,制定了固体废物防治规划,依法治理废物并回收各类有价值的资源。从2001年开始,广东省环保局会同省经贸委、省建设厅、省卫生厅编制了操作性强的《广东省固体废物污染防治规划》(2001—2010年),该规划属国内首创,内容全面,目标明确,思路清晰,包括危险废物、医疗废物、工业固体废物、生活垃圾、农用薄膜和塑料包装废弃物以及废旧电子电器污染防治六个专题规划,有利地推动了固体废物的减量化、资源化和无害化工作。

为了进一步将固体废物的管理纳入到法制化的轨道,省环保局于2002年拟定了《广东省固体废物污染防治条例》,对类似危险废物污染的废旧电子电器污染纳入环境管理范畴,细化了危险废物管理规定和处罚等内容,该条例已上报广东省人大批准。

其次,推进我省固体废物的综合利用。固体废物的综合利用就是要减少废物的数量、降低废物中的有害成分并回收宝贵的资源。在生活垃圾回收能源方面,广州、深圳、东莞、中山等地都建立了垃圾焚烧发电系统,充分回收生活垃圾中的热能。中国科学院广州能源所研究开发的"日处理200吨能量自给型城市垃圾堆肥系统"已实现产业化并在惠州博罗建成了示范工程,该系统由分选、堆肥、造粒及能量利用等单元技术构成,垃圾进场后,经过一系列程序:分选——发酵——加工——汽化发电,100吨的垃圾可加工生产出肥料30吨。经过处理后的垃圾,最后只有不到10％的废渣进行填埋或固化制成建材。该示范工程一期工程年处理垃圾54000吨,生产有机复混肥18000吨,总投资1000多万元,其投资成本相当于国外技术的1/5,国内其他技术的1/2。该系统完全具有自主知识产权,在组合式分选技术、堆肥发酵菌种选育、垃圾有机可燃物的热解焚烧及汽化发电等方面均有创新,尤其整个系统的集成创新属国内首创。建立了采用综合技术集成处理和利用垃圾的创新系统,既达到无害化处理,又实现资源的再生利用。

第三,大力推进固体废物的产业化、市场化。针对我省固体废物特

别是危险废物污染防治设施分散、规模小、技术含量低、处理处置水平落后、管理薄弱等实际情况,省政府批准在惠东县筹建广东省危险废物综合处理示范中心,现已拨款 2200 万元作为建设资金,并被列为全省十大工程中环保工程项目之一。省环保局还积极扶持危险废物处理处置企业做大做强,以增强我省危险废物处理处置能力,其中有代表性的是广州番禺绿由工业弃置废物回收处理有限公司。该公司成立于1998 年,主要进行废矿物油、废溶剂、废化学品等工业废弃物及其包装物的收集、处置、转移及再生综合利用,并开展废油脂收集及废油池、废渣池的清理业务。最近该公司自筹资金,投资 1.5 亿元建设了占地500 亩的处理基地,形成年处理工业废弃物 1 万吨的回转窑焚烧系统、年处理能力 20 万方的有机复合肥系统、年处理能力 500 万只的废包装物处理装置、年处理能力 5000 吨的废油脂处理系统、年处理能力 1000吨的废电子线路板再生处理系统、年处理 9000 吨的重金属污泥处理系统。

截至 2003 年 7 月,省环保局发放危险废物经营许可证 65 个,其中大部分是综合利用单位,每年通过综合利用回收危险废物 60 万吨。

四、今后的工作思路

循环经济作为一种新的技术模式,一种新的生产力发展方式,体现了新型工业化的内涵,为我省实施新型工业化开辟了新的路子。发展循环经济,就是要用新的思路去调整产业结构,用新的机制去激励企业和社会追求可持续发展的新模式。我们下一步的工作设想是:

一是要加大发展循环经济的宣传力度。充分利用报刊、广播、电视、网络等宣传舆论工具,广泛深入持久地宣传循环经济,使全社会充分认识循环经济在树立和落实科学发展观中的重要作用,为在我省全面推行循环经济创造良好的氛围。

二是建立和完善促进我省循环经济发展的政策法规体系。借鉴日本、德国等发达国家的经验,着手制定符合我省实际的绿色消费、资源循环利用以及家用电器、建筑材料、包装物品等行业在资源回收利用方面的政策法规,建立健全各类废物回收制度,探索更为科学的 GDP 核算制度和干部考核体系。

三是在实践中探索循环经济的新路子,按近、中、远期分层次来推进循环经济。按先易后难的原则,近期重点建设一批循环型企业和生态工业园区;中期主要是在一些重点区域(如珠江三角洲的广州、深圳、佛山、中山、珠海等)创建一批有完善再生资源回收及再生产业体系,能充分发挥当地的资源优势和技术优势,产业结构和产业布局优化、经济发展、环境优美的生态城市;远期要扩大循环经济覆盖的领域,丰富其内涵,从生产、消费、回收等环节,在工业、农业、服务业等领域,以生态链为纽带统筹规划工业与农业、生产与消费、城市与农村,探索和实践不同类型的社会型循环经济模式,建设资源节约的循环型社会。

四是开展广东省发展循环经济的规划研究。通过制定和实施循环经济规划,系统地、有计划地、有针对性地在全省全面推行循环经济工作,把循环经济与各部门的日常工作有机地结合起来,形成全社会共同推进的局面。

五是继续抓好循环经济试点建设。认真总结当前我省在循环经济方面取得的成功经验,树立循环经济企业典型,同时结合清洁生产工作在企业中牢固树立循环经济理念。及时总结南海国家生态工业园试点经验,逐渐将循环经济从企业层面上升到工业园层面、区域层面乃至全社会的层面上来,努力实现从循环型企业到循环型社会的转变。

发展循环经济是一项系统工程,它涵盖工业、农业和消费等各类社会活动,需要各种新技术作为支持,更需要法律规章的保障。需要政府的扶持政策,需要企业自身努力,做大做强,也需要全民树立起循环经济的意识。经济只有良性循环才会产生生生不息的动力,只有全社会共同行动起来,才能够实现真正意义上的循环。

重庆市发展循环经济的探索

重庆市环境保护局

循环经济是 20 世纪 90 年代以来国际社会努力倡导的人和环境协调、和谐的经济发展模式,是改变传统环境保护模式的新的环境战略,是实现可持续发展的一项重要手段。

循环经济以资源利用最大化和污染排放最小化为主线,将清洁生产、资源综合利用、生态设计和可持续消费等融为一体,强调在优先减少资源消耗和减少废物产生的基础上综合运用"减量化、再利用、再循环"的 3R 原则,提高资源利用率,最大限度地减少污染物排放,提升经济运行质量和效益。

《国家环境保护"十五"计划》明确提出:"结合产业结构调整,提倡循环经济发展模式,采用高新适用技术改造传统产业,支持企业通过技术改造,节能降耗,综合利用,实行污染全过程控制,减少生产过程中的污染物排放。"

一、推进循环经济工作的目标

近年来,重庆市结合三峡移民建设,在调整产业结构、推广清洁生产、减少污染物排放方面做了大量的工作。重庆市有关专家积极参加了 2003 年的循环经济发展战略研究课题组,在循环经济的理论基础、指标体系、促进机制、重点领域等方面开展了研究工作。2004 年 6 月 18 日,中共重庆市委通过了《关于加快推进新型工业化的决定》,提出从 2004 年起到 2010 年,是我市加快推进新型工业化并为基本实现工业化奠定坚实基础的重要阶段。提出发展循环经济是我市四大战略任务之一,开始积极探索推进"资源——产品——再生资源"的循环,逐步走上循环经济的路子。

在《关于加快推进新型工业化的决定》中提出了"5444"总体发展思路,即努力实现五大发展目标,集中力量发展四大重点产业,切实抓好四大战略任务,大力实施四大保障措施。

五大发展目标是:努力使工业总量、工业集中度、工业经济质量效益、信息化水平和科技创新能力、人民生活水平和就业水平五大指标显著提升。具体讲,就是到 2010 年,我市工业增加值在 2000 年基础上翻两番,全员劳动生产率由 2000 年的 3.1 万元/人年提高到 11 万元/人年,城镇登记失业率控制在 5% 以内,万元工业增加值能耗下降到 2.5 吨标煤。

四大重点产业包括汽摩、装备制造、资源加工和高新技术。到 2010 年,全市汽车整车生产能力达到 150 万辆,销量力争占据全国市场的 15%。同时要建设国内重要的内燃机研发生产基地、西部最大的环保成套装备研发生产基地、国内领先的仪器仪表研发生产基地等国家级研发基地。

四大战略任务:一是优化调整工业生产力布局,要求都市发达经济圈重点发展技术密集和资金密集型产业,渝西经济走廊发展与大工业配套的加工业,三峡库区生态经济区则重点发展资源加工业和劳动密集型产业;二是改造提升传统产业,到 2010 年,全市重点骨干企业装备水平达到 20 世纪 90 年代末先进水平,特大型骨干企业集团都建立国家级企业技术中心,主要工业产品采用国际标准或国外先进标准的比重达到 70% 以上;三是发展循环经济,提高资源利用率,减少环境污染。市委明确提出:"发展循环经济,提高资源综合利用效率,是推进新型工业化的内在要求。必须坚持资源开发与节约并举,把节约放在首位,大力发展循环经济。"市委的决定也要求"提高资源综合利用水平,健全再生资源回收利用机制,采用新技术、新工艺,提高再生资源回收利用率,着力发展循环经济"。四是发挥劳动力资源优势,鼓励发展吸纳劳动力强、就业弹性大的创业型、科技型企业和都市型工业。

四大保障措施是深化经济体制改革、扩大对内对外开放、发挥人才支撑保障作用、加强新型工业化的组织领导。

二、环保部门在推进循环经济中的作用

循环经济是集经济、技术和社会于一体的系统工程。具有三个层次,即单个企业的清洁生产、企业间共生形成的生态工业区以及产品消费后的资源再生回收,由此形成"自然资源——产品——再生资源"的整体社会循环,完成循环经济的物质闭环运动。

为大力推动发展循环经济,实现污染治理从末端控制向源头控制和全过程控制转变,促进社会与经济、环境协调和可持续发展,重庆市环保局近年来在职责范围内从以上三个层次开展促进循环经济的各项工作,同时积极响应国家部署,推进有关工作。

1. 推行单个企业的清洁生产

大力推进清洁生产,是发展循环经济的重要措施。我局对重庆市重点工业企业积极推行清洁生产工艺、废料回收生产技术和推行污染排放的生产全过程控制,从而以期在我市建立节能、节水、降耗的现代化新型工艺,以达到少排放甚至零排放的环境保护目标。具体表现在组织全市环保系统促进清洁生产的工作,并对各区县(自治县、市)的清洁生产工作的进展情况实施统一管理、协调和核查。按照环保行业清洁生产标准的要求,负责推进和监督我市境内有重大环境影响的且有一定规模的大型企业的清洁生产审核和实施工作。负责组织评定"环境保护友好企业",定期公布我市企业清洁生产的总体情况。按照职责和管辖,依法查处违反《清洁生产促进法》的单位或个人。

大力实施清洁能源工程和洁净煤工程。从 1996 年开始,重庆市饮食服务行业燃煤大灶率先开始全面推广使用天然气、液化石油气、电和油等清洁能源,禁止燃煤。1996—1997 年,在渝中区和江北区的饮食服务行业全面试点推广使用天然气、电、轻柴油及液化石油气等清洁能源获得成功后,1998—2000 年,在全市所有其他区县(自治县、市)城区(镇)和风景名胜区的饮食服务行业全面推广使用了清洁能源。2000 年年初,重庆市委、市政府决定,利用两年时间,在主城区全面建

设清洁能源工程,即重庆主城区范围内的 1153 台 10 蒸吨以下(含 10 蒸吨)的燃煤锅炉和 1500 台燃煤茶水炉全部改用天然气、电、轻柴油和液化气等清洁能源,全市 8000 辆公交客车、中巴车和出租汽车改用天然气。同时,在各区县的饮食、娱乐、服务行业进行改用天然气、液化石油气、电、轻质柴油等清洁燃料。此项工程于 2000 年年初实施,于 2001 年 6 月 30 日全面完成。清洁能源工程每年减少了用煤 136 万吨,减少二氧化硫排放 7.5 万吨、烟尘排放 3.4 万吨、煤渣排放 34 万吨。在 2002 年,市政府进一步实施"五管齐下"净空工程措施,对主城区大于 10t/h 的燃煤锅炉实施洁净煤工程。鼓励通过采用清洁工艺或改用清洁能源(天然气、电、油)取消燃煤锅炉,很多企业把实施"清洁能源工程"和洁净煤作为实施技术改造、强化管理的有利契机。信息产业部第 44 研究所、国营 338 厂、巴山仪表厂等一批单位通过技术改造全部取消了燃煤锅炉,改为用电,且运行成本增加不多。西南车辆厂、重庆重型铸煅厂、重庆锻材厂和东方造船厂等单位以实施"清洁能源工程"为动力,大力实施技术改造,将落后蒸汽锤改为先进的电液锤或空气锤,取消了所有燃煤锅炉。企业通过改电液锤,推进了技术进步,使能耗降低近 70%,节约了运行成本,使环境效益与经济效益、社会效益得到有机统一,深受业主单位的欢迎。百事可乐公司的 2 台燃煤锅炉改用清洁能源后,锅炉房由 500 平方米减少为 190 平方米,人员由 10 人减少为 3 人,运行成本不但没有增加,而且还有所降低。同时,"清洁能源工程"建设也给锅炉房带来了一场深刻的变革,以前又黑又脏的锅炉房如今都亮丽起来了。

利用排污费积极支持清洁生产。我局一直把清洁生产作为我市治理项目的重要手段。在安排排污项目的时候,总是要求企业从工艺上,从生产过程中,尽可能减少"跑冒滴漏"、减少污染的产生,力争把末端治理的污水减少到最小。在对纳入《三峡库区及其上游水污染防治规划》的 30 个重点工业治理项目以及最近我市的 7 个中央环境保护专项资金项目的治理方案中,我局就一直强调"清洁生产在前、末端治理在后"的原则,将排污费作为推进清洁生产的一种调控手段。

2. 倡导生态工业区建设

积极倡导在三峡库区建立生态工业链或生态产业园区。希望把不同的工厂连接起来形成共享资源和互换副产品的产业共生组合,通过企业间的物质集成、能量集成和信息集成,形成企业间的工业代谢和共生关系,通过建立一批循环经济型企业而建立循环型工业生态园区。

3. 推行全社会的资源再生利用

在社会层面上,通过废弃物的再生利用,实现消费过程中和消费过程后物质与能量的循环。逐步推行生活垃圾分类回收。

4. 加大宣传力度,强化环保意识

强化清洁生产舆论宣传,提高市民及广大企业的清洁生产意识。我局在"重庆市环境保护宣传网"上开办了企业清洁生产专栏,及时发布最新清洁生产技术目录或指南及相关消息。定期主办清洁生产审核和企业技术开发设计人员培训班。提高审核人员的技术和政策水平,强化企业的清洁生产意识。

5. 积极推动循环经济,广泛开展国际交流与合作

编制循环经济发展规划,指导相关特色工业园区发展循环经济,从而进一步指导和促进清洁生产。组织协调有关企业开展国际间技术、经贸及项目的交流与合作,并积极争取国际资金开展清洁生产。

三、下一步的工作

推行循环经济是一个涉及经济、生态、技术、环境、政策等多学科的系统工程,只有进行系统研究和科学决策才能取得效果。同时还涉及资源的保护、开采、加工、包装、销售、消费、回收等,涵盖社会的方方面面。因此推行循环经济需要有各部门、各行业的合作与协调。对循环经济的关注需要从环保部门加快向经济、社会各有关部门拓展,要促进对循环经济的经济、社会、环境三维整合导向的研究。

今后我局将在以下方面积极开展工作:

1. 加强对科技研究的支持力度,促进循环经济的技术创新

循环经济的主要技术载体包括预防污染的少废或无废的工艺和技术以及末端污染治理技术。循环经济的发展需要技术创新。今后将加强对科技研究的支持力度,从我市的社会经济现状、发展需求以及环境形势出发,深入分析制约社会和经济发展瓶颈的资源环境问题,提出应加以重点研究开发的关键技术和解决措施,关注能提高能源和资源利用效率的技术。研究和开发符合循环经济基本原则的新工艺和新技术,为实现循环经济提供技术支持。

2. 发展环保产业

环境保护产业是为防治环境污染、保护与恢复生态、提高人类赖以生存的环境质量而提供产品或服务的新兴产业,是维持社会经济可持续发展的关键产业,是为环境保护提供物质基础和技术保障的产业。我市把环保产业作为了优先发展的三大高新技术先导产业。但目前环保产业的发展水平还不足以为循环经济的发展提供技术支撑,在促进清洁生产和循环经济的发展中环保工作困难较大,难以产生经济效益,只有社会效益和环境效益。因此我局将大力促进环保产业的发展,积极推进国家环保产业发展重庆基地及环保产业园区的建设。按照环境污染治理集约化,环保项目产权股份化,环保投资多元化,环保服务社会化,环保设施运营市场化的要求,在城市污水处理、城市固废处理、烟气脱硫、天然气汽车加气技术及成套设备生产等领域培育一批优秀环保骨干企业或企业集团,以高起点、高新技术为核心打造国家环保产业发展重庆基地品牌。

3. 配合制定发展循环经济的战略目标和总体规划

发展循环经济是我市四大战略任务之一。我局将积极配合市发改委、市经委等部门最近开展的循环经济规划工作,将提高资源利用效率、减少资源消耗量和污染产生量纳入我市经济发展的战略目标,并积极推动开展我市的循环经济示范工作、制定促进循环经济的法规政策制度、制定和完善绿色消费和资源循环再生利用方面政策等方面的工作,制定循环经济的推行与实施方案和计划,从根本上创造实施循环经济的动力机制。到2010年,在实现我市工业增加值在2000年基础上翻两番的发展目标的同时,有效控制和实现资源消耗的低增长甚至零增长,污染物的低排放甚至零排放。使万元工业增加值能耗下降到2.5吨标煤。

4. 促进循环经济法规建立

协助立法机构制定重庆市清洁生产促进法实施细则,加大清洁生产推行和实施力度。同时,为了促进循环经济的发展,协助制定一些地方的循环经济的法规,如:废旧包装容器、废旧家电和废旧汽车回收再利用规定等。

5. 建立生态工业园区环境信息统计收集系统

建立生态工业园区的综合性的环境数据统计和信息系统,收集资源、环境和污染物排放等多方面的信息,建立有效的信息共享制度,用信息化促进新型工业化,不断提高循环经济水平。

6. 自觉进行绿色采购,促进绿色消费

循环经济应包括生产模式和消费模式两方面的改变,政府作为最大的购买团体和循环经济的推动者,应切实推进政府绿色采购制度的贯彻实施,使绿色采购制度进一步法制化、规范化,并扩大实施的范围,发挥对社会绿色消费的推动和示范作用。同时,应大力培育绿色市场,促进绿色产品的开发和推广,鼓励和支持各行各业、各种消费群体改变消费意识和消费习惯,提倡反对奢靡浪费、节约一切自然资源的绿色消费观。

总之,循环经济是可持续的新经济发展模式。发展循环经济的基本途径包括推行清洁生产、综合利用资源、建设生态工业园区、开展再生资源回收利用、发展绿色产业和促进绿色消费等。在发展循环经济方面,我局所做的工作还只是刚刚开始,今后我局将继续积极推动循环经济相关工作,争取早日在三峡库区建立循环型社会,实现党的十六大提出的全面建设小康社会的宏伟目标。

推动循环经济　促进四川跨越式发展

四川省环境保护局

　　党的十六届三中全会明确提出了五个统筹,坚持以人为本,树立全面、协调、可持续的发展观,促进经济社会和人的全面发展的要求。循环经济作为一种新的生产方式和经济形态,改变了传统经济"资源——产品——污染排放"所构成的线性发展模式,倡导建立在不断循环利用基础上的新的经济发展模式,以"资源——产品——再生资源"为特点,减少资源消耗,加强资源再生利用,实现废弃物减量化、无害化和资源化,推动可持续发展。循环经济与科学的发展观相适应,是全面建设小康社会的客观要求。四川省全面贯彻十六大精神,提出以循环经济的理念指导全省新型工业化和城市化进程,实现四川跨越式发展,在推动全省循环经济的发展上开始迈出了步伐。

一、四川省发展循环经济的基本做法

1. 加强领导

　　进入"十五"以来,尤其是党的十六届三中全会以来,随着贯彻落实科学的发展观、正确的政绩观,发展循环经济开始得到省委省政府领导的重视,省委政研室组织相关部门专题开展了促进全省循环经济发展的调查研究,在2004年召开的省委工业工作会议上,提出了《发展循环经济,促进四川产业结构调整的意见》(征求意见稿),对该单项文件进行讨论,明确要求"要把环境亲和性作为产业结构调整的重要目标,发展循环经济,推行环保技术,壮大绿色产业",要在全省经济社会发展中,结合四川生态环境十分脆弱而地位十分重要的特点,高度重视生态环境保护和环境污染整治,努力致力于建立工业化、城市化的可持续发展机制,制定和认真执行有关政策,引导企业和城市加大环境保护和污染整治力度,高度重视改善经济运行质量,坚决摒弃对资源的破坏性开发和低效率利用,摒弃传统的小规模、低水平、高消耗、低效益的开发方式,充分利用现代科学技术,提高资源开发规模,努力提高资源开发综合利用水平、资源加工深度和开发的经济效益、环境效益、社会效益。

2. 广泛宣传

一是在省委省政府举行的全省贯彻落实科学发展观的省级领导和地厅级干部学习班上,专题进行了循环经济的学习讨论,使领导干部的意识有所提高。二是利用报纸、广播、电视、网络等媒体开展循环经济的广泛宣传和报道。《四川日报》开辟了专题栏目进行知识介绍和讨论,四川电视台对一些实行清洁生产的厂家进行了典型经验报道。三是在企业大力开展循环经济的宣传,积极推动企业进行循环经济的实践,努力实现经济环境的"双赢"。四是在学校通过知识竞赛等方式开展了形式多样的有关减量化、无害化、资源化的教育。

3. 制定有关计划

根据国家环保总局的有关精神,结合四川环保工作的实际需要,四川省环保局建立了清洁生产的日常工作机构,对口设在局科技标准处,负责管理有关日常工作。在"十五"初期制定了《ISO14001 环境管理体系——清洁生产四川省"十五"工作计划》,为推动四川的清洁生产工作、发展循环经济明确了目标、任务和方向。同时,成立了"四川环宇环境管理体系咨询中心",获得国家的备案资质认可,开展 ISO14001 和清洁生产的咨询、宣传、培训等工作,为促进循环经济工作的开展奠定了一定基础。目前,正在筹建"四川省清洁生产审核中心"。

4. 加强部门协调

省环保局与省发改委、省经委、省科技厅、省建设厅等部门共同配合,在四川共同组织开展了推进"城市清洁空气"的行动,大力推广清洁汽车和清洁能源,我省的南充市被科技部、国家环保总局确定为国家清洁能源试点城市。

5. 积极组织企业开展循环经济的实践

四川省环保局积极组织企业开展清洁生产工作,鼓励企业进行清洁生产审核试点。一是推荐了成都前锋集团公司参加国家清洁生产审核试点工作,中核红华气体公司通过了国家清洁生产中心进行的清洁生产认证。二是与省食品工业协会在食品行业组织推动清洁生产工作,宜宾五粮液集团公司、剑南春集团公司已于2001年在省内率先通过了国家饮品企业环境质量达标认证。三是积极支持宜宾五粮液集团公司开展建立生态企业的工作。宜宾五粮液集团公司先后建成投产了利用丢糟生产复糟酒的生产车间、乳酸生产车间以及利用糠壳产热的糠壳锅炉,在企业内部形成了一条较为完整的生态工业链。据统计,近年来五粮液集团公司一般每年处理丢糟20多万吨、生产复糟酒4500吨,生产蒸汽50万吨,节约燃煤72000吨,减少SO_2排放量1500吨,实现利税5547万元。四是积极推动峨眉半导体材料厂的《工业生态示范工程》项目的立项,按照生态工程"整体协调,循环再生"的原则,以建立企业的良性循环的物质流、能量流和信息流为核心,结合在该厂实施的"1000吨大型多晶硅厂建设"、"区熔单晶硅产业化"、"高纯材料产业化"等国家重点项目,积极建立一个既能促进经济发展,又能促进人工生态环境系统良性循环的工业生态示范工程。

6. 积极组织推广应用清洁生产技术和清洁生产设备

四川省环保局积极组织推广、应用清洁生产技术和清洁生产设备,全省目前有数十项先进的清洁生产技术和设备被国家环保总局认定为国家重点环境保护实用技术,在全国推广应用,受到社会的较好评价,取得了一定的经济效益、环境效益和社会效益。积极推广洁净产品,组织企业申报国家环境标志产品认证。目前四川省已有9家企业的26种产品获得国家环境标志产品认证。

二、目前推行循环经济存在的主要问题

尽管我们在推进全省循环经济的发展方面做了一些工作,但还仅仅是初步的、低层次的基础工作。在工作中我们感到还存在许多问题。主要是:

1. 法律支撑有待进一步加强

当前,四川发展循环经济一方面缺乏全面高水平的规划草案,从而把促进建立循环社会基本规划作为全省各级政府制定其他规划的基础;另一方面,缺乏明确的政府措施和相关责任的严格法律规定和实施办法。比如,如何切实落实减少产生量责任、产生者责任、生产者责任,如何鼓励使用再循环产品、征收环境补偿费,如何对有毒固体废弃物严格管理等等。

2. 政府的指导思想转变还有一个艰巨的过程

长期以来,全省各级政府形成的以 GDP 为导向的发展惯性还相当强烈地影响着各级领导的思想观念和行动,目前,全省还缺少一个具有指导作用和可操作性的政府实施规划,要在指导思想上,乃至实施过程中实现全过程控制、从源头减少资源消耗和削减污染物排放的清洁生产和循环经济还需要一个较长时间的努力。

3. 开展循环经济的投入不足

全省缺乏推动循环经济规划和发展的启动资金,以及开展循环经济示范建设的补助资金,各级政府还没有把促进循环经济的规划、发展纳入财政预算,从资金上给予保障。

4. 激励机制还远远没有建立起来

全省各级政府的收费、税收等机制和促进循环经济发展的政策还没有建立健全,开展循环经济的收费、配套政策还远远达不到刺激和激励企业的作用。

5. 政府和相关部门、企业、公众的责任有待进一步明确

目前,全省推进循环经济发展的各级政府、环保局、经委等责任需要明确和定位,同时,生产和治理污染的技术水平落后,缺乏有力的促进循环经济发展的技术支撑体系也制约着循环经济在四川的发展。

三、今后推进四川循环经济发展的打算

循环经济是当前国际社会推进可持续发展的一种有效实践模式,它强调最有效利用资源和保护环境,以最小成本获得最大的经济效益、社会效益和环境效益。胡锦涛总书记在 2003 年中央人口资源环境工

作座谈会上指出:"要加快转变经济增长方式,将循环经济的发展理念贯穿到区域经济发展、城乡建设和产品生产中,使资源得到最有效的利用,最大限度地减少废弃物排放,逐步使生态步入良性循环。"面对国际上发展循环经济的新趋势,今后,我们要按照四川省委省政府加快"三个转变"的要求,提高认识,大力推进循环经济,走新型工业化、农业产业化、合理城镇化的道路,推动四川社会经济环境可持续、跨越式发展,为四川全面建设小康社会作出积极贡献。

1. 加强宣传教育,提高循环经济认识,树立新的发展观念

循环经济是可持续发展的一种新的表现形式,在四川还刚刚起步,因此,四川要结合建立学习型社会、城市和企业,有针对性地组织开展不同层次、多种形式的宣传教育活动,提高和强化发展循环经济的意识和责任感。一是加强对党政企业领导决策层的宣传,在各级机关、企业组织讲座、讨论会,提高推动和实践循环经济主体单位的意识。开展在职培训,在党校、行政学院开设相关专题课程;二是从学校抓起,在大中小学校中把循环经济知识纳入生态环境教育和乡土教育之中;三是加大媒体宣传力度,在报纸、广播、电视上大力宣传循环经济的典型示范项目,使全省广大群众理解、支持和自觉参与,促进形成发展循环经济的良好氛围。

2. 把发展循环经济纳入全省国民经济和社会发展战略

一是在研究制定"十一五"四川全省和部门的发展规划计划过程中,注意吸收和运用循环经济的理论、原则做指导,优先争取和安排循环经济示范项目资金,推动全省跨越式发展的良性循环和全面建设小康社会;二是要在下一个五年计划中着手制定全省循环经济发展战略,结合四川实际,提出全省发展循环经济的思路、目标、主要任务和步骤、重点项目、重点领域、重点地区和具体措施,并逐步加以落实。

3. 逐步完善和建立促进循环经济发展的法规体系

一方面,要认真执行我国已经颁布了的《清洁生产促进法》、《节约能源法》等法规,另一方面,要结合四川实际,结合认真落实科学发展观和正确的政绩观,积极开展加强循环经济法律法规体系的研究,抓紧制定相关法规和规章,把推动循环经济的工作纳入对政府的目标考核体系之中,明确责任和义务,鼓励、支持循环经济的发展,对不符合循环经济的行为从省上的法规政策体系方面加以规范和限制。

4. 强化政策导向,重视运用经济激励手段

坚持鼓励与限制相结合,逐步形成循环经济发展的激励机制。一是用足用好国家清洁生产、资源综合利用等循环经济优惠政策,充分发挥优惠政策的鼓励、引导和扶持作用;二是以与时俱进和实事求是的精神,研究制定适应四川新形势的政策体系,把循环经济的理念尽可能融入省级财政、税收、金融、投资、技术等经济技术政策之中。

5. 充分发挥循环经济对结构调整的促进作用

四川面临的战略性结构调整任务艰巨,在工业经济结构调整中,大力推进循环经济,能够优化产业结构,提高资源利用效率,降低单位产值污染物排放强度,通过淘汰和关闭浪费资源、污染环境、经济效益差的落后工艺、设备和企业,积极采用清洁生产技术,对逐步改造传统产业,大力发展高新技术产业具有极大的推动作用;在农业经济结构调整中,通过大力发展生态农业和有机农业,建立有机食品和绿色食品基地,对促进农业产业化,保障食品安全具有重要作用。

6. 突出重点,注重实效,大力开展循环经济示范建设,促进区域经济社会环境可持续发展

一是结合发展循环经济,全面评估和研究、制定全省不同层次的经济发展规划,转变经济发展空间布局设计观念,把经济效益、社会效益和环境效益统一起来;二是积极开展四川生态工业园区、生态农业园区、高新技术园区的规划和示范建设,形成几个具有特色的示范基地,把循环经济理念纳入企业和园区的创新、开发和经营战略中,强化在生产经营等各个环节采取相应的技术和管理措施,引导有利于循环经济的消费和市场行为,从而尽快建立循环经济载体,形成发展循环经济的平台。

7. 开发建立循环经济的绿色技术支撑体系

全省要结合环保产业的发展,以实用技术和高新技术为基础,引进、研究和开发生物质能技术,农业加工、环境工程、废物资源化、清洁生产等技术,通过采用和推广无害、低害新工艺、新技术,逐步建立具有特色的"绿色技术"体系,加快技术成果转化,降低原材料和能源的消耗,努力实现投入少、产出高、污染低的良性发展。

循环经济是一种运用生态学规律来指导人类社会经济活动,建立在物质能量信息不断循环利用基础上的新型可持续发展模式,推行循环经济是解决四川当前和今后面临的一系列重大资源、环境和经济问题、实现全面建设小康社会奋斗目标的一个有效途径。我们应当按照国家的要求,积极探索,主动出击,突出重点,抓好示范,大力推进四川循环经济,促进结构调整,推动四川跨越式可持续发展。

发挥环保部门职能
推动吉林循环经济发展

吉林省环境保护局

吉林省作为我国的老工业基地和生态省建设试点省,目前正按照生态省建设总体规划的部署和国家振兴老工业基地的要求,处在经济结构调整和加快发展的关键时期。因此,在全省积极推动循环经济建设及试点,以生态省建设为载体,将循环经济的理念融入生态省建设和发展生态环保型效益经济的指导思想中,是贯彻落实全面、协调和可持续发展观,促进资源高效与综合利用,保障国家经济安全的重大战略措施;是防治污染、保护生态环境、促进生态省建设的重要途径;是走新型工业化道路、实现人与自然和谐发展的必然要求;也是应对入世、提高企业和区域经济总体竞争力的必要手段。

一、环保部门在推动发展循环经济中的职能作用

环保部门作为保护环境、控制污染和促进可持续发展的重要职能部门,在推动发展循环经济中的工作应发挥组织、协调、试点推动和依法监督的作用。主要体现在以下几个方面:

1. 推动清洁生产,开展清洁生产审核

清洁生产是对企业从生产的源头、工艺、产品和服务全过程中,通过节能、降耗实现污染物的削减、废物的综合利用和经济效益的提高。推行清洁生产是发展循环经济的基础,清洁生产审核是企业实现清洁生产的前提。通过清洁生产审核,分析企业在生产全过程中存在的高

消耗、高污染和低效益的问题，依托科技进步和国家清洁生产标准，以预防污染为前提，进行产品生命周期评价和全过程控制，最大限度地提高能源、资源利用率，最大限度拉长产品链，逐步实现节能、降耗、减污、增效的目的。

省环保局按照国家环保总局 2002 年有关抓清洁生产审核试点的要求，对四平和辽源两市位于东辽河上游 8 家企业开展了清洁生产审核试点工作，并拿出 32 万元专项资金，无偿为企业进行清洁生产审核，带动企业投入几万至几十万的资金，通过节能、节电、节水等措施，降耗减污，降低生产成本，取得几十万至几百万的经济效益。

目前，省环保局结合政府环保目标责任制在各市、州共选取了 22 家企业作为试点推广单位，在取得经验和管理规范化后，下一步将在污染较重的行业企业如造纸、化工、粮食加工、建材等企业推广。

2. 创建生态工业示范园区

生态工业园区主要指以一定区域范围为平台，以现代高新技术为依托，以区域资源、能源和社会资源优势为基础，科学、合理地进行产业布局，优化产业结构，深化产品开发，园区内的产业形成横向联合共生、纵向耦合、产品链拉长，进而最大限度地接近能流、物流闭合循环，实现区域经济、社会效益最大化，排污最小化，环境最美化。创建生态工业示范园区是发展循环经济的重要组成部分。到目前为止，全省已有 10 个工业园区申报作为省级生态工业示范园区，并列入本届政府环保目标责任制。省环保局按国家环保总局有关生态工业示范园区规划编制的规定对它们进行了指导和帮助。已批复 8 个生态工业示范园区试点，论证了其中 3 个生态工业示范园区的规划。具体情况是：通化东昌区张家生态工业示范区，以葡萄酒和制药工业为主导，按葡萄生产基地——葡萄酒系列产品和葡萄副产品（籽、皮等）——废渣——中药（药材基地）原料——中药系列产品——园区废水、废渣的无害化处理——农、副产品的水和肥料资源——葡萄和药材生产基地的模式，形成区域生态工业经济体系。煤河口海山纸业工业园区按原料（稻草、木材）——纸制品系列——废物处理——再生资源（沼气、复合肥等）——农、林生产和民用——原料（稻草、木材）的模式，形成区域生态工业经济雏形等。

下一步,省环保局将按循环经济的理念,选取吉林市经济开发区(九站)的乙醇汽油产业,作为典型示范,逐步建立:原料玉米——燃料乙醇——系列产品——饲料副产品——畜禽养殖——复合肥料——原料玉米(再循环),从而推动吉林省优势农业循环经济的发展。同时,将根据各地经济社会发展实际情况,选取工业园区或开发区进行试点,并对新建的开发区或工业园区以循环经济为指导进行规划。

3. 创建生态示范区

生态示范区是以生态经济学为指导,以协调经济、社会、环境建设为主要对象,在一定行政区域内生态良性循环的基础上,实现经济社会全面健康的持续发展。创建生态示范区是实现区域循环经济的主要载体和阶段性目标。按循环经济的理念,创建环境优美乡镇,创建生态经济县(市、区)。从工业、农业、城市建设、农村发展和科技进步及生产、生活方式的改变等方面建立循环经济与社会的复合体系。在这个层面上,逐步形成循环经济的发展和运作机制。

为落实生态省建设规划纲要,省环保局已组织申报并通过论证了10个国家级生态示范区发展规划,组织论证了9个省级生态示范区发展规划。其中,龙井市和东辽县生态示范区建设都较好地发挥区域资源优势,合理配置农、林、牧、工业和贸易及服务业等,正在按生态示范区发展规划的要求进行建设。我省在全国率先制定了生态乡镇、生态县市的发展建设指标体系,并作为国家和地方标准颁布实施。生态示范区的规划与建设符合循环经济的理念和发展模式。下一步,省环保局将加强生态示范区能流、物流综合利用和产业结构优化及产品链开发等方面的指导与帮助,并在有条件的示范区进行循环经济的示范推动。

4. 创建有机食品基地,大力推动绿色生产和消费

有机食品是指原料来自无污染环境,在其生产、加工和销售过程中无任何污染行为和影响的食品。近年来,省环保局按照国家有关发展和认证有机食品的规定,积极指导和推动各地有机食品基地的建设,取得了显著的成绩,到目前为止,我省已建立了28个有机食品基地,共有

140余个粮食蔬菜等品种获得国家有机食品认证,推动了全省绿色产业的发展。下一步,将根据全省农业产业的分布特点,进一步创建不同类型的有机食品基地,推动全省农业生产向无污染和高附加值产业与产品的方向发展。

5. 强化职能,做好服务

①按新颁布实施的排污收费管理条例,将环保治理资金向为清洁生产而进行的工艺改造和全过程污染控制的项目倾斜,向生态工业示范园区和生态(农业)示范区规划编制提供支持。同时,积极协调计划、经贸部门将建设项目和技改资金向为清洁生产而进行的工艺改造和废物综合利用及节能、降耗等促进循环经济发展的项目倾斜。

②在对各类经济开发区的区域"环评",对"环评法"规定的"规划"环评和对新、改、扩建项目的"环评"审批管理中,按循环经济理念加强"环评"报告书中对区域生态经济和项目清洁生产篇章的评审。从产业布局、生态产业链的科学规划和项目原材料、工艺、产品及服务方面,围绕物流、能流的闭合循环和节能、降耗、减污、增效的宗旨,对园区和项目进行评审和把关。

③在对老污染企业的依法监督工作中,特别是省、市下达的清理整顿非法排污重点污染源,要明确规定实施清洁生产审核,并作为其核定排污许可证的总量指标和恢复生产、扩大再生产的验收条件和依据之一,促进企业转变单纯的污染治理的传统观念,走实现"双赢"的新型工业化道路。

④将企业清洁生产方案的实施与落实情况、生态示范区规划的落实情况和生态示范园区的实施情况,列入日常的环境监督与管理工作内容。

⑤按《清洁生产促进法》要求,在省内主要媒体上定期公布排污超标或超总量控制限额的重点企业名单及其排污状况,促进企业层面从清洁生产抓起,奠定循环经济的产业基础。

6. 大力推进环保产业

环保产业作为以保护环境质量、控制污染物排放、维护生态平衡和促进可持续发展为宗旨,并提供技术和物质支撑的产业领域,应坚持以循环经济理念为指导,抓住新形势下振兴吉林老工业基地的机遇,依靠科技进步,研究和解决有利于循环经济发展并符合我省实际的关键问题。具体工作措施为:

①建立主导环保产业研发基地,按循环经济的市场需求,针对我省主导产业结构,分别建立以清洁生产为宗旨的节能、降耗、减污型技术研发基地,可以充分利用我省科技优势,在具备条件的科研单位、大专院校等作为基地的支撑。

②发展龙头企业和示范工程。根据我省的环保产业优势,分别在环保型锅炉、高效消烟脱硫装置(如通化冲击水膜脱硫除尘器)、工业废水处理装置和生活污水处理装置、生活垃圾处理利用装置、中水回用技术与设备、无公害产业和产品等领域扶持和支持重点企业,建立示范工程,带动相关产业的发展。

③注重对能源、资源和废弃物(特别废水、固体废物)高效、综合与回收利用技术和设备的开发与生产。按不同类型生态工业示范园区的规划方案,从循环经济的角度,开发企业间能流、物流的综合利用技术,研究产品链的拉长与深度开发,减少总体生产成本,提高综合经济、社会和环境效益。

④发挥环保产业的技术优势,在煤烟型废气治理技术与设备、工业与生活废水治理技术与设备、环境工程设计、环境影响评价技术咨询、环境标志认证、有机食品基地认证、环境监测与检测服务等领域积极工作,开拓市场,为循环经济提供服务。

7. 加强宣传、教育与培训

循环经济理念无论在我省还是在全国,仍属于创新思维,必须从宣传教育和培训入手,转变观念,树立科学的发展观和领导干部的政绩观,将循环经济理念与生态环保型效益经济理念有机结合,并贯彻落实到各项工作的综合决策与执行中。省环保局已按生态省建设的要求,结合主体工作,相继举办了县级环保局长培训班(两期),举办了针对重点企业和工业园区的有关负责人的培训班。并通过电台、电视台、报纸等开展了相关的宣传报道,积极倡导绿色消费和生态文明,为发展循环经济创造良好的社会氛围。

二、对省政府如何推动循环经济的几点建议

1. 加强领导,建立适应循环经济的管理体制

（1）落实责任。

循环经济是高层次的经济、社会发展形态,是由经济、社会和环境构成的,以高科技为依托的生产——经营——消费——再循环的复合系统。应该建立以各级党委、政府为领导,各部门密切配合,全社会广泛参与的管理体制:

①在省政府统一领导下,确定专门机构统一协调发展循环经济的工作机构,在调查研究和考察学习的基础上,着手制定我省发展循环经济试点工作方案。

②省经济综合管理部门负责全省与循环经济有关的各项规划的编制、协调和落实。

③省环保局负责生态型示范企业的清洁生产审核、生态工业示范园区、生态示范区试点单位的申报、规划论证、绩效评估与监督管理。

④省经济计划管理部门及行业管理部门负责试点企业、行业和园区的项目审批与计划投资等。

⑤省经济、税务和行业等管理部门负责制定各类有利于循环经济发展的产业政策,如:专项资金扶持、土地使用、减免税、标志认证等。

⑥各宣传单位负责循环经济的宣传、报道。

⑦试点单位所在地各级地方政府负责区域循环经济发展的推动与管理。

（2）依靠科技进步。

发挥科技优势,加大科技投入,注重对产业领域科技的投入。应拿出专项资金,用于解决我省清洁生产领域中节能、降耗、减污、增效的关键技术,用于研究适合我省不同地区实际情况的循环经济模式,用于研究发展循环经济的政策和法规,为推动发展我省循环经济提供科技支撑。

（3）实行综合决策。

各级党委、政府应将循环经济的具体工作,如试点单位、试点工业

示范园区、试点生态农业园区等列入工作目标责任制,并在下述方面按循环经济理论实行综合决策:

①在制定经济社会发展战略、调整产业产品结构及布局、改变经济增长方式等关系到国计民生的大政方针方面。

②在建设和发展各类经济、技术开发区方面。

③在开发利用土地、林业、草原、水利、矿产资源等能源资源方面。

④在建设和引进重大经济社会发展项目方面。

⑤在制定地方法规、规章和经济产业政策方面。

⑥在确定经济社会发展的投资取向、分配和平衡方面。

2. 抓好试点,示范带动

根据我省经济社会发展水平,先期抓好试点进行示范带动,对于在循环经济发展初期具有探索、引导和积累经验、不断改进的重要意义。循环经济的示范分为四个层次:生态型企业、生态型产业、生态工业示范园区和生态经济区。按吉林省实际,在已经开展清洁生产审核试点企业、省级生态工业示范园区、生态示范县市等基础上,按地区和行业的分布状况分别选取试点单位。每个地区计划每年确定 3 至 5 个重点企业开展清洁生产;在各地经济开发区、高新技术产业开发区等进行工业生态园区建设试点;按我省东部、中部和西部自然生态及产业特点建立生态示范区。从而在不同层面上推行循环经济试点。

3. 建立健全有利于循环经济发展的政策、法规体系

一是尽快建立和完善促进循环经济发展的政策体系。借鉴日本等国和国内先进省份的经验,着手制定环境保护、绿色消费、资源循环再生利用以及家用电器、建筑材料、包装物品等行业在资源回收利用方面的政策和法律法规;建立健全各类废物回收制度等;建立绿色国民经济核算体系,并纳入国家统计体系和干部考核制度。

①按国家《清洁生产促进法》规定,各级财政对从事清洁生产研究、示范、技术改造等项目要列入有关技术进步专项资金扶持范围;对符合国家产业政策的中小企业实施清洁生产的,应在中小企业发展基金中予以支持;并对推行清洁生产,建设生态工业示范园区作出贡献、效果明显的单位和个人给予表彰。

②各级银行、金融管理部门,对经济效益好、污染治理效果显著的清洁生产和生态工业示范园区项目应给予信贷支持,对列入国家和省的清洁生产、生态工业示范园区示范项目给予贷款贴息支持。

③落实税收优惠政策,对清洁生产和生态工业示范园区中的资源综合利用、节能降耗等项目和利用"三废"生产的产品,按照国家有关规定给予税收优惠。对符合国家资源综合利用税收优惠政策规定条件的,经过认定后,税务部门予以办理减免税,实施清洁生产技术开发和技术转让所得收入可按国家有关规定享受减免税优惠,对技术改造项目,国内不能生产而直接用于清洁生产的进口设备、仪器和技术资料,应享受国家有关进口税减免优惠政策。

二是认真总结国内外行之有效的各种经验和具体做法,加强宣传和推广。在区域经济发展中,继续探索新的循环经济实践模式。对吉林省来说,在创建生态省的同时,积极创建国家环境保护模范城市、生态市、生态示范区、生态工业园区;依法推进企业清洁生产,加强企业清洁生产审核;充分发挥市场机制在推进循环经济中的作用,以经济利益为纽带,使循环经济具体模式中的各个主体形成互补互动、共生共利的关系。

4. 加强宣传、培训与交流

推行循环经济,关键要转变观念,创新思维,树立科学的发展观,因此,必须加强宣传、培训与交流,才能将循环经济思想贯彻落实到各项工作的综合决策与执行中。这主要分三方面实施:组织各级党政领导干部培训;组织重点企业和工业(示范)园区主要负责人的培训;由电台、电视台、报纸等媒体和有关科技学(协)会等团体进行专题、专栏、讲座等学习与宣传报道。其中培训与宣传报道的内容主要包括:生态省建设规划纲要,全面、协调、可持续发展的发展观,循环经济理念,生态经济学原理,清洁生产原理与国家《清洁生产促进法》,生态工业(农业)园区规划与建设模式及示范工程等。

通过上述措施,逐步建立政府导向、舆论监督、公众参与的符合循环经济理念的经济社会共建体系。

总之,发展循环经济代表了可持续发展的国际潮流,是走新型工化发展道路、构筑未来经济发展和竞争优势的战略措施,也是正确处理经济发展与人口、资源、环境尖锐矛盾的重要标志。只要各级政府、有关部门和全社会不断提高认识,转变观念,坚持实事求是,坚持务实高效,就一定能探索出一条符合我国国情及我省省情的跨越式经济发展之路,为振兴吉林省老工业基地,实现生态省建设的宏伟目标作出贡献。

树立科学发展观
创建广西生态行业

广西壮族自治区环境保护局

党的十六届三中全会明确提出："坚持以人为本,树立全面、协调、可持续的发展观,促进经济社会和人的全面发展。"科学发展观是我们党在实践"三个代表"重要思想过程中形成的新的执政理念,对于我国全面建设小康社会具有重大而深远的指导意义。科学发展观强调人与自然的高度和谐,体现了可持续发展的理念。根据我国基本的国情与现状,我国经济发展必须要走生态经济、循环经济、可持续发展的道路。本着这个理念,为了使广西的经济建设能健康、可持续发展,根据广西区党委、区政府领导的指示精神,我局选择了广西的支柱产业——甘蔗制糖业作为创建生态行业的试点,力图通过这个创建工作,走出一条遵循工业生态学理念,符合循环经济学原理的经济可持续发展路子。现将我们在创建制糖生态行业的思路及作法向大会做个介绍,并希望能得到与会领导、专家的支持和帮助。

一、建设广西糖业生态示范产业的必要性和意义

1. 建设广西糖业生态示范产业对提升我区糖业水平具有重要意义

我区是全球最适宜种甘蔗的地区之一,也是我国重要的蔗糖产糖大省,全区甘蔗种植面积约 1000 万亩,甘蔗单产、糖分已达到巴西等著名产糖国水平,总产糖量已超过古巴、澳大利亚等产糖大国。全区现有

糖厂95家,其中有68家归属在14家大型制糖企业集团,其中两个集团为上市公司,产业趋于集中,总日榨能力33万吨,是全国生产规模最大、产糖最多的省区,产糖量占全国55%以上,2000—2001年榨季产糖276万吨,2001—2002年榨季产糖456万吨,2002—2003年榨季产糖564万吨,2003—2004年榨季产糖565万吨,在全国糖业持续亏损或微利的大环境下,广西糖业效益稳定提高,2002—2003年榨季实现利润4.9亿元,是全国其他糖业盈利总和的15倍,在全区12大行业中,糖业的销售收入、税收、利润居全区前三位,与机械(含汽车)、烟草、电力等大行业相媲美,而且解决了1200万农民和10万产业大军的就业与生计,在全区社会经济中举足轻重。建设广西糖业生态示范产业对于推动糖业更上新台阶、实现大规模高附加值发展意义深远。

2. 建设广西糖业生态示范产业是提高我区糖业国际竞争力的必然选择

我区面临严峻的国际竞争环境,一方面,国际产糖大国依靠产业保护政策实施低价格、高质量、多品种的竞争策略;另一方面,我国食糖关税壁垒又降到了WTO诸国最低水平,WTO各国食糖关税平均水平为97%,发达国家平均水平为122%,发展中国家平均水平为55%,我国仅仅15%,尤其是国际糖价极端扭曲与剧烈波动,2003年原糖价格最低仅1010元/吨,进口到我国加工白砂糖的完税成本仅2000元/吨左右,而2003年我区产糖成本为2235元/吨,销区价格为2500元/吨,进口冲击很大。在东盟自由贸易区中,印度是世界头号产糖国,泰国、马来西亚都是出口大国,在实行零关税和自由贸易的情况下,如果我们继续采用传统粗放型制糖模式参与国际竞争,只是靠降低农民蔗价进行成本竞争,糖业的路子必将越走越窄。仅仅依靠传统制糖的规模经济难以消化成本的悬殊差距,指望国家的保护政策更没出路,必须寻找新型的增长模式。"贵糖"是我国第一家生态工业(制糖)示范园区,虽然产糖规模在全区居第9位,而经济实力却居全区前茅,在历年全行业面临困境的形势下均保持蔗价最高、效益最稳、没有"白条"的纪录。"南糖"发展模式和成效也类似贵糖。事实证明,建设生态产业才能真正把资源优势转为经济优势。

3. 建设广西糖业生态产业是把经济增长点产业化、实现糖业经济总量在短期内翻番的重大举措

科研开发实践证明,糖业是实现循环经济的最理想产业之一,蔗渣可用于生产纸、纤维板、酒精、糠醛、木糖醇、饲料、生物有机肥等多种产品,食糖除直接用于消费外,糖与糖蜜可以生产酒精、味精、氨基酸系列、低聚糖等生物工程产品,滤泥可生产有机肥和复合饲料等等,从现有成熟的开发技术看,仅第一级循环,就可以培育发展造纸与纤维板产业、生物工程产业、食糖深加工产业、生态农业产业和现代物流产业等六大新兴产业群。以造纸业为例,我区蔗渣造纸技术已达国际领先水平,但年造纸仅 25 万吨。蔗渣浆纸成本是木浆纸的一半,效益是糖的 3 倍以上,目前全区制糖蔗渣 1000 万吨以上,如 80% 的蔗渣用于造纸,可造纸 200 万吨,实现利税将超过制糖的利税。

4. 建立广西糖业生态示范产业有利于区域环境综合整治,为全区重大项目建设提供环境空间

目前我区部分糖厂规模小、布局分散,污染治理成本高、效率低,污染事故时有发生,对环境造成严重危害,有些企业被迫关停,行业自身发展受到制约。制糖产业中的制糖、酒精、制浆造纸企业污染物排放量大,处理难度高,且制糖生产集中在秋冬枯水季节,结构性污染十分严重,据统计,制糖产业主要污染物 COD 排放量约占全区 COD 排放总量的 78% ,制约了我区新增工业项目立项。

通过建立糖业生态示范产业,把环境保护与资源有效利用、糖业产业结构调整结合起来;把治理粗放型发展产生的大量污染与企业采用清洁生产技术进行改造结合起来;把控制小规模企业产生的大量污染和推动制糖企业资产重组结合起来,对广西区内现有制糖企业的能流、物流、废物流以及信息流,按照循环经济理论重新进行重组集成,使企业间建立起物质流动和循环利用渠道和机制,从而推动制糖产业结构优化升级,达到资源有效循环利用,行业污染物排放总量的大幅减少,从而不仅可以从根本上解决结构性污染问题,改善环境质量,而且有利于改变传统环境管理方式,促进工业污染治理从单纯的末端治理向污染预防转变,有利于对我区环境污染进行有效的治理,为全区重大项目建设腾出环境容量,为大规模工业化开辟道路。

二、我区建立糖业生态示范产业的指导思想和目标

1. 指导思想

以"科学发展观"的思想为指导,以提高国际竞争力为目标,妥善处理好市场配置资源与政府宏观调控、行政手段和法律手段、经济效益与生态效益三个关系,以企业为主体,以市场为导向,规模利用制糖资源,充分利用区域环境容量,推动生态链规模化、产业化;在宏观上,以结构调整、优化组合为原则,做好企业重组,组建规模化集团;在微观上,以清洁生产技术和生态技术为基础,进行技术改造和技术创新,采用先进生产工艺、设备,加快蔗糖深度开发,提高综合利用水平,促进在高技术、高附加值领域的产业发展,大幅降低污染排放,实现对环境影响的最小化;以生态农业为基础,促进土地集约利用、推广良种良法,提高农民种蔗的比较效益,确保稳定的甘蔗资源供给。

2. 发展目标

用 2 至 3 年时间初步建成完整的制糖工业生态链系统,制糖规模稳步提高,蔗渣造纸初具规模,糖蜜利用形成体系,其他废弃物得到充分利用;经济效益与生态效益协调发展。

①年产糖 600 万吨以上,占全国市场份额 60% 以上。骨干糖厂日榨蔗能力由 6000 吨提高到 10000 吨左右,工艺技术水平由 60 年代水平提高到 90 年代国际水平,建成国内大型精品企业。

②综合利用与制糖产值比 1∶1。其中蔗渣综合利用率 98% 以上,废糖蜜综合利用率 100%,酒精废液利用率 90% 以上,年造纸能力由目前 25 万吨提高到 80 万吨。

③制糖企业清洁生产水平达到国家行业标准中二级以上的标准要求,蔗渣制浆造纸企业清洁生产水平达到国家行业标准中二级标准以上,全行业企业 COD 达标排放率 100%,全行业 COD 排放量减少 50% 以上。

④种蔗良种率 100%,亩产量由目前 4.5 吨提高到 6 吨以上,糖分由 13.5% 提高到 14.5% 以上。

⑤经济总量翻一番,其中制糖与综合利用产值 300 亿元,利税 40 亿元,形成新型制糖产业、蔗渣与纤维板产业、生物工程产业、深加工产业、生态农业产业、现代物流产业等 6 个相互关联、具有一定规模的新兴产业群。

⑥通过提高单产与蔗糖分、综合利用效益联动、农业富余劳动力向新兴产业群转移等途径,实现农民收入稳定提高,种蔗直接收入与间接收入比例为 1:1。

三、组织实施

1. 选择成熟有效的生态链

从可持续发展战略高度出发,以经济合理的清洁生产技术和生态工业技术为支撑,通过制糖生产过程中产生的副产物、废弃物和能量相互交换和衔接,形成多条生态工业链,每条生态工业链上游生产过程中产生的废物作为下游生产过程的原料,整个行业形成资源——产品——再生资源的生态循环,达到糖业产业内资源的最佳配置、物质循环流动、废弃物有效利用,环境污染减少到最低水平,大大加强产业抵御市场风险的能力,实现企业经济与环境效益的统一。甘蔗产业生态链主要有:

①甘蔗——制糖——废糖蜜制酒精——酒精废液制复合肥,即利用甘蔗制糖,制糖过程产生的废糖蜜作为原料生产酒精,酒精生产过程产生的酒精废液用于生产复合肥。

②甘蔗——制糖——制浆造纸、制造纤维板、湿法造硬质板、干法制碎粒板、绝缘板、中密度纤维板,即利用甘蔗制糖,制糖过程产生的蔗渣用于制浆造纸、制造纤维板、湿法造硬质板、干法制碎粒板、绝缘板、中密度纤维板。

③甘蔗——制糖——废糖蜜制酒精、味精、低聚糖、酵母、柠檬酸、丙围丁酸、核苦酸、核酸等。

④甘蔗——制糖——滤泥——生物有机肥。

⑤蔗梢——养殖奶牛。

⑥蔗梢——制造高级饮料。

2. 示范行业建设的原则

制糖生态示范产业建设必须遵循生态经济、循环经济的理念,建设重点要从废物循环利用、资源梯级利用入手,遵循市场价值规律,规划建设生态工业网络,建立企业间稳定、持久的物质和能量流动关系。要将制糖生态示范产业建设与地方特色经济相结合,将制糖生态示范产业规划纳入当地经济、社会发展规划,并与区域环境保护规划方案相协调。制糖业综合利用项目建设的布局要从当地环境容量角度,结合物料流向、行政区划、价格规律、经济组织、区域环境综合整治等多个角度和层次来综合确定,要充分利用自治区环保局近年来开展的环境容量测算和污染源调查的成果,确保项目布局的科学性。制糖生态示范行业规划要从经济、环境效益、物流平衡的角度考虑项目建设规模,上、下游项目规模要平衡,以保证其最大的生态效应,要建立尽可能完善的综合利用率、生态效益、经济效益、环境效益、资源能源利用率等定量考核指标。

3. 加强行政监督管理

根据可持续发展的需要,要及时调整糖业发展目标和产业结构。对于甘蔗行业中造纸、能源酒精等产业,计划部门在制定国民经济发展计划和建设项目立项中,经贸部门在改扩建工程立项中,环保部门在项目环境影响评价审批中,均应积极扶持。制糖、造纸、能源酒精等甘蔗产业新建和改扩建项目的审批,一定要贯彻积极发展规模经济的原则,新建、改建、扩建的制糖产业项目必须采用资源利用率高、能耗低、污染物产生量少的设备和清洁生产工艺及新技术,避免低水平的规模扩张,对于不符合产业结构调整目标,经济效益差和环境污染重的小型制糖、造纸和酒精生产企业,坚决不予立项。关闭不符合产业政策、达不到环保要求的小纸浆厂和小酒精厂。

4. 建立制糖生态示范行业技术服务体系

创建制糖生态示范行业要依靠经济合理的生态技术予以支撑。因此,一方面要充分利用目前我区已开发出的甘蔗渣造纸技术、制糖滤泥生产生物有机肥技术、酒精废液生产复合肥技术及酒精废液生产沼气技术等作为创建糖业生态示范行业的技术支持;另一方面要加强继续研发一些关键的资源回收利用技术以提高它们的经济合理性和可用性,特别是引进、消化、吸收国内外先进的生物、生态技术,筛选出适合我区制糖行业应用的技术。

5. 制定广西制糖生态示范行业规划和评价指标体系

组织编制广西制糖生态示范行业规划。规划编制要按照国家环保总局制定的《生态工业示范园区规划指南(试行)》,并结合广西的具体情况进行编写,其内容包括创建制糖示范行业的总体思路、建设内容、重点项目、保证措施等。同时,结合制糖行业特点,建立一套技术经济评价指标,以科学评价制糖生态示范行业的建设水平。评价指标体系包括清洁生产指标体系,环境管理体系,政策、法规、制度评价指标、生态建设指标等。

通过编制广西制糖生态示范行业规划和建立技术经济评价指标来指导制糖生态示范行业建设。

6. 发挥政策导向作用,制定相关经济优惠政策

国家现行的多项优惠政策适用于创建制糖生态示范行业,自治区要将其落到实处,以充分发挥其激励作用。同时,自治区还应制定财政、税收、投资、征地等相关优惠政策支持创建制糖生态示范行业。

(1)财政政策。

综合利用项目,财政部门要通过合理的财政支出进行奖励。对于生态甘蔗园的水利建设,各级政府应给予一定的财政支持。

(2)税收政策。

甘蔗渣造纸和能源酒精等综合利用项目,可享受以下税收优惠政策:①《关于企业所得税若干优惠政策的通知》(财税字〔1994〕001号)、②《关于继续对部分资源综合利用产品等实行增值税优惠政策的通知》(财税字〔1996〕21号)、③《关于印发固定资产投资方向调节税"资源综合利用、仓储设施"税目税率注释的通知》(国税发〔1994〕008号)、④《技术改造国产设备投资抵免企业所得税暂行办法》(国家税务总局财税字〔2001〕290号)、⑤《国务院关于实施西部大开发若干政策措施的通知》(国发〔2000〕33号)、⑥《关于加强工业节水工作的意见》(国经贸资源〔2000〕1015号)等。

对于能源酒精示范项目,国家将从保障能源安全的角度,制定相关的税收优惠政策,包括免征消费税和增值税优惠等政策。

(3)投资政策。

生态示范行业工程重点项目,有关部门要把它们作为环保项目包装,争取世界银行、亚洲开发银行等国际金融机构的优惠贷款。

生态示范行业工程重点项目,政府将给予税前还贷政策扶持,在还本付息期间,允许用项目新增的利润在征收所得税前偿还贷款本息,不足部分经批准允许用项目新增的产品税或增值税还贷,从而鼓励企业向银行贷款。

(4)土地税费优惠政策。

税务部门应根据《中华人民共和国城镇土地使用税暂行条例》的规定,制定有关政策,对生态示范行业工程重点项目的土地使用税实行税收减免优惠。对于其他土地税费,也要研究和制定相应的优惠政策。

(5)环保专项资金扶持政策。

甘蔗综合利用项目属于国家环境保护专项资金《排污费资金收缴使用管理办法》(中华人民共和国财政部、国家环境保护局令第17号)以及自治区环境保护专项资金《广西壮族自治区排污费资金收缴使用管理办法》(桂财建[2003]50号)的支出范围,可享受拨款补助和贷款贴息。排污收费使用构成中污染防治基金或环保补助资金的部分,政府部门要考虑优先用于制糖生态行业综合利用项目和工业生态建设项目。

7. 加强创建制糖生态示范行业活动的宣传与交流合作

要充分利用报刊、广播、电视、网络等宣传舆论工具,对创建制糖生态示范行业活动进行形式多样的宣传,并对各级有关部门、相关机构和企业管理人员进行培训,以提高各级政府有关部门、相关机构、企业和社会公众对创建活动必要性和意义的认识,营造一个创建制糖生态示范行业的良好社会氛围。同时,积极开展对外技术合作交流,引进国内外生态经济发展的先进理念和管理经验。

8. 建立制糖生态示范行业信息系统

建立信息系统,及时向社会及相关人员提供政策、技术、管理等方面的信息。信息系统应包括相关政策、行业综合利用项目指南、行业工业网络设计、物质流集成设计、清洁生产技术、行业先进技术与装备、行业环境管理手段等。

四、组织分工

建立糖业生态示范产业在我国是一个新生事物,是跨地区、跨产业的社会系统工程,涉及旧产业的利益调整的冲突,必须加强领导、狠抓协调、认真落实。

第一,成立广西建立糖业生态示范产业领导小组。由自治区分管经济工作副主席担任组长,经委、环保、计委、财政、科技、农业、税务、金融等部门参加。领导小组下设办公室,抽专职人员具体抓好宣传动员、规划、项目筛选、招商、立项审批与协调、政策研究、上京争取支持等工作,抓好落实。

第二,建立专家顾问小组。聘请区内外高级经济、技术专家对生态产业的规划、实施、政策等方面给予帮助支持。

第三,建立技术支持单位。以广西壮族自治区环境保护科学研究所为主建立广西制糖生态示范产业技术支持单位。

第四,项目规划原则。遵循规模准入原则、区域(流域)环境容量准入原则、顺序优先原则、招标原则、市场经济原则,只规划项目目录、扶持与限制目录,自治区不规划到具体地区和企业。

以上是我区创建生态行业的一些基本思路,由于建立国家级生态示范产业的工作尚属全国首例,我们还缺乏经验,但国家环保总局对此表示支持,使我们对创建工作充满信心。同时我们也真诚希望这项工作能得到各个兄弟省、市的支持与帮助。

陕西省循环经济的起步与分层次推进

陕西省环境保护局

按照十六大所确定的全面建设小康社会的目标与《清洁生产促进法》的规定,两年来,我们把推进循环经济确定为全局的一项重点工作。在十六届三中全会的精神指导下,特别是胡锦涛总书记 2004 年 4 月 13 日在陕考察工作结束时的讲话中强调:"发展循环经济,是从根本上缓解资源环境压力、实现人与自然和谐发展的有效途径,必须大力提倡和推广",使我们备受鼓舞、精神振奋,更加清醒地认识到,要充分发挥环保部门的工作优势,科学依法,有序推进循环经济。本文就陕西循环经济的起步、分层次推进的具体做法及认识作一简要介绍。

一、积极宣传、形成共识

如同可持续发展、清洁生产、国际环境管理体系等环保的新理念、新观点、新举措的普及与认同的过程一样,循环经济这一新理念也必然要经历一个普及与认同的过程。《清洁生产促进法》第九条规定:"县级以上地方人民政府应当合理规划本行政区域的经济布局,调整产业结构,发展循环经济,促进企业在资源和废物综合利用等领域进行合作,实现资源的高效利用和循环使用。"环保部门从协调环境与资源,参与综合决策,改善工业布局,以污染治理和排放标准促进产业结构调整等方面推动循环经济,都具有独特的工作优势。因此积极宣传,使之形成共识,就是发展循环经济的重要一环。全社会环保新理念的普及程度也是评价环保工作的一个重要内容。所以,陕西循环经济一起步就把宣传工作放在了第一位。例如,我局何发理局长带头发表一组论文,春节后第一个工作日就做了"发展循环经济"的专题讲座,协助安排省人大、省政协领导调研循环经济,印发了介绍循环经济的简报1000多份,购买中日环境中心张坤同志主编的《循环经济》一书,分送给有关领导和处长,局领导陪同省领导到各地考察时,在有关的环保发言内容中都有如何因地制宜地推广循环经济的内容等等。

二、依托中心、确立格局

按照党的十六大和十六届三中全会的精神,新一届省委省政府所确定的发展中心可以概括为"三大区域"的协调发展,"四大基地"与"六大产业"的做大做强,构筑"两极"、"两带",即关中以高新技术与星火产业为特点的经济增长极和陕北能源化工基地以"三个转化"、"打造四大产业链"为特点的经济增长极,渭北旱塬与陕南山区得天独厚的优质果品带和优势中药材种植带。其发展中心本身就充分体现着循环经济的理念。紧紧依托陕西的发展中心和宏观调控的政策,我们推进循环经济就将如鱼得水,大有作为。这样的格局是一个协调互动的格局,是顺理成章的格局,环保部门既不是另起炉灶,也不是孤军作战。正是由于这样,省委、省人大、省政府、省政协对环保部门的积极推进都给予充分肯定,省计委、省经委在全省环保专项整治电视电话会议上,都强调在专项整治中,应积极推进循环经济,体现"两手抓"。

三、政府主导、统筹规划

我局在韩城市举办的走新型工业道路与创建生态工业园区的宣贯讲座,在各级领导层中引起了很大的反响。韩城市市委市政府在寻求经济总量"翻两番"和治理污染实现"双赢"的发展方式上,较早接受了循环经济的理念,把历史名城的保护与工业城镇的发展统筹考虑,把循环经济作为跨越式发展的强驱动力,从实际出发,以创新的精神,对龙门镇的产业结构、技术耦合等进行系统分析研究后,2003年4月市政府决定规划建设龙门镇生态工业园,请省局指导、专家进行统一规划,并申请列为国家和省级循环经济的试点。龙门是一个以煤炭、焦化、钢铁、电力、建材为主的工业基地,也是陕西的老工业基地,企业工艺落后,污染严重。近两年来,环保部门引导区内 26 户企业进行清洁生产审核,市政府组织编制了龙门生态工业园区规划,经省局评审通过已列为省级循环经济示范工程。按照省局的"四个一"的要求,即编制一个好的规划,组成一个好的领导指导班子,包装一批好的项目,一边规划、一边实施,目前,该区 37 个企业间的产业链构架已搭起,实现年利用废水 1.46 亿立方米,利用富余煤气 6.4 亿立方米,利用焦油 6 万吨,生产炭黑 2.5 万吨,利用各种固体废弃物 32.9 万吨,创造效益 1.44 亿元人民币。

四、政策链接、示范推动

在环境与资源的统筹协调中,也就是在推进循环经济的过程,关键的创新是在环境与资源之间搭建技术政策与经济政策的"桥",循环经济既要靠产业链的延伸与新产业链结的形成,同时要靠技术政策链和经济政策链的搭建;既要靠政府的主导条件,也要靠市场的控制条件,其政府与市场之间亦要靠技术政策与经济政策搭桥。

西安市秸秆开发中心以临潼区雨金镇为秸秆养殖示范基地,开发出了把青玉米秸秆拉成丝、揉成草、喷上菌液、密封包装储存的成套装置。不但优化了养牛的饲料,还运销省外。既解决了农民头痛的秸秆处理难的问题,实现了废物的循环利用,又为农民创造了增收的渠道;既从源头控制了秸秆焚烧造成的大气污染,又为农村畜牧业开辟了饲草来源。这一便捷实用的秸秆饲草化技术不仅深得农民和养殖户的青睐,也受到国家环保总局和农业部的高度重视。为推广这一技术,省环保局从环保财政专项资金中也给予了一定的支持,省农业机械局对农户购买机械,按机型规格不同,给予不同的经济补贴。在推进循环经济发展方面,全省各地都有一些成功经验,省局对此均注意总结评价,组织推广,并给予经济政策上的支持,特别是对水泥企业"建大关小"及实现废气、废水零排放的示范项目,都决定给予更优惠的经济政策支持,使之更好地发挥示范引路作用。

五、建立机构、持续发展

环保部门在协调资源环境保护上的优势在于执法与服务两个层面上,推进循环经济的优势在于对排污企业的清洁生产审核及其"3R"处置方案的设计上,在符合国家产业政策的项目执行中的优势在于与计委形成合力,一道前拉后推,在对不符合国家产业政策的项目的宏观调控中优势在于与计委形成挤压力,一起用力使之淘汰出局。同时循环经济又是一个复杂的、巨大的系统工程,涉及各个方面与领域,为此还需要支持建立机构,动员社会团体和公众参与循环经济的宣传、教育、推广、实施及监督。省环保局4月已支持成立了陕西省循环经济发展推进中心,6月底征得洪峰副省长的同意,拟成立陕西省循环经济研究会,由何发理局长出任会长。建立机构是省环保局发挥工作优势,取得主动权,发挥积极性的充分必要条件。1994年我省成立了清洁生产指导中心,1996年我省成立环境管理体系咨询中心,今天我们与时俱进成立循环经济发展推进中心与研究会,也将进一步深化清洁生产审核和建立环境管理体系,使之提升为推动循环经济的一种方法与标准。

建立机构为持续发展提供了组织保障和权益保障。持续发展就要不断扩大研究的内容与范围,就是要细致研究全省各地推进中的经济手段、技术手段、法律手段与行政手段,细致研究产业链延长与新链结形成及链闭合的技术问题、市场问题、经济问题,细致研究在不同区域、不同企业推进的切入点以及示范工程的选择与可行性论证等问题,为政府出台适合区域特点的技术政策和经济政策提供依据,为持续推进建立保障体系与保障机制。

六、突出重点、求真务实

循环经济实现形式有企业层面的清洁生产审核,有工业园区层面的生态工业园区设计,有省市范围的生态省、生态市建设等;也有企业内或企业间的小循环、中循环、大循环等形式;也有以工业、农业、服务业形式的循环等。在发展循环经济的不同时期、不同阶段,都应突出重点,突出解决链的延伸、耦合或新链结的形成问题。对我省陕北能源化工基地来说,重点是按走新型工业化道路的特征要求,设计建设各类资源开发的工业园区,以"三个转化"和"打造四大产业链"为中心。对关中的铜川市和韩城市等老工业基地来说,重点就是落实胡总书记指示的"支持和引导企业改进产品设计和制造工艺,淘汰浪费资源、污染环境的工艺、技术和产品,降低资源消耗,减少污染物排放,延长产品使用周期,提高废弃物利用率,以最小的资源成本获取最大的经济社会效益"。对西安等地的国家级高新技术开发区,重点就是要依靠高新技术逐步把园区提升到生态工业园的层次和水平上。对陕南山区重点就是支持开发中药材加工中的清洁生产工艺与技术,像关中的玉米秸秆饲料草化技术那样,不断延长生物资源加工利用的产业链,提高资源的综合利用率。无论是哪个区域或哪种产业领域,推进循环经济都要重在求真务实,都要重在获得显著的经济社会环境效益。只有这样,环保部门才能获得政府与各方面的支持,也才能为法律制定、技术创新、政策出台提供可靠的基础与典型。

城市循环经济实践经验

上海市推进循环经济的探索与实践

上海市环境保护局

上海人口规模大,工业化程度高,经济增长快,是一个典型的资源消耗型城市,同时自身资源匮乏,环境容量有限,城市生态系统十分脆弱。从当前的情况看,上海每年排放的二氧化硫约 40 万吨,生活垃圾 500 多万吨,工业固废 1600 万吨,每天排放污水约 500 万吨。从发展趋势看,上海经济持续以超过 10% 的年增长率快速发展,虽然近年上海十分重视环境保护工作,环保投入不低于当年 GDP 的 3%,环境质量有了明显的改善,但总体上还处于还历史旧账阶段,城市生态环境仍然面临着较大的压力。如果沿袭传统线型经济发展的模式,上海在获得快速经济发展的同时无疑要付出较高的环境代价。因此,上海市政府明确提出了在加快现代化建设过程中必须处理好环保与发展的关系,树立和落实科学发展观,坚持走循环经济的发展道路。

一、发展循环经济是上海实施可持续发展的必由之路

在 2003 年上海市人口资源环境工作座谈会上,市委书记陈良宇同志强调,实现可持续发展,要把发展循环经济作为重要抓手。上海重点先在两头突破:一是源头上要减量化,引导和鼓励企业清洁生产、居民清洁消费,努力做到增产不增耗、增效不增污;二是废弃物资源化,使废弃物尽可能转入新的经济流程。通过两头突破,控制日益增长的治理费用,产生有利于可持续发展的环境效益,也为解决就业问题开辟新的途径。要充分动员公众参与,在全社会倡导环境意识、资源意识,这是

上海城市精神的重要组成部分。

发展循环经济是 21 世纪环境保护的战略选择,是特大型城市实施可持续发展战略的重要载体和抓手。循环经济,本质上是一种生态经济,它要求运用生态学规律来指导人类社会的经济活动,倡导的是一种与环境和谐的经济发展模式,为上海实施可持续发展战略指明了新的发展方向和重点。大力发展循环经济,对于上海解决环境与发展的矛盾,增强国际竞争力都具有十分重要的意义,也是上海建设生态型城市和国际化大都市的必由之路。

二、上海发展循环经济的基本思路

发展循环经济是经济增长方式的根本改变,涉及经济管理体系、资源利用理念、生产服务方式和生活消费观念的转变,是一项多领域的系统工程,必须统筹考虑,全面安排,既要有总体目标,又要找准突破口,分步实施,在实践中探索,在实践中前进。

上海发展循环经济的指导思想是必须坚持减量化、再使用、再循环的原则,依靠政府、企业、公众的共同参与,通过制定规划、政策引导、依法管理、经济激励、科技发展、教育宣传等手段,多层次、全方位地推进循环经济理念,并使之逐步融入社会经济各个领域之中。

上海发展循环经济的总体目标是要通过若干年的努力,初步建立适应循环经济发展的经济管理体系、政策法规体系,形成具有循环经济特征的产业体系和消费体系,逐步建设成为一个资源循环型的国际经济中心城市,向"循环型社会"迈进。

循环经济实施的途径:一是制定规划,确定重点,统筹安排,分步实施;二是建立综合决策和协商机制,从决策体制和管理模式上给循环经济发展提供保障和支撑;三是把发展循环经济与经济增长模式和产业结构战略性调整结合起来,大力发展生态工业和生态农业;四是加强政策引导,鼓励清洁生产,废物减量化、资源化,发展生态农业和绿色能源,培育资源回收利用产业;五是研究制定循环经济法规体系,把污染者付费和源头控制的理念贯彻到产品生命周期的全过程;六是鼓励科技创新,加强环境无害化技术和资源化技术的研发、推广应用;七是从市场管理角度,抑制生产和流通过程中过度包装现象,把减少和回收利用各种包装废弃物作为发展循环经济的突破口;八是加强宣传和教育,倡导绿色消费理念,把消费过程纳入循环系统。

三、上海发展循环经济的初步实践

根据上海发展循环经济的总体设想和要求,结合上海城市的特点和基础,通过多种形式,在多方面开展了循环经济实践工作,特别是在规划的制定、可持续发展示范区建设、废物减量化和资源化、生态工业、生态农业等重点领域取得了初步成效。

1. 成立上海贯彻《中国 21 世纪议程》领导小组,编制《中国 21 世纪议程——上海行动计划》

为贯彻《中国 21 世纪议程》,国家决定上海市作为全国地方实施《中国 21 世纪议程》的试点城市之一。1997 年上海成立了以原常务副市长陈良宇为首的上海市贯彻实施《中国 21 世纪议程》领导小组,由市政府 28 个委、办、局及部分专家,在开展 20 个专题研究的基础上,于 1999 年完成《中国 21 世纪议程——上海行动计划》的制定工作。该报告明确提出当代世界出现的知识经济和循环经济两大新趋势,为上海实施可持续发展战略指明了新的发展方向,把发展循环经济作为上海可持续发展的战略目标和战略重点,确定了生态农业、清洁生产、废弃物综合利用、可持续发展的消费模式、能源生产和消费等发展循环经济的重点领域,提出明确原则和要求,并制定了各重点领域的行动方案,成为指导上海实施可持续发展的纲领性文件。

2. 依托环保三年行动计划,形成推进循环经济的有效平台

上海市环境保护三年行动计划是由上海市政府组织,市长亲自挂帅,由市政府各部门和各区县政府参加,集中全市的资源投入,形成政策聚焦,全力协调和推进上海重点环境问题的解决,自 2000 年开始,每三年为一轮,滚动推进上海环境保护和建设。2000—2002 年"三年行动计划"和正在实施的 2003—2005 年"三年行动计划"在加强污染治理的同时,把推进循环经济作为一项重要的内容,如燃煤炉灶清洁能源替代、生活垃圾分类收集和综合利用、建立废旧物资收购利用系统、一次性塑料饭盒回收利用、重点污染企业产业结构调整和推进清洁生产、重点行业实行包装减量化、推广绿色营销、工业区推行循环经济试点等。由于环保"三年行动计划"实施有力的组织机制和政策保障,为循环经济工作的逐步深化提供了一个良好的工作平台。

3. 建立可持续发展示范区,推动循环经济的全面发展

为推动可持续发展战略的实施,上海在徐汇区开展可持续发展示范区的试点,编制了《徐汇区可持续发展实验区实施规划》,徐汇区在建设生态型社区、循环型社会、健康城市、保护历史建筑、发展绿色住宅、持续利用土地资源等方面进行了探索和实践,并制定了一系列激励机制和政策,如建立实验区专家组例会制度,充分发挥专家在推进可持续发展工作中的作用;建立优先项目专家组审定制度,即对符合可持续发展项目经专家组进行可行性论证,确定为优先项目,对经过审核正式确立的优先项目,经试运行考核通过后,由区政府发放"徐汇区可持续发展优先项目"铭牌。对符合可持续发展理念的产品和项目,鼓励其市场开发,政府对其优先采购,同时对在实验区建设中有突出表现的单位和个人,进行表彰和奖励。

4. 推进废物减量化、资源化,提高废物回收利用率

废物的减量化、资源化,有效地利用资源,是上海发展循环经济的重要内容之一。为了建立与国际大都市形象相适应的现代废品的回收系统,2001 年,编写完成了建立上海废品回收系统的工作方案,在此基础上,确定了政府积极推进,企业为主体,社区为载体的方针,以垃圾减量和增加资源利用为目标,逐步建立覆盖全市废品回收、交换、分拣、加工为一体的废品回收网络。

至 2001 年底,上海开展分类收集工作的居住小区已达到 1375 个,涉及居民 104.68 万户,对部分有机垃圾采用微生物发酵和堆肥方式生产有机肥进行综合利用。对"一次性塑料饭盒"已建立了生产者责任制度,并形成相应的管理网络、监督执法网络、综合利用网络,回收率达到 60%。

5. 推进清洁生产,发展生态工业

上海在推进企业实施清洁生产以及生态工业链的形成等方面也开

展了一定的探索。

（1）工业企业清洁生产试点工作。

早在1995年，中英合作开展了建立清洁生产示范工程项目。该项目确定了化工、冶金、医药和纺织四个行业作为实施清洁生产的重点行业，从30家企业中筛选了15家企业的17条工艺生产线进行初步清洁生产审核，确定6家企业开展详细审核，最终在上海钛白粉厂、上海化纤一厂和上海助剂厂建立了清洁生产示范工程。

1999年5月，国家经贸委将上海作为全国实施清洁生产示范试点城市之一。上海从实际情况出发，确定了冶金、化工、医药、纺织、船舶、机电、建材7大行业为上海的试点行业，确定了一批示范企业和示范工程，通过调整产品结构和改造生产工艺，加强清洁生产技术的开发和应用，从工艺源头开始，研究在产品生命周期中实现低消耗、少污染的有效途径。上海宝钢股份通过工程项目设计中采用先进的节水设备、工艺和技术，加强水的循环使用；专门成立了"工业废弃物研究开发中心"，推进高炉水矿渣、干渣、钢渣、煤气余热、粉煤灰、废旧油等废弃物的综合利用，由于对废弃物的综合利用，宝钢每年可从中获5亿元的经济效益。

2003年上海市政府为贯彻落实《中华人民共和国清洁生产促进法》及其实施意见的精神，市经委、市环保局和市科委联合设立了推进清洁生产联席会议制度，下设推进清洁生产工作办公室，在第二轮环保三年行动计划中明确提出，到2005年年底前将再完成50家企业的清洁生产试点工作。

（2）工业区开始创建循环经济试点工作。

为推进生态工业园区的建设，在上海第二轮环保三年行动计划中，明确由市发改委、市经委和市环保局牵头，开展创建循环经济试点工业园区的活动。目前，上海漕河泾新兴技术开发区和上海化工区的试点工作已开始启动。

漕河泾新兴技术开发区作为一个已建成的工业区，实施循环经济理念的示范，在已通过ISO14000国家示范区的基础上，将进一步推进企业的清洁生产，建立废弃物公共平台和中水回用项目，在资源产品代谢和废物代谢流程中进行探索。通过试点,开发区将建成以高新技术产业为依托的具有区域特色的生态工业园区。

上海化学工业区作为一个全新建设的工业区,实施循环经济理念的示范,在项目开发上,引入了"一体化"理念,即通过将区内的产品项目、公用辅助、物流传输、环境保护进行"一体化"的规划和整合,做到专业集成、投资集中、效益集约、工业生态。通过试点,将建成以石油化工产业链为基础的、相关共生产业并存、具有行业特点的生态工业园区。

6. 发展生态农业,实施农业可持续发展

实施循环经济与生态农业建设战略,是上海实施农业可持续发展的重要环节。

近年来上海郊区加大秸秆综合利用力度,采取措施推进郊区种植业结构调整,减少秸秆产出量,推广秸秆机械直接还田,使秸秆焚烧现象得到控制,综合利用率超过了70%。

对于畜禽污染的综合治理,上海的养殖业确定了"分区布局"和粪尿实现资源化利用的原则,在第二轮三年行动计划中关闭搬迁禁养区内125家养殖场,治理控制区、适度养殖区内259家养殖场,并建立政府扶持与社会参与的多元投资机制,建立5个年产万吨的有机肥加工利用中心,用作有机食品生产的肥料,形成良性循环。

崇明县前卫村在农业区域循环经济方面走出了一条新路。应用生态学原理,将乳酸厂排出的淀粉废渣经加工成为养猪的优质饲料,猪场排放的畜粪水直接进入大型沼气站,沼气是居民的优良的炊事燃料,沼液通过泵站、地下管道进入洁净蔬菜园,生产、加工无公害绿色食品,沼渣加工成花卉营养土和颗粒饲料,工厂余热又用于规模性的工厂化养蟹、养鳖。通过循环,废物变成了资源,资源得到了多次利用,环境也得到了保护,使工业、农业、副业、旅游业等产业得到了协调发展。

四、下一步工作重点的考虑

1. 贯彻实施《清洁生产促进法》,依法加大推进清洁生产力度

《清洁生产促进法》的颁布实施,为进一步加强清洁生产的实施提供了法律依据。2003年底,上海市政府编制并颁布了《上海市推进〈中华人民共和国清洁生产促进法〉实施意见》,进一步明确了全社会推进清洁生产的责任和工作机制,在工业、农业、服务业等领域进一步加大清洁生产的推进力度。对环境标志产品、ISO14001环境管理体系建立进行鼓励,对严重污染企业开展清洁生产强制审核,向社会公布企业污染排放信息,接受社会和公众监督,同时进一步推进重点行业企业清洁生产的示范,加大生态工业园区示范和推广力度。

2. 将循环经济作为第三轮环保三年行动计划的重点,加大推进力度

第一轮、第二轮三年行动计划已一定程度上体现了循环经济的内容,在逐步还清环境保护历史旧账的同时,拟将发展循环经济作为第三轮环保三年行动计划考虑的重点之一,在环保三年行动计划的每个领域加大循环经济的渗透力度。在农业生态环境建设方面,利用农业生态链,大力发展农业循环经济,以全面提高农产品的安全和改善土壤结构。在工业整治方面,将着重推行清洁生产和发展生态工业园区。在固废处置方面将进一步提高垃圾的"减量化、资源化"比例。加大宣传力度,倡导绿色的生产和消费理念。

3. 逐步建立循环经济的法律支撑体系,加强政策引导,形成循环经济发展保障

循环经济发展很大程度上依赖于法规的管理和政策的引导。国外经验表明,建立循环经济法律体系,将循环经济纳入法制化轨道,是消除由于非制度化造成的社会各领域的短期行为,推进循环经济的重要保证。上海下阶段在推进循环经济中加强法制建设的重点是在商品包装、废旧电子产品、废旧电池、生活垃圾减量化、资源化等领域,对生产者、销售者、消费者的责任义务作出明确的法律规定。

政策上主要是引导产业结构调整、清洁能源的替代、废物减量化和资源化利用、清洁产品的生产和使用以及调整和制定合理的资源和污染排放收费政策。在税收和投资等环节采取经济激励措施,使循环经济的发展成为政策机制激励促进下的自我表现发展方式。

4. 加大循环经济的宣传力度,积极倡导绿色消费

　　循环经济的实践具有高度的广泛性,它涵盖了工业、农业、服务业等各类社会经济活动,涉及产品的生产、使用、消费等各个环节,因此需要通过各种方式和手段,对不同层次的人群进行具有针对性的宣传教育活动,使社会各阶层的人群都了解和认可循环经济,动员全社会的力量投身到循环经济的实践中来。

天津市发展循环经济的战略与实践

天津市环境保护局

天津市委、市政府高度重视循环经济推动工作,把发展循环经济作为实践"三个代表"的重要内容,作为贯彻党的"十六大"精神的具体行动,作为树立和落实科学发展观的重大举措,作为全面建设小康社会的必然要求。几年来,全市环保系统与各有关部门密切配合,做了大量艰苦扎实和卓有成效的工作,在推行清洁生产、发展循环经济方面取得了积极进展,促进了经济社会环境全面、协调、可持续发展。

一、坚持动脉产业与静脉产业并重,在"十五" 环保计划中提出了循环经济理念

多年来,天津环保有一个基本思路就是贴紧经济、长入经济、围绕经济发展的各个环节开展工作。为此,我们于 1999 年提出了动脉产业和静脉产业并重的构想,并将其纳入我市环保"十五"计划。这个构想可简单地概括为"123456"。

"1"是建立一种新的发展模式。即以经济建设为中心,努力建立经济发展高增长、资源消耗低增长、环境污染负增长的发展模式。这个模式与循环经济的理念是完全一致的。

"2"是努力实现两个目标。即环境质量达标和生态环境改善目标。这两个目标贴近循环经济的总体要求,符合天津经济社会发展的实际。

"3"是坚持三个并重。即污染防治与生态保护并重;强制性执法

守法与自觉性环境保护行为并重;消耗一次性资源的动脉产业与以回收再利用为主的静脉产业并重。特别是以"原料——产品——废物"为特征的动脉产业和以"废物——再生——产品"为特征的静脉产业相结合,谋求资源的高效利用和有害物质的"零排放",充分体现了循环经济的本质要求。

"4"是促进四个转变。即促进经济增长方式、产业结构、城市布局和环境管理的转变。这四个转变,实际上是将循环经济的理念贯穿到天津经济社会环境发展的各个方面,是循环经济发展的重要载体。

"5"是组织实施五个规划。即组织实施《海河流域天津市水污染防治规划》、《天津市大气污染防治规划》、《天津市自然保护区发展规划》、《渤海天津碧海行动计划》和《天津市生态环境建设规划》。把循环经济具体运用到水污染防治、大气污染防治、固体废物及有毒化学品管理、生态环境保护等工作中。

"6"是完成六大工程。即蓝天工程、碧水工程、安静工程、生态环境保护工程、工业污染防治工程和创建环保模范城市细胞工程。其中每一项工程都包含着循环经济的内容。

我们认为,20世纪的产业大多数属于动脉产业,是从原料、资源、产品到废物的动脉流程。进入新世纪,静脉产业,也就是废物的回收、处理、再生、利用产业必将蓬勃发展。动脉产业和静脉产业的结合就是循环经济。基于这种认识,天津环保系统积极宣传动脉产业和静脉产业相结合的经济发展理念。

2000年,日本联合国大学著名环境专家到天津,当了解到我市有关动脉产业、静脉产业情况,感受到天津在循环经济的理念上有超前意识,实践上也有较好基础时,决定将原定拟在别国举办的"循环经济与零排放研讨会"改到天津召开。2001年,由日本日经联会长(原佳能株式会社社长)率领的包括日本佳能、丰田汽车等10家大型企业相关人员在内的代表团来津,如期举办了循环经济与零排放国际研讨会。2002年,日本联合国大学又邀请我市有关单位负责人,在日本"零排放论坛年会"上专题介绍天津发展循环经济、创建生态工业园的情况。会上,与会专家对我市在发展循环经济方面所做的工作,给予了充分肯定。

二、坚持打好"两张牌",为区域经济快速
健康发展开辟绿色通道

天津环保一贯倡导:"保护环境要打好'经济牌',发展经济要打好'环保牌'"。近年来,特别注重把推动循环经济作为解决前进中的经济社会环境问题的重要手段,坚持面上宣传、点上示范,多项工作取得了扎实成效。

1. 在经济结构战略性调整中发展循环经济

天津市是老工业城市,经济结构与工业布局不尽合理,资源相对匮乏、生态环境脆弱制约了天津经济的健康发展。2000 年以来,我市把发展循环经济作为加快经济结构调整的重要举措,把调整经济结构作为发展循环经济的重要内容,全面优化产业结构和区域经济布局结构,着力解决结构性环境问题,为区域经济发展提供了良好的环境保障。

在产业结构调整中,从淘汰高能耗、低产出、重污染的生产工艺入手,立足于产业优化升级,全面提高农业、工业、服务业的水平和效益。筹划和建设了具有战略意义的若干重大项目,包括深亚微米集成电路、计算机软件开发及应用、绿色电池等一批高新技术产业项目;新型轿车、石油钢管扩建和钢铁东移、聚氯乙烯改扩建等一批工业技改项目;信息港、地铁、高速轻轨、津蓟高速公路、天津港改扩建等一批基础设施项目;百万亩设施农业、百万亩绿化生态建设等一批现代农业项目。同时,不断完善企业的市场退出机制,综合运用经济、法律和必要的行政手段,认真做好应淘汰企业的关、停、并、转工作。到 2002 年年底,天津市中心市区的特殊钢铁厂、卫津化工厂等 126 家重污染企业实施了搬迁治理,748 家国有大中型企业进行了嫁接改造,调整了工业布局,优化了产业结构,增强了企业发展的后劲。

在区域经济布局结构调整中,以提高城市功能和资源有效配置为目标,实施工业东移战略,进一步优化以中心城区、滨海新区为重点的全市城乡经济布局。中心城区重点发展商贸、信息、金融、科研、文化、教育和高新技术产业,限期把不适于在中心城区发展的企业调整出去。

滨海新区加快了港口经济区、各类工业加工区、物流运作区和金融商贸综合区等功能区建设,形成新型的现代化工业基地。2002 年以来,已完成近 200 个工业项目的战略东移。

在海河综合开发改造中,融入循环经济理念,提升城市品位。2003年海河沿岸 223 家小型企业拆迁,21 家大型企业通过拆迁重组改造,其中迁出化工企业 6 家。腾挪出的地块用于建设金融、商贸、文化设施,发展第三产业,努力把海河两岸率先建设成为循环经济型社区。

2. 在推动 ISO14000 环境管理体系中促进循环经济

我们认为,实行 ISO14001 环境管理体系是循环经济发展的重要基础。为此,我们把强制性环保与自觉性环保相结合,大力推广 ISO14001 环境管理体系认证工作。

1994 年,我局与国家环保总局联合举办了全国环境管理体系研讨班;1995 年,组织有关人员参加了欧盟环科院举办的 ISO14000 标准培训;1997 年,我市被列为国家推行 ISO14000 标准试点城市;1998 年,启动中德合作项目"天津市环保局引进 ISO14000 环境管理体系";2000年,天津市环保局成为全国首家通过 ISO14001 环境管理体系认证的行政机关;随后天津经济技术开发区通过了 ISO14001 认证,并被授予"国家 ISO14000 示范区"。目前,我市已有 91 家企事业单位通过了 ISO14000 环境管理体系认证。

在此基础上,2003 年我市筛选命名了诺维信中国生物技术公司、天津经济技术开发区新水源公司、天津东洋油墨公司等 10 家企业作为我市首批循环经济型环境友好企业。这些企业采用先进工艺设备,最大限度地减少废物的产生和污染排放,努力实现企业内部的循环,尽可能地使废物得到再生和利用,实现了经济效益、社会效益和环境效益同步增长。这一做法带动影响了我市其他企业,起到了典型示范作用。

3. 在资源综合利用中实践循环经济

目前,我市固体废物年产生量约为 804.3 万吨,其中工业固体废物643.6 万吨,生活垃圾 160.7 万吨。据统计,近年来我市年报废的电冰箱 31.9 万台、电视机 33.6 万台、洗衣机 31.6 万台,总重量约 19.7 万吨。全市现有资源回收利用企业 254 家,2003 年实现产值 65 亿元。

废物综合利用已经成为我市新的经济增长点。

碱渣、钢渣和粉煤灰污染，是过去我市治理工业固体废物重点、难点问题。我们依靠科技进步，变废为宝，三大渣（碱渣、钢渣、煤渣）治理取得重要突破。

粉煤灰经技术处理，用于生产建筑砌块、道路铺砖等，年产粉煤灰240多万吨，100%综合利用。冶金行业的钢渣年产生量50多万吨，经磁选后钢料回用，尾渣制成工程土，年创效益1000多万元，现已累计处理利用钢渣300多万吨。化工行业的碱渣年产生量25万吨，堆存量达2400万立方米，塘沽区政府提出了"向碱渣山要土，向碱渣山要地"的口号，除部分用于制水泥外，其余经技术处理制成工程土填垫坑塘洼地975万平方米，腾出土地230万平方米。并在国家和市政府的支持下，投资3.5亿元，完成了塘沽城区中心的碱渣山治理，建成了一座占地33万平方米的山体公园——紫云公园，绿化率达95%以上，形成了一个集休闲、纪念、环保、生态、文化于一体的标志性景观，成为国内乃至世界惟一利用工业废料建设的环保型公园。还建成了19.5万平方米的住宅，6.6万平方米的学校，10公里的道路，彻底改善了这一地区的生态环境。联合国环境规划署官员对此十分赞赏，支持天津碱渣治理项目申报"地球卫士奖"。

4. 在发展环保产业中推动循环经济

天津市子牙镇废旧电线拆解业是近年来逐渐发展形成的以个体私营为主的特种加工行业，全镇有近400家专门从事进口第七类废物拆解加工经营的商户，经营资产规模达1.5亿元，年拆解能力达50多万吨。拆解业庞大的原料需求市场，简便的加工手段，加之低风险、高利润的特点，使得这一产业迅猛发展，但也暴露出一些不可忽视的问题，如：市场管理不规范、拆解手段落后、污染环境等。当地群众对"村村点火，户户冒烟"怨声载道。2001年7月，在我局的支持下，静海县政府采取"相对集中，统一管理，规范发展"的原则建设"天津子牙环保产业园"。目前，已有数十家企业入园。该园区除了集中拆解和深加工综合利用我市进口第七类废物外，还预留了部分土地，计划建成我市拆解、加工国内废机电设备产品、废家用电器和电子产品废物的基地。

危险废物处理处置是发展循环经济的重要环节。经济发展的每个时期,都有一些当时不能被资源化、不能被利用的危险废物,为了保障环境安全,维护群众健康,必须对其进行无害化处理。

天津市危险废物处理处置中心是家高科技产业化示范项目,总投资 1.3 亿元人民币,是天津市环保局按照"全国一流、前所未有"的工作思路,在没有条件的情况下创造条件建成的。该中心具有焚烧、物化处理、安全填埋等功能,可无害化处理处置工业危险废物、医疗废物和废弃危险化学品,年处理能力 3.7 万吨,是国内首座综合性危险废物处理处置中心。该项目国产化率达到 90% 以上,处理水平达到国际标准,并已经通过摩托罗拉、通用和英特尔三大跨国公司的环境审计。项目的建成,不但填补了天津基础设施建设的空白,改善了投资环境,为预防非典等传染性疾病提供了有力保障,而且为发展循环经济、实施清洁生产、拉动环保产业、促进废物减量化、资源化、无害化起到了积极作用,被市政府列为 2004 年改善城乡人民生活 20 件实事之一。联合国环境规划署官员对天津市在非典过后很短时间内就建立起如此完备的医疗废物管理体系表示吃惊和钦佩,并推荐碱渣治理和危险废物处理处置项目参加 2004 年在韩国举办的地球环境部长论坛上交流展示。

5. 在工业园区建设中倡导循环经济

天津经济技术开发区主要经济指标连续 10 年居国家级开发区之首。2003 年,开发区的 GDP 达到 445.23 亿元,人均 GDP 超过 2 万美元,工业总产值达到 1251.4 亿元。

国家环保总局批准的天津经济技术开发区生态工业园区建设规划已经开始实施。目前,天津经济技术开发区形成了较为完整的电子信息业工业群落,产品代谢链条完整;构造了完整的物流、能流、材料流、信息流体系,将生态设计、清洁生产、环境管理体系融入到采购、生产、产品和服务各个层面,形成了良好的柔性结构;在废物代谢方面,形成了生物制药残渣——处理——有机肥——绿色农业——生物制药、污水——处理——再生利用和粉煤灰或废渣——新土源——绿化为代表的产业链,从而形成了企业间的互利共生、区域层面的物质循环,展现出生态工业发展雏形。

此外,我们还在全国率先开展了废油脂、废旧电池、废旧磁卡的集中收储工作。以 BOT 建成武清、津南、大港污水处理厂,海水淡化、地热利用、中水回用等,标志着我市循环经济有了明显进展。

2002 年,全国人大、全国政协来津重点检查循环经济,认为天津发展循环经济有思路、有招法、有力度。

三、坚持把创模作为生态城市建设的初级阶段,
为全面发展循环经济创造有利条件

国家环保总局组织开展创建国家环境保护模范城市活动,是促进经济社会环境协调发展的重要举措。作为天津这样的直辖市,能不能创模、怎样创模,曾经是困扰我们的一个难题。为此,我们于 1998 年开始特大城市创模探索,提出了创模细胞工程,开展了创建国家环境保护模范城区(社区)活动,得到国家环保总局的有力支持。2000 年,我市大港区被评为全国首批国家环境保护模范城区。2001 年,我们深入分析天津工业污染源达标排放后的工作形势,认为要进一步加快天津经济发展、改善城市环境面貌、提高人民群众生活质量,必须树立更高的工作目标。为此,我们自加压力,把创模作为生态城市建设的初级阶段,提出了全面开展创模活动的建议。2001 年年底,市委、市政府决定我市用三年时间开展创建国家环境保护模范城市活动,天津环保工作进入了一个新的历史阶段。

1. 以创模为基础,加快生态城市建设步伐

坚持污染防治与生态保护并重、生态保护和生态建设并举,利用五大工作载体(生态功能保护区、自然保护区、生态示范区、环境优美小城镇、生态村),加快生态城市的建设步伐。

在生态示范区建设、环境优美乡镇建设、生态村建设方面,继蓟县完成了生态示范区试点建设的各项任务并被国家环保总局命名为国家级生态示范区以来,我市宝坻区加快了生态示范区试点建设,2003 年完成了试点建设的各项任务。大港区、宁河县、西青区、汉沽区、武清区积极开展生态建设,先后被国家环保总局批准列入国家级生态示范区建设试点。

2003 年 1 月,西青区杨柳青镇已被国家环保总局命名为全国环境优美乡镇。2004 年 5 月,汉沽区大田镇、西青区中北镇被国家环保总局命名为国家环境优美乡镇。

到 2003 年年底我市已创建 85 个生态村,其中市级生态村 24 个、局级生态村 61 个。与 2001 年相比,市级生态村增加了 11 个,局级生态村增加了 32 个。

在自然保护区建设方面,目前,我市共建设 9 个自然保护区,自然保护区占国土面积的比例达到 13%。累计投资 2000 万元,进一步完善 3 个国家级自然保护区的建设,即:天津蓟县八仙山国家级自然保护区、天津蓟县中上元古界国家级自然保护区、天津古海岸与湿地国家级自然保护区。

2003 年,建成区绿化覆盖率达到 31%,2004 年计划再新增绿地 2600 万平方米,使绿化覆盖率达到 35%。

2. 以创模为目标,全面改善环境质量

创模两年多来,全市环保工作得到整体提升,环境质量得到全面改善,一些重点、难点指标实现了历史性突破,为生态城市建设打下了基础。

①水环境质量明显改善。创模以来,投资 24 亿元实施水源保护工程,饮用水源水质达标率保持在 98% 以上。治理市区黑臭河道 117.54 公里,2004 年将再完成 5 条河道共 23 公里的治理,全部消除市区黑臭水体。过去的"龙须沟"成为人们休闲、娱乐、健身的好场所。2002 年,我市二级河道整治获得建设部"中国人居环境范例奖"。同时,13 项城镇污水处理工程开工建设,2004 年污水处理能力将达到 70% 以上。

②大气环境质量明显提高。4000 多台(套)燃煤设施改燃清洁能源或拆除并网,环境空气质量二级以上天数由 2001 年的 47% 提高到 2003 年的 72.3%;2004 年上半年,二级天数已达到 156 天,占总监测天数的 85.7%,群众普遍感到,蓝天比过去明显增多。

③噪声污染得到有效控制。2004 年全市声环境质量处于较好水平,中心市区区域环境噪声平均声级为 55 分贝,道路交通噪声平均声级为 68.2 分贝,比 2003 年下降 0.2 分贝。2004 年 6 月份,加大施工噪

声监督管理力度,协调杨村部队机场飞机训练停飞和铁路部门火车禁鸣等,保证了中高考的顺利进行。同时,开展了创建"安静居住小区"活动,市中心六区和塘沽区的 17 个居民小区被评为"安静居住小区",改善了居民生活环境。

④固体废物污染防治取得成效。2004 年全市工业固体废物综合利用率为 96.11% ,城市生活垃圾无害化处理率为 64.67% ,比 2003 年提高了 4.17 个百分点。2004 年开工建设了大韩庄卫生填埋场和双港垃圾焚烧厂等垃圾处理设施,生活垃圾无害化处理能力将达到 80% 。国内首座具有国际先进水平的综合性危险废物处理处置基地(天津市危险废物处理处置中心)于 2003 年 9 月 1 日建成运行,实现了医疗废物、工业危险废物和废弃危险化学品集中处置。

3. 以创模为载体,大力弘扬环境文化

坚持"周围有人,参与有序,目标明确",发动群众广泛参与。提出"一个声音就是一个机遇",高标准办好人大代表政协委员建议提案和群众信访工作。我们把人大代表的建议、政协委员提案和群众来信来访作为做好环保工作的难得机遇,把提高建议提案和信访办理质量作为促进环保工作的突破口。2002 年在保持办复率、满意率、见面率三个 100% 基础上,实行建议提案办理的测评、评议和考核制度,得到代表委员和市领导的充分肯定,被市人大、市政府、市政协授予 1998—2002 年提案办理"最佳"单位。

在全市推广"社区环保课堂",带动"环保进社区"活动,推进环境宣传教育社会化。尤其是以"课堂设在家门口,专讲百姓身边环保事"为特色的南开区"社区创模环保课堂",参与公众达 20 万人,受到了社区居民的称赞和支持,人民日报、中央电视台等 9 家中央媒体专程来津进行采访,中国环境报还开辟专栏对环保平民化进行讨论。

积极开展绿色创建活动,已命名"绿色家庭"56844 个,"绿色学校"552 所,"绿色社区"162 个。这些活动,不仅把群众的环境要求引导到了保护环境的自觉行动上来,而且弘扬了环境文化。

虽然我市在推动循环经济方面作了一些有益的尝试,但与总局要求和国内先进地区相比,还有不小差距。下一步,我们将进一步树立和

落实科学发展观,围绕天津"三步走"目标和五大战略举措,着眼发展循环经济,努力实现"三个跨越":第一个跨越,到2004年年底,以海河综合开发改造为契机,实现创建国家环境保护模范城市既定目标;第二个跨越,到2007年年底,初步构建新型工业化体系,环境保护模范城市建设水平处于全国先进行列,在2008年奥运会上,展现世界名城的风貌;第三个跨越,到2010年年底,初步建立循环经济体系,构筑初级生态城市基础,初步形成生产发展、生活富裕、生态良好的文明发展格局。

盘锦市探索资源型城市的循环经济之路

盘锦市人民政府

　　盘锦是 20 世纪 80 年代初期建立的新兴城市,坐落在辽宁西南的渤海之滨、辽河三角洲的中心地带,区域面积 4071 平方公里,总人口 126 万。拥有全国第三大油田——辽河油田和亚洲最大的辽东湾滨海湿地,是辽宁省重要的石油化工基地和水稻生产基地。2003 年生产总值 340 亿元,城镇居民人均可支配收入 8384 元,农民人均纯收入 4044 元,位居辽宁省前列。2000 年被国家环保总局命名生态建设示范区,2003 年被国家环保总局命名为全国首批有机食品生产示范基地。

　　盘锦又是一座资源型城市,长期以来,依托石油天然气资源,形成了石油、化工两大支柱产业,其中石油工业占全市规模以上工业总产值 60% 以上,2003 年全市第二产业增加值实现 236 亿元,占 GDP69% 以上。经过 20 年的快速发展,特别是"九五"以来石油采掘业出现递减趋势,原油、天然气开采累计动用的探明地质储量都已过半;同时盘锦是全国严重缺水城市之一,水资源人均占有量仅是全国水平的 1/4,农业又以水稻种植为主,全市水稻播种面积占可耕地总面积的 86%。比较单一的"油水"经济使结构性、机制性矛盾日显严重,资源制约已成为影响经济发展的重要因素,也给自然生态环境造成严重威胁,已经到了非转型不可的关键时期。市委市政府明确提出了以"生态立市、科教兴市、产业强市"为根本要求,建设现代化生态城市的奋斗目标,符合国家决定实施振兴东北老工业基地战略。发展循环经济是建设生态市的重要举措,作为辽宁省发展循环经济的试点市,两年来,在国家环保总局和省环保局的指导和支持下,在循环经济试点建设方面做了积极的探索和实践,编制了发展循环经济规划,开展了项目建设和示范园区建设,推进了清洁生产和生态农业、有机农业建设,并取得了初步成效。

下面将试点工作开展情况向与会领导和专家作汇报。

一、试点建设的主要做法

1. 精心组织、高起点启动试点建设

循环经济是全新的发展模式,起始和规划阶段必须有政府的强力推动和指导。市委市政府高度重视循环经济的试点建设,2002 年 7 月,在辽宁省循环经济试点方案下发后,市委书记亲自做了建设生态市、发展循环经济必不可少的批示,市政府成立了由常务副市长为组长、各相关部、委、办、局为成员的循环经济试点工作领导小组,在环保局设立办公室,以指导、协调和推动循环经济试点工作的开展。

2002 年 11 月,制定出台了《盘锦市循环经济试点建设实施方案》,并被列为辽宁省循环经济建设试点市。这是我省惟一的市级循环经济试点。在全市范围内开展循环经济建设,将覆盖工业、农业及社会层面的各个领域,不仅涉及面广,而且建设标准高、难度大,为我市实现经济转型营造了良好的机遇,同时也是严峻的挑战,为此,制定一个科学的可操作性强的规划,对发展循环经济十分必要和重要。

2003 年年初,委托中油辽河工程有限公司开始编制《盘锦市发展循环经济规划》(以下简称《规划》),同年 6 月完成了《规划》大纲的编制,通过了以中科院沈阳应用生态研究所孙铁珩院士为组长、国家环境保护生态工业重点实验室主任、东北大学蔡久菊教授为主要成员的专家评审组的评审。在"大纲"基础上,经过了周密和细致的调研,紧密结合了全市经济发展总体规划和中油辽河分公司发展规划,特别是结合了我市实施振兴东北老工业基地战略、发展接续产业的总体思路和具体规划,于 2004 年 4 月完成了《规划》编制。5 月 19 日,国家环保总局和省循环经济试点工作领导小组在北京对"规划"主持了专家论证,以中国工程院金鉴明、金涌、丁德文三名院士和中科院、中国环科院、北

京大学等国内知名专家教授组成的论证委员会对《规划》给予了充分肯定和高度评价,一致认为:《规划》体现了科学发展观,紧密结合了产业和资源的特点及经济发展的实际,体系完整、重点突出、目标明确,可操作性强,符合党中央提出的"走新型工业化道路"、"振兴东北老工业基地"发展战略,对盘锦市可持续发展具有重要推动作用,对同类城市发展循环经济有重大参考价值。

《规划》的总体目标是以科学发展观为指导,实施可持续发展战略,以经济结构调整为主线,以提高资源利用率为核心,转换经济增长方式,实现物质良性循环;建设循环型经济企业、生态农业示范区、生态工业园区和城市资源循环型社会体系;构筑盘锦"生态立市、科教兴市、产业强市"的新的经济发展模式;促进自然、社会、经济相互协调,使盘锦市步入生产发展、生态良好、生活富裕的可持续协调发展之路,成为我国资源型城市发展循环经济的典型城市。

《规划》从工业、农业、油气开采产业、社会消费和生态环境等五大方面进行了科学设计,提出了实施规划的保障机制,使试点建设科学化、规范化高标准开展。

2. 政府引导、社会参与、积极推进试点建设

两年来,我市边组织《规划》编制边开始启动循环经济试点工作。本着"突出重点、分步实施、远近结合、注重实效"原则,在重点行业和重点领域开展试点建设。

(1)抓重点行业,开展项目建设。

盘锦工业主要是石油开采业和石油化工业,农业以水稻生产为主。我们紧紧抓住经济结构调整的有利契机,以资源高效利用为核心,以推行清洁生产、实施生态农业、有机农业为手段,在石油开采、石油化工、生态农业和有机农业建设方面开展循环经济项目建设。41家工业企业完成了清洁生产审核,提出无费、低费和中费、高费整改方案1425项,清洁生产共投入资金10.06亿元,实现经济效益6.06亿元。有10户企业获国家有机食品认证,已成为全国目前规模最大的有机食品生产基地。2003年国家环保总局和中国石油总公司在我市先后召开了有机食品工作经济交流会和中石油系统清洁生产经验交流会。2004

年6月国家环保总局在我市召开了全国环保系统清洁生产经验交流会。

中油辽河油田分公司是石油采掘业主体,该公司以循环经济理念为指导,促进实现科学、合理、高效开发利用油气资源,降低开采过程中资源、能源消耗,2700万吨采油废水全部实现了回注或回用,其中有490万吨废水经深度处理后回用于注气锅炉,并计划将无效回注地层的废水全部进行资源化处理。已投资1.6亿元建设580万吨的采油废水回用工程,一期工程于2004年年底竣工并投入运行,2005年年底全部完成。

盘锦华润啤酒有限公司是一家股份制企业,公司积极推行清洁生产,提出"加强过程控制,优化运行方式,实现最小的环境影响,最少的资源与能耗,增强企业可持续发展能力"的管理思路,由经验管理型向经济运行管理型转向,实施糖化糟干排、冷凝水回收、工艺热水再利用、碱液循环使用等多项技术改造,使原来千升酒耗水由13.76立方米,降至5.61立方米;电单耗由101度/千升酒,降至73.88度/千升酒;煤单耗从125.25千克/千升酒,降至106.13千克/千升酒;标准粮耗(11度)由164.41千克/千升酒,降至154.73千克/千升酒。

辽宁华锦通达化工股份有限公司是全国最大的化肥生产企业之一,也是世界化肥制造业500强之一。通过实施清洁生产高费方案,进行设备改造和冷却水回用等项目建设,尿素蒸汽单耗由原来的1.63t/tUr下降到1.51t/tUr,节约水费55.68万元/年,各类污染物排放明显改善,每年减排氨氮近30吨。

2003年全市180万亩农田中有100万亩实施了生态经济模式,有机食品种植面积达19万亩,同时带动了有机食品加工业和服务业的发展;开展了有机肥生产,年生产能力达3万吨,有效地解决了养殖业禽畜粪便污染和有机农业肥源;开发并实施了稻糠灭草技术、农秆气化技术和农村新能源利用技术,使农业废弃物得到资源化利用。

通过项目建设,实现经济效益达8亿元,全市工业节水5000多万吨、节电3亿度、天然气4021万立方米,农业减施化肥1.28万吨,减施农药75吨,全市工业废水排放量、COD排放量、二氧化硫排放量同比下降了 8.5%、17% 和 2.57%。

（2）抓主要区域，开展示范园区建设。

据区域特点和工、农业布局现状，以能源、资源互补和梯次利用为原则，启动了两个工业园区和四个农业园区的循环经济示范园区建设。

"新工"工业园区以石油化工、热电、化肥和防水建材为主要企业，建设全国最大的沥青和环烷基润滑油生产基地，建立石油炼制与化工业产品之间、热电行业与区内企业能源供需、建材行业与热电及其他企业废弃物等循环体系。现已完成了石化干气做燃料气的能量循环，完成了含氨废水回用、沥青废水回用、石化碱回收、工艺冷凝液回收、瓦斯气回收等资源循环利用。正在进行 100 万吨超稠油延迟焦化和 1500 吨/年硫磺回收及中水回用项目和废弃物综合利用项目建设。

"天河"工业园区以盘锦华锦集团所属化肥生产、聚烯烃生产、热电为主要企业，建立资源深加工体系，建设全国重要的氮肥和复合肥生产基地、合成树脂生产基地，并发展精细化工。现已完成合成氨尿素节能增产改造，提高尿素产出率达 8%，年实现利润总额 11828 万元，正在筹建 3 万吨/年中水回用和 30 万吨粉煤灰综合利用项目。

农业示范园区主要建设以种养结合、资源循环利用为模式的种植园区和养殖园区。主要进行立体生态综合开发、节水工程、有机食品基地、利用畜禽粪便生产有机肥、农秆综合利用等方面建设。

西安生态养殖园区实施"四步净化、五步利用"模式，实现了水资源的循环利用，并以发展有机猪养殖为主线，完善和强化企业内部种、养相互依托、资源互补的循环态势，2003 年完成有机猪认证 6760 头，比上年翻一番；太平农场和鼎翔公司园区进行了有机大米基地、节水工程、有机肥加工、细稻糠灭草、秸秆气化、能源循环利用等建设。2003年农业园区实现有机水稻认证近 7 万亩，占全市的 37%；实现节水工程 5000 亩；有机肥加工 28000 吨；实施细稻糠灭草 4000 亩；建成了秸秆气化站。初步实现了水资源高效利用、禽畜粪便综合处理和农业废弃物能源化利用，并于 2003 年 9 月被国家环保总局定为有机食品生产示范基地。

（3）以重点项目为切入点，推动社会循环经济建设。

在社会层面开展循环经济建设,目前还处于探索阶段,我们主要以中水回用、垃圾综合利用和农秆能源化利用方面为切入点,开展积极探索和实践。以大型宾馆为主,开展餐饮业中水回用、餐饮垃圾综合利用试点建设;以生活小区为单元开展小区中水回用和垃圾分类试点建设;以稻壳气化技术推动农秆能源化利用试点建设,形成经验、以点推面,逐步开展。同时开展社会消费业循环经济政策和法规调研,为制定建设循环经济法律法规打基础。目前已完成了小区中水回用试点,稻壳气化试点,正在进行餐饮中水回用、餐饮垃圾综合利用项目建设。

通过试点项目和示范园区的建设,有效的探索和实践了在我市发展循环经济的途径和方式,得到了工业、农业领域及社会公众的基本认同,促进了经济与环境协调发展。全市环境质量得到明显改善。全年环境空气综合污染指数低于 100 的优良天数达 326 天,城市空气质量保持在国家Ⅱ级标准,水污染物排放强度明显减弱,农村面源污染得到有效控制。

二、下一步工作思路

一要全面实施《盘锦市发展循环经济规划》,按《规划》要求深入进行项目建设和园区建设,分步实现规划目标。

二要加大政府指导和协调,建立适应市场经济条件下的运作机制,实施"政府引导、法律规范、市场推进、公众参与"机制,促进形成多元化投入体制,并运用经济规律促进绿色消费、促进资源高效利用,从源头上实现"减量化"。

三要研究制定地方性发展循环经济的政策和措施。借鉴国内外先进经验,研究制定操作性强的地方性条例或规章,并加大国内外信息沟通,大力开发和引用先进技术,强化资源"再利用、再循环"项目建设的技术支撑。

四要按辽宁省政府提出的"3+1"模式,继续加大清洁生产审核力度,推进中、高费方案的实施,并大力给予环保资金支持和政策扶持,"十五"期末,力争80家重点工业企业完成清洁生产审核;集中精力抓好农业示范园区、生态工业示范园区和辽河油田循环经济园区建设。

"十五"期末建成两个生态工业示范园区和四个农业示范园区,并建设以辽河油田分公司为主体的油气采掘业循环经济园区;以中水回用和生活垃圾回收利用为重点,推进循环型社会建设。

五要利用各种宣传渠道和宣传媒体,加大宣传和教育力度,提高公众认识,切实将循环经济理念注入到各个领域和社会各阶层,形成舆论,达成共识,大力营造发展循环经济的良好氛围。

发展循环经济,在我市尚处于初始阶段,通过近两年的工作实践,我们即感到发展循环经济是资源型城市实现可持续发展的必由之路,又深深地认识到发展循环经济是一项长期的复杂而艰巨的系统工程,我们不仅缺乏系统、规范的理论建设,而且与之相应的法规体系、运作机制和管理制度都处于基本空白,在诸多方面存在不足。感谢这次大会为我们提供了学习机会,我们一定学习其他先进省市好的经验和作法,完善我市的循环经济建设,以科学的发展观,完成资源型城市的经济转型,实现盘锦经济与环境的协调发展。

葫芦岛市经济效益与环境效益两手抓

葫芦岛市政府

葫芦岛市地处辽西走廊,南临渤海,西南与河北省秦皇岛市毗邻,为山海关外第一市,是东北地区与关内联系的交通要冲。地理位置优越,依山傍海,自然环境优美,资源比较丰富,工业基础较好,主要有石油化工、有色冶金、建材、造船、采矿、机械制造等行业,也是辽宁省重要工业基地之一。全市有国家特大型企业 3 家,大中型企业 40 余家,小型企业 1200 余家。

葫芦岛市按国家环保总局和省环保局的部署,于 2001 年启动企业清洁生产和循环经济工作,先后在 15 家企业开展了清洁生产审计试点工作,共实施了清洁生产审计方案 445 项,其中,实施中/高费方案 60 项,实施无/低费方案 385 项;在 18 家企业开展了循环经济工作,共实施循环经济项目 19 项,尚有 8 项正在实施中。至 2004 年年底,预计年创经济效益 27246 万元,减排固体废物 111.6 万吨,减排二氧化碳 6.6 万吨,减排二氧化硫 6500 吨,减排粉煤灰 7.5 万吨,减排废旧轮胎 1.2 万吨,年新增中水回用量约为 450 万吨。有效地减少了废物的产生量和排放量,使部分废物得到了有效利用,为企业增加了经济效益,减轻了对本地区的环境污染,改善了我市的环境质量。2003 年我市大气环境质量以良好为主,优良天数为 314 天,占全年 86.0%,达标率较 2002 年提高 18.1 个百分点,无中度污染和重污染。大气中二氧化硫浓度年均值为 0.058mg/m³,首次达到二级标准,较 2002 年下降 44%;2002 年和 2003 年近岸海域各水期水质均良好,各功能区连续两年 100% 达标,无单项因子超标。我们感到,大力开展清洁生产和循环经济工作不仅取得了较好的经济效益和环境效益,而且为振兴老工业基地、构筑老工业基地新型发展模式起到了极大的促进作用。

我们的做法是:

一、政府主导,职能部门负责,为推动循环经济工作奠定坚实基础

第一,建立组织机构,加强对循环经济的组织领导和服务工作。市委、市政府将发展循环经济作为推动我市经济发展的一项重要战略,并把发展循环经济纳入了调整后的葫芦岛市"十五"规划,为确保工作的落实专门制定了发展循环经济的试点方案。要求全市以可持续发展战略为指导方针,构筑起循环经济框架。为加强对此项工作的组织领导,成立了以市长为组长的循环经济领导小组和负责具体协调工作的循环经济和清洁生产办公室。抽调3名既懂环保业务,又熟悉企业生产的高级工程师,长期专职从事循环经济协调和技术指导工作。循环经济办公室的主要任务就是按照上级循环经济办公室的部署,结合我市的具体情况和市循环经济方案,制定年度工作计划,主抓循环经济项目的链接、协调、全程跟踪服务和日常管理,使我市循环经济工作逐步走上有计划、按步骤的正常发展轨道。

第二,广泛宣传动员,营造良好的发展循环经济氛围。充分调动全社会的力量特别是企业领导干部和广大职工开展清洁生产和循环经济工作的积极性,是开展好清洁生产和循环经济工作的思想基础。我们利用报纸、电台、电视台等新闻媒体,广泛宣传发展循环经济的目的和意义,大力营造开展清洁生产循环经济的强大舆论氛围。特别是2003年6月,循环经济办公室还特别邀请辽宁日报、葫芦岛日报、葫芦岛晚报、葫芦岛电视台、广播电台等多家新闻媒体在中国石油天然气总公司锦西石化分公司召开了新闻发布会,使我市开展此项工作形成了良好的舆论声势。3年来,《中国环境报》和省市等新闻媒体多次发表了介绍我市发展循环经济取得显著成效的报道,为提高我市各界对发展循环经济的认识,促进我市循环经济的发展起到了十分重要的作用。

第三,加大培训力度,适时为企业培训一批发展循环经济的技术人员。我市在组织企业有关人员参加省举办的清洁生产内审员培训班基础上,还自行举办了四期培训班,共培训约 400 名清洁生产审计骨干人员。此外,我们还派出专家赴企业讲课,座谈。在组织企业人员参加各种培训班的同时,我们特别要求企业主要领导和主管领导都要参加培训,提高主要领导和主要领导对清洁生产的认识,使他们能够把清洁生产循环经济工作作为企业的重要例行工作来亲自抓。同时也使其他受训人员在企业循环经济工作中成为骨干和中坚,为我市企业发展循环经济和顺利开展清洁生产审计,打下了良好的基础。

第四,确立责任制。把发展循环经济和清洁生产审计工作,纳入企业与市政府签订的污染源治理目标责任状中,是确保此项工作落到实处的主要措施。年初作为各县(市)区和重点企业环保责任状完成情况的重点内容进行检查验收,以政府行为促进企业循环经济和清洁生产的开展。

第五,提供资金支持。一是 3 年来为调动企业开展循环经济工作的积极性,我们无偿向企业提供约 50 万元资金作为企业开展清洁生产的业务培训、购置资料、调研等前期启动费用;二是为促使循环经济项目的实施,我们为企业争取贷款,如 2004 年就为锦西天然气化工有限责任公司甲醛项目争取到欧盟——中国辽宁综合环境项目清洁生产周转金 1500 万元;三是在污染源治理资金的使用上,优先安排循环经济项目和清洁生产审计已提出而尚未实施的中/高费方案。这些做法对我市循环经济工作的开展,起到了较大的推动作用。

二、深入调研,强化链接,全程跟踪,构筑 我市发展循环经济的新路子

第一,深入调研,为项目链接打下基础。我市企业多半是在日伪时期及建国初期建设和发展起来的老企业。多年来,这些企业各自忙于自身的生产和经营,互相之间在产品链接特别是围绕循环经济上的交流沟通不多。而发展循环经济正是在企业内部或企业间能够取长补短、互为利用的有效方式和手段。为此,我们首先把对各骨干企业排放

的主要废物、各企业生产的主要原料及互为利用的可能性进行了深入调研,摸清了这方面的底细。比如,我们在调研中发现,中国石油天然气总公司锦西石化分公司每年有近7万吨制氢产生的二氧化碳放空,而就在距它几公里远的锦西天然气化工有限责任公司又需要专门制取二氧化碳生产尿素,并且还因为二氧化碳产量不足,使尿素生产线不能满负荷运转;又比如,连山区19家钼加工企业因治理焙烧反射炉烟道气中二氧化碳污染产生的吸收液无法处理,而不能使治理装置正常运转等,针对这些问题,我们及时提出了有关解决办法。

第二,强化链接,脚踏实地做好服务工作。在深入调研的基础上,我们根据发现的问题及时召开了循环经济研讨会。把有关企业的主要领导和技术骨干召集起来,对上述问题进行深入研究,形成初步链接意向,同时为链接企业做好经费和技术准备的协调工作,而后我们又及时地召开了项目链接会,对链接项目做进一步落实,即拟定实施计划,对资金、设备投入、工作分工、进度要求和利润分成等一系列具体事宜进行磋商和协调,达成共识后立即实施。

第三,全程跟踪。项目链接后,我们还及时对链接双方在技术、建设、资金等方面进行跟踪服务。如出现问题,市循环经济办公室出面予以协调处理;同时对实施中的项目,经常到现场进行检查和督促,确保链接项目保质保量按预定目标、准时竣工投产,并参与工程验收。

三年多来,我市仅废二氧化碳综合利用,就实施了年增产尿素1.8万吨,两项年产1万吨碳酸二甲酯和将原产3万吨甲醇扩产到6万吨,共四个项目,使锦西石化分公司每年向大气中排放的近7万吨废二氧化碳全部得到了有效利用。四个项目每年可为企业创经济效益4366万元。二氧化碳对大气环境的污染是我市环境污染最敏感问题之一,群众反映强烈,上访不断。在实施循环经济和清洁生产审计试点工作中,我们把回收硫资源和治理二氧化碳污染作为一项课题进行了重点研究,先后实施了从锦西石化分公司制硫尾气中回收硫,利用连山区19家钼冶炼厂焙烧反射炉烟道气吸收液制取结晶亚硫酸钠和利用葫芦岛有色金属集团公司矿尘焙烧炉烟道气吸收液制取结晶亚硫酸钠三个循环经济和清洁生产项目,每年可减排二氧化硫约6500吨,不仅有效地改善了我市大气环境质量,还为企业创经济效益 506.6 万元。我市每年产生约 6000 吨废旧轮胎,长期没做妥善处理,到处堆放甚至遗弃,不但污染环境影响市容,而且浪费资源。为解决这一问题,兴城中兴工业有限公司于 2003 年建成并投产年产 1.2 万吨再生胶生产线,年利用废旧轮胎 1.2 万吨,使我市和邻近城市的废旧轮胎得到了回收利用,并为企业年创经济效益 528 万元。

三、加强对重点污染企业的清洁生产审计,坚持持续清洁生产,杜绝物料流失,减轻环境污染技术落后、设备陈旧造成物料流失,资源和能源利用率不高,是污染物超标排放的重要原因之一

我市在发展循环经济中,加强了对重点污染企业的清洁生产审计工作,狠抓了技术改造和设备维修这两个环节,并取得了显著的成效。葫芦岛有色金属集团公司在清洁生产审计中,实施了 13 项中/高费方案,使该企业二氧化硫排放量每年减少了约 3200 吨,基本实现了全公司工业废水零排放,使随工业废水排到渤海中的重金属全部得到了有效控制。

为把清洁生产工作做得扎实深入,我们还对已完成清洁生产审计试点企业的持续清洁生产工作给予了充分重视。市循环经济办公室抽调专职高级技术人员负责持续清洁生产审计工作,在每年年初负责审定这些企业的持续清洁生产审计计划,平时巡回检查工作进度,年终组织验收。3 年来,我市共实施持续清洁生产方案 239 项,其中中/高费方案 26 项,年创经济效益 13469 万元。兴城市啤酒有限公司通过清洁生产审计,3 年上了 3 个新台阶,使每吨啤酒水耗和电耗都达到了国内啤酒行业的先进水平。

几年来,葫芦岛市在发展循环经济工作中,做了一些工作,也取得了一些相应的成效。但距对老工业基地改造的要求,距上级和群众的要求还有相当大的距离。任重而道远,我们将继续努力工作,为地方经济可持续发展,为改善环境质量作出更大的应有贡献。

常熟市发展循环经济的战略与措施

常熟市环境保护局

常熟历史文化悠久、风景宜人、经济繁荣,是国内最为发达的县级市之一,在全国县域经济基本竞争力和江苏省县(市)综合竞争力排名中,都位居第二,发展潜力在江苏乃至全国均位于前列。近年来,常熟市委、市政府实践科学发展观,把全面、协调、可持续发展战略作为区域发展的基本战略,致力于打造新型循环经济发展模式,不断构筑环境优势,走出了一条物质文明、精神文明、生态文明多赢的成功之路,相继获得"国家卫生城市"、"国家环保模范城市"、"国家园林城市"、"中国优秀旅游城市"、"全国生态示范区"、"全国绿化模范城市"等多项国家级荣誉。同时,常熟还是江苏省首批循环经济建设试点市,《常熟生态市发展规划》由同济大学编制完成,并于 2003 年年底通过了国家环保总局的专家评审,由人大常委会审议后颁布实施,《常熟市循环经济发展规划》也于同期通过了专家评审,在指导区域规划、生态经济发展、产业结构调整以及企业与园区生态化改造等方面取得了实质性的进展,涌现出了蒋巷村生态种养园、江河公司大豆循环经济链、汽车饰件厂废弃物综合利用循环经济链等典型,起到了很好的示范和引领作用。

一、常熟循环经济发展的战略框架

所谓循环经济,是一种以按照自然生态系统物质循环流动方式为特征的经济模式。我们依据这一理念,积极打造新型经济发展模式,确立了常熟发展循环经济的指导思想,即遵循可持续发展原则、经济社会发展规律、自然生态规律,以调整经济结构为重点,以提高资源利用率和资源利用效益为核心,以建设循环经济型企业、生态工业园区和城市资源循环型社会为目的,建立循环经济法规体系和科技支持体系,努力构建新型的经济发展模式,实现经济社会和资源环境的协调发展。

《常熟市循环经济发展规划》的编制做到了与我市的经济结构、自然资源优势、环境保护现状、"吴文化"发展的有机结合,确立起了我市循环经济发展的总体框架,着重从三个层面、分四个阶段、在六个重点领域全面铺开,简称"346"战略框架。

一是三个层面。微观层面——企业生态化:在全市企业中推行清洁生产,鼓励生产工艺的生态化设计,促进原料、能源、水资源等在企业内部节约与减量化、中间产物和废物的回用和循环。中观层面——构建生态产业园与生态产业链:按照生态产业园原理使传统的工业园区通过环境规划的实施及政府的调控改造为生态工业园,将多个企业根据产业链组织起来,形成资源共享、副产品互用的产业生态园,将一个企业无法循环利用的资源和产品放到企业之间的大循环之中,产业生态链的构建将是常熟市开放型循环经济体系的主要体现,并将促使常熟循环经济更快地融入苏州市、江苏省、大上海乃至全球的经济圈。宏观层面——建设循环社会:以生态文化建设为支撑,通过创建"绿色政府"、生态学校、生态社区与生态村,培育规范化的市场、设立专门性商店以及科研与咨询机构生态化提升,最终为建设循环经济体系创造优势的政治环境与激励机制,规范化物质与信息交易平台、扩大对循环经济发展的需求及提高公众参与的积极性,提供循环经济所需的人才及技术。

二是四个阶段。2003—2005 年:准备和部分启动阶段。确定全市循环经济建设的切入点,提出全市实施循环经济的方案。2006—2010年:循环经济充满活力,形成循环经济的产业体系与空间格局。2011—2020 年:经济社会发展和人民生活富裕程度达到或接近世界中等发达国家和地区的目前水平,并基本实现资源与能源消耗的"零增长"阶段。2021—2030 年:达到当前世界发达国家和地区的平均以上水平,全面建成发达的循环经济体系。

三是六个重点领域。着重在机构与体制建设、传统产业及行业的生态化改造、企业的生态化改造、绿色能源战略、废物资源化、绿色服务业等六个重点领域铺开。

二、常熟循环经济发展的具体措施

随着常熟生态市建设的快速推进，循环经济试点工作从一产、二产、三产、园区和社区五个层面展开，涌现出了多个典型，经济运行质量得到了进一步的提升，科学发展的内涵得到了很好的实践。曾培炎副总理、国家环保总局解振华局长、祝光耀副局长、汪纪戎副局长以及江苏省、苏州市领导先后来常熟专程考察生态建设和循环经济发展情况。

一是大造组织声势。发展循环经济是一项复杂的系统工程，涉及社会各层面，单靠几个职能部门是难以胜任此项繁重的工作，必须要有一个强有力的专门领导协调组织机构，统一领导全市的循环经济建设工作。为此我市成立了以市长任组长的"常熟生态市建设领导小组暨常熟市循环经济建设领导小组"，并在环保局设立领导小组办公室，这给我市循环经济发展奠定了坚实的组织基础。同时，积极营造循环经济建设的良好氛围，重点开辟好社会与媒体的宣传渠道，在《常熟日报》"环保专栏"和广播电台《绿色风》栏目中推出"循环经济"栏目，并在全国县级市中首家创办《生态常熟》季刊，重点报道发展循环经济的重要意义、典型示范、重点工程等，吸引更多的企业、更多的市民积极参与到循环经济建设的工作中，形成强烈的"循环"氛围。

二是做亮典型优势。坚持以重点突破，典型引路，分步推进的原则，以构建产业生态链为目标，在五个层面由点到面展开循环经济试点工作：一是在"一产"层面，切实加快传统农业向现代生态农业的转变，结合我市农业种植结构和养殖门类，努力培植精品型、规模型企业，积极推广生物农药，建设农业生态链。兴隆、古里等地的养鸡场，将粪肥出售虞山茶场，一吨价格达 200 元；白茆镇常禾生物有机肥料有限公司，按照"原料收集→自然榨干→生物发酵除臭→粉碎→造粒"和"原料收集→自然榨干→化粪池→芦笋基地→出口销售"的产业链，年处理畜禽粪便 4 万多吨，年产有机肥料 1.1 万多吨，供给各类种植业基地,既解决了畜禽生产污染,又实现了变废为宝。二是在"二产"层面,积极推广清洁生产和 ISO14000 环境管理体系认证工作,切实做好印染、化工和电镀行业的清洁生产审计,加快工业废弃物的产业链衔接。按照"金城油脂有限公司从大豆中提取食用油后的低温豆粕→江河天绒丝纤维有限公司提取大豆蛋白制取蛋白纤维后的豆渣→常熟市常禾生物有机肥料有限公司制作饲料、肥料返回农业生产"的产业链,从前道、中道、后道形成了以大豆深加工综合利用为主线的大豆循环产业链,从该产业链中,多家企业均取得了良好的经济效益。常熟市铁红厂,按照"铁皮边角料→氧化铁黄→废水中和、沉淀处理→调碱污泥→污泥泥饼→氧化铁黑成品"的产业链,使三废处理均达标,对周围地区的影响减至最小。三是在"三产"层面,大力推进消费、流通领域废物的回收利用与综合处理,提倡政府绿色采购,加快政府事业机关、宾馆服务行业的 ISO14000 环境管理认证,市环保局已在全市政府机关率先通过认证,常熟华联商厦的循环经济发展方案已编制完成,近期将正式实施。大力发展生态旅游业,建成了虞山——尚湖——古城景区、沙家浜特色生态旅游景区等风景名胜区。四是在"园区"层面,以建设生态工业园为抓手,通过对工业园区内的物流与能源的科学设计,形成企业间共生网络,资源梯级利用。常熟经济开发区作为省级循环经济的试点单位,近期在重点完善"氟化工原料——有机氟产品——副产物盐酸生产氯化钙和磷酸氢钙"及"造纸工业污水——电力工业冲灰——粉煤灰综合利用"的两大生态工业链,这两条工业生态链的建立,有助于企业的规模化良性发展。五是在"社区"层面,宣传生活垃圾是"放错地方的资源",引导确立人与自然和谐共生互存、共荣互利的环境观和价值观,通过不断加大创建绿色社区、绿色家庭为主的"绿色"系列活动,努力培育循环型社会。通过举办社区环保培训班,张贴环保标语和宣传画、印发环保宣传资料等形式,普及环保知识,培育生态文化,全市建成了绿色学校 58 所,绿色社区 11 个,绿色家庭 50 户,社区生态化日趋显现。

三是夯实发展态势。一是推行绿色认证与清洁生产。我市把推行绿色认证与清洁生产作为构建全市工业生态体系、发展循环经济的基础工作来抓,按照持续改进、螺旋式上升的方式,对不同类别的企业实行分类指导,实施绿色认证工程与清洁生产审计,引导企业加强技改,减污增效。目前我市通过清洁生产审计的企业共有 15 家,取得了明显的生态效益。二是大力削减"三废"排放。我市对环保的投入逐年加大,连续多年环保投入达到国内生产总值的 2% 以上。市政府每年投入 10 多亿元,加大对城市环境基础设施和重大环境综合整治工程的投入力度。目前城市生活污水处理率达到了 65% ,已建成海虞、大义、梅李、张桥、沙家浜等集镇污水处理厂 5 家。同时严格项目审批制度,把好污染源头关,市委、市政府已明确,投资 1000 万元以下的小化工、小印染、小造纸、小电镀等重污染新办企业一律不批,化工、印染企业技改均应采用先进生产工艺,实施"以新带老"、"撤一建一"。三是实施区域环保规划和区域环评,推行污染集中治理和废弃物综合利用,实行集中供热、供汽,既使企业尝到"节支"的甜头,削减了污染物的排放,又调动了社会资金投入环境基础设施建设,还减轻了环保部门的管理压力。

四是构建保障强势。一是决策保障,切实加强环境与发展综合决策,做好区域环境规划、环境影响评价,使环境保护参与到社会经济发展、区域经济开发、优化资源配置等举足轻重的工作中。目前,常熟经济开发区、东南开发区等开发区通过了环境影响评价,全市所有乡镇的环境规划都编制完成,半数乡镇已经通过了专家评审,剩下的乡镇也将于年内完成专家论证会。二是管理保障,建成了环境政务信息管理系统和环保网站,实施环保"阳光工程",投用了工业污染源远程监控系统,建立了环境管理信息网络系统和交界断面、饮用水源连续监测系统,形成了完善的科学管理信息体系。三是执法保障,继续实行双休日、夜间和深夜执法检查制度,定期进行重点行业专项检查,将政府执法监督、人大法律监督、政协民主监督、新闻舆论监督和社会群众监督有机融合起来,切实提高了环保执法力度和效果,杜绝了各类环保违法行为的产生。四是资金保障,充分利用常熟雄厚的民间资本和优惠的国际资本,开拓多元化、多渠道、多形式的投融资途径,加快资金的筹集与环保工程建设步伐,改善城市环境质量,拓展城市发展空间。

三、常熟循环经济发展的工作重点

当前,我市发展循环经济做了一些有益的探索,并取得了一定的成绩,但必须看到我市循环经济还处于低水平的萌芽状况,离建设生态市有不小的差距,今后我市将主要做好以下工作:

一是强化《常熟市循环经济发展规划》的贯彻落实。切实做好《规划》的宣传工作,使各部门、各企业、社会公众对发展循环经济理念的认识提高到一个新的高度。切实按照规划的有关要求制定落实计划,督促相关部门和企业严格按照《规划》的要求认真执行。并以此为核心建立、健全常熟市循环经济制度体系,使此《规划》能够持续地、不折不扣地、创造性地发挥导向作用。

二是建立健全三个机制。即建立健全利益驱动机制、环境与发展综合决策机制和公众参与机制。政府要在宏观上,建立循环经济为导向的经济政策,引导生产力要素向有利于循环经济的方向集聚,在消费政策上,引导社会消费倾向,要利用多渠道筹措资金特别是充分利用常熟雄厚的民间资本,逐步建立完整的投融资机制、补偿机制和激励机制等组成的利益驱动下的循环经济发展机制。要进一步落实环境与发展综合决策机制,研究推行绿色 GDP 等社会经济全面发展的指标体系,特别是研究落实地方政府对当地环境质量负责、领导干部环境保护政绩的考评机制。要完善目标责任制,一级抓一级,一级带一级,确保环保目标责任到位、措施到位、投入到位。要切实健全考核与奖惩制度,并严格执行责任追究制度。公众作为循环型社会的主体,政府还要加大宣传教育,提高公众的环保意识和科学消费意识,并不断拓宽公众参与环保的渠道,协调处理好环境保护与公众利益的关系,为循环经济发展谋求更强大的动力支持。

三是进一步加快新型工业化进程。创建生态市,为循环经济的发展创造了机遇。我市要抓住大开发、大建设、大调整的有利时机,做好区域环评,严格按照环境规划和功能区要求,统筹规划布局,进一步优化产业结构,构筑循环经济发展强基;要进一步整合各类工业园区,推进工业园区的生态化改造,促进污染项目集中布点、集中治理、达标排放;要通过产业链、物流网,围绕物质流、能量流和信息流的循环传递和多级利用,在厂地之间、园区之中、区域之内,形成共生互动的循环产业,推动循环经济的发展;要按照科技含量高、经济效益好、资源消耗低、环境污染少的要求,通过生态工业、生态农业、生态旅游等生态产业的开发,使生态产业在国民经济中逐步占据主导地位,形成具有常熟特色的循环经济发展格局。

循环经济发展是一个全新的课题,也是一个系统的工程,需要国家、省等制定相应的政策法规引导规范,也需要发展循环经济的地区在《规划》指导下务实有效的工作。我们坚信,在国家、省、市环保部门的有力指导下,在市委、市政府的正确领导下,坚持科学的态度,勇于创新,敢于实践,一定能够实现我市经济向循环经济的转型,为早日实现经济繁荣、生态良好、人与自然和谐相处的现代化生态常熟作出更大的贡献。

张家港市发展循环经济的做法与体会

张家港市人民政府

近年来,张家港市在上级部门的关心支持下,紧紧围绕经济、环境和社会协调发展的目标,坚持实施可持续发展战略,着力发展循环经济,不断加强环境保护和生态建设,各项工作取得了阶段性的成效,1996 年,被授予全国首家环境保护模范城市。跨入新世纪,市委、市政府响亮地提出:要把张家港市建设成为一个富有特色和竞争能力的港口工业城市、一个富有内涵和独特个性的生态园林城市、一个富有精神和文化底蕴的文明法制城市。这几年,我市经济社会之所以能保持协调发展的良好态势,很重要的一个方面,得益于我们较好地把握了经济发展与环境保护的关系,坚定不移地走新型工业化道路,把发展循环经济作为创建生态城市的重要抓手,作为转变经济增长方式的核心内容,目前发展循环经济正逐步成为我市各级的共识,循环经济在全市不仅有了一个良好的开端,而且正越来越成为全市经济发展的主流方向。回顾我市循环经济的发展工作,我们的主要做法和体会表现在如下几个方面:

一、加快发展,为发展循环经济夯实经济基础

张家港市地处长江下游南岸,全市总面积 999 平方公里,下辖 8 个镇、322 个行政村,总人口 85 万。近年来,在各级领导的关心支持下,我们坚定不移地贯彻邓小平理论和"三个代表"重要思想,紧紧围绕"两个率先"的目标,坚持实施可持续发展战略,大力弘扬张家港精神,

全市呈现出经济、社会、环境协调发展的良好局面。一是经济社会综合实力显著增强。2003 年完成国内生产总值 475.06 亿元,财政收入66.98 亿元,2004 年 1 至 6 月份,全市完成国内生产总值 283.97 亿元,比 2003 年同期增长 18.6%,财政收入 39.32 亿元,增长 41.8%。二是支柱产业竞争力明显提高。通过近年来的加速调整,全市形成了以张家港保税区、省级开发区为龙头、各专业园区为骨干的工业生产力布局,并形成了冶金、纺织、机电、粮油、化工、建材等优势产业。2003 年,全市完成工业销售收入 1021.98 亿元、入库税收 50.03 亿元,分别增长36.2% 和 33.1%,2004 年 1 至 6 月工业经济主要指标增幅都在 40% 左右。目前,全市有近 100 家工业企业资产超亿元、年销售超亿元,其中6 家企业年销售超 20 亿元,最高的沙钢集团超过了 200 亿元,经济总量在苏锡常地区名列第一。三是城乡一体步伐日益加快。目前我市城市化率达到了 47%。全市 8 个镇全部开展创建全国环境优美镇,8 个镇的生活污水处理厂全面启动建设,8 个镇全部建成省级卫生镇,其中7 个镇已建成国家级卫生镇,2004 年 8 个镇可望建成全国环境优美镇,80% 以上的村建成了省级以上卫生村,全市森林覆盖率达到 12.7%,人均公共绿地面积达到 10.9 平方米,市区空气环境质量优于国家二级标准,80% 的镇空气质量达到国家一级标准,居民生活饮用水水源水质达标率 100%。四是生态文明建设步步深入。全市上下以率先创建全国生态市为目标,深入开展文明社区和绿色社区创建,有 90% 以上的行政村建立了村级社区;深入开展公民思想道德教育,着力打造诚信城市品牌;深入开展创建系列活动,不断提高广大市民的综合素质,我市获得了"全国创建文明城市工作先进城市"称号,塘桥镇建成了"全国文明镇",永联村建成了"全国文明村创建工作先进村",成为全省惟一的市镇村三级文明创建均有全国先进的县市。全市上下呈现出党风正、民风顺、事业旺的良好局面。

二、科学决策,为发展循环经济提供保障

1. 实行行政推动,加强循环经济的领导

循环经济是运用生态的理念指导经济工作的一种新型发展模式,

循环型经济和生态型社会是生态城市的一体双翼。为推动循环经济的发展,我们把发展循环经济纳入生态市建设的总体规划之中,成立了以市委书记为组长、市长为副组长、25 个职能部门主要负责人为成员的创建工作领导小组。市里经常组织成员单位交流工作进展情况,探讨工作中遇到的问题,做到沟通渠道通畅、信息传递快捷、反映互动灵敏。

2. 科学指导,确保循环经济的推动力

为了加强对循环经济工作的科学指导,我们聘请了国家环保总局顾问、中国工程院金鉴明院士,清华大学环境科学与工程系主任陈吉宁教授等专家学者,担任我市高级顾问,并多次邀请中国环境科学院生态研究所所长高吉喜博士等专家给三级干部讲座。重大问题做到不作深入调研不决策,不作科学论证不决策,不作比较方案不决策,不听专家意见不决策,较好地发挥了他们的参谋和资政作用。

3. 以人为本,强化循环经济的考核机制

为明确各阶段的工作任务,市委、市政府适时召开专题会议。2004年 2 月,市委、市政府召开了声势浩大的深化生态市创建动员大会,对生态市建设和循环经济发展提出了具体要求,分解了目标任务,落实了各自责任。为强化各级守土有责和可持续发展的责任,市委、市政府调整了考核办法,明确提出:既要考核增长,又要考核后劲;既要考核GDP,又要考核 COD。把循环经济工作纳入政绩考核范畴,把环境保护列入离任审计内容,有效地增强了全市各级建设生态市的紧迫感,发展循环经济的责任感。

三、规划先行,为发展循环经济构筑框架

循环经济遵循的是先进的生态理念,走的是全新的发展之路,要把循环经济组织好、发展好,科学规划是前提。为此,我们与苏州科技大学合作,在 2001 年率先完成《张家港市生态市建设规划》编制工作的基础上,与苏州科技大学再度合作,共同组成了循环经济规划课题组,聘请环境科学、城市规划、城市生态学和环境经济学等多个专业的 15位专家进行我市循环经济规划的编制工作。在规划编制过程中,课题组对我市各镇、各开发区工业布局、产业结构、能源使用等情况进行了

系统调查摸底,积累了丰富翔实的第一手资料,在此基础上,运用生态学原理对我市发展循环经济进行了全面深入的系统规划。2003 年 3 月在全省县市中第一个完成了《张家港市循环经济建设总体规划》的编制工作,规划从生产、流通、消费和还原等四个层面入手,全面构建了我市发展循环经济的基本框架,规划文本于 2003 年 9 月通过了由省环保厅主持的专家评审。

四、典型示范,促进资源能源高效利用

　　培育典型、以点带面,是为无数实践反复证明了的推动面上工作的有效方法。由于循环经济对许多人来讲还是个新生事物,因此,在工作中,我们注重培植先进典型,按照减量化、再利用、再循环的"3R 原则",根据张家港的实际情况,从工业企业和非工业企业两个方面拟订了循环经济示范点的指标体系,开展了创建循环经济示范点的活动,积极推动资源在企业内部、不同企业、不同产业之间的循环。一是积极推进资源在企业内部的循环。就是让生产过程中一个环节产生的废物,变成另一个环节的原料,通过资源利用的最大化,实现经济效益的最大化。像江苏沙钢集团,首先主动参与社会大循环,采用废钢为主要生产原料,年消耗各类废钢 250 万吨。与此同时,沙钢积极启动企业内部的小循环,以电能、燃油等清洁能源替代煤炭,利用除尘灰作为烧结原料,利用高炉煤气余热发电,将高炉水渣、钢渣销售到相关企业作为生产原料,仅此四项每年就增加效益近 9000 万元。该公司还对工业废水进行回用,循环回收率达到 95% 以上,每年又可节约水费近 900 万元,同时减排有机污染物 4500 多吨,大大削减了污染物的排放总量,可以说,循环经济的"3R 原则"在我市沙钢集团已得到了较好体现。此外,我市东海粮油、恒昌化工等企业在实现资源在企业内部循环上也很有特色。二是积极推进资源在企业与企业之间的循环。就是将上一家企业产生的废物,变为下一家企业的原料,努力实现资源在不同企业间的循环利用。张家港市华源化工有限公司实施了中水回用工程,将城市生活污水厂的处理尾水用作生产用水,年节约新鲜取水量 330 万吨;张家港市华天生物科技有限公司,将张家港市啤酒厂生产过程中产生的、原来作

为废物排放的"啤酒酵母泥"全部回收利用,运用生物工程成功开发了专供运动员解除疲劳、恢复体力、增加能量的高科技产品"果糖二磷酸钠",年产40吨,实现利税300多万元;同时,将离子交换树脂再生过程产生的废酸水,送到附近的张家港市色织厂,作为该厂废水处理的中和原料,形成了资源在不同企业间流动的链条。再像江苏菊花味精集团,深入研究资源流动过程中上下游关键工序的链接,通过技术攻关,成功地开发出蛋白系列产品,解决了味精生产中产生的废水、废渣以及废水处理污泥的出路问题。根据市场需求,菊花味精集团专门成立了分厂,在原来的各种"废弃物"中提取和生产蛋白系列产品,目前产品市场十分旺销,部分产品还远销美国、韩国、泰国等国家和地区。三是积极推进资源在产业与产业之间的循环。循环经济物质和能量的循环不仅表现在工业生产中,在农牧业生产和工农产业之间同样也能得到较好体现。我市南丰镇永联村就是这方面的典型。通过农业产业结构调整,永联村建立起花卉、特种水产、食用菇和畜禽养殖四大基地,以此为载体实现产业间物质和能量的循环。他们将农田秸秆和水产基地开挖河道的塘泥用作食用菇基地的培养基,形成的秸秆废料、菇渣以及畜禽养殖基地的粪便、全村居民的生活废物,全部用作花卉基地的有机肥;并采取了工业生产能源的综合利用措施,将村办钢厂生产中产生的余热,利用在水产养殖越冬温室和食用菇加工烧煮工艺上,每年能节约能源费用20多万元。此外,还充分利用秸秆资源充足的优势建办起了秸秆气化站,以低廉的价格将清洁能源供给村民使用。我市杨舍镇城西村,将奶牛场的牛奶加工成乳制品,牛粪用于农田肥料以及蘑菇、蚯蚓的养殖物料,实现加工产值近6亿元,同时带动配套的牧草、青饲料地的种植,每亩净效益达620元。四是积极推进资源在其他领域的循环。我们还把循环经济的理念体现在城市建设上,按照经营城市的理念,把环境资源转化为发展资本,丰富和拓宽了循环经济发展的内容。市里专门设立了城市经营办公室,并先后组建了城市建设投资公司、土地储备中心、能源投资公司、路桥公司、港城运输公司、给排水公司等按市场机制运作的法人实体,负责相关城建资源资产的经营,筹集的资金全部用于城乡基础设施建设和生态建设。对于一些废弃地、废弃物也千方百计综合利用。如我们对市区西郊废弃的砖瓦窑场实施改造,建设了集"休闲、娱乐、生态"功能于一体的张家港公园;利用境内建设沿江高速公路集中取土之机,正在开发建设具有国际水准的暨阳湖生态园区。这些景区的建设,不仅为市民开辟了新的休闲娱乐场所,也带动了周边土地的升值和开发,反过来又拓宽了生态建设筹资渠道。如今的我市,"资源有限,创意无限"、"没有垃圾,只有放错地方的资源"等这些生态理念正越来越被全市各级所接受。

五、绿色招商,推动循环经济发展

我市虽然地处苏南鱼米之乡,但自然资源也并不富足,目前,全市人均土地不足一亩,人均水面不足一分,人均山地不足一厘,为保护十分有限的土地资源,我们依据循环经济理论,大力推进工业布局、工业结构、工业增长方式的调整。一是引导企业向开发区和工业集中区集中。从20世纪90年代中后期起,我们就有意识地要求企业集中,从2000年起,我们进一步要求,所有新办企业必须全部入区入园,不得办在园区之外,现有的企业也要逐步向园区内集中。工业园和工业集中区则按照循环经济、链式发展的理念,实行绿色招商,从而从根本上扭转了过去存在的一些企业布局分散、村村冒烟、遍地开花的局面。如扬子江国际化学工业园,按照循环经济的理念,对项目类别进行筛选,他们评价一个新项目是否是"绿色"的,不是只停留在其技术的先进性,环保的优越性上,而是在此基础上还要考察其在产业链中能否起到结点的作用。"绿色招商"理念的创新,带来了产业布局的变化,带动了一大批"下游"企业纷纷抢滩工业园,形成一个个唇齿相依的产业链。产业链条进而将发展演变为复杂而有序的生态工业网络结构,以"绿色招商"产生的循环经济链条将最终使化工园成为一个生态工业园。二是全面整合现有工业园区。我市原有20多个镇,镇镇都有工业小区,甚至少数村也有工业小区,最近一两年,我们加大了镇级行政区划调整的力度,大刀阔斧地撤镇并村,目前全市已合并成8个镇,与此同时,对镇级工业小区也同样进行大规模的撤并,全市21个工业小区削减了一半以上。三是积极推进专业工业集中区建设。我们不仅按照企业集群的原则,促使企业入区,而且按照产业集聚的原则,大力推动专业工业集中区建设。主要做法是:"依托一批龙头企业,吸引一批相关企业,发展一批特色产业,形成一批生产基地",全市已初步形成了国际著名、国内一流的精细化工生产基地,全省最大的以薄板和硬线为主的钢铁生产基地,全球最大的粮油综合生产基地,国内知名的纺织产业基地,全国知名的建材生产基地,全省重要的沿江能源基地和港口物流基地等8个产业基地,并形成了以张家港保税区为龙头,以江苏扬子江国际化学工业园、江苏扬子江国际冶金工业园等扬子江系列省级开发区为重点,以机电工业集中区、纺织工业集中区、粮油食品工业集中区、木业加工工业集中区、欧洲工业集中区、韩国工业集中区等一批专业集中区为骨干,以五金工具、饮机塑机、羊毛衫、氨纶纱线等初具规模、具有地方特色的块状经济为补充的工业生产力布局。四是切实提高企业环境管理水平。督促企业积极采用清洁生产工艺,从2004年起,我们要求全市现有排污企业全面执行国家一级排放标准。同时,鼓励企业积极采用先进的环境管理模式,2002年市政府提出,全市以后力争每年都要有20个以上单位通过ISO14001环境管理体系认证,10个以上单位通过清洁生产审核;市政府还明确,对通过ISO14001环境管理体系认证的企业,由企业对具体经办人员奖励5万元,奖励资金允许企业在税前列支。到目前为止,全市已有48个单位通过了ISO14001环境管理体系认证,12个单位通过了清洁生产审核,另有12个单位正在推进和实施ISO14001环境管理体系,16个单位开展清洁生产审核之中。

近年来,我们在发展循环经济方面做了一些工作,并取得了初步成绩。但是,从总体上讲,循环经济是篇大文章、是个新课题,对此我们还只是刚刚破题,对照上级要求、对照先进单位的工作、对照我市经济自身发展需要,都还有很大差距。我们将从本次会议中汲取好的经验和做法,继续大力弘扬张家港精神,进一步加大工作力度:一要借助现代高科技手段开发关键链接技术,对现在不能回收利用的大宗废弃物进行回收利用,提高生态技术的经济合理性。积极采用清洁生产技术,推广无害或低害新工艺、新技术,大力降低原材料和能源的消耗,实现少投入、高产出、低污染,尽可能把污染物的排放消除在生产过程之中。

按照《张家港市循环经济建设总体规划》确定的目标思路,认真组织实施。二要按照市场机制为主、政府推动为辅的原则,通过制定激励政策、引进关键项目、实行行政协调等办法,积极为资源在不同企业、行业、产业及领域间的循环牵线搭桥,以使我市形成更多的循环经济链。三要加快培育一批区域性循环经济示范单位,如要将江苏扬子江国际冶金工业园建成"循环型工业园",江苏扬子江国际化学工业园建成"国家生态工业园",以推动我市循环经济更快更好地发展,为把我市早日建成经济、社会、环境、资源更高层次上协调发展的生态型城市、循环型社会而努力奋斗!

昆山市通过多层次试点发展循环经济

昆山市环境保护局

昆山,地处美丽富饶的长江三角洲,东与国际大都市上海接壤,西与历史文化名城苏州相邻,行政隶属于江苏省苏州市。市域面积921.3 平方公里,其中水域 278.1 平方公里,平原 643.3 平方公里,现有 10 个建制镇及 1 个国家级开发区,至 2003 年底户籍人口达 61.9 万。昆山是一个有着深厚文化历史底蕴和优良环境资源的城市,先后被授予"国家卫生城市"、"国家环保模范城市"、"全国创建文明城市工作先进城市"、"中国优秀旅游城市"、"国家园林城市"、"全国生态示范区"等荣誉称号。2003 年,全市实现国内生产总值 430 亿元,财政收入 66.25 亿元,进出口总额 138 亿美元,在全国最发达县城综合实力测评中名列第三位。

一、开展循环经济的必要性和紧迫性

近年来,虽然我市每年的环境保护投入均占全市 GDP 的 2%以上,共投入巨资 40 多亿元进行环保基础设施建设和生态环境保护,在环境质量改善上也取得了一定成效。但是这几年昆山经济发展迅猛,伴随经济的高速增长以及城市的快速扩张,资源和环境等瓶颈制约的压力和挑战日益凸显,环境与发展的矛盾亦日益突出,从环境保护的角度来看,我市已经没有环境容量来承受新的经济增长所产生的污染物。经济一定要增长,环境必须要保护,这都是人民的期望,社会主义事业发展的要求。因此,昆山要实现经济增长和环境保护的双赢,发展循环经济是最有效的途径,它也是确保昆山早日率先全面建成高水平小康社会和基本实现现代化的必然选择。循环经济是环境保护和生态建设的治本之策,是实现更高层次上的结构调整,是把传统的、依赖资源消耗为主的经济发展转变为生态型的经济发展必由之路。当前,全面宣传循环经济理念,开展循环经济教育,树立全民的循环经济意识,做好"点、线、面"循环经济试点工作,是我市促进和发展循环经济的关键所在。

二、实施循环经济试点建设进展情况

为了把我市建设成为经济发达、环境优美、人民安居乐业的生态城市,市委、市政府于 2002 年就提出了要率先建成全国生态市的宏伟目标,而生态城市建设的主体工作就是发展循环经济、建立循环型社会。2002 年 11 月,我市被省厅列为第一批江苏省循环经济试点城市。2003 年年底,我市完成了省厅组织的"昆山市循环经济规划研究"和"昆山市生态市建设总体规划"论证,并通过了国家级生态示范区的验收。目前,我市把发展循环经济作为建设生态市的核心内容,积极推进循环经济建设并初见成效,循环经济的试点建设主要从"一产"、"二产"、"三产"和"区域"等四个方面开展。

1."一产"方面

切实加快传统农业向现代农业的转变,建设农业养殖生态链,打造循环型农业。结合我市农业种植结构和养殖门类,大力实施农业标准化建设,积极推广低毒高效农药和生物农药,加强秸秆综合利用工作,建成 4 座秸秆气化站,建成一批有机食品、绿色食品生产基地和现代化农业示范区和观光农业园区。正在建设的规划面积 17 平方公里的昆山市国家农业综合开发现代化示范区,是一个集现代化农业科技开发和示范、农业产业结构调整和引导、吸入内外资滚动开发的综合性外向农业示范区。示范区内的永丰余生物科技(昆山)有限公司投资 600万美元设立占地 500 余亩的有机农业示范园,以完全有机的农业开发方式,种植各种有机粮食、蔬果、林木。示范区内的发展生物科技的中国大绿种苗科技有限公司是一家集科研、繁育、加工、生产和销售于一体的综合性高科技种子种苗公司,现有瓜菜类种子250余个品种,正在为农业产业结构调整和提升农产品质量起到示范和推动作用。金玉堂生物科技(昆山)有限公司利用先进的食用菌生产技术,工厂化生产高档食用菌,并技术辅导农民种养。一批涉及食品加工、植物组培、高科技种养的生态农业综合开发项目正在示范区内全面启动。

我市积极扶持和培育循环型农业,如投资3000万美元的波力牧场(从事乳牛养殖、繁育及乳制品加工、销售等)形成了良好的资源生态链,奶牛产生的粪水进入污水处理站处理达标后直接转入饲料地、绿地用于灌溉,实现污水的综合利用和再生循环,牛粪进行无公害化处理,利用生物技术将牛粪进行发酵并添加适当辅料生成有机肥料,一部分用于牧场牧草种植,为其提供优良肥料,另一部分用于我市的蔬菜基地、果树基地,达到变废为宝的目的。该牧场的建设,为全市生态农业发展起到了良好的示范作用。

积极开展生态村和环境优美乡镇建设,至2005年年底我市规划80%以上乡镇将建成环境优美乡镇。正在开展生态村创建的我市农民新村——晟泰新村,也处处体现循环经济的理念。这是一座具有古典欧陆风格的花园式居住小区,小区绿化率达63%,为了达到资源的可持续利用,所有的生活污水进污水处理中心处理达标后,用以小区绿化浇灌和景观用水,此外,小区还专门投资建造了一所秸秆气化站,将农村丰富的秸秆、麦草、稻草原料气化产生清洁能源,为居住小区的全体家庭提供燃气,该项目的投入既减少了焚烧秸秆给大气造成的污染,又为当地农民带来了经济效益。

2. "二产"方面

开展了小循环和中循环两个层次的循环经济建设:

(1)小循环方面,我市环保局在市委、市政府的大力支持和上级环保部门的指导下,积极推行清洁生产,推动ISO14000环境管理体系认证和"国家环境友好企业"创建工作,着力培育一批循环型企业。到目前为止,全市已有15家企业完成清洁生产审核,50多家企业通过ISO14000环境管理体系认证,正在实施清洁生产审核方案的有12家企业,6家企业在争创"国家环境友好企业"。体现企业内循环理念的捷安特(中国)有限公司,通过工艺改造和加强生产全过程管理,减少了工业废水的排放量,并投资380万元建设了废水处理和中水回用装置,实现了工业废水零排放。富士康电脑接插件(中国)有限公司建立了中水回用系统,将处理达标后的部分排放水重复回用,每天节约用水100余吨,每年节省50多万元。从事人造革生产的昆山协孚人造皮有限公司和昆山阿基里斯人造皮有限公司同属于一个企业集团,该集团为了解决生产中产生的废边角料、变废品为资源,投资150万元人民币从日本进口一台专用人革废料回收装置,将人造革边脚料上的PVC料,经粉碎回收后再利用。使用该设备后,每年可回收PVC废料250吨,每年可节约70多万元,实现了经济与环境的双赢。

结合开展创建"国家环境友好企业"活动,积极鼓励我市企业走"零排放"的可持续发展道路,我市省级第一批"国家环境友好企业"——昆山钞票纸厂以科研改善工艺,以低耗减少排放,积极推行节能、降耗、减污措施,仅真空泵水回用技术的应用,就使单位产品的水耗量平均下降了33%,全厂清水消耗日均减少了300吨左右,使水资源循环使用率提高了10多个百分点,创造了可观的经济效益和良好的社会效益,该公司秉承持续改进的理念,将于2005年投资170多万元实施中水回用工程,废水日均排放量可削减2000吨左右。

(2)中循环方面,我市积极引导传统工业园向生态工业园转变,建立循环工业园区。按照循环经济理念,在企业相对集中的地区和开发区,建立若干个生态工业示范园区,根据生态学的原理组织生产,构建工业生态循环链,努力实现废弃物的资源化和循环利用,逐步实现"零排放"。在市政府的推动下,昆山经济技术开发区、出口加工区、留学生创业园、高科技工业园、吴淞江工业园等各类工业园区都有相应的环境保护规划,昆山经济技术开发区于2002年整体通过ISO14000认证,其他各类开发区整体环境认证工作正在积极实施,目前,我市园区内的电子信息、精密机械、精细化工主导产业的比重,已占全市经济总量的45%,形成了长长的产业链优势。配套企业跟着龙头企业走,我市迅速形成中国IT产业制造中心、"三机"(笔记本电脑、手机、数码相机)产业链,这不仅降低了物流成本,提升了企业竞争力,而且极大地提高了结构调整的力度和进度,为改变原有"高资源消耗、高污染排放"的发展模式,建立"资源节约型"和"环境友好型"的经济体系创造了有利条件。2004年,我市的城北民营工业园区正在试点开展生态工业园区建设,园区内很多企业通过了ISO14001认证,实现了集中供水、供热,目前园区正在开展中水回用、废工业介质综合利用等生态链接项目研究,全力打造循环经济链,以增强区域竞争优势,提升经济运行质量。

自90年代以来,印制电路板作为信息电子的配套产业,在我市得到了极大的发展,在全国2000多家印制电路板专业厂家中,江苏一带就占了20%左右,而江苏的PCB产业主要集中在昆山。PCB废弃物主要是强酸、强碱性蚀刻废液、重金属、PVC废料和板边角料等,且数量巨大。如何使PCB废弃物循环利用,如何采取有效的措施来保护环境,无疑,发展PCB行业的循环经济是解决这些问题的最佳途径。为此,我市专门引进了一批回收废旧印刷线路板、线路板蚀刻液公司,来解决并综合利用上游企业产生的废物,这一举措不仅为我市增加了一条环保产业链,而且也为我市建立循环经济工业园、生态工业链创造了条件。如于1998年在昆山建厂的占地面积1万多平方米、总投资400万人民币的中环实业有限公司,引进专利技术和先进设备专门回收蚀刻废液,将含铜蚀刻废液和退锡废液进行再生化处理,废液中的金属通过分离萃取之后制成基础化工原材料,再生后的蚀刻废液经过添加还原变化为蚀刻药水,可重返线路板厂家循环使用,每年可回收和消化各类酸性和碱性蚀刻废液近1万吨,年销量收入可达1200万元人民币。

为解决化工产业产生的废溶剂污染,实现废弃物的资源化和循环利用,我市引进了投资1700万元人民币、月处理能力可达1200吨的昆山德源环保发展有限公司,是一家专门对化工行业产生的废溶剂进行回收利用的环保企业。该企业从日本中精化工引进的先进处理设备的温控回流装置,全部都在密闭系统中进行,能将废溶剂经过数次提炼,达到要求的纯度,而不造成二次公害。回收的成品溶剂又重新再利用,形成良性循环,既减少了资源浪费,又节省了大量的原物料成本,形成了化工行业的工业生态循环链。

昆山市双林包装容器再生有限公司是我市的又一个循环经济典

型,它是一家专门回收处理、修复包装容器的专业公司,把从我市各家生产企业收集回来的涂料、油漆、化工原料的报废包装铁桶,经过自动漂洗后,再在整型机上重新整理、油漆,再外销,而容器中的可利用物资被集中回收后,重新返还生产企业。对生产中产生的漂洗废水经过专门处理后再循环利用,从包装铁桶内回收的各类固体废弃物,经过专门的无害化高温焚烧,基本消除了污染危害。自投产以来,该企业先后回收利用了 25 万只包装废铁桶,这些报废铁桶被循环利用之后,等于节约钢材 500 多吨,大大节约了资源。

目前,我市已建成各类回收企业近十家,对各种可再生资源进行回收利用,形成了初具规模的环保产业生态链。

3.“三产”方面

我市大力推进消费、流通领域废物的回收利用与综合处理,严厉打击违规销售含磷洗涤剂和泡沫塑料制品的行为,提倡政府绿色采购,动员周庄古镇、风景(名胜)旅游区、涉外单位、政府事业机关、宾馆服务行业按照 ISO14000 标准建立环境管理体系,并规划于 3 至 5 年内建成一批绿色宾馆(饭店)、绿色市场(商场)。2003 年,市环保部门与市旅游局联合启动了由 14 家星级宾馆(饭店)参加的“环保进宾馆(饭店)”活动,倡导宾馆、餐饮等服务业从节能、节水和冷凝水回收利用等方面达到资源、能源利用的高效循环,如昆山宾馆采用先进的照明器械,配以耗电量少的深蓝色光源作为照明的主调色,既美观又节能,同时将中央空调器冷凝水分离并进行回用,大大节约了水资源。我市在政府机关大力推广 ISO14000 认证,2003 年市环保局作为政府的环保职能部门率先在全市政府机关通过 ISO14000 认证。

4.“区域”方面

我市借助天然气工程穿越本市的有利契机,大力推广清洁能源的使用,同时大力推进集中供热和污水集中处理,继续开展城市中水回用、垃圾分类回收的循环型社会建设。全市已有 7 个集中供热系统,已建成 7 个集镇污水处理厂,2004 年,我市启动建设 6 个生活污水处理厂,2 个生活污水处理厂正在积极规划和论证中,预计建成后,将新增日处理能力 30 万吨,全市生活污水处理率将达 70% 以上。

不断加大创建绿色学校、绿色社区力度,努力培育循环型社会。我市创建成功昆山市大市中学、开发区中华园小学等 35 所昆山市级"绿色学校",高科园小学、朝阳小学、柏庐实验小学、巴城中心校等 4 所苏州市级"绿色学校",昆山实验小学、震川高级中学等 5 所江苏省级"绿色学校",争取年内创建成功 1 个全国绿色学校,新建 10 家绿色学校。通过创办"绿色学校"以学生引领家庭带动全社会的方式,提高公众环保意识。2004 年,我市开展了环保进社区工作,通过张贴标语和宣传画、印发环保宣传资料等形式,普及环保知识,培育生态文化,我市的亭林街道里厍社区、同心街道新港湾社区,获得了苏州市首批"绿色社区"称号,并争取年内创建成功 1 个省级绿色社区、2 个苏州市级绿色社区,逐步增强全体市民的绿色消费和环境法制意识。

三、在循环经济开展中遇到的问题及解决途径

当前,我市发展循环经济作了一些有益的探索,并取得了一定的成绩,但必须看到我市循环经济处于低水平的萌芽状态,离建设生态市有不小的差距。存在主要问题是:一是从思想上,全社会还未转到体现以全过程控制、从源头减少资源消耗和削减污染物排放的清洁生产上来,与循环经济的理念相差甚远。二是技术落后,尚未形成促进循环经济发展的技术支撑体系,各工业小区未有效整合,没有形成一定规模效应和集聚效应。三是法律法规建设滞后,促进循环经济发展的政策不完善。四是工业企业中劳动密集型、低附加值企业多,大中型资本密集型、技术密集型的高科技企业较少,私营企业数量多而规模小,缺少主导产业,造成在规划、组织、建设生态工业园和设计生态产业链时的困难。

为此,我市今后对加快发展循环经济的对策措施主要有:一是按照《昆山市循环经济规划研究》规划,加大全市产业生态链构建的可行性研究,落实发展循环经济的保障措施。二是健全利益驱动机制和公众参与机制。健全环境与发展综合决策机制,建立以循环经济为导向的经济政策,引导生产力要素向有利于循环经济的方向发展,在消费政策上,引导社会消费倾向,逐步建立完整的由融资机制、补偿机制和激励

机制组成的利益驱动下健康发展的循环经济机制。三是突出重点,注重实效。"一产"要大力发展生态高效农业、有机农业,推广农业实用技术,加快秸秆综合利用,重点扶植农业生态园;"二产"要以推行清洁生产和发展环保产业为重点,以产业废弃物综合利用和再生资源回收利用为重点,促进资源综合利用再上新台阶,为新型工业化奠定坚实的基础。四是推进生态工业园区的建设,特别是新建的经济技术开发区或工业园区,从规划、设计到整个实施过程中,都要符合循环经济的要求。五是加大宣传教育力度,普及循环经济知识,营造全民参与的良好氛围,并大力开展系列"创建"活动,带动生产发展、经济增长和社会消费方式的科学转变,努力建设循环型社会。六是加大科技投入,吸引科研力量,研究污染治理、废物利用和清洁生产等科研课题,为企业发展循环经济的链接提供技术服务和信息支持。

四、对于开展循环经济的几点建议

一是应建立促进循环经济发展的法律法规体系,依法推动循环经济发展。二是强化政策导向,坚持鼓励与限制相结合,形成循环经济发展的激励机制。如实施严格的"污染者付费"政策,建立自然资源有偿使用价格体系,废旧物资回收和综合利用企业可以得到废物产生者的资金补助等。三是大力发展再生产业,推动大宗工业及生活废弃物的综合利用。四是建设循环型工业信息平台。通过利用信息网络的建设,将企业内、企业间、行业间、部门间、社会生活的废弃物相互交换,从而实现优化组合、最佳利用。

青岛将发展循环经济作为战略工作来抓

青岛市环保局

青岛市地处山东半岛的南部,是山东省经济发展的龙头城市,是中国重要的外贸口岸之一,青岛港是中国重要的港口之一,青岛还是中国重要的海洋科研基地,全国50%以上的海洋科学家在这里工作。改革开放20多年来,青岛发生了巨大的变化,2008年奥帆赛的举办又给青岛带来了前所未有的发展机遇,新的发展形势对环境保护工作也提出了新的更高的要求,青岛在2000年获得了国家环保模范城市之后,又致力于改善人居环境,努力实现人与自然的和谐发展,并把发展循环经济、建设生态城市作为城市环境保护工作新的目标,下面汇报一下我市在发展循环经济方面所做的工作。

一、领导重视,政府积极推进

青岛市委、市政府高度重视发展循环经济和建设生态市工作,夏耕市长曾三次对循环经济工作作出重要批示,夏市长指出:"发展循环经济应当摆在重要议事日程,列为关系全市经济社会发展的战略工作来抓。特别是当前园区建设迅速,更要重视系统内循环。"市委、市政府2004年提出的我市经济和社会发展中急需研究解决的4项重大问题中第一项就是《我市实施全面、协调、可持续发展经济支撑体系研究》。青岛市委、市政府2001年2月作出了《关于进一步加强环境保护推进生态城市建设的决定》,启动了我市生态市建设工作。2004年5月草拟了《青岛市委市政府关于建设生态市的决定》,并将发展循环经济作为建设生态市的核心,现正在做进一步修改。2004 年 6 月,经市委、市政府研究决定,成立了以夏耕市长任组长的青岛生态市建设工作领导小组,全面统领、组织各有关部门开展生态保护和建设工作,同时成立了生态市建设工作领导小组办公室,设在青岛市环保局,负责全市生态市建设的组织协调、督促检查工作,为全面推进生态市建设提供了组织保障。

市政府各部门、各区市政府也积极行动起来,市计委已将发展循环经济列入"十一五"规划中,并将《发展循环经济,推广清洁生产和绿色消费的研究》的课题面向全社会公开招标,为制定规划打下基础。市经委围绕着建设生态工业体系,开展了青岛市生态工业发展战略研究。黄岛区 2001 年通过 ISO14001 环境管理体系认证后,2004 年又创建 ISO14000 国家示范区。城阳区正在建设循环经济示范区,并已制定了实施方案。

二、积极推行清洁生产,大力发展循环型工业

青岛现有大中型企业 360 多个,规模以上企业 2000 多个,已建立了 11 个省级工业园区。我市按照资源——生产——再生资源的循环经济模式,通过以产品结构的生态化省级转换为核心,以技术进步为支持,实现工业生态结构重组,实现青岛新型工业化的跨越式发展。

1. 积极推行清洁生产

推行清洁生产是防治工业污染和环境保护由被动反应变为主动控制的一种根本转变。我市认真学习宣传《清洁生产促进法》;组建了清洁生产审核咨询服务机构;对开展清洁生产的企业给予资金支持,2002 年安排了 50 万元,2003 年安排了 80 万元,2004 年计划仍安排 80 万元;对节能降耗和废物再利用的项目和产品,按照国家有关规定给予税收优惠;对符合国家资源节约税收优惠政策规定条件的,经认定后,税务部门予以办理减免税;对技改项目中国内不能生产而直接用于清洁生产的进口设备、仪器和技术,可以享受国家有关进口税减免税优惠政策。2002 年我市 9 个试点企业完成了清洁生产审核和评审验收。到 2005 年,我市将培育 50 家企业成为资源利用率高,污染排放量少,环

境清洁优美,经济效益显著,市场竞争力强的清洁生产企业。

2. 培育企业层面的循环利用

企业层面的小循环是建立循环型工业体系的基础,我市注重以循环利用作为企业发展循环经济切入点,引导企业加快技术改造的步伐。海尔在企业内部实现流程再造,整合全球资源,全面推行 ISO14001 和清洁生产的发展模式,企业走向良性循环的道路。海尔已初步建立 60 万台的电子废物集中处理示范回收项目,并列入国家发改委项目。该项目对废旧家电及电子产品经过集中处理加工后,60%—80% 可分离成纯度较高的再生资源,以冰箱和电视机为例,所收再生资源总价值可达 7650 万元。青岛发电厂借鉴国内外成熟经验,根据循环经济的理论,将直接外排的循环冷却用海水来洗涤烟气中的二氧化硫,以达到脱硫的目的。计划 2004 年第一套脱硫设施正式投入运行,2005 年第二套脱硫设施投入运行。设计脱硫率为 90%,预计工程投运后每年可减排二氧化硫 18000 吨,将大幅度地降低排入大气的二氧化硫的浓度,对改善青岛市的大气质量起重要的作用。

三、运用现代科学技术,因地制宜发展循环型生态农业

全市实有耕地面积 42.7 万公顷,无公害农产品生产基地 100 处,面积 140 万亩。全市共有 75 种农产品通过省级无公害农产品质量认定,其中蔬菜类 54 个、果品类 11 个、茶叶类 8 个、油品类 2 个;21 家企业 45 种产品通过国家绿色食品认证;5 家企业通过有机食品认证。全市共有秸秆气化站 13 个。全市建设了一批生态能源无公害蔬菜示范园和以沼气为纽带的"大棚——养殖——沼气——蔬菜(果)四位一体生态能源示范园。城阳区被农业部命名为全国生态农业示范县和可持续发展实验区。青岛城阳金合养殖有限公司投资 397.69 万元,建设畜禽粪便沼化处理示范工程,采用气、液、渣三相分离法对大型畜禽养殖场粪污及废弃物进行无害化处理,使之资源化,并对所产沼气进行高效综合利用——发电或供暖;对沼渣进行再加工,生产优质有机肥;发酵后的沼液自流至沼液贮存池用作花卉苗木或无公害蔬菜肥料;处理达到国家二级标准排放或回灌农田。预计日处理粪污总量 70 吨,年产沼

气总量为 16.5 万立方米,沼气发电装机容量为 100KW,年产生物有机肥 500 吨,年创效益 68.4 万元,节约成本 38.4 万元。该项目的建设使猪粪及生活、生产垃圾达到无害化处理和资源化的目的,为高效生态农业提供了示范。

四、开展"绿色系列"创建活动,使循环经济理念深入人心

环境保护是实施可持续发展战略的关键,循环经济是实施可持续发展的有效载体,我市采取创建"绿色系列"活动,调动各行各业和广大市民参与环境保护的积极性,进一步推动我市的社会层面循环经济的发展。2000 年结合创建国家环境保护模范城市,我市在全市各街道办事处、居委会和居民楼院中开展了环境保护达标"十、百、千"活动,此项活动被国家环保总局誉为环境保护的"细胞工程",并号召全国各地学习青岛这一做法。

2001 年以来,在总结经验的基础上,市环委会、市文明委组织开展了以绿色社区、绿色学校、绿色幼儿园、绿色医院、绿色商店、绿色公交、绿色出租、绿色企业、绿色工业园区、绿色物业、绿色饭店为内容的绿色系列创建工作,确定了"绿色经济、绿色生活、绿色潮流"的创建理念和"以人为本,共同参与,循序渐进,创新多样化"的创建原则,环保、经委、财办、教育局、卫生局、城管局、旅游局、交通局等市直部门根据这个原则,进一步细化、完善了"创绿"标准和工作程序,保证了"创绿"工作的顺利开展。

"创绿"工作得到了社会各界的大力支持和积极响应,各基层组织和创建单位高度重视,积极筹措资金、落实措施,发动市民广泛参与,掀起了一个又一个的创建高潮,形成了政府号召、绿色搭桥、全民参与的联动网络。经过全市上下的共同努力,"创绿"工作取得了明显成效。截至目前,全市共创建绿色单位 273 个,其中,绿色社区 44 个,绿色学校 81 家,绿色幼儿园 14 家,绿色商店 33 家,绿色物业 24 家,绿色医院 27 家,绿色企业 8 家,绿色工业园 4 家,绿色公交 3 家,绿色出租 3 家,绿色饭店 32 家。

创绿工作开展以来,市直各责任部门和各区市以群众参与为创建

手段,以环境改善为创建目的,注重将创绿工作与创品牌相结合,与地区、行业特点相结合,与环境综合整治相结合,与日常管理相结合,与目标考核相结合,制定了详细的工作计划,全面扎实地开展各项工作,对区域环境进行了综合整治,解决了一批环境保护中的难点、热点问题,引领了绿色消费,提高了环境意识。

五、优化水资源,实现经济、资源、环境协调发展

我国是联合国认定的世界上 13 个最贫水的国家之一,青岛市又是我国最严重缺水地区之一,为全国平均水平的 13%。预计到 2010 年、2020 年分别缺水 100 万立方米/日、220 万立方米/日。水资源短缺已成为严重制约青岛市未来发展的隐患。为化解水资源危机,世界发达国家积极发展海水淡化技术和产业,为严重缺水的滨海国家和地区解决了水资源问题,实现了经济、资源和环境协调发展。青岛市作为沿海开放城市,海洋科技力量雄厚,制造业发达,海水质量优良,是我国最早研究海水淡化技术的城市,在海水综合利用方面有着很好的社会基础和技术条件。近年来,通过技术引进、自主开发、配套加工等,我市的海水淡化技术和产业化条件走在了全国的前列。青岛市海水淡化产业化可行性方案已通过国内专家的论证,2006 年前,淡化海水有望像自来水一样流入千家万户。2003 年,华欧集团在青岛黄岛电厂建设了全国首台具有自主知识产权、日产 60 吨压气蒸馏式海水淡化装置,并将建设日产 3000 吨的海水淡化工程,总投资将达上亿元。

再生水也就是我们平常所说的中水,是指城市污水和废水经净化处理,水质改善后达到国家城市污水再生利用标准,可在一定范围内使用的非饮用水。我市已经建成一个 4 万吨再生水工程和一个 1000 吨再生水工程,再生水供应能力不断提高。今后一段时间,我市将再启动两大再生水项目建设,如果四大再生水基地全部启用,我市再生水日供应能力将达 10 万吨,基本能满足市民和企业的需求。这些工程陆续完工后,在我市再生水供应整体框架将基本完成。另外,为加快再生水入户进程,释放产能,我市还投资 116 万元在两个住宅新区开展再生水冲厕的试点工作。

六、以迎办"绿色奥运"为契机,把发展循环经济、建设生态市推向深入

2008 年奥运会帆船赛在我市举办,绿色奥运的理念和实践,为我市循环经济和生态建设工作提供了良好的契机。市政府加强协调、加大投入,各方齐心协力,生态环境和循环经济建设进入了快车道。一是加强林业建设和城市绿化工程,组织实施了沿海基干林带建设工程、通道绿化工程等大工程,重点抓了青岛迎奥运环城林带、同三高速公路林带和沿海防护林建设等项目。针对举办奥帆赛,林业局提出我市林业建设初步的总体发展目标是:到 2005 年,力争新造林 70 万亩,全市森林覆盖率由目前的 26.76% 提高到 30%,其中建成区达到 40%;到 2007 年,力争再造林 80 万亩,全市森林覆盖率达到 35%,使重点区域的生态环境明显优化,林业产业结构明显改善;二是加强近岸海域水污染整治,实施《碧海行动计划》项目,工业污染源治理项目、城市污水治理项目、城市污水截流及管网配套建设、三河流域治理工程、生态工程建设、生态能源工程建设等工程项目陆续开工建设和实施。做好麦岛污水处理厂扩建工程前期工作,2004 年内开工建设,该扩建工程由目前的一级处理 10 万吨/日的规模,扩建为二级处理 14 万吨/日的规模;三是实施"蓝天工程",深化城市环境综合整治,严格控制含硫量超过 0.7% 的高硫煤的使用,淘汰燃煤锅炉,加大机动车尾气治理力度,促进城市环境保护工作向深层次、健康发展。

日照市突出环境优势　建设生态城市

日照市人民政府

日照作为新兴的沿海港口城市,一方面拥有"蓝天、碧海、金沙滩"的独特环境优势,另一方面又是后发展地区,"环境优势突出"与"经济欠发达"构成了日照的基本市情。近年来,日照市市委、市政府深刻认识到,在传统发展模式的弊端日渐显露的今天,像日照这样工业化、城市化进程急剧加快的地区,如何正确处理好发展经济与保护环境的关系,是一个重大课题。日照市委、市政府站在谋求未来城市可持续发展,营造理想的人居环境,树立鲜明的城市形象,再造城市新优势的战略高度,立足自身优势,把"生态建市"与"港口立市"、"工业强市"、"科教兴市"一起,作为加快发展的四大战略,把工业化、城市化与生态化结合起来,将发展循环经济、建设生态城市作为新世纪日照城市发展的战略取向,响亮地提出了建设生态城市的奋斗目标,取得了可喜的成绩。我们的主要做法是:

一、坚持高效能管理,高标准规划

建立高层次的组织协调机构和有效的领导管理机制,是加快推进循环经济发展的关键。我市在发展循环经济、建设生态城市方面始终坚持党委、人大、政府三个"一把手"亲自抓,市委常委会、市人大主任会和市长办公会把发展循环经济、建设生态城市作为重要议题研究部署。市委、市政府明确提出:"要坚持'生态建市'战略,发展循环经济、建设生态市是'十五'期间的重头戏。"市人大、市政协对生态建设和循环经济发展进行经常性的视察,听取工作汇报。市委书记、市长就发展循环经济问题亲自调查研究部署,李兆前书记多次撰文,深刻阐述循环经济理念和"生态建市"战略的理论基础和科学内涵。市政府出台了《关于加强环境保护推进生态市建设的决定》,成立了由书记、市长挂帅,有关部门主要负责人为成员的全市环境保护委员会、生态市规划建设领导小组和循环经济发展规划编制指导委员会,明确各自职责,定期召开例会,通报环境保护、生态市建设与循环经济发展工作情况。在全市上下形成了"党委领导、人大监督、政府负责、环保督察、企业治理、公众参与"的环保工作机制。市政府把生态市建设的各项任务目标分解落实到各区县、各部门,签订了环境目标责任书和生态市建设目标责任书,制定了考核奖惩办法及评分标准,将考核结果列为各级领导政绩考核的重要内容,领导干部离任要过生态环境审计关,从制度上保证了此项工作的开展。

为确保生态城市规划具有较高的层次和水准,2000 年 9 月,市政府委托中国科学院生态环境研究中心编制《日照生态市建设规划》,著名生态学家王如松博士担任规划工作组组长,邀请中国社会科学院专家参与编写,在多次征求著名生态专家和有关部门意见的基础上,完成了《日照生态市建设规划》文本。为确保规划的科学性、可操作性,市政府两次邀请李文华、蒋有绪两位院士及全国著名的生态专家进行论证,并于 2002 年 1 月通过了省环保局主持召开的专家评审。2002 年11 月经市政府常务会议审查批准,2003 年 5 月经市人大常委会审议通过,2003 年 8 月正式颁布实施。《规划》以经济发达、生态高效、人与自然高度和谐为目标,全面规划了日照的人口及社会、资源及产业、环境及景观,制定了建设生态城市的保障措施,描绘了日照未来发展的宏伟蓝图。

在此基础上,市委、市政府又把发展循环经济作为建设生态市的核心,积极探索以最有效利用资源和环境容量,使经济系统和谐地纳入到自然生态系统物质循环过程中的循环经济发展之路,提出了建设全国循环经济试点市的奋斗目标,以期通过循环经济的发展,进一步提升生态城市的建设水平。2003 年 3 月,日照市委、市政府联合省环保局和山东大学成立了《日照市循环经济发展规划》编制指导委员会和工作委员会,指导委员会由市委李兆前书记和省环保局张凯局长任主任,于建成市长和张喜忱副市长任副主任,19 个部门和各区县政府的主要负责人为成员。张凯局长亲自担任规划编制小组组长,同时邀请国内外知名专家担任顾问。2003 年 12 月,省环保局主持召开了《山东省日照市循环经济发展规划纲要》论证会议,邀请了孙铁珩院士、王文兴院士等 7 位国内知名专家组成专家组对规划进行审查。专家们一致认为:"《纲要》目标明确、指标体系完整、规划方法科学,结构合理、内容全面、重点突出,是一个具有国内领先水平的循环经济市发展规划纲要。"

二、努力营造发展循环经济建设生态城市的浓厚氛围

发展循环经济、建设生态城市需要全社会的广泛参与。为提高人们的思想认识,我们开展了大量宣传工作。

强化了对领导层的宣传。通过赠阅环境报刊、举办培训班、开设专题讲座等多种形式,向各级领导干部和企业负责人进行宣传。市委、市政府邀请中科院生态研究中心主任王如松博士做了生态市建设理论与方法专题讲座,邀请环保总局政策法规司彭近新司长做了循环经济发展与环保法制建设的专题讲座,市五大班子领导及全市副处级以上领导干部参加了学习;邀请张凯局长和清华大学教授为市委理论学习中心读书会就发展循环经济做报告,有力地强化了各级领导干部的生态意识,在全社会产生了强烈反响。邀请省环科院专家为全市骨干企业的负责人举办专题讲座,就如何面对国际市场、增强企业可持续发展和竞争能力,深入讲解了环境管理体系认证和清洁生产的有关内容。市委、市政府主要领导在许多重要会议上反复强调循环经济和生态建市的发展思路,提高了各级各部门参与生态市建设的自觉性。

加强了对社会各界的宣传。建立了日照环保网站,设立了生态市建设专题网页。深入开展了纪念"6.5"世界环境日、港城环保世纪行、"废旧电池换鲜花"、环保专题邮票展、创建环保模范城万人签名、环保文艺演出等一系列集中宣传活动。在全市主要新闻媒体开设了《建设

生态城市》专题栏目,制作播发了《建设生态城市,发展循环经济》电视专题片。组织广大团员青年开展了"向白色污染宣战"、"提倡绿色消费"等活动,善待自然、保护环境、监督违规企业、举报环境违法行为,日益成为广大群众的自觉行动。

广泛开展了"绿色学校"、"绿色社区"等创建活动。在全市中小学开展了"绿色学校"创建活动,采取渗透式教育,使中小学生更多地了解环境保护与生态建设知识,通过教育一个学生,达到带动一个家庭、影响整个社会的效果。创建"绿色社区"得到广大居民的积极响应,绿色环保与生态循环的理念,日益深入人心。

三、积极倡树循环经济发展模式,走新型工业化道路

循环经济作为一种新的技术范式,一种新的生产力发展方式,为实施新型工业化开辟了新的道路。我们以建设循环型企业为重点,构筑有利于生态环境的经济体系。提出了"小循环"抓生态企业、"中循环"抓生态工业园区、"大循环"抓城市生态工业链建设的思路,积极推进生态工业发展。

通过培育生态企业,构筑循环经济微观基础。生态企业是企业层面(企业内部)的循环经济模式,是生态工业和循环经济系统的细胞和基本单元。近年来,日照市在发展循环经济过程中,把生态企业建设作为发展循环经济的切入点,引导企业加快技术改造步伐,积极推行清洁生产,加强环境管理,使污染防治由末端治理为主向生产全过程控制转变。两年来,共有华远造纸集团、洁晶集团、海通制丝公司等10家企业先后通过了清洁生产审核或ISO14001环境管理体系认证,开始向清洁生态型企业转化。日照酒业有限公司是污染治理的难点,2003年以来,投资建设了利用废酒糟生产有机肥项目,利用废酒糟、酒泥生产有机肥料,分离后的废水部分回用于酒精生产,另外一部分用于生产冲施肥和叶面肥。该项目年利用废酒糟40000吨,生产有机肥15000吨,税前利润达1000万元。每年节约污水处理设施运行费14万元,节约能源折标煤235吨,同时又带动了有机农业的发展和废物的综合利用,实现了"三废"的零排放,彻底解决了酿造行业污染治理老大难问题。欧

盟专家现场考察后深表赞许,并将其纳入中国——欧盟 EST 合作项目,同意为其下一步发展提供技术等方面的支持。海通制丝有限公司通过开展 ISO14001 环境管理体系认证,实施废水治理再提高工程,废水实现全部循环利用,年综合效益达 100 多万元。国家环保总局王心芳副局长在看到《经济日报》对日照市发展循环经济的报道后作出批示:"山东日照发展循环经济的经验与做法值得关注,尤其是日照市把建设生态企业作为发展循环经济的基础工程来抓非常重要。只有搞好生态企业这个系统的'小循环','中循环'和'大循环'才能搞好。"

通过建设生态工业园区,构筑循环经济示范基地。生态工业园区是生态工业和循环经济发展的重要途径与载体。我市围绕传统产业的生态转型,按照循环经济理念改造现有工业园区,以骨干企业为核心,在推行清洁生产、发展生态企业的基础上,积极引进建设与现有企业配套互补的企业和项目,努力实现企业间资源的循环利用与园区内废物的零排放,引导重点企业成立了废物最小化俱乐部,实现信息共享,加强产业、企业间的协调合作,逐步形成产品或废物食物链(加工链),进而发展成为生态产业园区。日照经济开发区是省级开发区,也是我市临海大工业项目基地,我们用循环经济的理念加以设计,依托日照森博浆纸有限公司、日照发电厂等大企业,引导关联企业入园,建设循环经济示范园区。日照森博浆纸有限公司采用国际先进工艺和设备,形成系统内部循环链,碱回收率达到98%以上,水重复利用率达到85%,单位产品的耗水量仅为国内同类企业的1/10,其热电厂产生的粉煤灰被用于建材厂的原料。日照发电厂废水循环利用率达到100%,粉煤灰和废渣被用于生产水泥、砖、建筑砌块等建材产品。为提高我市生态工业园建设水平,我们积极争取将日照经济开发区生态工业园建设纳入中国——欧盟国际环境合作计划,由欧盟专家帮助和指导我们的规划编制和建设工作,成立了全国首家生态企业协会,建立了企业间废物、能量的相互交换与耦合,推进园区内资源循环利用和能源梯级利用。在此基础上,将生态工业园模式扩展到整个城市范围,构建多个生态工业链,形成城市生态工业系统。

在抓好生态工业发展的同时,着力培育旅游、教育、体育、住宅、会展等环境友好型产业,构筑具有日照特色的生态产业体系。以举办全国和世界帆船锦标赛为契机,委托美国规划专家,对7.8平方公里万平口海滨潟湖进行了概念性规划设计,实行生态、文化、旅游、运动一体化开发。发挥生态环境优势,大力引进大学和科研院所,发展大学经济,建设高等教育基地、科技创新基地和科研成果转化基地,增强生态经济发展的科技文化支撑能力。先后有10余所大学的教学及研发基地相继落户,在校大学生规模2004年达到4万人。按照生态循环的理念,积极建设生态住宅小区。高度重视发展生态农业,大力推行农业标准化生产,推广种植养殖能源三位一体的生态农业模式,发展绿色食品和有机食品基地20多万亩,既增加了农民收入,又改善了城乡生态环境。

四、既重保护,又重建设,努力创建最佳人居环境

日照市十分注重通过严格执法促进循环经济发展。对新上项目严格执行环境影响评价和"三同时"制度,认真行使环保"第一审批权"和"一票否决权",坚持"五不批",即对不符合国家产业政策,不符合城市发展总体规划,不符合环境功能区划,污染物不能稳定达标,达不到总量控制要求的项目,一律拒批。在此基础上,我们还认真审核其工艺先进水平程度,要求建设单位尽可能采用国际或国内先进工艺,并在项目的设计、建设过程中落实清洁生产和循环经济理念。连续多年组织开展了严肃查处环境违法行为专项行动,加大了对建设项目清理检查力度,强化了对污染源的监督管理,确保治污设施正常运行,污染物稳定达标排放,督促企业不断开展清洁生产审核,提高污染治理水平。

按照生态理念强化城市基础设施建设,不断夯实生态市建设基础。近年来,日照市先后投入30多亿元用于城市环境综合整治,建成了城市污水处理厂、城市生活垃圾无害化处理场和医疗废物集中处理厂。通过规划建绿、拆墙透绿、蓄水造绿、见缝插绿,使城市绿化覆盖率超过了40%。高标准规划建设了万平口海滨生态公园,完成了新市区生态恢复整治工程,将原来废弃的采石场改建成了风景如画的银河公园。对市区营子河、沙墩河两条河道进行了综合治理,使昔日的"龙须沟",变成了今天两岸杨柳青青、河内碧水涟涟的"玉带河"。大力推行集中

供热,严格控制燃煤锅炉,积极推广清洁能源,强制报废到期机动车辆,严禁排气不合格车辆上路。2003 年,市区环境空气质量优良率达 100% ,名列全省第一。在国家环保总局 2003 年 7 月份发布的全国环保重点城市空气质量排行榜上,日照市名列第三,成为全国城市环境空气质量最优的城市之一。

经过几年的努力,特别是通过创建环保模范城市工作的有力推动,日照的生态城市特色日渐突出,城市品位不断提升,形成了自己的城市特色和独特魅力。1998 年日照市被批准为国家可持续发展实验区,2000 年被批准为全国生态示范区建设试点市,2002 年被确定为全省循环经济试点市。成功举办了全国乒乓球锦标赛、全国沙滩排球巡回赛和山东省全民健身启动仪式等重大赛事、活动,并相继获得 2005 年欧洲级及 2006 年 470 级世界帆船锦标赛的主办权。

五、下一步工作打算

我市生态市建设和发展循环经济工作还刚刚起步,虽然取得了一定成绩,但与十六大提出的全面建设小康社会的要求还有一定差距,在今后的工作中,我们将不断总结经验,开拓创新,勇于实践和探索,努力为全省乃至全国的循环经济发展工作积累经验。

一是建立循环经济发展的综合决策机制。要充分运用国家关于鼓励资源节约和环境保护的优惠政策,综合运用财政、税收、价格、金融等手段和措施,加大对循环经济型企业和产业的扶持力度,制定完善的政策法规,利用市场调节手段,对不符合循环经济的行为,加以规范和约束。严格执行建设项目环境审批制,坚决杜绝污染大的项目建设。建立资源环境有偿使用制度,促使环境成本内部化,探索排污许可证交易制度,发展排污权交易市场。扩大国际交流与合作,建立循环经济发展基金,拓宽融资渠道。规定各级政府部门要优先采购经过生态设计或通过环境标志认证的产品,以及经过清洁生产审核或通过 ISO14000 环境管理体系认证的企业的产品,鼓励节约使用和重复利用办公用品。建立健全领导干部目标责任制,开展绿色经济核算,将循环经济发展目标纳入干部政绩考核。

二是认真组织实施《日照生态市建设规划》和《日照市循环经济发展规划》。按照规划确定的近期、中期、远期发展目标,采取有力措施,突出做好近期的阶段目标:经济结构的战略调整和产业转型取得明显成效,以创造生态名牌产品为先导,基本形成生态产业主体框架;环境污染得到治理,生态环境基础设施建设优先项目起步、典型示范项目初见成效,初步建成生态经济支持体系,可持续发展综合实力和活力明显增强,确立日照生态市品牌。坚持边规划,边实施,引导现有企业向循环型转变。在进一步做好企业内部"小循环"的同时,逐步向企业之间的循环利用过渡。以日照经济开发区为试点,加快生态工业园区的规划建设,在新项目的引进、布设、审批过程中落实循环经济的理念,以实现企业间资源的循环利用与园区内废物的零排放为目标,不断提高废物减量化、无害化和资源化水平。总结、推广生态示范乡镇村和生态示范小区建设经验,不断扩大试点范围。大力发展生态农业和有机农业,建立有机食品和绿色食品基地,大幅度降低农药、化肥使用量。建立完善社会化废旧物资回收利用体系,加强区域内外的能流、物流和信息流建设,争创国家级循环经济试点城市。

三是加强城市环境整治,完成环保模范城市创建任务。抓好城市功能区达标和工业、生活污染防治,促进城市污水处理厂和垃圾无害化处理场等城市基础设施建设,将城区和郊区环境保护统筹考虑,促进城市生态系统良性循环。加快改善城市能源结构,扩大集中供热面积,推广和使用型煤,禁止原煤散烧,防治二氧化硫污染。全面治理汽车尾气污染,抓好生活垃圾、医疗垃圾、白色污染和噪声污染防治工作。逐步建立起以垃圾处理、污水回用、空气净化、噪声治理、环境绿化为主体的城市生态环境体系,改善城市居住生活环境,创建国家环保模范城市。

四是加强生态教育,建设生态文化。坚持政府引导,企业兴办,群众参与,社会教育和科学普及的原则,大力加强生态文化建设,引导全社会转变思想观念和生产生活方式,倡导和树立与生态城市相适应的文明意识、文化氛围和舆论环境。重点抓好社区文化、企业文化、消费文化、建筑文化等方面的建设,形成具有日照特色的生活方式,引导居民进行绿色消费,定期开展生态文化教育、科技和娱乐活动,形成人和自然界的新的伙伴关系,达到人与自然的高度和谐。

　　五是建立发展循环经济的绿色技术支撑体系。加大国际合作力度,加强与各科研机构的联系,积极引进节能降耗、废物资源化、生态农业、生态渔业、污染治理等绿色高新技术,建立循环经济管理的信息化平台,用信息化和高新技术推动循环经济的快速发展。

义马市探索资源型中小城市
发展循环经济的模式

义马市人民政府

　　义马市位于河南省西部,东距省会郑州 183 公里,西距三门峡市 65 公里,是一个以煤炭、电力、煤化工、铬盐为主的新兴工业城市。辖区面积 112 平方公里,下设两个镇、五个办事处,城市建成区面积 10 平方公里,全市总人口 15.7 万,其中城市人口比例达 78.6%。陇海铁路、连霍高速公路、310 国道穿境而过,是沿黄河经济带和豫晋陕金三角经济协作区的重要组成部分。2003 年,全市国内生产总值达到 19.4 亿元,完成税收 17798 万元,地方财政收入 7515 万元,县域综合经济实力位于河南省第 8 位,被列为河南省首批 23 个对外开放重点县(市)、26 个城镇化试点县(市)和 35 个扩权县(市)之一,被命名为全省发展开放型经济先进县(市)、全省民营经济发展环境 50 优县(市)。在过去快速发展的进程中,由于历史条件与城市规模所限,资源开采与加工为义马市经济的快速增长创造了有利条件并奠定了物质基础。同时,资源的日渐匮乏与环境恶化给我市有限的发展空间也带来了巨大的压力。面对这一重大现实问题,义马市积极推行循环经济,寻求新的发展模式,并取得了良好效果。

　　义马市作为一个依托煤炭资源而快速发展的县级城市,建设循环经济示范区对全国资源信赖型中小城市尤其是中西部县域城市具有典型的代表性。我市按照国家环保总局的要求,在原有循环经济雏形的基础上,积极参与开展循环经济型城市示范区建设申报工作。2004 年

3月13日成立了建设循环经济示范区领导小组,并委托中科院、清华大学专家编制循环经济示范区建设规划,3月23日向河南省环保局递交了创建申请报告,4月12日向国家环保总局进行了专题汇报,4月12日至18日,中科院、清华大学8名专家莅临义马进行了规划基础资料调研,7月初规划编写专家组完成了建设示范区规划初稿。义马市委、市政府对此项工作高度重视,成立了领导小组和办事协调机构,研究部署经济、社会总体发展思路时,突出循环经济特色,并聘请中国工程院张懿院士为我市循环经济建设的顾问,义马市建设循环经济示范区的总体思路是:以循环经济与市场经济有机结合,遵循减量化、再循环、再利用的"3R原则",在河南省尤其是豫西经济带大框架内,以效益为中心,以项目为载体,以改革为突破,以发展为动力,经过5至10年的努力,加速促进"资源——产品——再生资源"循环经济模式的建立与完善,实现经济社会发展与物质投入的"脱钩",将义马市建设成为经济运行高效良好、基础设施配备齐全、生态循环健康协调的县域循环经济示范区。我们的主要做法是:

一、围绕"一个目标",不断提升县域经济的
生态效益和生态化水平

一个目标就是:在中部经济欠发达、生态脆弱的中小城市,建立县域循环经济的样板,在保持经济持续快速增长的同时,不断提升县域经济的生态、效益和生态化水平。具体的做法是:建立起以循环经济产业为主导的产业体系,完善区域性资源回收利用系统等基础设施,区内资源生产率(单位资源的GDP产值)显著提高;主要产品单位/产值的工业用水量、能耗、污染产生量指标优于全国同期平均水平,工业用水循环利用率、重点工业废物循环利用率处于全国先进水平,初步形成县域循环经济建设的推进机制和基本框架。

对义马市本身而言,循环经济示范区的建设不仅将全面改善资源利用效率、提高经济效益、减少废弃物排放和环境污染、改善环境质量,还可以培育新的经济增长点和可持续的经济发展模式,多渠道吸引技术与资金,创造更多的就业机会,提高生活品位,实现义马市资源的生

态化转型,提升城市层次和综合竞争力。在过去的几年,我市投资 1800 万元,依山傍水建成了占地 1500 亩的鸿庆公园、生态公园,不断扩大绿地面积和提升城市层次,使城市绿化覆盖率达 21%。利用义马热电厂余热和煤气化工程实行了城市居民集中供热、供气,提高了居民生活品位。全市共完成通道绿化 65 公里,荒山绿化 26000 亩,占应绿化荒山面积的 90%,还建成了一批生态农业示范区和无公害蔬菜基地,使县域经济的生态化水平进一步提高。

二、实施"两个转变",促进循环经济的快速发展

一个转变是:促进循环经济的产业转型,抓住示范区建设的机遇,逐步将以往粗放式资源依赖型模式过渡到资源效益型发展模式,逐渐实现经济发展与资源消耗的"脱钩";另一个转变是:促进循环经济的制度转型,通过政府、企业和公众的协作,制定合理的绿色产业政策,培育环境友好的商品与循环经济服务体系,营造一个循环经济建设的制度环境。

义马市在实施"两个转变"中主要做了以下几项工作:一是按照国家产业政策限期淘汰国家明令禁止的设备和工艺,深入开展"严厉打击违法排污企业,防止污染反弹"和"清理整顿不法企业,保障群众身体健康"等环保专项行动;二是禁止高能耗、重污染项目的上马,支持发展清洁生产工艺和高科技产业;三是依托资源(煤炭)和废弃资源(煤矸石、煤泥、粉煤粉、铬渣等)新上工业项目,实现资源就地转化和循环利用、发展;四是实施并完善政府绿色采购制度,扩大对社会绿色消费的推动作用;五是引导广大市民树立以人为本、人与自然和谐共处的社会公德;六是大力发展绿色食品和无公害蔬菜,鼓励"废物"循环利用。

三、建设"三大基地",推进清洁生产,走新型工业化道路

我市紧密配合郑州——洛阳——三门峡工业带建设,充分发挥资源优势和产业优势,着力构筑能源、煤化工和铬化工三大产业基地,走新型工业化道路。

义马矿产资源丰富,煤炭总储量 67.5 亿吨,已探明储量 15 亿吨,年产 1300 万吨,境内有国家特大型煤炭企业——义煤集团公司,是我国重要的能源基地之一。除煤炭资源外,铝土、玻璃石英砂、火礁岩、重晶石、硫铁矿等矿产资源也很丰富,其中铝土矿已探明储量1.02 亿吨。

义马市委、市政府根据义马的资源优势和产业布局,结合河南经济结构的总体布局以及周边县市的发展趋势,并经过充分的调查研究和科学论证,确立了把义马建设成为能源、煤化工和铬化工产业基地,进一步做大做强产业构成,提高经济运行质量和效益。

在能源基地建设上,利用当地煤炭资源,先后开工建设了总投资30 亿元的 $2 \times 25 + 1 \times 30MW$ 热电厂、$2 \times 12MW$ 跃进煤泥电厂、$2 \times 135MW$ 煤矸石电厂、$2 \times 155MW$ 铬渣综合利用电厂、$2 \times 50MW$ 煤泥电厂,其中 $2 \times 25 + 1 \times 30MW$ 热电厂、$2 \times 12MW$ 跃进煤泥电厂已于 2001年全部投入使用,$2 \times 135MW$ 煤矸石电厂 1 号机组于 2004 年 6 月并网发电,2 号机组于 2004 年 7 月底并网。被列入国家重点项目投资计划的 $4 \times 600MW$ 坑口电厂一期工程预可研报告已经河南省发改委上报国家待批。这些项目的建设为义马打造成河南能源基地奠定了坚实的基础。在煤化工基地建设上,以河南省义马煤气化气源厂为依托,每年可消耗当地煤炭 60 万吨,日产煤气 120 万立方米,年联产甲醇 14 万吨。为加快下游产品开发,加快物质流的循环利用,全力打造河南省首家煤化工基地,义马市政府于 2002 年委托中国化工第二设计院编制了《义马煤化工产业发展规划》,其中 13 个煤化工项目一次性获河南省发改委批复,总投资达 19 亿元,目前已有 5 个项目开工建设。铬盐基地建设方面,在原有 1.5 万吨重铬酸钾生产线的基础上与中科院过程工程研究所合作,建成了万吨重铬酸钾清洁生产新工艺示范工程。"钾碱液相氧化与再生清洁工艺年产 10 万吨铬盐"项目已得到国家发改委批复。项目完成后,将使该项目资源利用率提高 20 个百分点,污染物的产生减少80%,在河南义马市将形成国际上技术先进、经济效益显著的铬盐生产基地。

四、突出"六个链条",实现循环经济总量的有序发展

我市紧紧围绕"三大基地"建设,遵循"减量化、再循环和再利用"原则,构建能源、煤化工、铬盐、建材与高新材料、生态农业、城市基础设施六大产业循环链。

1. 煤炭能源产业循环链

义马市煤炭能源产业的发展将以煤炭综合利用与煤化工联产为核心,有机整合相关行业和企业,稳步分期地发展能源和煤化工产品,走"煤——电——能——化"四者结合的新型煤化工道路,将义马建设成为中原地区重要的能源与煤化工基地。

在煤炭能源产业循环链建设方面将突出规模化、洁净化与特色化,近期建设主要内容包括:①规模化。拟投资90亿元完成4×600MW坑口电厂建设,该项目现已进入国家审批阶段,其中一期工程2×600MW,总投资43亿元,预计3年建成。②洁净化。大型电厂建设采用清洁燃煤技术,以适应义马燃煤特点,实施电厂烟气脱硫净化工程;坚持能量梯级利用与水资源的循环使用,实施企业群落电厂集中提供热源工程。③特色化。加快2×135MW煤矸石电厂2号机组、2×50MW煤泥电厂、2×155MW铬渣综合利用电厂建设步伐;启动电厂排放粉煤灰集中利用生产新型建筑材料项目;在提供总体发电能力的同时,实现煤炭、煤矸石、铬化工废弃资源物的再生资源化。

2. 煤化工产业循环链

根据河南省发改委批复的河南义马煤化工基地建设内容与项目,煤化工产业循环链建设将以国家"九五"重点工程义马气化厂为依托,把煤炭、煤气、甲醇作为主要可循环物流,延伸发展煤气下游系列13个高附加值产品开发。在煤气生产中的副产物粗酚由当地河南鸿业科技化工公司就地加工成苯酚、工业二甲酚、间对甲酚,年加工粗酚6000吨,提高了其附加值;产生的焦油由气源厂加工成中油、轻油等燃料油出售;将空分装置产生的氧气制成了液氧,年产液氧1万吨,产值800万元。产生的二氧化碳送入中洁铬盐公司,在生产重铬酸钾炭化工艺和提镁、提铝工艺中使用;投资500万元建成克劳斯硫回收装置,从

H_2S 恶臭气体中提取单质硫制成硫磺块,拉长了煤化工产业链条。2004 年,义马市与河南开祥电力投资公司合作的煤化工项目年产 40 万吨甲醇,一期 20 万吨项目已开工建设,总投资 9.3 亿元,每年消耗地方煤 30 万吨。近期,还将完成 2 万吨/年聚甲醛、2 万吨/年甲酸、4 万吨/年碳酸二甲酯、20 万吨/年醋酸等项目建设。

3. 铬化工产业循环链

义马铬盐生产是典型的"两头在外型"模式。中科院过程工程研究所自主开发的钾碱液相氧化法清洁生产技术与河南省振兴化工集团合作,于 2003 年 8 月在义马建成 1 万吨/年重铬酸钾示范工程,实现了铬渣零排放,从源头上解决了铬盐行业的污染问题。亚熔盐清洁生产 10 万吨铬盐系列产品项目建议书已经得到国家发改委批复,该项目投资 5.08 亿元,充分利用义马气源厂的二氧化碳、煤气、蒸汽等二次资源进行循环使用,计划在"十一五"期间建成投产。

围绕万吨重铬酸钾清洁生产线、亚熔盐清洁生产 10 万吨铬盐系列项目和 1.5 万吨重铬酸钠传统工艺清洁生产提升与废渣治理展开铬化工生态基地建设。届时河南振兴化工集团公司铬盐产品的生产能力将达到 12.5 万吨/年,另有副产品铬酸酐、铬绿、芒硝等。与传统工艺路线相比,每年可减少生产铬盐产品所产生的铬渣 28 万吨,资源利用率提高 20 个百分点。是循环经济减量化原则的具体体现。同时,可满足我国对铬盐产品需求量的 40%—50%,全球市场占有率可望达到 10%—15%,形成国际上技术先进、经济效益显著的铬化工产业循环链。

4. 建材与高新材料产业循环链

建材与高新材料产业循环链是义马市工业经济发展三大基地建设之外的又一个经济增长点,也是义马市从资源依赖型向资源效益型转化的切入点。

建材产业链的发展重点是利用煤电产业的工业废弃物粉煤灰生产烧结砖等建筑材料;利用煤气化过程的副产品二氧化碳和充足的电力发展氯碱工业;利用铬化工产业废弃物碳酸钙生产轻质碳酸钙;利用能源工业脱硫废弃物生产石膏板材等。

高新材料产业循环链条的发展重点是：利用铬化工产业副产品轻质碳酸镁生产氧化镁晶须，利用铁渣生产高品位三氧化二铁。同时，利用义马周边地区氧化铝产业优势，生产高附加值化学氧化铝。

河南省三门峡地区铝土矿资源丰富，品位高，被誉为中国铝业公司的心脏所在。义马周边地区在发展氧化铝工业上已经取得了优势，但以生产低附加值的大宗氧化铝产品为主。义马将抓住机遇，以生产高附加值的化学氧化铝如熔融聚氧化铝、石油化工中加氢催化剂载体 r—A1203 为突破口，大力扩展高新材料产业体系，采用引进成熟技术与自主开发相结合，逐步建设高附加值氧化铝、聚合氯化铝产业，并扩展到上游特色铝土矿冶金与下游高级铝材加工，实现铝电联营，形成高技术氧化铝工业基地。

5. 生态农业产业链

义马市经济发展中农业占总量比例较小，循环型农业将重点实施传统农业向高附加值的生态农业转化，主要建设内容包括：一是推广农用沼气，辅带家庭养殖，建立农村清洁能源供应与保障体系；二是农产品及其副产品的增值化和深加工，推行大棚种植经济作物，实施非农化、特色化的发展，并与工业生态产业链相衔连；三是与周边地区联合，建设区域生态农业循环体系，开展利用农业废弃秸秆制酒精联产有机肥工程，实现生态农业与能源化工的衔接。

6. 城市基础设施产业链

根据义马市经济发展特色，近期循环经济型社会、三产与城市基础建设重点放在城市基础设施、城市生态景观建设方面，并以循环型工业建设实现总体带动。主要建设内容包括：其一，继续推行清洁煤气入户工程与电厂集中供热工程，加大煤炭矿井水的循环利用率，改善区域内企业和城市居民的生产、生活环境；其二，开工建设规模 5 万吨/日，一期日处理 2.5 万吨城市污水处理工程，处理后的污水用于电力工业循环水或冲灰水，为循环型工业发展提供保障；其三，开工建设 13 万平方米生态居民小区，对规模居民小区采用中水回用设施；其四，开工建设日处理 200 吨、年产 2 万吨多元化生物有机复合肥及塑料颗粒 2000 吨的垃圾处理工程；其五，开展城市环城路建设，拉大城市框架，与临县城市建设一体化。

五、推进循环经济过程中存在的主要问题

中央提出的科学发展观对我们在社会、经济协调发展中提出了明确要求,循环经济为发展提供了全新理念,在国家环保总局、河南省环保局等上级有关部门的支持、指导下,义马人民齐心协力、艰苦奋斗,广大群众积极参与,推进循环经济型城市建设,取得了一定成绩。在总结经验的同时,也应看到我市在发展循环经济过程中存在一些不容忽视的问题:一是循环经济的实践深度不够,层面有待进一步拓展;二是改组、改善传统产业结构和布局中,还没有形成一批高效益、高技术、辐射面大、产业链长的知名品牌;三是政府各职能部门对循环经济的认识水平还参差不一,需要从环保部门加快向经济社会各有关部门进一步拓展,促进经济、社会、环境的协调统一。这些问题都需要我们在今后的工作中采取有效措施,认真加以解决和完善。

六、推进循环经济的几点建议及下一步打算

第一,国家有关部门制定发展循环经济的战略目标和总体规划。将提高资源利用效率、减小资源消耗量和污染产生量纳入国家发展的战略目标,从根本上解决推进循环经济的动力机制问题。第二,通过立法手段促进循环经济的发展。借鉴国内外的经验教训,建议制定一些循环经济的单项法规,在条件成熟时,将制定"循环经济促进法"列入全国人大的立法计划并逐步建立促进循环经济的法律体系,为建设循环经济提供法律保障。第三,建立符合循环经济原理和可持续发展目标的综合评价指标体系。用国内生产总值衡量经济发展和考察政府政绩有很大的片面性,建议建立一套包含经济增长、资源消耗、环境质量和人民福利的综合评价指标体系,即"绿色 GDP",以反映全面小康社会的建设进程。同时,建立有效的信息共享制度,用信息化促进新型工业化,不断提高循环经济的水平。第四,加大科技开发力度,促进循环经济的技术创新。将循环经济各个方面的研究工作纳入国家中长期科技发展规划,重点研究开发生产模式和消费模式转变的关键技术。如:

提高能源和资源利用效率技术、以废弃物为原料的新型工业技术等符合循环经济基本原则的新工艺和新技术,促进循环经济的技术创新。

下一步我们将尽快完成循环经济示范区建设规划,以规划作指导,以项目为中心,围绕三大基地、六个链条开展循环经济工作,使我市的资源循环利用率由2002年的9%,提高到2007年的15%,资源生产率每年提高3个百分点,废物排放量每年削减8%。并在法律制度建设、经济政策、技术科研支撑方面做好工作,使其为循环经济的发展提供保证。加强对循环经济宣传与公民教育工作,提高公众参与率,全面建设循环型社会。

学习国际经验　深圳大力发展循环经济

深圳市环境保护局

一、发展循环经济的战略意义

所谓循环经济是指在人、自然资源和科学技术的大系统内,在资源投入、企业生产、产品消费及其废弃的全过程中,不断提高资源利用效率,把传统的、依赖资源净消耗线性增加的发展,转变为依靠生态型资源循环来发展的经济。

循环经济是国际社会推进可持续发展的一种实践模式,它强调最有效利用资源和保护环境,表现为"资源——产品——再生资源"的经济增长方式,做到生产和消费"污染排放最小化、废物资源化和无害化",以最小成本获得最大的经济效益和环境效益。这种经济模式被称为实现可持续发展战略的桥梁。

循环经济正在成为新的世界潮流和趋势,在国外,特别是在欧美、日本等发达国家受到了空前的重视,日本、德国、挪威等国家制定了专项的法律以推动这一发展模式的实施。国内的辽宁、上海、北京、天津、青岛、南京、贵阳等省市也把这一发展模式提升到地区发展战略的层次进行研究和部署。发展循环经济,建设生态城市,已成为国内外许多大中城市社会经济与环境保护协调发展的新的目标。当前,我市在这一方面的系统工作落后于国内一些省市,这与我市率先建设社会主义示范地区的地位和目标极不相称。因此,现在开展深圳市发展循环经济的研究工作形势紧迫、意义重大。

二、深圳市发展循环经济的必要性和可行性

1. 大力发展循环经济,是深圳市率先基本实现现代化和达到城市发展目标的必然选择

深圳市具有地域狭小、自然资源相对匮乏、环境承载力弱、经济和人口总量大、城市持续高速超常规发展等环境特征。而深圳市现有的生产和消费方式仍处于大量生产、大量消耗、大量消费、大量废弃的阶段,资源利用率低、环境污染、生态破坏局部严重的现状没有根本改观,资源、环境问题已成为深圳进一步高速发展的瓶颈。例如,深圳市水体污染严重、水资源短缺、土地资源短缺、土地开发强度过大、土地利用潜力过小,已严重制约了经济的进一步增长。

日本在自然本底条件和社会经济条件上与深圳市存在着类似之处:地域狭小、资源相对匮乏、环境承载力较低、工业化程度高、属外向型经济等。日本在检讨传统经济、工业经济的弊端后,对后工业时代经济发展之路积极探索,走出了一条与知识经济、生态经济、可持续经济异曲同工的发展之路——循环经济,在短短十几年时间就取得了显著成效。深圳市在二次创业、重新定位的关键时刻,选择何种经济模式继续发展,是在传统经济道路上停滞不前,还是学习日本,大力发展循环经济,答案是显而易见的。

要实现市委、市政府制定的率先基本实现现代化,建设高科技城市、现代物流枢纽城市、区域性金融中心城市、美丽的海滨旅游城市、高品位的文化和生态城市的发展目标,深圳市必须大力发展循环经济,走出一条科技含量高、经济效益好、资源消耗低、环境污染少、人力资源优势得到充分发挥的新型工业化路子,这既是经济发展的要求,也是生态文明的重要体现。

2. 深圳市在循环经济领域的工作现状决定了必须大力发展循环经济

深圳市在与循环经济密切相关的领域取得了一定进展。在开展清洁生产方面,为贯彻实施《中华人民共和国清洁生产促进法》,我市发布了《清洁生产实施意见》,现正在紧锣密鼓地开展地方性法规《深圳

市经济特区实施〈中华人民共和国清洁生产促进法〉规定》的起草工作;在废弃物综合利用方面,我市制定了地方性法规《深圳市资源综合利用条例》,成为我市资源有效利用的框架法,此外还发布了《深圳市资源综合利用认定管理办法》、《深圳市能源基金管理办法》、《深圳市节能贴息项目暂行实施办法》等规范性文件,认定资源综合利用企业45 家,减免税额约 2000 万元;在生态城市建设方面,我市已将建设生态城市作为新的城市定位和工作重心,正抓紧研究制定我市生态城市建设规划,同时开展了全国环境优美乡镇、生态示范镇(村)的创建工作,现已拥有 3 个全国环境优美乡镇、4 个省级生态示范镇(村),目前正在积极开展生态示范区创建活动。

但是,深圳市的循环经济建设仅限于建立企业内部和产业内部的物质循环,处于建立小循环、中循环的初级阶段,还未上升到建立区域、社会大循环的层次,还没有建立起系统、完整、成熟的循环经济体系。例如,在战略思想上,我们尚未明确提出将发展循环经济作为经济建设和环境保护的基本模式;在政策体系上,缺乏发展循环经济的基本法,现有发展循环经济的政策、法规零散、孤立,尚未形成统一的循环经济政策法规体系;在实际工作中,推行清洁生产、资源综合利用和生态城市建设规划的工作相互隔离,有的内容重复交叉,缺乏协调、整合和统一;生态城市建设工作也没能与发展循环经济衔接。

这些问题,已引起了市委、市政府领导的高度重视,市委、市政府已经将发展循环经济的系统研究列为重要的政策议题,这为我市大力发展循环经济提供了契机。

3. 日本发展循环经济,建立循环社会的成功探索,为深圳市大力发展循环经济提供了借鉴

日本经过十几年的努力,建立了国际上最为先进和最为完善的循环经济政策法规体系,该体系包括:第一,基本框架法——《循环型社会形成促进基本法》,明确提出了应建立的"循环社会"的形态,界定了"废弃物"、"循环资源"概念,规定了废弃物处理的优先顺序:一是控制产生,二是回收使用,三是再生利用,四是热回收,五是合理处理,明确国家、地方政府、事业者和国民的责任,要求政府制定"循环社会形成推进基本计划",明确国家为建成循环社会应有的对策,该法为综合并有计划的推动废弃物循环利用对策的实施奠定基础;第二,建立一般机制的两部综合法——《废弃物处理法》和《资源有效利用促进法》,《废弃物处理法》确立了废弃物合理处理的一般机制,《资源有效利用促进法》确立了促进废弃物再生利用的一般机制;第三,针对个别废弃物的五部特别法——《容器包装再生利用法》、《家电再生利用法》、《建筑材料再生利用法》、《食品再生利用法》、《汽车再生利用法》;第四,生活消费领域特别法——《绿色购买法》,促进国家、地方政府采购环保产品,提供信息,引导鼓励企业、个人消费时尽可能选择环保物品,为保障循环经济发展的内在动力提供法律支持。

此法规体系浓缩了日本从 20 世纪 90 年代至今发展循环经济的成功经验,为我们学习、借鉴提供了丰富的素材。

三、我市发展循环经济工作的基本思路和主要研究任务

在市场化和法治社会中,政策、法律、规划是政府推进循环经济建立、发展的最重要、最有效的形式。发展循环经济的研究工作应发扬我市改革创新一贯秉承的"立法先行"的优良传统,致力于发展循环经济的地方立法研究,核心任务是要研究建立一套完整的、开放的金字塔式的循环经济政策法规体系:位于塔尖的是循环经济基本法,下一层是循环经济基本制度法,包括资源综合利用法、固体废物处置法、促进绿色购买法等,第三层是各种不同废弃物的回收利用专项法规。

1. 发展循环经济工作的基本思路

(1)清理、整合已有的发展循环经济的政策、法规。要对清洁生产、资源综合利用、固体废弃物污染防治等方面的地方法规、规章、规范性文件集中搜集、整理,找出现有规定、政策措施间的冲突、重叠之处,概括出符合循环经济要求的内容和制度,找出需要上升为法规、规章的政策和规定。

(2)集中研究日本循环经济政策法规体系,借鉴日本建立循环经济的相关经验,把若干法规移植到我市。日本经过十几年的努力,初步建立了比较完整的循环经济政策法规体系,它浓缩了日本十几年来发

展循环经济的经验,同时,日本循环经济尚处于发展上升时期,将会不断推进和升华。我市在发展循环经济时要实行跟随战略,全面学习日本循环经济观念、原则、基本制度和立法模式,一方面尽快移植现有法规,争取早日达到日本目前水平,另一方面要把握循环经济的精髓,随时准备完善立法,提升循环经济发展的层次。

(3)把发展循环经济的政策法规研究与生态城市建设研究紧密结合起来。循环经济本质是一种生态经济,与生态城市建设一样,都以追求人与自然相和谐的状态为理念,注重在发展中保护生态环境,并都遵循同样的自然规律,即生态规律。生态城市建设规划要融入循环经济的观念,循环经济的基本计划制定要和我市生态城市建设规划同步进行,互相衔接,互为补充。

2. 循环经济研究工作的主要任务

(1)对我市的经济发展模式、产业结构及布局、资源综合利用等问题作全面的调查和研究,收集相关统计数据,初步建立一个循环经济信息系统,并随着相关研究的深入不断充实和完善。

(2)建立我市循环经济基本法。该法应能作为全市发展循环经济的框架法,统领我市循环经济法规体系,作为其他法规、规章的立法依据。该法应能明确提出我市应建立的循环经济形态,应界定"废弃物"、"循环资源"等相关概念,规定废弃物处理的优先顺序:一是控制产生,二是回收使用,三是再生利用,四是热回收,五是合理处置,明确政府、企业、社会组织和公民的责任,明确要求政府制定"发展循环经济基本计划",明确政府为发展循环应有的对策等。

目前,市环保局正在起草《深圳市经济特区实施〈中华人民共和国清洁生产促进法〉规定》,该草案已融入循环经济的诸多思想。所以,可以也有必要对正在起草的规定予以扩充和提升,作为我市循环经济基本法。

(3)研究制定发展循环经济的基本计划。发展循环经济的基本计划是对循环经济基本法的全面执行,在分析现状和问题的基础上,确定建立循环经济的数值目标以及为实现目标政府应采取的具体措施和步骤。研究重点是如何将基本计划的制定与我市正在进行的生态城市建设规划结合起来,使生态城市规划融入循环经济的理念。主要包括如何将生态工业园区的建设、城市再生资源回收利用体系建设、再生产业体系建设纳入生态城市规划中来。

此计划的制定应与循环经济基本法的制定以及生态规划的制定同时进行,同步推进,争取同时出台。

(4)研究建立循环经济一般机制的综合法。重点解决废弃物处置机制和废弃物综合利用机制如何有机衔接和融合,实现废弃物减量化、资源化和无害化的有机统一。

在废弃物的处置方面,把握国家修改固废法的立法动向,研究修改《深圳市经济特区实施〈中华人民共和国固体废物污染环境防治法〉规定》,以循环经济的减量化、资源化、无害化原则的有机统一为指导,注重与2003年颁布的《深圳市资源综合利用条例》相衔接,建立废弃物回收利用的完整机制。

(5)研究有关促进绿色购买的法规,为循环经济在生产和消费上的统一提供法律保证,研究重点是在政府采购中如何强制实行绿色采购、如何引导企业和个人购买环保产品,促进政府采购环保产品,提供信息,引导鼓励企业、个人消费时尽可能选择环保物品,为循环经济发展的内在动力提供法律支持。

(6)建立个别废弃物回收利用专门法。重点研究在以下几类废弃物回收利用过程中,如何有区别的合理分担政府、生产者、回收企业、消费者和处置者的责任,以及规范回收市场两大问题:

第一,废旧家电的回收利用,由于目前我市每年约有废旧的彩电8万台、冰箱10万台、电脑3万台需要回收利用,加上市场很不规范,资源回收率低,还会产生电子污染,因此需要重点研究。

第二,容器包装的回收利用,重点是塑料餐具、塑料袋和玻璃容器的回收利用,此问题曾多次被市民和人大、政协代表以来信、议案的形式提起,亟待解决。

第三,食品的再生利用,重点是食品残渣、泔水油再生利用和合理处置问题,目前我市食品残渣肥料化、饲料化利用率低,浪费严重,而泔水油被地下加工窝点非法加工后重新流向市场,严重影响市民身体健康,此问题已引起政府和社会的广泛关注,更需仔细研究。

第四,机动车再生利用。我市的汽车拥有量大,时间长,许多车已处于报废期,其回收利用问题急需研究,另外,还应考虑摩托车的回收利用,因为我市将开展禁摩(或限摩)行动,这会导致大量摩托车报废,如何有效、迅速的回收处理的问题亟待研究。

第五,建筑材料的回收利用也应列入研究范围。

四、发展循环经济研究工作进度安排和保障

1. 工作进度

力争用 3 年时间,建立同日本目前发展水平相近的比较完善的循环经济政策法规体系:

(1)由市委政研室牵头,开展深圳市发展循环经济的调研工作,在 2004 年 6 月底前完成调研报告。

(2)将市环保局正在组织起草的《深圳市经济特区实施〈中华人民共和国清洁生产促进法〉规定》,上升为循环经济基本法,列入 2004 年立法计划。

(3)由市环保局牵头,将发展循环经济的基本计划制定工作和生态城市建设规划工作同步开展。

(4)由市环保局开展修改《深圳市经济特区实施〈中华人民共和国固体废物污染环境防治法〉规定》的调研工作,争取在 2005 年完成修订并颁布。

(5)由相关部门起草,制定法规《绿色购买条例》,争取于 2005 年出台。

(6)由相关部门制定废弃物回收利用的专门政府规章,在 2005 年至 2006 年间相继出台,主要包括:《家用电器回收利用规定》、《包装容器综合利用规定》、《食品再生利用规定》、《机动车回收利用规定》、《建筑材料综合利用规定》等。

(7)相关的法规出台后,由各有部门关政府启动循环经济工程程序。

2. 组织和资金保障

我市发展循环经济的政策、法规研究工作是一项复杂的、巨大的系统工程,研究内容涉及经济、社会、环境、文化等各个领域,需要强有力的组织机构、实力雄厚的政策研究队伍和充足的资金支持。

(1)成立组织机构。成立循环经济政策法规研究工作领导小组,由李鸿忠市长任组长,卓钦锐副市长任副组长,市委政研室、市环保局、经贸局、发展计划局、科学技术局、规划与国土局、建设局、城管办、交通局、卫生局、农林渔业局、水务局、旅游局等部门负责人参加,负责对项目执行过程中的重大问题和事项进行决策和协调;领导小组下设办公室,设在市委政研室,负责具体的日常工作;循环经济政策法规研究工作小组由上述各部门有关工作人员组成,再根据不同的研究课题分成相应的研究分组,进行专项研究工作。

(2)寻求资金支持。由市环保局向市委政研室申请,争取将此研究列为2004年度市委、市政府重大政策研究课题项目,以取得资金支持。

珠海环境强市　走可持续发展之路

珠海市环境保护局

　　1979 年珠海撤县建市,1980 年成立经济特区,经过 20 多年的建设,珠海已培育出电子及通信设备制造业、电气机械及器材制造业、医药及医疗器械制造业、石化原料及制品制造业、电脑软件业、旅游业等具有一定实力和特色的优势产业,形成了有较强竞争力的产业链和企业群,积聚了进一步加速发展的优势和潜力。2003 年完成生产总值476.73 亿元,近 5 年来年均增长 16.58%。珠海的三大产业结构不断调整优化,由 1979 年的 38.5∶30.6∶30.9 调整为 2003 年的 3.63∶57.24∶39.13,实现了从农渔业经济向工业经济的转变。

　　在经济快速发展的同时,珠海市注重对环境资源的保护,"十五"期间,市委、市政府进一步提出了"科技兴市、实业旺市、环境强市"三大发展战略,促使人与自然的协调发展,社会朝着循环经济的目标发展。

一、构筑以高新技术、高附加值为代表的产业格局

　　近年来,珠海市的工业结构逐渐向高技术化和重工业化发展,逐步形成电子及通信设备制造业、电脑软件产业、生物医药产业、电器机械及器材制造业、石化原料及制品产业五大支柱产业。根据珠海市城市总体规划和功能区划,结合"工业西进"的发展布局,全面整顿和搬迁改造市区高耗能、低附加值和重污染的工业企业。

　　已建立起国家级高新技术产业开发区、国家软件产业基地、亚洲仿

真、丽珠等 15 个国家级和省级技术研究开发中心,有 67 家企业被认定为高新技术企业。2000 年,全市已有软件企业近 500 家,其中经省认证的软件企业 92 家,经省登记具有自主知识产权的软件产品 276 件,全市软件产品产值达 13 亿元;高新技术产品产值达到 173 亿元,占全部工业总产值的 26%。

二、积极推广清洁生产和 ISO14000 认证工作

开展清洁生产,进行全过程控制,减少污染物产生量,提高资源的使用效率。积极推动企业 ISO14000 环境管理体系认证工作,加强环境管理,目前我市已有超过 20 家的企业通过了 ISO14000 认证工作。1997—2000 年,万元工业产值废水排放量逐年下降,由 15.8 吨/万元下降至 7.9 吨/万元。从 1998 年开始开展的污染源达标排放工作,全市共有污染源 282 家,到 2001 年底全市通过积极治理、清洁生产、停产搬迁等措施,268 家实现达标排放,14 家企业被政府依法关停。

通过采用高浓度废水做肥料的综合利用方式,解决了国家重点污染源益力味精厂高浓度废水污染问题,使其向循环经济迈进。我市最大的投资项目珠海碧阳公司投资 2 亿元用于环境保护,为减少污染,燃料全部采用燃气,提前自配污水循环系统,调试污染防治措施,确保企业一投产就达标排放,减少了试运行期间污染物的排放。2004 年 1 月,珠海发电厂顺利通过"安全——健康——环保"认证,成为广东省第一家"三证合一"企业。

三、建设生态工业园

目前我市生态工业园建设包括两个方面:一是对现有工业园区的改造,通过引进新的关联企业入园,构建完整的产品链;二是建立新的生态工业园,加强规划,按照主要产品的生物周期设置产品链。

2003 年珠海市以公开招投标的形式,投入 190 多万元组织开展 10 个工业园区的区域环境影响评价,为各工业园区的产业结构与布局、发展规模的环境合理性提供基础,为创建生态工业园打下了良好的基础。面积达 120 平方公里的临港工业区,2001 年完成生产要素优化配

置——产业结构——产业培育的前期工作,正在形成区域的由炼油、乙烯、精细化工以及炼油、芳烃—PTA—聚酯、合成树脂等加工工业组合而成的大型石化产业基地,以目前已启动了的 PTA 和丙烯酸树脂等大型化工项目为基础,通过不断发展上下游产品,可构成完整的石化产品生产链。

在《珠海市生态市建设规划》中提出,近期重点建设四个生态型工业园:一是在临港工业区建设典型的大型产业链型石化生态工业园区;二是建成以珠海电厂为核心的电力生态工业园;三是以甘蔗加工为核心,建设甘蔗加工生态工业园;四是继续完善珠海国家高新技术产业开发区,重点扶持软件、生物制药、数据通信和网络技术产业,全面推动高新技术产业的发展,使之更具有生态型工业园的特点。

汕头开展循环经济工作的探索与实践

汕头市环境保护局

为了实现经济的可持续发展,近年来汕头市努力推行循环经济,建设循环型社会,并且取得了很好的成绩。现把我市开展循环经济工作总结如下:

一、大力推行清洁生产

坚持推行清洁生产和发展循环经济,通过产业结构调整、企业技术改造、资源综合利用,采用清洁能源,促使企业节水、节能降耗,实现增产不增污或增产减污,促进工业污染防治由末端治理转变为全程控制,降低企业防治污染成本,实现环境与发展"双赢"。严格贯彻《中华人民共和国清洁生产促进法》,鼓励达标排放企业开展清洁生产审核,对超标排放污染物的企业强制实施清洁生产审核。我市强制进行清洁生产审核的企业有 8 家,自愿参加清洁生产审核的企业有 4 家。

华能汕头电厂是我市清洁生产企业中的典型代表。该厂通过了ISO9001(2000 版)质量管理体系标准、ISO14001(1996 版)环境管理体系标准及 ISO18001(1998 版)职业安全卫生管理体系标准"三位一体"的国际国内双认证。其环保设施与主体工程实现"三同时"。与电厂一期工程相配套的环境保护设施,包括烟尘处理设施、灰渣输送处理设施、废水处理设施以及噪音防治设施等,都严格按照国家法规的要求,与主体工程同时设计、同时施工、同时投入运行,实现了"三同时"。并通过国家环境保护局组织的环境保护设施竣工专项验收。在工程建设中,其业主在思想上从"基本国策"和"可持续发展"的战略高度,十分重视环保工作,设计上力求技术先进,适度超前,配备完整。施工中保证预算到位,资金落实,总投资达 13909 万元。

二、开展生态示范区(村、镇、场、园)创建活动,逐步解决农村面源污染问题

我市将在近年创建的龙湖区大衙村、濠江区澳头村、澄海区碧沙村和盐鸿镇、潮南区的东华村、东北村、西陇居委及金平区大顺实业有限公司水产养殖场等 8 个省级生态示范区基础上,2004 年计划再创建澄海区窖西村、官湖村、潮阳区龙港村、西凤村、潮阳实验学校劳动实践基地、潮南区大寮村、绿都种养实业有限公司、绿园农业科技发展有限公司等 8 个生态示范区(村、园),以点带面,推进农村面源污染防治。我市的南澳县于 2004 年被评为国家级的生态示范区。

我们以澄海区盐鸿镇为代表,简要谈谈盐鸿镇创建生态示范镇的一些经验和做法。

澄海区盐鸿镇,2003 年被评为广东省生态示范镇。该镇为了创建生态示范镇做了以下的主要工作并取得了重大的成效。

第一,加快农业发展,实施生态农业基地化建设。积极推广和建立了立体种养生态农业模式,形成了水产养殖、水果、蔬菜 3 个万亩基地;并开发建设百亩陈木盛立体种养生态园,200 亩红树林保护林,生态旅游农业得到了长足发展。

第二,严格执行环保法律法规,工业污染得到有效控制。加强春天湖工业区老污染工业的污染源治理,整治烟气污染和环境噪声污染,先后投入资金约 300 万元完成治理项目 15 个,并投入 100 万元开辟工业区的专线排污沟。

第三,加大生态示范镇和环境保护宣传。盐鸿镇利用有线电视、广播、固定墙标积极宣传建设生态示范镇的必要性和生态环境保护工作的重要性。

第四,做好基础设施建设和生态环境保护。具体措施是:一是加强公共基础设施建设;二是做好城镇绿化美化;三是加强水源保护工作;

四是加强环卫设施建设;五是加强植树造林和封山育林工作;六是建设人工湿地生活污水处理系统。

第五,高起点规划、高标准建设生态旅游。

第六,治理莲花山钨矿遗留的污染问题,变污染源为生态园。

三、加强对固体废弃物进行综合利用

我市认真贯彻《汕头市固体废物污染防治规划(2001—2010年)》,结合发展环保产业,大力推动固体废物综合利用。我市固体废物综合利用主要以纸类资源再生利用和废塑综合利用为主。2003年我市从事资源综合利用的企业有48家,其中纸类资源再生利用企业有35个。从业人员2067人,占全市环保产业从业人数的63.89%,年工业总产值32664.3万元,占全市环保产业年工业总产值的81.33%。

2004年年底前我市要全面清理污染死角,建成固体废物集中经营加工区,并配套集中治理设施,强制拆解污染工序入区作业,大力发展无污染或少污染产业,尽快按《广东省固体废物污染防治规划》要求,在潮阳区贵屿镇建成汕头废旧电子电器综合处理中心,彻底改善环境面貌。

佛山大力发展生态工业
推进循环经济建设

佛山市环境保护局

　　佛山市位于广东省的中南部,珠江三角洲的腹地,紧连广州,毗邻港澳。土地面积 3848.49 平方公里,辖禅城、南海、顺德、高明、三水五区,是新兴的工业化城市,工业发达,经济基础雄厚,2003 年国内生产总值为 1381.39 亿元,工业总产值 3297.25 亿元。随着我市工业的发展,工业生产的区域化集聚和工业企业规模化特征不断显现,这为我市发展生态工业循环经济具备了客观的条件。另外,我市产业结构以传统的陶瓷、纺织印染、制造业为主,工业污染防治的压力较大,环境质量相对较差,各级政府和广大市民都已意识到生态环境对日常生活和身体健康的重要性,发展循环经济显得迫切必要。再次,我市属工业资源短缺型城市,节约资源和加强资源的综合回收利用在经济活动中显得相当重要。基于以上原因,我市自 2000 年开始就以生态工业园的建设为突破口,积极探索生态工业循环经济的建设和发展,通过政府引导、社会鼓励、企业积极参与,我市发展生态工业循环经济的理念越来越深入,致力于发展生态工业循环经济的企业越来越多。目前,我市以南海国家生态工业示范园区为典型、以工业园区为载体的生态工业循环经济建设取得较大进展,一大批国家级、省级的高新技术开发区、科技工业园、新材料产业园区已经建成或正在建设之中,生态工业循环经济开始取得较好的发展。

一、发展生态工业循环经济的主要做法

1. 以工业园区的建设为载体,加强生态工业的环境管理,发展循环经济

20多年工业污染防治的实践,使我们积累了不少工业污染防治的好经验和成功的做法,但也给了我们很多的教训和启示,付出了代价,在某种程度上,我市工业的发展也走了先污染后治理的老路。在我市新一轮的经济发展中,我们吸取以往工业发展的教训,按照现代工业的发展理念,坚持走发展生态工业的路子,大力推行生态工业园区的建设。着重抓了三个方面的工作:

(1)抓生态工业园区的规划。

佛山行政区划调整后,我们抓住这一历史机遇,打破原来各区各自为政的局面,加强对现有工业资源的整合。依照我市工业发展的现状和最新制定的产业发展规划,在充分考虑工业发展的地域性、主导性、相关性的基础上,对全市市、区、镇、村四级工业园区进行大规模的调整和整合,按照产业强市的目标,结合城市总体发展规划,全市规划建设十大工业园区。对所有工业园区认真做好区域环评和规划环评工作,通过充分论证区域环境承载力和环境容量,编制区域环境规划,按照区域环评和环保规划的要求进行区域的开发和项目建设。在工业布局上,充分考虑我市城市规划建设组团式多中心的特点,加强与城市规划的协调。对入园的建设项目,制定产业名录,设立准入门槛。新办的工业企业,一律要进工业园区,园区外原则上不再建工业企业。对原有分散在老城区或混杂在居住区的企业,要结合产业结构的调整、优化、升级,文化名城和现代化大城市的建设,实施改造、提升或搬迁。同时,在工业园区内实施功能分区,实施分类分区管理,加强对行业发展的指导,对入园的工业项目,实行对号入座,防止新一轮的工业发展而引发布局的混乱和相互影响。

(2)抓生态工业的链条经济。

根据生态工业的定位,尽可能建立工业园区内物质闭路循环。在园区的开发建设和招商引资活动中,打破地域界限和利益束缚,突出园

区的主导产业和企业之间、产品之间的相关性,侧重于物质生态链的组建,尽可能地延长工业链条,逐步形成工业园区内核心区和总体园区的小循环和中循环,形成族群经济。目前,我市的十大工业园区都基本上形成了各自的产业链条,其中,南海国家生态工业示范园区形成了以钢铁企业、钢铁市场、家电上游五金企业、家电下游五金企业、金属回收企业为连接点的金属生态工业链条网,并初具规模。还发展以华南环保科技产业园为核心的环保科技产业,致力于环保科技产业的研发、应用与服务。

(3)抓工业园区的生态环境管理。

园区经济是我市经济发展的主战场,也是我市新一轮工业污染防治的重点,在工业园区的开发建设中,环保部门始终抓住生态环境管理这个重点:一是对工业园区的基础设施实施统一建设,完善配套。做到了"统一供应工业用蒸汽,统一供应工业用水,统一员工村建设",既节约能源、节省投资,减少了能耗物耗,降低污染物的排放,也加强对园区的统一管理,同时,做好园区的绿化美化,美化园区的环境。二是加强污染物的集中治理。所有园区都要规划建设与园区经济相适应的集中的污水处理设施,由排污者付费,对废水实施统一的集中处理,保证污染物达标排放。并且对园区实施雨污分流。三是推行园区企业和整个园区的 ISO14000 环境管理体系。积极引导和帮助企业、园区推广实施ISO14000 环境管理体系,通过园区、企业的生态管理,树立园区、企业良好的生态形象或环境,提高企业、园区的管理水平,为工业体系的可持续发展提供生态保障。到 2003 年年底,我市通过 ISO14000 环境管理体系认证的企业有 50 多家,工业园区有 3 个。

2. 以短缺资源的循环利用为突破口,加强对废物的回用和资源的综合利用

我市有色金属资源奇缺,但以有色金属加工为主的制造业发达,对有色金属的需求量很大,废旧有色金属的回用在很大程度上缓解了这一矛盾,补充了原材料的不足,降低了企业的生产成本,有较好的经济效益。我市有色金属加工企业生产过程中使用的废旧有色金属大部分来自旧金属的回收和进口废五金的定点拆解利用。我市现有国内金属回收公司 94 家,进口废五金类废物加工利用的定点企业 23 家,有色金属回收的规模和能力在全国同类城市中居于前列。在有色金属的回收过程中,积极引导回收利用单位向规模化、规范化发展,做强做大;同时,加强环境监督管理,结合对重点地区、重点企业开展环境执法的专项行动,认真查处环境违法行为,促进健康持续发展,防止一边回收利用废旧金属,一边又污染环境的现象。值得一提的是我市有两家进口废五金类废物利用单位通过了 ISO14000 环境管理体系的认证。另一方面,我们也加强了我市传统的陶瓷行业、纺织行业的废物利用,陶瓷废渣用来做广场砖;纺织行业的煤炉废渣用于水泥、灰沙砖的制造,还广泛用于花卉业的种植,经济效益和环境效益都很明显。

3. 以污染大户和重点排污行业为主要控制对象,推行清洁生产,控制污染物的排放

在广东省第一批清洁生产试点企业当中,我市有 7 家企业参与试点,通过清洁生产试点,这些企业的污染治理水平、管理水平、技术含量和企业员工的环保意识都有了较大的提高,涌现了一大批清洁生产的技术和产品,经济效益也得到体现。其中,佛山市联达纺织实业有限公司获得了广东省清洁生产企业的称号。该公司开展清洁生产的动作大,效果好,在转移印花技术、漂染废水回收再利用等 14 个环节开展清洁生产,1 吨水产生 30 元的产值,吨水产值在全国同行业当中处于领先水平。2004 年,我市扩大了推行清洁生产的范围,除继续在陶瓷、纺织行业推行清洁生产外,在皮革、电镀、造纸等化工行业也进行清洁生产的尝试,争取有更大的突破。对超标排污和使用有毒、有害原材料进行生产或排放有毒、有害物质的 19 家企业实施强制进行清洁生产审计,对 26 家陶瓷、纺织印染、化工等重点污染行业的有一定规模的企业按自愿参加的原则实施清洁生产审计。在推行清洁生产过程中,环保部门与经贸部门、科技部门密切配合,建立清洁生产信息和服务体系,指导佛山市纺织业协会、佛山市陶瓷业协会开展清洁生产的讲座和技术论证,指导企业开展产品认证,鼓励企业开展"3C"认证和实施"整理、整顿、清洁、清扫、素养、安全的""6S"管理活动,并在政策、资金上大力扶持。对重点排污企业和污染行业,加强实施清洁生产的监督管理,结合环保部门排污许可证管理制度、污染物总量控制制度、执法监督检查等行政手段,保证清洁生产企业达标排放,尽量减少污染物的排放。如对纺织印染行业废水和电镀行业废水,实施集中的统一处理,对集中处理的污染治理设施进行市场化运营,将专业化的处理与市场化的运行相结合,并坚持污染物排放的通报制度,收到很好的效果。对已取得清洁生产称号的企业,我们在该行业推广其成功的经验和做法,充分发挥其示范作用,由点到面展开,带动其他企业全面实施清洁生产。2004 年上半年,我市已向省推荐了 9 家清洁生产企业。

4. 以成熟的污染控制技术为支撑,促进资源的循环利用

陶瓷行业、纺织印染行业是传统的耗水、排污大户,对环境产生的压力不容小视。在发展生态工业循环经济、推行清洁生产的同时,我们也重视对传统产业产生的污染的末端治理,促进资源的循环利用。在陶瓷行业,实现了陶瓷废水的循环利用,基本上做到了零排放。据不完全测算,我市陶瓷废水循环利用每年产生的直接的经济效益超过 1 亿元,对陶瓷行业的喷雾塔粉尘污染,采用旋硫板塔脱硫除尘技术,废气处理效果好,减少了粉尘的排放。在传统的水泥行业,推行大布袋脱硫除尘技术,水泥粉尘得到较彻底的回用,水泥行业的粉尘飞扬乌烟瘴气的现象得到彻底改观。使用大布袋除尘后,每年可节约 10 万元电费,30 多万元维修费,两年就可收回大布袋除尘技术的投入。

二、我市发展生态工业循环经济存在的问题

生态工业循环经济在我市开始取得了较好发展,但也存在一些问题,主要表现在:一是生态工业园区前期开发投入太大。生态工业园区前期开发要解决好道路、供水、供气、污水处理等基础设施建设,需要极大的投入;在园区的发展中,实施的是扩张式的发展,从一开始,就要通盘考虑,要进行大范围的基础设施建设,需要的资金投入相对较多。二是生态工业循环经济享有的优惠政策难以兑现。当前经济发展竞争激烈,一些地方发展经济饥不择食,争项目变相降低成本。在很大程度上迫使环保产业和生态工业的政策优惠得不到保证。三是中小企业开展清洁生产的积极性不高。

三、下一步工作设想

1. 加大对发展生态工业循环经济的宣传

生态农工业循环经济在我市还刚刚开始发展,了解的人和参与的企业还不多,由于我市工业较发达,生态工业循环经济的发展空间还很大。我们要加大对生态工业循环经济的宣传,提高市民的认识,让市民自觉、主动、积极来关心和发展循环经济。

2. 大力扶持生态工业和循环经济

生态工业循环经济在我市已有了良好的开端,对这一符合经济发展潮流的新生事物,各级政府和环保部门都要大力扶持,在政策上要倾斜,在资金上要支持,在技术上加大开发力度。

3. 继续扩大清洁生产的试点工作

清洁生产的试点让我们摸索到了发展生态工业循环经济的方法,我们要继续扩大试点工作,总结经验,吸取教训,取得成功之后,树立典型和示范,用成功的事实说话,以点带面,逐步推进清洁生产工作。近期,我们计划在纺织印染、陶瓷、化工三大行业全面铺开清洁生产试点工作。

4. 继续加强工业园区的生态环境管理

以生态工业园区的环境规划为龙头,以减少污染物的排放为核心,以园区企业废物交换、循环利用、清洁生产为手段,加强产品、企业和园区的环境管理,推进生态工业园的开发和建设。

贵阳发展循环经济 建设生态城市

贵阳市人民政府

一、贵阳市进行循环经济型生态城市建设的 迫切需要及有利条件

贵阳市位于贵州省中部,是全省政治、经济、文化科教中心,也是西南地区最重要的交通枢纽和物流中心之一,在全省、南贵昆经济带和西南六省(区)市经济协作区中扮演着重要角色。近年来,贵阳市也积极响应党中央提出的"在实施西部大开发战略中,把加强生态环境保护和建设作为开发的根本"的要求,明确提出"环境立市",建设"大贵阳",要把贵阳市建成"现代化都市和环境保护模范城市"。

然而,贵阳市作为资源型城市,面临着资源枯竭、资源循环利用率低、污染排放量大三重压力,表现出了"高资源投入、高污染排放"特征,粗放式资源依赖型的经济发展模式已经给贵阳带来了大范围的、不可逆转的区域环境和生态灾害。未来的贵阳,必然要实现经济社会发展的大跨越,而现有的经济发展模式肯定无法支撑大贵阳的发展。因此,如何积极地去寻求新的发展模式,防止经济增长、资源投入和污染排放的同步翻番,提高经济效益和提升城市发展势位,以期在我国西部内陆生态脆弱欠发达的城市实现全面小康,是摆在贵阳面前的急需解决的重大现实问题,更是一个长期的发展战略问题。

实践证明,循环经济是一种新型的、先进的经济形态,是集经济、技术和社会于一体的系统工程,是一条有别于传统经济发展模式,能够有

效解决众多环境问题并支持未来经济高速发展的可持续发展必由之路。2002年3月,结合"环境立市"战略和全面建设小康社会的实际,将发展循环经济作为建设"大贵阳",实现区域可持续发展、经济和环境"三赢"的一个重要举措,结合本区域特殊的经济、社会和环境条件,作出建设循环经济生态城市的重大决定,并委托清华大学编制"贵阳市循环经济生态城市建设总体规划"。2002年5月,我市被国家环保总局确认为全国循环经济生态城市首家城市试点。建设循环经济生态城市的目标就是把贵阳建设为一个城市布局合理、经济高效运行、环境优美舒适、生态健康协调、人民富裕安康的生态型中心城市。

以循环经济的模式来构建生态城市,是一个全新的理念。与率先发展循环经济的德国和日本相比,贵阳存在着强烈的经济、社会反差。贵阳经济欠发达、社会遗留问题比较多、大量缺乏未来城市发展的基础设施,这些因素一方面带来了初始的制约条件,另一方面也带来后发优势和机会优势,使贵阳更易于调整和集聚新的经济产业和模式。

首先,在国际上,循环经济已经成为一种潮流和发展趋势。在全球一体化日益彰显的今天,人类的可持续发展是跨越国界的。走循环经济之路,是地球村未来发展的共同要求。贵阳市建设循环经济生态城市,容易得到国际社会的关注和支持。

其次,在国内,循环经济也日益得到社会各界的重视与认同。新世纪伊始,江泽民同志指出:"只有走以最有效利用资源和保护环境为基础的循环经济之路,可持续发展才能得到实现。"胡锦涛总书记和温家宝总理更是反复强调并要求,"要大力发展循环经济"。

第三,建设循环经济生态城市作为市委市政府的重大决策,符合"环境立市"发展战略,得到了广泛支持。市委市政府各级领导对循环经济生态城市建设工作给予了高度重视和最有力的支持。

第四,循环经济生态城市建设得到了有力的科技和人才支撑。作为集经济、技术和社会于一体的新型的、先进的经济形态,循环经济对科技和人才有着更高的需求。贵阳的循环经济建设得到了清华大学和中国环境科学研究院等国内知名科研院校的大力支持。

二、贵阳循环经济生态城市的建设目标、实施原则和建设内容

贵阳循环经济生态城市着眼于将循环经济作为生态城市建设的途径、切入点和最佳形式，通过发展循环经济来解决城市建设过程中产业循环体系、城市基础设施体系以及生态保障体系的构建与优化等主要问题，建立以循环经济为特色的生态城市建设模式。其基本内涵为：最佳的城市发展规模、健康的城市发展结构、顺畅的城市发展机制、可持续的城市发展支撑体系、良好的社会接受性。因此，贵阳循环经济生态城市建设总体目标确定为：经过近 20 年的努力，将贵阳建设成为经济运行高效良好，基础设施配备齐全，城市布局科学合理，人居环境优美舒适，生态循环健康协调，支撑体系健全有力，居民生态意识和文化素质良好的生态型中心城市之一，圆满完成十六大所提出的建设全面小康社会的战略部署。

贵阳循环经济生态城市建设的区域范围为贵阳市行政区域，范围为 8034 平方公里，建设过程分为三个阶段实施。各阶段目标如下：近期目标（2004—2005 年），循环经济试点和基础建设阶段。中期目标（2006—2010 年），重点建设、跨越发展阶段。远期目标（2011—2020年），全面提高、协调发展阶段。

为了实现这些目标，循环经济生态城市的建设必须遵循以下原则：

第一，城市的总体定位以循环经济和生态城市为特征，利用发展循环经济建设促进城市化、工业化以及现代化的有机融合，更好地完成十六大所提出的全面建设小康社会的战略部署，将贵阳建设成为综合型开放式的西南地区中心城市之一；第二，贵阳循环经济生态城市的建设应当遵循"减量化、再利用和再循环"的"3R"原则；第三，将发展循环经济与发挥贵阳市的资源优势相结合的原则；第四，将循环经济理念与城市基础设施建设相融合的原则；第五，将发展循环经济规划与建立相关保障体系相结合的原则；第六，以贵阳市已有的社会经济发展规划、城市总体规划和环境保护规划为基础，并加以调整、充实、完善、提高为原则，保证各规划间的一致性和完整性；第七，分阶段实施，滚动发展的原则。贵阳市循环经济生态城市建设的内容可用一句话概括，即："实

现一个目标,转变两种模式,构建三个核心系统,推进八大循环体系建设。"实现一个目标,即全面建设小康社会,在保持经济持续快速增长的同时,不断改善人民的生活水平,并保持生态环境美好。转变两种模式,一是转变生产环节模式,另一个即转变消费环节模式。构建三个核心系统,第一个是循环经济产业体系的构架,涉及三大产业;第二个是城市基础设施的建设;第三个是生态保障体系的建设。

推进八大循环体系,(1)磷产业循环体系;(2)铝产业循环体系;(3)中草药产业循环体系;(4)煤产业循环体系;(5)生态农业循环体系;(6)建筑与城市基础设施产业循环体系;(7)旅游和循环经济服务产业体系;(8)循环型消费体系。

三、贵阳循环经济生态城市建设主要工作

循环经济是一种新型的、先进的经济形态,是集经济、技术和社会于一体的系统工程。而将循环经济的概念运用到生态城市建设的实践中,是贵阳市的首创,对中国、对世界来说都是一个全新的课题。循环经济生态城市的建设,是一个长期的过程,需要政府、企业、科学界、公众的共同参与。两年多来,我们坚持"突出重点,积极推进"的工作思路,根据贵阳市实际情况确立了"以科技为动力,以项目为载体,以效益为中心"的工作方针,在市委、市政府的领导下,在上级领导及相关部门的支持下,各项工作立体推进,取得了实质性的进展。

1. 建立工作机构,提供组织保障

循环经济生态城市建设需要公平高效的组织机构保障。为此,贵阳市政府建立了以政府为中心、市循环经济办公室牵头、各部门分工负责的循环经济生态城市建设组织体系。2002年4月,市政府专门成立了贵阳市循环经济生态城市建设领导小组,孙国强市长亲任组长。同年12月,为加大工作力度,市政府下文将市循环经济办公室调整到市政府办公厅,直属市政府管理。2004年5月,为更好地协调各部门之间的关系,根据实际需要,市政府又对循环经济办公室主任、副主任作出重大调整,由黄秋斌市长助理兼任办公室主任,并从市政府、市计委、市经贸委、市环保局、市财政局、市科技局、市农业局、市贸合局、市城管

局等相关单位选派一名领导兼任副主任。政府这样做,就是希望能集中各方力量,确实稳步推进循环经济生态城市各项建设工作,这也从另一个侧面反映了贵阳市对推进循环经济生态城市建设工作的重视和坚定的决心。

2. 坚持合理规划,确保科学发展

建设循环经济生态城市,作为一种新的城市发展模式对我们而言是一项崭新的工作,只有根据贵阳实际情况做好合理规划,才能确保可持续发展。自 2002 年起,贵阳市相继委托清华大学、中国环境科学研究院编制完成了"贵阳市循环经济生态城市建设总体规划"、"金阳新区零排放系统及第一批子项目建议书"、"贵阳磷化工生态工业园区规划"、"贵阳市循环经济首批试点项目方案"、"贵阳市开阳磷煤化工(国家)生态工业示范基地规划"。其中,"金阳新区零排放系统及第一批子项目建议书"已于 2002 年 8 月 31 日在贵阳通过由贵阳市人民政府组织的专家评审,并已结合循环经济总体规划修改完成;"贵阳市循环经济生态城市建设总体规划"于 2003 年 8 月 31 日在北京通过由国家环保总局和贵阳市人民政府共同组织的专家评审;"贵阳磷化工生态工业园区规划"也于 2003 年 10 月 25 日在北京通过由贵阳市人民政府组织的专家评审;"贵阳市循环经济首批试点项目方案"已于 2003 年 12 月 27 日至 29 日在贵阳通过由贵阳市人民政府组织的专家论证;"贵阳市开阳磷煤化工(国家)生态工业示范基地规划"于 2004 年 6 月 15 日在北京通过由国家环保总局主持的国家级专家论证。特别在"贵阳市循环经济生态城市建设总体规划"中对贵阳市建设循环经济生态城市的目的、意义、指导思想以及近、中、远期目标都作了科学的论证。通过各类"规划"、"实施方案"的研究和编制,为贵阳市循环经济生态城市建设提供了科学、合理的依据。

3. 制定法规制度,构建保障体系

制度建设是建设循环经济生态城市的根本保障,法律的缺位会导致管理和监督无法可依。作为对传统经济发展模式、城市发展模式的突破和创新,以循环经济的模式建设生态城市是一种新理念,建设周期长,难度大,涉及面广,为了保证建设的连续性,必须通过立法规范政府、企业、公众等的行为,为贵阳循环经济生态城市的建设创造良好的法制氛围,保障循环经济生态城市的建设工作纳入轨道。同时,循环经济生态城市建设工作需要全社会参与。借鉴德国、日本等国外的经验,结合我市的优势和特点,通过立法的形式,制定适合我国立法要求和符合贵阳实际需要的《条例》,将有助于贵阳市各级政府、企业和全社会了解推行循环经济的重要意义,明确各级政府及有关部门在推行循环经济方面的义务和职责,明确全社会推行循环经济的途径和方向,以法律的手段大力推广循环经济的发展模式,引导污染预防和可持续生产和消费。另外,作为我国的循环经济生态城市试点,贵阳市结合自身实际制定建设循环经济生态城市的地方性法规,能为国家未来的循环经济立法提供经验和借鉴。基于这个认识,贵阳市从 2002 年开始开展了循环经济制度支撑体系的建设工作。目前,"贵阳市循环经济生态城市建设法律法规构建体系研究"已经完成,在此基础上制定的"贵阳市建设循环经济城市条例"已通过市人大二审。同时还开展了面向市民公开征求意见的工作,近期将报省人大审批。这部法规有望成为我国第一部循环经济方面的地方性法规,目前已引起全国上下的广泛关注。

4. 抓好示范工作,推进项目建设

循环经济的建设项目是循环经济生态城市建设的基础和载体。为此,贵阳市循环经济生态城市的建设提出了"以效益为中心,以项目为载体"的工作要求,并结合当前我市的实际启动了一批循环经济试点项目(清洁生产项目和生态工业项目)。全市循环经济工作已由前期的制定法规、规划,宣传培训动员,逐步转向具体实施和落实,并已经取得了一定进展。其中,山东兖矿集团已决定与开阳磷矿集团合作,投资25 亿,共同参与开阳磷煤化工(国家)生态工业示范基地的开发和建设。该基地的规划现已编制完成,并于 2004 年 6 月 15 日在北京通过了由国家环保总局组织的国家级专家论证。清镇、修文的相关生态工业园区和生态工作项目也都在积极的规划和招商洽谈之中。截至到目前为止,我市共有大小 20 多个基于循环经济理念构思的生态工业项目已经有了合作投资伙伴,部分项目已经开工建设,计划总投资 9.1 亿元人民币的这批项目中,已经落实资金 4.3 亿元人民币。国内各地纷纷来我市学习推动循环经济发展,建设生态城市的经验。联合国环境规划署在国家环保总局的介绍下,对贵阳市以推动循环经济发展,创建生态城市的做法,给予高度评价,并将贵阳市作为全球发展中国家可持续生产与消费的惟一试点城市。希望通过总结我市的经验,向全世界发展中国家推广经验,目前由该署支持的 10 万美元运作资金已经到位,由国际和国内知名专家组成的研究小组已基本完成第一阶段的研究工作,并开始开展第二阶段工作。德国政府也决定在中德两国环境保护合作总体框架内,将贵阳作为两个重点支持城市之一,总经费将达到 350 万欧元。目前,该项目已完成了其中 3 个子项目的资料收集及整理工作,并在此项目工作的基础上,进一步寻求德国国家复兴信贷银行和商业银行以及欧盟企业界的合作与支持。此外瑞典、世行、亚行等国家和国际组织也表示出对我市开展循环经济生态城市建设的浓厚兴趣,希望与我市开展对口合作与交流,并将我市的试点看做欠发展地区实现可持续发展的有益尝试。

5. 开展宣传教育活动,增强循环经济意识

公众参与是推动循环经济建设的强大动力。为了向公众普及循环经济生态城市建设的有关知识,贵阳市策划、组织了大量丰富多彩的宣传培训公关系列活动:一是组建新闻宣传网络,加大新闻宣传工作力度。为做好贵阳市循环经济生态城市建设工作的宣传报道,与中央和省市十多家新闻单位建立了良好合作联系,共同组建了贵阳市循环经济生态城市建设宣传网络。二是为了让广大公众最大限度、最大范围地了解循环经济生态城市建设的基本情况,采用各种行之有效的方式,大力开展了各种宣传教育活动。例如,征集循环经济标志并征求市民意见;向贵阳市直属中小学校发放"循环经济有关知识问卷",在中小学生中普及循环经济知识;举办"循环经济在我心中——爱绿色、爱贵阳"主题征文活动,演讲比赛,百人百米书法绘画、伞画及万人签名活动;建设开通全国第一个循环经济专业网站——贵阳循环经济网等。三是针对不同需求,举办各种形式的培训工作。近两年来,贵阳市陆续举办了多次有关循环经济、清洁生产等方面内容的知识讲座及学术报告,先后邀请金涌院士、钱易院士、陆钟武院士等国内一流专家和日本、

德国等国外专家为贵阳市各级领导、市民、学生讲课。通过以上工作，引导公众支持并积极参与循环经济建设，引导消费循环，基本达到"以循环经济行动培养循环经济意识，以循环经济意识指导循环经济行动"的目的。

6. 扩大对外联络，寻求广泛支持

贵阳地处中国西部，目前正处于高速发展期，因此在资金技术方面需要得到国内外的大力支持，为此，贵阳市加大了对外联络力度。多渠道、多层次地加强了与中央有关部委、国内知名大专院校、国际机构和国外政府、国际组织的联系，以寻求各方大力支持。

在国内我们注意加强与国家环保总局、国家发改委、国家财政部、国家科技部等部委的联系，以求得到进一步的支持与帮助；进一步深入同清华大学、中国环境科学院等大学及科研机构开展在具体项目方面的合作。成立了贵阳市循环经济生态城市建设专家顾问团，聘请国内知名专家对我市的循环经济生态城市建设给予指导。

在国外我们进一步加强与日本、德国、瑞典等政府和联合国环境规划署等国际组织的联系，以寻求国际合作与援助。希望通过国际上的交流，进一步增加与国外合作的空间和机会。

与此同时，我们还加强与日本国际协力银行、德国复兴信贷银行、世界银行、亚洲开发银行等国际金融组织机构的联系，以寻求资金支持。目前，我们已对循环经济城市建设项目进行了筛选、归纳，共整理出重点项目 15 项，涉及我市磷化工、煤化工及城市基础设施建设等方面的建设内容，总投资计 262143.65 万元人民币，并已将此项目清单提供给德国复兴信贷银行。

四、贵阳循环经济生态城市建设存在问题

第一，在指导思想上，还未转到体现以全过程控制、从源头减少资源消耗和减污染物排放的清洁生产上来，与循环经济的理念相差甚远。第二，发展循环经济，必须从制度创新入手，实施一系列相互配套，切实有效的政策。而现有的促进循环经济建设的政策并不完善。第三，循环经济的建设是建立在有可靠、实用的循环资源技术基础之上的，需要

大力发展科技,鼓励再生资源的技术研究。现有的技术较为落后,未形成促进循环经济发展的技术支撑体系。没有相关的技术保障,发展循环经济就只是一句空话。第四,发展循环经济需要公平高效的组织保障和机构保障。明确政府各部门、市政府与区县政府之间的职能分工,避免产生职能冲突和利益冲突。有必要设置循环经济建设的常设机构来组织协调各级部门,具体负责组织规划有关重大项目,对外寻求国内、国际合作和获取规划项目实施的资金支持。第五,循环经济作为一种先进的、新型的经济形态,现阶段还需加大社会各阶层对此项事业的理解和支持,加快观念的更新。因此,还需进一步加大宣传教育力度,以增强政府官员、企业和公众对发展循环经济的理解力和接受能力,使政府、企业和公众真正自觉的规范自身的行为,以此带动公众参与、大力推动循环经济建设。第六,贵阳市作为一个欠发达的西部省份,进行循环经济建设的主要障碍在于资金不足。这就需要建立以政府主导、市场推进和公众参与的广泛的投融资机制,以解决资金不足的现状。

五、近期工作思路

按照贵阳循环经济生态城市建设总体规划目标和计划,近期贵阳市循环经济生态城市建设的工作思路如下:

(一)争取早日发布实施"贵阳市建设循环经济生态城市条例",研究并起草与之相配套的行政法规和规范性文件;(二)根据"贵阳市循环经济生态城市建设总体规划",编制配套的专项子规划;(三)将"贵阳市循环经济生态城市建设总体规划"内容纳入全市"十一五"各有关部门规划,在全市范围各行各业全面推进循环经济建设;(四)加强与各部门协调工作,通力合作,继续推进贵阳市循环经济示范项目和重点项目,为贵阳市全面推进循环经济建设奠定基础;(五)根据"总体规划"要求和"条例"规定,向各部门和区县市分解下达落实循环经济建设目标和建设内容;(六)多方努力,积极筹措循环经济建设资金;(七)围绕循环经济示范、重点项目,向国内外高等院校、科研机构积极寻求循环经济先进成熟技术。

六、对推进我国发展循环经济的建议

1. 建立循环经济法律法规体系

法律的缺位会导致管理和监督的缺位,循环经济建设作为对传统城市发展模式的突破和创新,需要完善的立法和严格的执法来推动和实施。我国的循环经济还处于起步阶段,相关的法律体系还没有建立起来。因此,中国当前需要加强循环经济的立法工作,应借鉴其他国家的经验,结合中国实际国情,制定系统、完善的循环经济法规体系,并进一步制定一系列针对某一类资源循环再利用的法规。

2. 制定循环经济指标体系、发展战略目标和推进计划

研究制定循环经济发展战略目标,并研究制定促进循环经济发展的推进计划,提出阶段性发展目标、政策措施、实施方案。加强对循环经济发展的宏观指导和引导。

3. 探索建立绿色国民经济核算体系,促进经济增长方式的转变

为了真实地、准确地反映经济社会发展水平,必须将发展过程中的环境损失和环境效益计算在内,建立不同层次的绿色经济核算体系。在各级政府的经济核算体系中,要改变那种只看重经济增长指标而不考虑环境效益的评价方法,进行绿色经济核算。对于地方和企业在环境保护和生态建设方面的投入所产生的效益不能只局限于工程本身,要进行全面的经济与环境效益核算。目前,应重点开展环境污染和生态损失及环境保护效益计量方法和技术的研究工作,并进行统计和核算试点。

4. 完善政策体系与经济激励机制

充分发挥政府的宏观调控能力,在完善的法律法规的指导下,用具体明确的政策法规调控社会各个环节的循环经济发展,并运用价格、税收、信贷、收费、保险等方式,调节或影响市场主体的行为,以实现经济建设与环境保护的协调发展。

5. 加大推进清洁生产和生态工业园区建设力度

鼓励企业实行清洁生产,以实现"节能、降耗、减污、增效",提高企业的综合效益。并通过行业自愿承诺协议的方式更有力地推进循环经

济的实施。进一步开展生态工业园区试点建设工作,为推动全社会的循环经济建设积累宝贵的经验。

6. 建立和完善废物回收体系

按照"扩大生产者责任"和"污染者支付"的原则,制定相应的法律法规和经济激励政策,对废物回收体系加以规范和整顿。以建立和完善该体系,使我国的资源回收体系形成社会化服务、企业化经营、法制化管理的市场运作模式。

7. 研发、示范和推广高效、清洁的循环经济开发利用技术

循环经济的减量化、再利用和再循环,哪一个环节都离不开先进的处理和转化技术,也离不开这些先进技术的载体——设施、设备的开发和更新。因此,科学技术是建设循环经济的决定性因素。政府应加大对高效、清洁的循环经济开发利用技术的投入。

8. 建立信息交换平台,保障信息畅通

要保证物质资源的最大综合利用率,达到"物尽其用"的目的,就需要通畅的信息渠道和大量的信息资源,从而使不同产业和企业间的物质交换链和生态链保持灵活性及有效性,并以此加快相关理论和技术的传播。因此,需要建立大型的综合的循环经济信息平台。

9. 宣传和公众的广泛参与

在循环经济运行模式下,社会公众作为产品最终使用者和资源再循环的开始者,是整个循环经济中至关重要的环节。通过媒体和其他手段大力开展循环经济宣传,以提高公众对实现零排放和低排放的认识,提高社会公众对循环经济建设的参与意识与参与能力,使其成为建设循环经济的基本力量之一。

10. 加强国际合作,追踪先进理论和科技

加强与国际组织和外国政府、金融、科研机构等在循环经济领域的交流与合作,大力发展环境贸易,追踪并学习其先进理论和科技,借鉴发达国家发展循环经济的成功经验,引进国外先进技术、设备和资金,并向其展示我们的成果,以期反馈,彼此联合起来,为人类和世界经济的可持续发展,共同努力。

包头市发展循环经济的三个重要环节

张继平

包头是国家的老工业基地,也是一个重工业城市。"一五"计划时期,国家在包头投资建设了包钢、包铝、一机、二机、一电、二电等大型企业,为包头的发展奠定了基础,同时,也给包头的环境带来了污染;改革开放的初期,包头又上了一批规模小、档次低、污染重的乡镇企业,虽然促进了包头的经济发展,但也加重了包头的环境污染;1999 年,江泽民同志到包头视察时,要求包头"建成中西部地区的经济强市";进入新世纪,包头的经济发展走在了中西部地区的前列。包头经济的快速发展,也对包头的环境保护,提出了新的课题。如何贯彻落实科学的发展观,用循环经济的理念,正确处理经济发展与环境保护的关系,做大经济总量,降低资源消耗,提高环境质量,是包头必须研究解决的一个大问题。

近年来,在国家环保总局的大力支持下,包头在发展循环经济方面,进行了积极的探索。通过实践,我们认为,贯彻落实科学的发展观,加快循环经济的发展,从地方政府来讲,关键是要把握好三个重要环节:一是理清思路,二是明确目标,三是强化措施。

一、理清思路是发展循环经济的前提

思路决定出路。按照科学的发展观,包头发展循环经济的思路是:要以生态城市的规划,指导国民经济和社会发展计划;要以循环经济的理念,协调产业发展和企业布局;要以生态工业的发展,提高经济效益和生态效益。在经济发展中保护环境,在改善环境中促进发展,走环境保护与经济社会全面、协调、可持续发展的路子。这个思路,符合科学的发展观,体现了循环经济的理念,促进了包头的发展。

二、明确目标是发展循环经济的关键

目标体现思路。按照循环经济的思路,包头重点要在钢铁、铝业、稀土、电力、化工等污染较重的支柱产业中,大力推进循环经济,不断延长产业链条,积极实施清洁生产。总的目标是:到2005年,全市循环经济型企业的工业产值,占到工业总产值的60%,工业废水重复利用率,达到80%,固体废弃物综合利用率,达到50%,全年城市空气质量良好天数,超过200天,城市绿化覆盖率,达到35%。到2010年,基本形成钢铁、铝业、稀土、电力、化工等产业集群,实现清洁生产。全市实施循环经济型企业的工业产值,占到工业总产值的90%,工业废水重复利用率,达到90%以上,固体废弃物综合利用率,达到80%,全年城市空气质量良好天数,超过300天,城市绿化覆盖率,达到40%。实现生态城市的目标,促进环境与经济社会全面协调可持续发展。

从目前的情况看,包头实现这样的目标,虽然难度很大,但是我们有信心、有决心,在全国人大环资委、国家环保总局和自治区的大力支持下,努力完成任务。

三、强化措施是发展循环经济的保证

为了实现确定的目标,包头发展循环经济的主要措施是:

第一,制定实施、发展循环经济的规划,指导国民经济和社会发展。在国家环保总局的大力支持下,包头正在制定生态城市的发展规划和循环经济的发展规划,规划编制完成后,将提交人大常委会审议通过,强化规划的严肃性、法制性,监督政府执行规划,一张蓝图画到底,一任接着一任干,换届不换蓝图,换人不换目标。2002年,中国环科院为包头编制了生态工业铝业示范园区的发展规划。国家环保总局批准了这个规划。经过两年的实施,包头铝业集团按照园区规划,由原来单一的电解铝生产,引进建设了东华热电厂和东河热电厂,实现了铝电联营,解决了铝业发展的用电瓶颈;同时,引进法国普基铝业集团生产精铝,引进香港力劲集团生产铝轮毂,并开发了铝棒、铝板等系列产品,延伸了产业链,降低了原材料和能源的消耗,增强了市场竞争力,提高了经济效益,改善了城区的环境质量,为包头发展循环经济,作出了贡献,对全国铝行业的发展起到了示范作用。2003年,我们又编制了包头钢铁生态工业园区发展规划,已报国家环保总局,即将批准实施。

第二,推广应用、发展循环经济的高新技术,改造提升传统产业和落后工艺。重点要在钢铁、铝业、稀土、电力、化工等产业应用,能量梯级利用技术,特别是要用信息产业技术,开发新工艺、新材料、新产品,提高资源的利用率,减少环境污染,延长产业链,形成产业集群。

第三,贯彻落实、发展循环经济的政策法规,促进产业结构调整和生态环境改善。要认真贯彻落实《节约能源法》、《清洁生产促进法》和国务院《关于进一步开展资源综合利用的意见》,结合包头的实际,制定完善各类废物、废水、废气申报和回用管理办法,推动包头发展循环经济进入法制化轨道。

第四,建立完善、发展循环经济的考核体系,确保完成各项任务和目标。建立发展循环经济的目标责任制,把发展循环经济的各项目标任务,纳入各级领导干部实际考核之中,明确各级政府和各部门在发展循环经济中的责任和义务,把绿色GDP作为考核的主要指标。做到年初有安排,年中有检查,年底有奖罚,充分调动各级政府和各部门,发展循环经济的积极性、主动性和创造性,保证发展循环经济的各项任务目标落到实处。

通过包头近年来的实践,我们深深地感到,发展循环经济,关键是要理清思路、明确目标、强化措施,这是发展循环经济的三个重要环节。

(张继平:包头市政府副市长)

上海能源制约应对策略与立法研究

上海市节能课题研究组

2003 年,伴随中国经济持续高速的发展,能源问题成为国内外关注的热点。1991 年至 2003 年间,上海 GDP 年均增幅达 11.89%,与此同时,能源消耗年均增长 5.87%,平均能源消费弹性系数为 0.46 左右。但是,上海近几年能源消费增速有所上升。因此,在建设资源节约型社会的趋势下,研究城市发展与能源利用的关系,探讨上海在能源紧缺条件下确保能源安全的应对策略和立法措施,是非常有意义的。

一、上海经济发展与能源消费

1. 总体情况

(1)能源需求稳步增长。从 1995 年至 2003 年的 9 年间,上海能耗从 4465.87 万吨标准煤上升到 6697.6 万吨标准煤,能耗年均增幅为 5.2%。其中,2003 年能源消耗比 2002 年增长 9.5%(见图 1)。由于上海能源资源匮乏,所需一次能源基本都从外面调入,因此供需矛盾开始突出。

(2)能源建设成效显著。近年来上海能源基础设施建设的成效主要有:以 500 千伏双回路环网为基础的城市电网主网架、三峡工程顺利供电、外高桥电厂二期工程并网、基本建成天然气主干网、西气东输通气及东海平湖油气田天然气投产等。

(3)能源结构趋于多元化。煤炭在全市能源消费总量中的比重逐年下降,从 1996 年的 71.8% 降低到 2003 年的 59.2%;天然气从无到

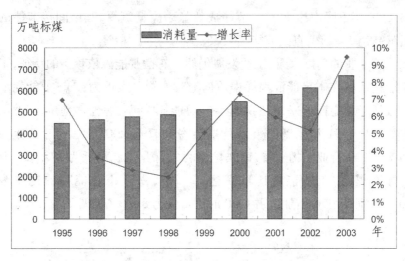

图1 1995年至2003年上海能源消耗量及增长率

有,2003年消费量达到4.97亿立方米,占的比重为1.1%。2003年10月,奉贤海湾旅游区4×850千瓦风电机组建成并网,上海风力发电实现零突破。

(4)能源利用效率不断提高。1995年到2003年,上海万元GDP能耗从1.81吨标准煤下降到1.07吨标准煤,下降幅度高达40.88个百分点,年均下降6.36%。可以说,上海总体上实现了总能耗增长速度大大低于国民经济发展速度的目标。

(5)GDP能耗尚有差距。目前上海人均GDP仅相当于英国、日本、韩国等国2000年人均GDP的26.1%、12.6%、43.2%,但是上海人均能耗与这些国家的水平差距已不很大,按照现在GDP和能源消费之间关系,上海要达到发达国家的人均GDP水平,能源将很难支撑。

2. 经济增长与能源消费

从经济发展与能源消费的总体情况来看,本市基本以较低的能源消费增长速度支撑了经济的快速发展。1991年至2003年间,上海GDP年均增幅达11.89%,与此同时,能源消耗年均增长5.87%,平均能源消费弹性系数为0.46左右。同时,能源节约成效显著,结构调整带动下的间接节能占据主导,从1985年到2003年期间,上海市的GDP能源强度从2.33下降到1.08(以2000年不变价计算),下降了

53.8%,年下降率达4.2%,节能成效显著。据测算,其中间接节能的贡献高达74.7%,直接节能贡献25.3%。

从工业的角度来看,工业发展仍然没有摆脱能源依赖型的特征,工业能耗依然在本市能源消耗中占据绝对位置。表现为:①工业能耗增速虽低于总能耗增速,但工业能耗在总能耗中仍占据主体地位,工业综合能耗从1991年至2003年年均增幅达4.07%,2003年占全市比重为65%。②从行业结构上看,钢铁化工两大行业能源消耗为2728.39万吨标准煤,占工业能耗比重高达62.7%,占全市总能耗的比重为40.7%,而其工业增加值占GDP的比重仅为8.7%(见图2)。

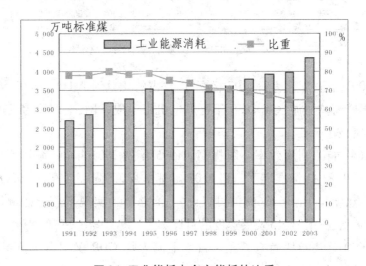

图2　工业能耗占全市能耗的比重

同时,第三产业的能源消费也快速增长,从1991年的403.47万吨标准煤上升到2003年的1559.75万吨标准煤,年均增幅高达11%,占总能耗的比重从1991年的12.7%上升到2003年的24.7%。

3. 社会发展与能源消费

随着社会的快速发展和人们生活水平的大幅提高,在现代生活方式的引导下,生活、建筑、交通用能都呈现出快速增长的态势,这与国外的发展经历也十分类同,这对未来上海的能源发展和建设生态化国际大都市提出了挑战。

就生活用能而言,有三个特点:①生活用能结构明显改善,生活用煤量迅速下降,生活用电量快速上升,2003 年本市生活用电比上年急增 34%,电力消费占生活用能的 52.8%。②从用能总量来看,生活用能占比还不高,1990 年,占 8.0%;2003 年占 8.15%。③从发展趋势来看,生活用能上升趋势明显。

就建筑用能而言,有三个特点:①建筑耗能占全市总能耗的比重较高且增速较快,90 年代以来,建筑能耗占全市的比重由 11.2% 上升到 18.8%,建筑电耗占全市电耗的比重由 19.8% 上升到 28.4%。②公共建筑用能在全市建筑用能占重要地位,公共建筑能耗从 1998 年起超过住宅能耗,占建筑能耗比重达 64.6%。③高层公共建筑用电比重逐步增大,2002 年电力消费量为 19.11 亿千瓦小时,占全市用电总量的 4.7%,成为上海夏季高峰电力短缺的一个重要因素。

就交通用能而言,有两个特点:①交通用能增长迅速,占比持续攀升,1995 年至 2003 年,交通运输终端能耗量年均增幅达 15.63%。②交通用能品种结构有待进一步多元化,近年来,交通用的成品油占交通能耗的比重在 90% 以上,已对全市成品油供给带来压力。

4. 上海节能的现状与趋势

改革开放以来,上海节能工作和结构调整成效显著,以翻一番多的能源支撑了翻几番的经济发展。1990 年至 2003 年,万元 GDP 所消耗能源从 4.22 吨标准煤下降到 1.071。11 吨标准煤,处于全国领先水平。但是,上海单位 GDP 能耗仍是日本的 7.3 倍,美国的 2.5 倍。上海多年来能源消耗总量列全国大城市之首,上海从 1990 年开始的能源弹性系数如表 3 所示。

从表 3 可以看出,上海在 20 世纪 90 年代经济的高速发展期,能源消费并没有随着高速增长,能源消费弹性系数的平均值保持在 0.46 左右。但是应该看到,在进入 21 世纪以来,能源消费快速增长,上海既面临着能源消费总量增长的压力,同时还存在着巨大的节能潜力,必须探索出一条经济高速增长而能源低速增长之路,将上海建设成能源节约型城市。

表3 本市历年能源消费弹性系数

年份	1986—1990	1991—2000	2001—2003
GDP增长率(%)	5.67	12.17	10.96
能源消费增长率(%)	4.56	5.58	6.84
能源消费弹性系数	0.80	0.46	0.62

二、上海能源制约应对策略

1. 上海未来节能发展战略构想

（1）指导原则。上海节能战略要遵循以下三个原则：①把提高能源生产率放在能源发展战略的首位；②确立在生产与消费领域同时提高能源效率的思想；③通过技术创新与制度创新大幅度提高能源生产率的思想。

（2）战略方向和战略重点。在指导原则指引下，应重点做好以下三个方面的工作：①调整产业结构，转变增长方式，构建资源节约型经济发展模式；②增强节能理念，合理使用能源，倡导科学的生产、生活方式，建设节能型社会；③加强科技先导，加快技术进步，在能源发展中落实科教兴市主战略。

（3）节能目标。到2010年，上海节能发展的具体目标如下：降低万元GDP能耗，在2003年基础上下降1/4以上；优化能源结构，天然气在能源中的比重达到10%以上；提高能源利用效率，每年提高0.5个百分点。

2. 重点领域的节能行动举措

（1）工业节能。

工业节能目标设定为：进一步加大产业结构调整力度，通过节能的制度、技术和管理创新来强化节能工作。主要措施有：①继续深入加强能源管理。②推广先进成熟技术，优化企业的生产工艺流程，逐步实现大型化、连续化和自动化。大力发展省能型工艺和装备。③对高能耗的基础产业，逐步实现工序后道化，加强对现有行业各工序的统计和考核，控制各工序的能耗指标。③新建项目的各项能耗指标应达到国际先进水平,推行"循环经济、清洁生产、工业园区化"的政策,限期淘汰"高能耗、重污染、低附加值"的行业,加快发展现代服务业。④加大能源结构、产品结构和产业结构的调整力度,具体措施包括热电联产、集中供热、限制高能耗、高工序行业发展、加强技术改造等。⑤加强政府的政策支持,包括修订耗能设备标准、政府与企业间签订节能合作协议、对高能耗的行业征收能源税、制定行业的排放指标,实行排放指标交易,继续开展合同能源管理,加强节能宣传和培训。

（2）建筑节能。

影响建筑物能源消费的宏观经济因素主要有人口数量、城市化率及经济发展水平等。建筑节能行动建议就要从终端能效的战略出发,从提高终端用能设备的效率和减少终端能源需求的角度寻找可行的具体行动,具体行动建议包括围护结构方面、空调设备、空调系统、照明、家用电器和办公设备、炊事和热水用能等方面(具体建议内容略)。

（3）交通节能。

参考有关报告的建议,针对上海这样人口密度越来越高的特大型城市,特别是城市区域不断扩张、道路有限且拓宽困难极大、交通流量居高不下的情况,交通节能要注重以下措施:①交通组织的重点是贯彻和实施优先发展公共交通;②把加强城市交通节能管理作为建设节能型城市的重要内容;③率先执行国家有关交通工具能耗限值标准;④加强燃油替代、交通节能技术研究和应用的示范推广;⑤交通节能政策的研究和适时调整;⑥大力宣传交通节能,倡导有利于节约能源保护环境的交通行为。

（4）发展可再生能源。

具体措施包括:①推进自愿的绿色电力机制;②条件成熟时推行强制的绿色电力机制;③公开、透明和公正的绿色电力并网审批程序和投资激励机制;④鼓励居民使用绿色能源。

3. 强化节能的对策措施

（1）加强节能管理体系建设。建立全市节能联席会议制度;健全社会节能监督体系;推进建立非政府、非赢利、赢利等组织和机构参与的节能社会服务体系;建立节能目标管理责任制和健全节能评价体系;

将强化节能的绩效考核纳入各级政府职能部门领导和企事业负责人的政绩测评考核中。

（2）加快节能法规、规范的修订和出台。组织开展《上海市节约能源条例》的修订工作，争取出台《上海市节约用电管理办法》、《上海市分布式热电联产管理办法》、《上海市集中供热管理办法》、《上海市节能监察办法》和《上海市重点用能单位管理办法》等政府规章，加快《上海市"十一五"节能规划》的编制。

（3）明确重点领域，制定强制性的标准、率先制定实施能效更高的家用电器和建筑节能标准。制定能效标准和标识包括对产业和项目的引进设置准入门槛及对终端用能设备在进入市场前加强准入管理。通过在工业、交通、建筑、消费等重点领域能耗标准的制定和实施，从源头上推进全市节能。

（4）大力推进节能技术创新。设立一批与能源开发利用有关的技术攻关、应用、推广项目，大力推动能源科技进步，争取在若干领域达到世界先进水平。

（5）加强节能经济调节手段。投入一定公共财政节能资金，实施对重大节能示范项目和高效用能产品给予补贴等经济措施。开拓和建立社会节能资金的融资和担保体系，推进合同能源管理，鼓励节能技术改造项目。

（6）扎实有效地开展能源需求侧管理。加强能源需求侧管理，充分运用价格杠杆，建立并健全具有节能导向作用的能源价格机制，改变能源消耗量大却享受优惠价格的不合理现象，优化能源资源配置，提高能源利用效率。

（7）试点实施节能自愿协议。企业在政府政策引导鼓励下，就实现强化节能目标，自愿与政府部门签订协议，作出承诺并付诸实施。

（8）强化政府自身节能、培养全社会节能氛围。凡使用公共财政资金的政府部门和社会公共机构，在政府采购、新建改建项目和使用能源时，率先垂范落实节能措施，自觉节能。持续深入地开展节能宣传，使节能观念深入人心，增加节能的责任感和使命感，形成全社会的节能氛围。

（9）促进新能源和可再生能源发展。首先实施自愿购买的绿色电力机制，等时机成熟再实施电力加价收费的强制性绿色电力机制，鼓励促进新能源和可再生能源发展。

（10）继续采取积极的结构调整措施。继续推进上海产业结构的战略性调整，促使产业发展走高科技、高效益、低能耗、低污染的"轻型化"道路；加大能源结构调整力度，控制煤炭消费总量，扩大天然气的使用，开发使用太阳能、风能等可再生能源，推行清洁能源替代，形成高能效、低污染的用能结构。

三、《节能法》立法建议及上海市《节能条例》修改意见

1.《节能法》及《节能条例》存在的问题

（1）《节能法》观念落后。《节能法》以节约、补缺、缩减观念为主，与发达国家提高效益、减少污染、改善生活质量和改进公共关系的立法目标存在差距，这是能源供应缓和放松节能工作的认识根源。

（2）《节能法》的原则和制度设计与我国经济发展目标不相一致。据测算，按照现在能源消耗标准，要降低8亿吨标准煤才能实现2020年经济发展目标。《节能法》已经不适应保障社会经济可持续发展、加强能源安全的需要。

（3）《节能法》不适应建设资源节约型社会的需要。根据国务院有关文件的规定，要求采取综合措施，扎实推进资源节约工作，一些措施已经突破了《节能法》设定的规范节能行为的法律制度。《节能法》在很多方面表现出了一定的滞后性，在法律理念、具体制度设计上，都已不能完全适应建设资源节约型社会对开展节能工作的基本要求。

（4）节能行政管理部门地位及权利义务不明确。一方面，《节能法》法律责任一章，有三条罚款由计量、质量和标准化部门行使，节能部门只有提意见权。节能行业的政府管理职能过度分散，缺少代表国家意志的、统一的能源管理部门，政策随意性等问题突出。另一方面，政府节能管理机构明显削弱，节能管理人员大量流失，导致节能管理工作滑坡。

2.《节能法》的立法建议

（1）深刻认识节能的重要性，提升《节能法》的法律地位。建议明

确:"节能是国家资源节约基本国策的重要组成部分,是国家发展经济的一项长远战略方针,是保障国家能源安全的重要措施。"从而提升《节能法》的地位。

(2)深刻认识节能的广泛性,扩展《节能法》的调整范围。将政府节能纳入《节能法》调整范围,建议增设:"国家机关及实行预算管理的事业单位和社会团体应当加强自身节能管理,逐步建立健全日常节能管理、节能投资、能源审计、用能状况报告等制度,厉行节能。"

(3)深刻认识政府强制和市场引导对于节能的作用,确立政府主导模式。在市场经济下,节能需要发挥政府和市场的双重作用,但政府是建成节能社会的第一推动力。因此要调整现行《节能法》第二章和第四章,体现市场经济体制下的"两手抓",并以政府为主,市场为辅。建议第二章"节能管理"改为"节能监督管理",明确政府节能行政主管等部门的监督管理职责及相关制度。第四章"节能技术进步"改为"节能促进与保障"。

(4)深刻认识节能制度创新和借鉴的价值,健全节能管理制度。进一步健全和完善节能制度,包括:①用能产品能源效率标识制度。②固定资产投资工程项目节能审查制度。③重点用能单位能源利用审查制度。④禁止新建严重浪费能源建设项目制度。⑤生产耗能较高的产品能耗限额制度。⑥对落后的耗能过高的产品、设备实现限期淘汰制度。⑦加快构建节能标准制度体系。

(5)制定鼓励政策,参照发达国家成熟经验,增设"国家鼓励通过多种渠道筹措资金,设立节能基金,用于推动节能进步";"县级以上人民政府应当设立节能奖,对在节能或者节能科学技术研究、推广中有显著成绩的单位和个人给予奖励";"国家实施可中断、可再生能源差别价格等政策,促进能源合理利用,减少能源消费对环境的影响";"国家对节能示范工程和节能推广项目的重点设备实行加速折旧政策"等。

3. 上海市《节能条例》的修改意见

(1)修改《节能条例》应以《〈节能法〉立法建议》为依据,将整个上海市作为一个节能环保的范例来对待。上海市《节能条例》的修改应当立足于上海市能源现状和建设国际化大城市的发展目标,强化建立节能环保型城市意识、借鉴发达国家成熟的节能制度,确立符合国家节能法的节能基本原则,强化节能法律责任意识,充分体现全面、和谐、可持续发展精神,建立政府主导的节约能源管理模式。如果短期内《节能法》不能修改,上海市《节能条例》的修改在立法观念、法律地位、调整范围、立法模式等方面应当以《〈节能法〉立法建议》为依据。

(2)修改后的《节能条例》构建新的上海市节能模式基本框架。着重考虑法律原则、立法模式、节能制度、技术规范四个层面的问题,并从节约能源的角度率先探索城市发展的模式,使上海城市发展模式在全国起到垂范和先导作用。

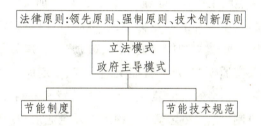

(3)确立政府为主、市场为辅的节约能源管理模式。节能条例要以强制为主、激励为辅,强制性规范为主、任意性规范为辅,以民事责任为主、行政、刑事责任为辅的观念。政府主导模式要充分发挥政府推动的主导作用和建立有效的经济激励制度,包括:①加强政府节能管理体系的建设,切实转变政府职能;②建立和完善节能经济激励政策,发挥市场的引导作用;③建立终端用能设备能效标准和标识体系。

(4)健全和完善节能制度。包括:①建立健全节能基础管理制度,建立能源基础管理信息网络,形成方便、快捷的能源和节能政策、法规、技术、管理等信息传播渠道。②实施强制性的能效标准、能效标识及节能产品认证制度。使生产者、销售者充分认识到强制性能效标识的商业价值,增强消费者对能效标识的认同率。③节能技术促进制度,政府运用激励制度如税收优惠、政府采购、投资担保、设备补贴、赠款、低息或无息贷款、加速折旧等推动节能工作。④能源科技投入与激励制度,上海市应当进一步培育节能技术市场,通过税收优惠、政府采购、投资担保、设备补贴、赠款、低息或无息贷款、加速折旧、贴息、资金返还等形成节能技术产业激励制度。⑤重点耗能部门和重点耗能单位监管制度。加强工业节能应实行技术进步与调整行业、产品结构相结合。修订节能设计规范,建立工业产品标识和能耗等级体系,实行企业能源审计和报告/对标管理,推进节能技术进步,建立能源管理信息系统,推行绩效合同等政策和措施。建筑节能应突破供热体制改革,开放供热市场;严格执行建筑节能设计标准;制定鼓励生产和使用节能建筑材料及耗能器具的经济激励机制;设立建筑节能改造专项基金;建立健全建筑节能管理监督机制;制定耗能设备能效标准和标识;推行新型建筑节能墙体、推广绿色照明工程等。交通节能方面,建议加快实施养路费改燃油税;制定燃料效率和油品质量标准;改进城市规划和交通体系,优先发展快速公共交通;建立智能交通系统;鼓励开发、购买和使用替代燃料车;发展公共交通模式,建立智能交通系统、制定促进清洁燃料汽车发展的措施、制定燃料效率标准等。⑥能源消费和节能市场化、产业化制度,以市场机制、成本效益理论制约高能耗企业浪费现象,增加高能耗企业成本,使上海市能源市场从资源短缺型的卖方市场转向资源合理配置型的买方市场。⑦加强节能宣传,将其作为中小学必修课程并将其作为执政绩效的考核指标。与国外相比,在能源紧缺的中国,节能方面的宣传教育薄弱无力,社团组织和中介机构更是少之又少。政府要大力加强节能宣传,并作为其执政绩效的考核指标。⑧《节能条例》规定一些特殊强制措施。在J条件成熟时,可以制定一些特殊行业和领域的强制性措施来推进节能,如强制安装和使用绿色节能灯等照明产品,推行节能标准和节能标识等。⑨借鉴发达国家先进、科学的节能制度。考虑地区发展不平衡和技术标准的易变性,鉴于上海市的经济发展水平已经与中等发达国家接近,可以直接借鉴其科学有效的节能制度。

(5)建立节能技术规范。据统计,1979年至2000年我国共发布127项节能法规和600余项节能标准,其中现行法规56项,现行节能标准164项。现行《节能技术标准》已经滞后,不利于节能技术进步。建议标准或规范出台后每隔2到3年由标准制定者重新评估并根据实际情况调整,以确保技术可行、经济合理。

厦门发展生态养殖技术
治理畜禽养殖污染

——治理农村生猪养殖污染的实践与思考

厦门市环境保护局

一、厦门市自然环境与社会经济概况

厦门市位于闽南金三角核心,南毗漳州,北邻泉州,面对金门诸岛,下辖思明、湖里、集美、海沧、同安和翔安6个区,总面积1565平方公里(其中海域面积235平方公里)。1980年经国务院批准,在厦门设立经济特区。2003年年末全市常住人口217万人,其中登记户籍人口141.76万人,城镇人口83.74万人。

厦门市2003年实现国内生产总值760.12亿元。按户籍人口计算,人均国内生产总值53621元(约6460美元);按常住人口计算,人均国内生产总值35029元(约4220美元)。财政收入保持较快增长,全年实现财政总收入149.22亿元,比2002年增长18.2%。城镇居民人均可支配收入12915元,农民人均纯收入5172元,建城区面积达82.5平方公里。

厦门市海岸线总长234公里,其中深水岸线30多公里,可建60个万吨级泊位,最大吞吐能力可达1.8亿吨。目前有班轮直达北美洲、南美洲、欧洲、亚洲等外贸国际航线55条。全年港口货物吞吐量为3403万吨,集装箱吞吐量233万标箱。集装箱吞吐量在国内排名第7位,在国际百强港口排名第 30 位。

厦门市 2003 年全市空气污染指数平均值为 57,空气质量基本保持优良。区域环境噪声平均值为 55.9 分贝,交通干线噪声平均值为 68.4 分贝,全市环境噪声达标覆盖率 72.12%。烟尘控制区覆盖率为 95.47%;饮用水水源水质达标率 99%;城市生活垃圾处理率 93.96%;生活污水处理率达 50.78%;城市工业废水排放和汽车尾气的达标率分别为 97.57%、79.80%;工业固体废物处置利用率为 85.87%;全市自然保护区覆盖率达 11.82%。

厦门市始终坚持可持续发展战略,以"发展循环经济、生态经济、走新型工业化道路"为突破口,将环境保护工作纳入区划调整、产业布局调整和优化经济结构等工作中统筹考虑,不断增加环保资金投入,加快城市环境基础设施建设,全面开展城乡环境综合整治,初步获得社会、经济和环境的协调发展。近年来,厦门市在获得"国家卫生城市"、"国家环保模范城市"、"国家园林城市"、"中国优秀旅游城市"、"全国城市环境综合整治特别奖"等殊荣后,又被联合国开发计划署(UN-DP)、全球环境基金(GEF)和国际海事组织(IMO)确定为东亚海域海洋污染预防与管理示范区。2002 年摘取了"国际花园城市"的桂冠,2003 年获得"中国人居环境奖"。厦门也因此被海内外客人誉为"中国最温馨、最适宜居住的地方"。

二、厦门市生猪养殖业面临的主要问题

畜禽养殖是厦门市农业的一个重要产业,近几年来得到迅速发展,为实施的"菜篮子工程"和增加农民收入作出了重要贡献。但是从畜禽养殖业发展现状来看,确实存在不少弊端:

1. 布局不合理

由于缺乏长远的、科学的、超前的建设发展规划,绝大多数畜禽养殖场地建设不规范、布局不合理。相当一部分养殖场建在水源保护区、风景名胜区、居民区和生态敏感区附近。根据 2002 年调查结果显示,仅在厦门大学学生公寓楼附近就有大小 30 多家养猪场!在市应急备用水源湖边水库周边聚集了 28 家养猪场!

2. 污染严重

根据 2002 年统计,厦门全市生猪存栏数约为 56 万头,其中,存栏数 200 头以上的规模化生猪养殖场就有 300 多家,总存栏数约 36 万头。一头猪的排污量约为一个人的 5 倍,因此厦门市每天生猪的排污量相当于一座拥有 250 万人口的中等城市的生活污染物排放量! 这其中 70% 以上是未达标排放和未处理排放。如此大的污染量,日积月累在城市和水域周围形成了庞大的污染源,造成水域富营养化,对农业生态环境、农村生活环境、饮用水源、海域生态等造成了严重的危害。

3. 管理不到位

畜禽养殖业数量多、分布广、效益差、污染重,多数畜禽养殖业主资金短缺、文化素质低、环保观念淡薄。长期以来畜禽养殖场污染防治工作没有纳入管理部门的管理,岛内所有养殖场均未经环保部门审批。管理不到位造成畜禽养殖业污染日益加剧。实事上,千头以上畜禽养殖场的排污量不亚于一个中型工厂企业!

三、用科学发展观指导生态养猪,全面治理养殖污染

厦门本岛农村畜禽养殖污染整治工作列入 2002 年市委、市政府为民办实事项目。市、区两级财政按 7∶3 比例共拨出 2300 万资金,参照城市拆迁用地补贴标准,用于补助关停 864 家养猪专业户和 25 家规模化养殖场搬迁,以及解决 48 家特困户、12 家残疾人的特殊困难生活补偿金。由于厦门全岛被划为禁养区,大量的养猪场转移岛外饲养,为避免养殖户重复搬迁的现象,环保局与农业局密切合作,运用循环经济、生态经济理论,多次反复研究形成一致意见,提出"赶猪出岛,引猪上山,绿化荒山",走"生态养猪、综合利用"的循环经济模式的发展思路。

事实上,在开展厦门市生猪养殖污染综合治理过程,我们环保局也是在不断总结、不断探索,通过最初的"实施达标排放",到"推广生态型种养技术",到后来的"应用生物技术开展生态养猪提高产品品质"的三次认识的提高与三次实践总结,最后走出一条比较适合于南方气候发展的畜禽养殖综合治理的循环经济发展路子。

1. 严格执法,确保生猪养殖污染治理达标排放

近十年来,厦门市先后获取了国家卫生城市、环保模范城市、优秀旅游城市、园林城市和国际花园城市等称号,目前正在加快海湾型生态城市建设。但是,到2001年,还有很多分布在岛内城乡结合部和即将开发区域的设施简陋、破烂不堪、污水横流、臭气飞扬的畜禽养殖场,与这些称号和城市发展目标极不相称。一方面,严重影响人们的正常生活环境;另一方面,制约城市的发展。关停(搬迁)岛内畜禽养殖场、治理岛外规模化畜禽养殖场污染成为政府必须解决的一项重要任务。为改善厦门市水环境、海域环境和城市生活环境质量,保障民众身体健康,加快岛内城市化建设进程,改善投资环境,厦门市委、市政府把"厦门本岛畜禽养殖污染整治工作"列入2002年度为民办实事项目,要求2003年12月31日前取缔厦门岛内所有生猪养殖场(户),实现岛内禁养目标;2005年前完成全市规模化畜禽养殖场污染治理任务,实现达标排放或零排放。按照市委、市政府的工作部署,市环保局首先将厦门本岛划定为禁养区,政府各相关部门相互配合,各施其责。对于建在岛外和后来搬迁到岛外的大型养殖场,市环保局严格执法,要求他们必须建立污水处理装置。到2004年6月基本完成关闭厦门本岛生猪养殖、把大型养猪场迁移岛外的任务。这一工作每年大约削减岛内生猪污水排放231万吨,削减生猪粪便污染23万吨,从而大大改善岛内地表水环境质量和生活环境质量,减轻海域生态环境污染。

2. 强化环保面向服务经济发展的意识,发展生态经济

实践中我们发现,单一要求养殖户治理养殖污染的做法收效不大,因为治理污染会增加他们的成本,往往是环保监察人员来检查时污水处理设施开动,人一走他们就关闭。正确处理好发展农村经济与治理农村畜禽养殖污染的矛盾,把维护广大人民群众的切身利益成为我们工作的出发点和落脚点。

针对农村养殖普遍存在的治污成本高、整体效益差的特点,我们深入广大农村,开展广泛的调查、探索和总结,先后建立三种生态型生猪养殖示范模式:山区以"猪——沼——果——林";丘陵以"猪——沼——果——草";平原以"猪——沼——鱼/虾/蔬菜/食用菌"。

工作中我们提出了"引猪上山,绿化荒山"的思路,引导养殖业主把猪圈直接建到山顶上,利用山上的自然高差把沼气水引到山坡地。把猪场搬到山上去等于办了一个小化肥厂,因为 5 头猪的排污量就可以灌溉 1 亩林地。厦门海沧鼎旺畜牧实业有限公司养猪场,引进适合亚热带种植的优质速生泰国柚木,试种 450 亩,通过沼气水的灌溉第一年平均生长速度达到 2.5 米,直径达到 6 厘米,因为猪粪含有大量的有机质,能够改良土壤,提高土壤肥力,促进植物生长。生态养殖既提高了养殖户的经济效益,又改善了环境。通过这种做法,老百姓感慨地说:传统养殖是"肥水流入外人田,群众告状要赔钱",而生态养殖是"肥水流进自家田,综合利用不污环境又赚钱"、"种树不养猪,好比秀才不读书"、"养猪不种树,肥水没出路"。如今在岛外,生态型零排放模式发展已得到示范推广。同时,我们推广有机肥生产技术。利用雨污分流、干湿分离集中处理猪粪生产有机肥,走"种养结合"的道路,发展生态型养猪模式,提高养猪的综合效益。

3. 发展生态养殖技术,生产放心食品,提高肉类市场竞争力

改革开放以来,政府对农村管理体制实施下放、推动农村联产承包制确实促进了农村一个时期的经济发展,但同时也带来了小农意识、小农经济思想。在畜禽养殖业,一些养殖企业为了达到生猪后腿臀部丰满和刺激快速生长,在预混料中使用兴奋剂、瘦肉精等激素和大量的抗生素。1999 年 10 月 20 日,香港食品检验部门在上市的猪肉内脏中发现含有大量治疗哮喘病的药物——盐酸克仑特罗,许多居民食用后头痛、手抖、心跳加快,对患有心脏病和高血压的病人尤为危险。据有关部门调查,猪肉内脏中的药物主要来自两方面:一是给猪治病的药物残留余;二是来自猪的饲料。由于目前猪饲料的配置还没有一个统一标准,各厂家为了使本厂生产的猪饲料让猪吃了不生病又长得快,加入一定量的防治病药物,尤其是激素类的药物制品,虽在猪病的治疗和长膘方面起了一定的作用,但食用含有残留药物的猪肉对人体健康有较大的影响。

为解决这些问题,我们积极引导和指导广大养殖业主充分应用循环经济技术发展生态养猪,使养殖废水、气、渣能够得到充分有效的综合利用,以最大限度减少污染排放量,以最少的投资获得最大的经济效益。利用猪粪排泄物,通过沼气池的厌氧发酵生产沼气,用于小猪保温、工人洗澡、做饭;沼液灌溉农、林、果、草地;生产的草用来养猪,既节约饲料,又提高猪肉品质,提高猪肉价格和市场占有率,走出一条适合于农村发展规模化生猪养殖经济与环保双赢的路子。

厦门市集美区鹭盛畜牧有限公司生产的"合佳牌生态肉"就是一个典型的例子。"合佳"在闽南语是"好吃"的谐音,这个品牌的猪肝目前厦门市市场价格是每公斤30元,而且供不应求!而其他没牌子的猪肝,由于市民担心"瘦肉精残余"经常卖不出去。鹭盛畜牧有限公司利用生态技术,已探索出比较成熟的循环高附加型养殖技术:其一,将养殖排放物通过沼气池的厌氧发酵生产沼气和沼渣。沼气用于小猪保温、工人洗澡、做饭;其二,将沼渣混合其他的畜禽粪便通过微生物菌群分解发酵,加工生产有机复合肥,用于生产绿色食品或有机食品;其三,沼液灌溉果树、农作物和种植杂交狼尾草,然后把杂交狼尾草粉碎打浆,按1:1搅拌成混合饲料喂猪。同时,在草浆混合饲养时,加入适当的中草药调节剂取代化学添加剂和抗生素,完全按照清洁生产要求饲养生猪,既改善肉品质量,又提高经济效益。

我们初步估算:如利用种杂交狼尾草打浆喂猪,一头商品猪从小猪25公斤隔栏到100公斤出售可节约饲料成本25元左右。该养猪场每年的出栏数大约每年1万头,仅此一项一年就节约成本25万元。另外按专有配方添加中药调节剂,完全按照无公害生态规范的生产模式饲养生猪,猪肉肉质鲜美,经过国家肉检部门测试,25种氨基酸的总和达25%,比普通猪的15%高出10个百分点。胆固醇比普通猪降低50%左右,有利于人体健康。因此,"合佳牌生态肉"很受市民欢迎,香港和日本专家得到信息后也到该场实地考察,给予很高的评价,并与该场签订合作发展项目。这种优质优价的生猪按猪场收购价平均每公斤多0.25元—0.3元。也就是说,在同等条件下扣除必要的人工费用,第一,比喂精饲料的普通猪,每头猪增收55元—60元左右,一个年产万头猪的猪场可多创收55万元—60万元。第二,利用猪粪还有一笔可观的利润,一头猪从30千克—90千克,每日猪粪的排放量平均2.75千克,按平均110天出栏算可产生302.5千克猪粪,按80%含水量计算折成干粪 60.5 千克。按照生产有机肥料的配方,猪粪所占的比例 40%—60% 左右,也就是说平均一头猪的干粪可生产有机肥 48.4 千克左右。这类有机肥目前平均每吨出厂价格为 600 元左右,用粪便生产有机肥一头猪的可产生产值 30 元左右。合计起来,这个年出栏数在 1 万头的生态养猪场,利用循环经济技术可提高产值 85 万元—90 万元左右。这里还没有考虑市民对这种新型"高氨基酸低胆固醇猪肉"的偏爱,而出现水涨船高价格上升、市场占有率扩大带来的经济效益!

四、关于未来的思考

我们认为,厦门市从初步的简单治理,到推广生态型养殖技术,到最后的应用生物技术养猪,既综合治理畜禽养猪污染,又提高养猪户的收入,获得养殖经济和环保的双赢,这是坚持科学发展观,走可持续发展战略的一次成功实践!

"统一监管、严格执法、宣传教育、科技服务、示范推广"是厦门市环保局在新时期做好农村环境保护和生态建设工作的基本策略。在综合整治农村畜禽养殖污染工作中,我们的做法不仅仅是单纯为了保护环境,而且希望通过为养殖户增收、创收探索出一条新路子,改变养殖户被动要求作环境保护,而自觉主动做好这项工作,达到实现社会效益、经济效益和环保效益之间协调发展的最终目的!

我们希望针对制约我市农业和农村经济可持续发展的关键性问题进行研究对策,通过抓生态养猪示范点的建设来推动厦门市生态农业的发展,实行生物措施与农业环保技术措施相结合,逐步实现"农业产业规模化、产业结构合理化、生产技术生态化、生产过程清洁化、生产产品无害化"的建设目标。积极推广农村能源的循环利用;采用畜禽养殖粪便、食用菌土、腐蚀酸土,通过微生物菌群的发酵过程生产生物有机肥,提供给农业生产使用,使这类废弃物能变废为宝,化害为利,减轻农业面临的污染。利用"市场信息体系,农业技术推广体系,动植物防疫体系"指导农业生产与结构调整,加快厦门"生态型"高产、高优、高效的生态农业体系建设。

在今后一段时间内,我们在抓生态种养与污染治理方面,将突出三个重点:一是以抓农业生物技术及产业化为代表的知识经济的发展;二是以抓低废、无废技术循环利用及产业化为代表的绿色经济生态农业,生产绿色食品和有机食品;三是引导农业企业开展 ISO14000 体系认证,申请绿色食品及有机食品标志,开通绿色通道,开拓绿色市场,带动绿色消费,促进绿色产业的可持续发展。

武威市凉州区构建西北
干旱区生态产业循环链

毛生武

甘肃省武威市凉州区,古称"凉州",号称"五凉古都",丝绸之路重镇,历史文化名城,是中国旅游标志"铜奔马"的故乡。位于甘肃河西走廊"经济隆起带"东端,地处三大内陆河之一——石羊河流域核心地段,总面积5081平方公里,人口100.77万,是中国西北五省(区)人口最多的县级行政区,辖48个乡镇、6个城市街道办事处、3个移民开发指挥部。大部分经济指标占到全武威市的60%以上。2003年完成国内生产总值61亿元,其中第一产业16亿元,第二产业20亿元,第三产业25亿元;大口径财政收入3.4亿元,城镇居民人均可支配收入5530元,农民人均纯收入2893元。农业生产比较发达,农产品资源丰富,第二、三产业扩张较快,工业属轻型结构,产业结构处在快速升级变化的前夜。经济综合实力排甘肃省第五位,初步实现小康。

一、发展循环经济是加快凉州区域经济发展的必然选择

循环经济是针对传统经济发展导致资源过度消耗和环境恶性污染而提出的可持续发展的具体实现形式。它通过生态规划和设计,资源循环利用,使不同的企业群体间形成资源共享和废弃物循环利用的生态产业链,达到生态经济系统的良性互动,实现以清洁生产和绿色工业为导向的新型经济型态。

我们凉州区从整体上而言,一方面资源量相对严重不足,开发利用

方式粗放,综合利用水平低,损失浪费严重;另一方面生态系统敏感而脆弱,对污染废弃物的分解自净能力十分有限,决定了我们必须走循环经济这条可持续发展之路。

我区资源匮乏,人多地少,全区土地面积 5081 平方公里,其中农用地 310 万亩,仅占土地总面积的 42.35%,人均占有土地面积 7.8 亩,比全省平均水平低 24.2 亩,比全国平均水平低 5.6 亩。人均占有耕地面积 1.88 亩,远远低于全省人均 3.08 亩的水平。境内未利用土地比重为 50.65%,高于全省 42.82% 的比重,境内可开发利用的荒地资源 107 万亩,仅占土地总面积的 14.63%。全区每平方公里土地承载人口 198.3 人,绿洲部分高达 511.5 人,大大高于联合国制定的世界干旱荒漠地区每平方公里只能养活 8 人的标准。

全区地表水源主要有西营河、金塔河、杂木河、黄羊河四条河系,总河川径流量年均为 7.54 亿立方米,利用率高达 90.4%。地下水近十年年均可利用量 2.82 亿立方米,全区地表水、地下水总利用量年均为 10.33 亿立方米。全区年需水量 11.46 亿立方米,缺水 1.13 亿立方米,年超采地下水 1.5 亿立方米—1.8 亿立方米。人均水资源量 754 立方米,根据联合国标准(人均水资源量在 500 立方米—1000 立方米为重度缺水),我区属于重度缺水地区。由于开采过量,地下水位下降,矿化度升高,水质恶化,冲积扇缘以北的井泉灌区出现微咸水带,灌区次生盐渍化问题已经开始困扰人类,城区等强开采区有可能形成漏斗化现象。同时,因水位下降和盐渍化问题加重,沙漠边缘和北沙河等区域植被大面积枯死,沙漠活化将使季风、干热风、沙尘暴肆虐于凉州大地,给工农业生产和人民生活带来了严重的危害。

全区现有各类工业企业 2085 户,上市公司三家(皇台、荣华、莫高)。初步形成了以食品工业为主导的地方工业体系,工业在 GDP 中的比重达到 21.49%,对财政的贡献率达到 44%,对全区经济增长拉动近 6 个百分点。工业已成为推动全区国民经济发展的主导力量、财政收入的主要来源和社会就业的主要渠道。工业企业都以"资源——产品——废弃物——污染物排放"单向流动为基本特征,"两高一低"(高消耗、高污染、低利用),产品成本居高不下,市场竞争弱。同时,环保意识淡薄,环保投入不足,环境保护与工业增长不同步,污染日趋严重。据调查,作为我区重点工业企业的皇台、武酒、荣华、爱雅、纸业公司、熏醋厂、热力公司、武威纸业公司、武威制药厂、武南水泥厂这10家企业,2003年用水量为396.27万吨,占全区工业用水(649.63万吨)的61%;废水排放量221.52万吨,占全区工业排放量(410.22万吨)的54%;废气排放量20.29亿标立方米,占全区工业排放量(28.18亿标立方米)的72%;废渣产生量4.23万吨,占全区废渣(6.32万吨)的67%,耗煤量13万吨,占全区工业耗煤量的79%,占全区总耗煤量的37.5%。这些企业既是我区的龙头企业,也是我区的污染大户,如果考虑我们的企业对生态造成的污染,在利润中扣除对生态污染治理的费用后,我们的企业基本上都是亏损企业。

二、凉州区循环经济产业体系构建

1. 发展循环经济的基本目标

构建覆盖三次产业整体的循环经济体系,即新型生态工业、绿色生态农业、环保型第三产业。更新改造实施清洁生产的基础设施,重点是能源节约替代、中水回收利用和固体废弃物循环利用系统。建设生态保障体系,包括绿色建筑、人居环境和生态防护体系。

循环经济的实施层次,分别在企业、区域和社会三个层面上展开,形成一体化的循环经济体系。初步考虑,未来5至7年为传统经济到循环经济的转型过渡期,到2010年基本完成从传统经济向循环经济转型过渡,初步形成循环经济发展机制和循环框架。到2018年建成三个具有示范效应的生态工业园区,发展壮大一批循环经济型企业,构建8个循环经济型产业体系,实现工业效益与生态效益的最佳组合。

2. 建设生态工业园区

(1)城东生态工业示范园区。在原城东工业区的基础上,以上市公司荣华企业集团为核心,运用循环经济理念,规划建设生态工业园区。以玉米淀粉、赖氨酸、谷氨酸、乳酸、味精、有机复合肥等纵向系列化开发的产业为主线,再进一步纵向延伸产业链条和横向吸引扩张相关产业,构建纵向闭合、横向耦合的循环产业链。发挥园区内工业企业相对集中的优势,进行适度的产业重组。综合规划园区内热电能源的再利用,资源和原辅材料的再加工,中水回用,污水集中处理,形成企业间"相依群落式"发展模式,构建经济繁荣与生态和谐相得益彰的可持续发展的新型生态工业园区。

(2)黄羊面粉生态工业示范园区。根据甘肃省确定在凉州建设"西部(武威·黄羊)食品工业城"的总体规划,以红太阳面粉集团为核心,纵向系列化开发小麦面粉、小麦淀粉、方便食品、餐桌食品、微波食品、功能性保健食品、功能性食品添加剂,加快专用粉的发展步伐,开发生物化工产品,向多品种、多功能化的方向延伸。在纵向拉长产业链条的同时,横向耦合相关产业。利用面粉企业次生的麸皮、次粉,以内部贸易方式集中收购,统一加工,发展饲料系列加工业,减少废弃物排放,形成园区内资源替代、源头削减和废物交换利用的产业循环。用水大户,实行中水回收和园区内循环自用,或输送邻近企业梯级利用,最大限度减少污水排放。

(3)皇台酿造酒业生态工业示范园区。主要以皇台集团为核心企业,以白酒和葡萄酒为主导产业链条,适当调整产业和产品结构,纵向发展系列连环产业,横向耦合相关共生产业,扩大园区覆盖范围,整合重组相关企业,以园区托皇台,重整皇台雄风。

3. 建设循环经济型产业体系

(1)酿造酒业循环体系。皇台集团、武酒集团、莫高集团、西凉啤酒集团等企业,在积极发展白酒、葡萄酒、啤酒制造业的同时,大力纵向延伸广泛意义上的系列化饮料工业;利用酿酒工业的副产品进行精深加工,发展生物化工,分离生产高蛋白饲料等,并进行企业中水回用、热电联产、能源综合利用,实现废弃物和副产品的循环利用。

(2)玉米、淀粉产业循环体系。工农业联动,第二产业"定购"第一产业,发展玉米订单农业,在玉米淀粉系列化开发的同时,发展生物化工,生产变性淀粉、淀粉糖、微生物多糖、氨基酸、食用有机酸、微生物色素等产品。利用副产品生产肌醇、黄色素、玉米精炼油、菌体蛋白、DDGS饲料等。再利用工业污水生产全元有机复合肥回馈农业生产,经严格处理后的工业废水,灌溉于农田,形成有机的产业循环。

（3）小麦、面粉、饲料加工业循环体系。大力发展小麦订单农业，组织生产优质小麦、专用小麦。壮大面粉产业规模，进一步巩固提升"中国西部最大的面粉工业基地"地位。在开发生产小麦面粉、淀粉、谷朊粉（面筋）的同时，综合利用麸皮、次粉等，联合区内饲料企业，大规模开发饲料系列产品，带动全区养殖业发展，推动畜产品加工业，农业、畜牧业相互促进，循环发展。

（4）畜牧、畜产品加工业循环体系。充分利用十分丰富的农作物秸秆和种植业副产品资源，发展无公害畜牧产业，以"天马"牧村肉制品公司、"康尔壮"、"天健"乳品公司为依托，开发排酸肉、分割肉和直接食用的高档、优质、方便、卫生、营养的各类熟肉精制品；发展学生奶、酸奶、含乳饮料；利用畜产品生产高档服装皮革、医用肠衣等，利用家畜内脏、头血进行生化制品加工，形成循环发展的畜产品加工企业群。

（5）调味品产业循环体系。依托荣华味精厂和甘肃凉州益民公司等调味品加工企业，发展新型调味品、天然调味品、复合调味品和方便调料，开发生产便于家庭食用的新型综合调味品，扩大谷氨酸生产，拉动玉米淀粉生产；发展熏醋、保健醋、酱油产品，开发麸醋、葡萄酒醋和具有降血脂功能的红曲醋、醋胶囊、小麦胚芽醋、醋饮料等高技术含量、高附加值的新型保健调味品，构建调味品产业循环体系。

（6）绿色蔬菜储运加工循环体系。扶持壮大相关加工和流通企业，充分利用凉州区丰富的优质果蔬资源，在"绿色原料——绿色加工——保鲜流通"各个环节实施全过程质量控制，利用现代生物工程分离技术改造提升果蔬加工业工艺水平，发展果蔬贮运、保鲜、果蔬汁、果酒、果蔬粉、切割蔬菜、脱水蔬菜、速冻蔬菜、果蔬脆片等产品，综合开发利用果蔬皮渣等副产品，提升果蔬资源的系列化转化增值率，延长生态产业链条。

（7）亚麻纺织产业循环体系。依托爱雅纺织集团，扩大亚麻种植面积，开发新型特种超细复合短纤维、差异化、功能化纤维，逐步加大麻纱深加工能力，生产亚麻色织布、亚麻针织服装、亚麻保健袜等，利用亚麻秸秆生产高密度压缩板，减少固体废弃物排放，以产业化龙头企业的迅速扩张，带动亚麻种植业这一西北地区特种优势产业的大力发展。

(8)造纸及印刷包装产业循环体系。彻底取缔污染严重的所有"小造纸"企业,利用农业大区丰富的麦草资源,扶持发展武威纸业公司5万吨集中制浆生产,整合重组区内造纸、印刷、包装企业,调整产业和产品结构,提升技术装备水平,实施覆盖产业全程的清洁生产控制,严格限制污染物排放。实施企业中水回用和碱回收,利用尾水种植芨芨草及速生杨,以改善生态环境,促进水生态循环。回收废纸资源,进行再利用和再循环。

三、凉州区发展循环经济的主要举措

1. 加强宣传教育,普及循环经济基本知识

(1)加强宣传教育,加大公众参与力度。通过各种媒体进行环境保护知识绿色消费和循环经济知识、传统线性经济弊端、相关法律法规等的宣传和教育,促使全民树立强烈的环境意识,提高人们对循环经济的认识能力,引导公众进行绿色消费,从而使循环经济深入人心。尤其引导企业和政府机关部门把循环经济的理念融入到企事业单位的日常工作系统中,使各级领导干部更新理念,改变思维方式。

(2)举办"循环经济知识讲座"。邀请国家环保总局领导、专家和兰大教授,对全区四大班子所有领导、区直部门、乡镇和街道党政负责人、重点企业中层以上领导和经济部门所有干部进行有关清洁生产、循环经济的知识讲座,提高各级领导干部和企业人员的环境资源意识和环境与发展综合决策能力。

(3)进行凉州区循环经济专题研讨。针对构建生态工业、绿色农业和环保型第三产业,结合理论学习,由政府分管领导牵头组队对工业、农业、资源环境等进行生态底本调研,开展了循环经济专题研讨会议,提出了好的意见和建议。

(4)编印资料,各级领导干部带头学习和宣传。从权威期刊、核心期刊和有关大专院校的学报上选编有关专家、领导和科技工作者在此领域内有代表性的学术论文和报告,汇编循环经济知识读本。同时,全区四大班子领导、经济部门领导和干部率先购买有关循环经济书籍,抢先一步进行理论学习,结合区情进行思考和探索,撰写学习心得体会。

2. 赴外地专题学习考察

主动出击,学习借鉴外地先进经验。组织相关部门赴天津、贵港、南海等国内发展循环经济的先进市区,进行观摩考察学习,使我们进一步增强了对循环经济的感性认识和理性认识。

3. 着手编制《凉州区循环经济发展规划》、《城东生态工业园区规划》、《中国西部(黄羊)食品工业城规划》、《石羊河水资源综合利用规划》

在全区生态底本进行调查研究的基础上委托中国环境科学院编写我区发展循环经济规划。目前,规划大纲雏形已形成,正在进一步修改和完善。待规划大纲定稿后,根据国家审报要求,及时上报和积极争取国家级循环经济试点区工作。并按规划要求着手制定《凉州区发展循环经济实施方案》,在全区范围内大规模启动循环经济建设,以点带面,先试点后推广,逐步进行循环经济示范企业和示范园区建设工作。用循环经济理念对武威城东工业示范区、黄羊绿色食品科技示范园区、皇台酿造酒业示范园区三个示范区的规划进行了修改,并按照循环经济生态园区建设原则和规划要求,选择物质集成、能量集成和信息集成的企业向园区集中。同时,在园区基础设施建设和进驻园区项目选择中融入了循环经济理念。

4. 推动全区经济发展模式向生态经济方向转型,发展生态农业、生态工业,探索构建三个生态工业园区

建立生态工业示范区,以点带面。选择了有一定资源和产业优势,并具有一定生态工业基础的城东工业区进行了试点建设,进行生态工业建设的理论和实践探索,积累经验,以点带面,逐步扩大生态工业的普及面,推动生态工业发展。建立循环经济示范企业。选择了荣华、皇台、纸业这三家大型企业进行单个企业的生态工业试点,在积极推进清洁生产的同时,采用先进的污染治理技术、废物回收利用技术,实施节水、节能和水的梯级利用试点工作。发展生态农业和有机农业,建立了有机食品和绿色食品基地,大幅度降低农药、化肥使用量。

(毛生武:武威市凉州区人民政府区长)

神农架发展循环经济的实践与思考

王 海 涛

　　循环经济是一种以资源的高效利用和循环利用为核心，以"减量化、再利用、资源化"为原则，以低消耗、低排放、高效率为基本特征，符合可持续发展理念的经济增长模式，是对"大量生产、大量消费、大量废弃"的传统增长模式的根本变革。

　　传统增长模式是一种"资源——产品——废弃物"的单向直线过程，这意味着创造的财富越多，消耗的资源就越多，产生的废弃物也就越多，对环境资源的负面影响就越大。而循环经济模式，即"产品——资源——废弃物——再生资源"的循环过程，以尽可能小的资源消耗和环境成本，获得尽可能大的经济和社会效益，从而使经济系统与自然生态系统的物质循环过程相互和谐，促进资源永续利用。位于湖北西部的神农架，总面积 3253 平方公里，因五千年前中华民族始祖炎帝神农氏在这万山丛中搭架采药、遍尝百草、为民造福而得名，是 1970 年经国务院批准建制为全国惟一以"林区"命名的行政区，直属湖北省管辖。近年来，神农架林区在坚持"保护第一，科学规划，合理开发，永续利用"建设方针的过程中，积极探索区域循环经济发展模式，保护和发展取得了较为明显的成效。

一、发展循环经济是神农架保护与发展曲折历程的客观选择

　　神农架的保护和发展历程可分为三个阶段：1970 年至 1985 年，神农架生存与发展以消耗天然林资源为基础，执行"边基建、边采伐"建

设方针,15 年间总计完成 108.79 万立方米木材指令性采伐计划,使森林覆盖率由 1960 年的 76.4% 降低到 1985 年的 63.7%。"木头经济"成为神农架的主导产业,成为地方财政收入的主要来源,成为农民生存和增收的主要门路。

1985 年以后,林区党委、政府逐步调整产业结构,走"以木蓄水、以水发电、以电兴工、以工涵林涵农、综合经营、全面发展"的建设之路,把突破口放在发展水电、开发矿产和林特资源的综合利用上,扭转了长期单一以森林工业为主体的经济结构。但神农架的发展仍然是以牺牲生态环境、消耗自然资源为基础的"高消耗、高污染、低效益"的经济增长模式,由此导致保护与发展之间的矛盾日趋尖锐,致使森林植被呈逆向演替趋势,森林生态功能降低,生态环境日趋恶化。森林蓄水能力仅为 50 年代的 50%,全区水土流失面积达 749.91 平方公里。实践证明,以牺牲生态环境、消耗自然资源为代价的经济发展模式,虽然能换来暂时的生存和发展,但最终将导致资源枯竭,经济发展无以为继,社会进步缓慢,神农架生存和发展受到严峻挑战,正如当年"美国之音"所预言:"再过 5 年,神农架将从地球上消失。"

严峻的现实,保护和发展的双重压力,促使林区党委、政府在 20 世纪 90 年代初期确立了"搞好保护、开发旅游、发展森工、拓展多种经营"的建设方针,坚持走"以旅游促开放、以开放促开发、以开发促发展、以发展促保护"的发展之路,使神农架经济结构得以逐步调整,产业结构不断优化,继而在 90 年代末期开始探索循环经济发展模式,确定了"立足保护,发展旅游产业,发展绿色产业,构建生态经济体系,建设富裕文明神农架"的方针,使神农架逐步走上了科学的发展之路。

2000 年 3 月,林区党委、政府审时度势,果断全面停伐天然林,抢抓西部大开发、实施"天保工程"和退耕还林还草等工程的机遇,在强化保护的基础上,大力发展旅游产业,大力发展绿色产业,全力构建生态经济体系。虽然因天然林全面停伐导致全区森工及木材加工业每年减少产值 2 亿多元,地方财政每年减少税收近 2000 万元,但因旅游业的快速发展及其强有力的关联带动作用和辐射功能,加上绿色产业的健康发展,使神农架稳步度过了经济结构调整的"阵痛"和转型困难期,国民经济逐步走上了保护与发展良性循环轨道。到 2003 年年底,全区生态保护进一步强化,生态环境逐步改善,森林面积由 90 年代初期的 1193.92 平方公里增长到 1618 平方公里,活立木蓄积量由 1198.04 万立方米上升到 2019 万立方米,森林覆盖率由 63.7%上升到 88%。与此同时,经济结构进一步优化,三次产业结构由 1998 年的 18.8∶43.4∶37.8 调整为 16.7∶30.3∶53。经济运行质量和经济效益明显提高,区域循环经济发展初见成效。

更为重要的是,发展以生态旅游为主的循环经济作为协调神农架保护与发展矛盾的有效途径,得到了省委、省政府的高度重视和大力支持,经过 2000 年、2002 年、2003 年连续三次省委、省政府神农架旅游开发现场办公会的全力推进,为神农架旅游经济及全区经济快速发展奠定了坚实基础。神农架已成为湖北省"一江两山"旅游发展重点和新三峡旅游黄金圈的重要组成部分,具有广阔的市场前景和发展潜力。2003 年,虽受非典的冲击,全区接待海内外游客仍然超过 50 万人次,旅游经济总收入达 1.22 亿元,其增加值占全区 GDP 的 10%以上,为神农架自然保护和经济建设可持续全面发展作出了重大贡献。

二、发展循环经济是神农架实现生态价值的最佳途径

神农架蕴藏着丰富的自然资源,概括起来有 4 类:一是生物资源。现有森林面积 1618 平方公里,活立木蓄积量 2012 万立方米。有高等维管束植物 199 科、872 属、2671 种,其中列为国家一、二级保护的树种有 39 种,动物 500 多种,其中列为国家重点保护的有 50 多种;可入药的动、植物达 2013 种,尤以白化动物和"野人"之谜为世人瞩目。二是旅游资源。神农架是国际公认的中纬度生态保存最为完好的地区,享有"华中屋脊"、"金丝猴的故乡"、"绿色宝库"、"天然动物园"、"物种基因库"等美誉。旅游资源特别是生态旅游资源得天独厚,兼具"雄、秀、幽、野"的特征,是开展观光览胜、度假休闲、探险猎奇、体育健身、科学考察、科普教育的理想场所。三是水能资源。境内玉泉河、当阳河、阴浴河、沿渡河 4 大水系年地表径流量 22 亿立方米,水能蕴藏量53 万千瓦,可供开发的有 30 万千瓦。四是矿产资源。已探明磷、硅、

水晶、玛瑙、冰洲石等20多种矿藏。

神农架是湖北境内长江与汉水的分水岭,是三峡库区第一道最大的天然绿色屏障,作为全球同纬度地区惟一的绿色奇迹而备受关注:1982年,神农架自然保护区成立;1986年国务院批准为"国家级森林及野生动物类型自然保护区";1990年被联合国教科文组织纳入"人与生物圈"保护网;1992年被世界银行全球环境基金组织列入全球生物多样性保护永久性示范地(GEF—B项目)。

神农架具有巨大的生态价值,神农架是全球中纬度地区惟一一块保存最为完好的原始林区,2618平方公里的森林,郁闭度达到了0.9以上,按照目前通行的方法计算,每年可向大气释放氧气300多万吨,从大气中吸收二氧化碳30多万吨,吸收大气中的灰尘100多万吨,吸收大气中的有毒气体近200万吨,蓄水30余亿立方米,相当于"亚洲人工第一湖"丹江口水库年平均蓄水量的1/4。因为有了神农架这片原始森林,每年少向三峡库区排放700多万吨的泥沙。神农架是整个华中地区的"肺",是南水北调中线工程的重要水源区,是三峡库区的天然绿色屏障。神农架具有巨大的经济价值,印度加尔各答农业大学德斯教授对一棵50年树龄的树累计的生态价值进行了计算:除去花、果实和木材价值,产生氧气、吸收有毒气体、防止大气污染、增加土壤肥力、涵养水源、为鸟类及其他动物提供繁衍场所等六项价值总计约19.6万美元,折合人民币160余万元。神农架原始森林里50年树龄的树至少有50万棵,位于神农坛的一棵铁坚杉已有1200多年的树龄。如果这样估算,神农架的生态价值高达1千亿美元,折合人民币8000多亿,超过了上海市2003年的GDP(6240亿人民币)。但受政策或资源自身特点限制,很大程度上是一种不能变现的资产。

由于这些资源的稀缺性和消耗后的不可逆性,按照传统的经济发展模式,虽然能一次性获得较大的经济利益,但最终使环境不堪重负,资源难以为继,其生态价值也没能体现出来。神农架在这方面已经有过惨痛的教训。而循环经济则以提高资源利用率为基础,以资源的再生、循环利用和无害处理为手段,既能实现经济价值,又能实现生态价值,实现社会、经济和环境的共赢。

三、发展循环经济是神农架实现人与自然和谐发展的迫切需求

由于神农架在国内、国际上所处位置的特殊性,决定了保护与发展的双重压力。神农架必须全面贯彻落实科学发展观,在保护、开发和建设上,坚持保护与发展并重、生态与经济并举的原则,建立资源循环利用、对环境不排放或少排放废弃物的新型经济发展模式,也就是要大力发展区域循环经济。只有这样,才能促进神农架可持续全面发展。

十六大确定的全面建设小康社会的目标,包括物质文明、精神文明、政治文明和生态文明四个方面,一是到 2020 年国内生产总值比 2000 年翻两番,综合国力和国际竞争力明显增强;二是社会主义民主和法制更加完善;三是全民族的思想道德素质、科学文化素质和健康素质明显提高,促进人的全面发展;四是可持续发展能力不断增强,生态环境得到改善,资源利用效率显著提高,促进人与自然的和谐,推动整个社会走上生产发展、生活富裕、生态良好的文明发展道路。这是一个全面发展、协调发展、可持续发展的目标。

近年我们始终把保护工作放在首位,生态植被得到恢复,森林覆盖率大幅上升,各种资源存量不断增加。虽然这种财富没有在 GDP 上直接反映出来,但它是实实在在存在的。神农架生态保护的外部性增加了社会福利,但其内部性却导致贫困。1992 年,神农架被确定为国家贫困县,现在仍然戴着这顶"帽子"。2003 年,神农架人均国内生产总值 4927 元,湖北省人均 9001 元,神农架只有全省平均水平的 54.7%,人均财政收入 233 元,只有全省平均水平 433 元的 53.8%。根据对 2002—2003 年的小康进程测算,在 17 项指标中,神农架有 10 项反映经济社会发展水平的指标未达标。被动地、静态地实行生态保护,不是长久之策、根本之策,也不符合全面建设小康社会的要求。

对于我区经济社会可持续发展来说,人与自然和谐是基础,以区域、城乡、经济与社会统筹发展为内涵的社会公平和谐是目标,内外统筹是手段。发展循环经济是实现人与自然和谐的根本路径。它可以将人口、资源和环境三者有机地统一起来,防止"环境贫困",从而在更高的层次上推进社会公平,缩小生活质量差距。因此,发展循环经济是神

农架实现人与自然和谐发展的迫切需求。

四、发展循环经济神农架具有十分明显的优势

党的十六届三中全会明确提出,坚持以人为本,树立全面、协调、可持续的发展观,这一新的科学发展观体现了我国社会经济发展新阶段的要求。在科学发展观的指导下,我们全面审视神农架的区情,认为神农架大力发展区域循环经济,具有以下明显优势:

第一,神农架具有极高的生态价值。神农架生态植被完好,生物多样性丰富,森林覆盖率高,生态功能和作用显著,是长江和汉江的分水岭,也是长江三峡工程重要水土保持区和南水北调工程重要水源涵养区,具有极高的生态价值。

第二,神农架具有极强的科研价值。神农架是中国南北植物种类的过渡区域和众多动物繁衍生息的交叉地带,享有"绿色宝库"、"物种基因库"、"金丝猴的故乡"、"天然动植物园"等美誉,是开展科学考察与研究的理想场所,具有极高的科研价值。

第三,神农架具有极大的旅游价值。神农架向以原始、神奇、古朴、神秘、俊秀著称于世,以原始森林、高山峡谷、溪流泉洞、珍稀动植物和"野人"等众多科学难解之谜为主要构成,具备"野、美、秀、奇"特色,具有科研科普、探险猎奇、观光度假、滑雪赏雪等多项旅游功能,并可与长江三峡组成中国新三峡区域旅游目的地。

第四,神农架具有独特的文化价值。神农架因炎帝神农而得名,神农文化源远流长,特别是中华农耕文化与中医药文化历史悠久,神农功绩万古流芳,民风民俗质朴多彩,加上汉民族创世史诗《黑暗传》的文化积淀,使神农架文化价值独特而丰厚。

第五,神农架具有极好的经济价值。神农架蕴藏着丰富的自然资源,为发展生态旅游、生态农业、生态工业、绿色产业和生物产业、构建循环经济体系奠定了基础,具有极大的开发潜力和经济价值。

生态是神农架的立区之本,立足于对区情的正确把握和科学判断,根据区域循环经济系统性、动态性、功能互补、可持续发展等原则,必须坚持"保护第一、科学规划、合理开发、永续利用"建设方针,走生态优

先、旅游主导、农业奠基、水电示范、工业强区、富裕文明的生态经济发展道路,构建区域循环经济体系,实现"一园四区"的战略目标。

①国家生态园:充分利用神农架的"联合国人与生物圈保护区网成员"和"亚洲生物多样性示范区"的优势,进一步加大保护力度,使这片华中地区惟一的原始森林得以永远保存;加强生态环境建设,使其对三峡工程、南水北调中线工程、华中地区乃至长江中下游的生态平衡发挥更大的作用;进一步突出其动植物古老、特有、珍稀的特点,使素有"物种基因库"之美誉的神农架在科研方面发挥更大的作用。通过保护和建设,使神农架成为我国一流的生态园区,在环境保护、生态平衡、科学研究方面发挥出不可替代的作用。

②旅游明星区:充分利用世界级旅游资源优势,把神农架旅游业建成驰名中外、特色鲜明、发展成熟、配套良好、运作规范的大产业,成为全省乃至全国以发展旅游业为核心带动整个区域经济健康发展的样板地区。争取在我省旅游业中占据核心地位,发挥龙头作用,把神农架建设成为全国一流、世界知名的生态旅游明星区。

③生态农业区:在保护和改善生态环境的前提下,构建适应神农架生态特点的农林复合生态系统,充分利用无污染绿色农业和生物产业优势,努力形成产品化、批量大、无公害、市场好、产业化的农产品开发新局面,把神农架建成全省最佳的生态农业区。

④水电示范区:合理开发、充分利用神农架丰富的水能电力资源,建设高效益清洁生态能源,发展山区水电产业。用 5 年时间实现水电装机容量达 13 万千瓦的目标,把神农架建成全省小水电人平装机容量最多的地区,走以电兴工、以电补农、以电代柴、以电代气的山区小水电建设示范之路。

⑤文明富裕区:按照"不争总量大小,但求人均领先"的思路,发挥人口少、资源丰富的优势,经过努力,在经济发展的前提下,使城镇人口比重达 50% 以上,改变城乡二元结构;政治文明和精神文明程度更加提高;社会保障体系比较健全,社会就业比较充分;人民物质文化生活较大改善,生活质量显著提高。

五、发展循环经济我们采取的对策与措施

面对新的形势和发展要求,结合神农架保护和发展实际,我们应该坚持科学发展观,及时创新发展思路,在发展循环经济方面进行积极的探索,大力倡导发展循环经济的思维和理念,从建设生态农业、生态工业和生态城镇出发,力求通过不懈的努力,逐渐向环境友好型社会过渡,努力形成具有强大生命力的可持续发展的循环经济体系,正确解决经济发展中遇到的经济增长与环境保护之间的矛盾,促进神农架全面、协调、可持续发展。

第一,实施生态立区战略。生态是神农架的立区之本,必须坚持保护第一、生态优先的原则,切实强化保护工作,树立牢固的神农架生态环境大安全观,正确处理好保护与经济发展的关系,经济建设服从服务于生态保护,在保护的基础上根据生态环境承载能力,合理开发和科学利用自然资源,力求以最小的资源和环境成本,取得最大的经济效益。

第二,实施旅游富区战略。要充分发挥神农架生态旅游资源优势,不断优化神农架旅游经济结构和旅游产品结构,延伸旅游产业链和优化旅游经济要素配置,丰富旅游文化内涵,提升旅游形象和旅游品质,推进神农架由观光型向生态旅游度假目的地的转型,由数量规模型向质量效益型的转变,使生态旅游发挥协调保护与发展矛盾的最佳最优功能。

第三,实施科教兴区战略。要正视神农架科教力量落后的现状,在加大科教投入、加快人力资源开发的同时,加大招才引智力度。要筹备建立神农架生态经济或绿色 GDP 论坛,争取建成类似瑞士达沃斯世界经济论坛一样,聘请国内一流专家成立神农架专家咨询委员会,为神农架可持续全面发展提供智力支撑;要与相关院校联办神农架资源与旅游经济学院,培养保护与经济、社会发展人才队伍为神农架保护发展提供人才支撑;同时,要建立鼓励科技人员建功立业,献身神农架保护与发展事业的长效机制。让一切有利于人才发展的资源活跃起来,让一切能创业致富的人才活跃起来,让一切人才的创造成果活跃

起来。

第四,实施开放强区战略。要敞开山门,扩大开放,加大招商引资力度,通过制定一系列优惠政策,吸引区外资本开发神农架丰富的自然资源,共同发展神农架生态经济。要筹备建立世界性的保护神农架或者生物多样性的基金组织,从国际上分摊保护的成本,争取广泛的支持,从而促进神农架保护和经济社会的全面发展。

政府要树立循环经济理念,科学构筑可持续发展的绿色平台。为实现经济发展和环境保护的"双赢",需要政府部门转变职能,科学构筑可持续发展的绿色平台。①社会方面:政府要通过各种途径培养包括城镇居民、企业以及政府和社会团体在内的社会公众群体形成良好的环境意识并积极参与各种环境保护公益活动,在全社会倡导一种节约资源和能源的消费方式与行为习惯。②经济方面:在大力推进循环经济,积极做好经济结构战略性调整,形成合理的产品结构、产业结构、产业布局和适当的经济增长速度外,更重要的是要建立节约资源和能源的方式,低投入、高产出,低污染、高循环运行的生产系统和控制系统,全力打造经济发展与环境保护相统一的生态工业体系。③管理方面:制定完善的节约资源、能源以及废物综合利用等方面的环境优惠政策和经济激励机制。④环境方面:建设布局合理和功能完备的城镇基础设施,特别是与生产和生活相配套的环境保护基础设施;要加快建设良好的城镇生态功能系统;要建立完善的自然资源可循环利用体系,亦即循环经济运行体系。

环保部门要树立环境管理新理念,开创管理新模式。从目前看,结构性污染仍是制约神农架经济发展的主导因素。因此,我们必须从产业的内部结构调整和技术进步入手,把环境保护和经济发展有机结合起来,立足建立循环经济模式,大力发展生态工业,完成传统发展模式向生态型经济发展模式的战略性转变。环保部门要从思想上提高认识,实现思想观念的根本性转变。在具体工作中,环保工作要树立大局意识,创造性地开展工作。当好政府的参谋、当好投资者的参谋,使环保成为经济发展这一"第一要务"的得力助手,确保实现经济发展和环境保护的"双赢"。

企业要树立可持续发展观念,建设生态企业。企业要想保持持续快速健康发展,就必须建设成为循环经济型生态企业。企业要想建立起自己的生态产业体系,一是务必要在生产中推行清洁生产,积极搞好国际通行的 ISO14000 环境管理体系认证;二是要依靠科技进步,积极采用无害或微害的新工艺、新技术,大力降低原材料和能源的消耗,在生产过程中实行全过程控制,把污染消灭在生产当中;三是加强资源的综合利用,使废弃物资源化、减量化和无害化;四是加强科学和严格的管理,改变原有的生产统计方法,实行绿色 GDP 核算。

六、发展循环经济神农架需要获得更大更多的支持

发展区域循环经济是一个复杂的系统工程,循环经济的建立和运行需要政府推动、政策支持、市场机制三方面组合协调。在 2004 年 3 月召开的中央人口资源环境工作座谈会上,胡锦涛总书记强调指出:"树立和落实科学发展观,必须着力提高经济增长的质量和效益,努力实现速度和结构、质量、效益相统一,经济发展和人口、资源、环境相协调。在推进发展中充分考虑资源和环境的承受力,积极发展循环经济,实现自然生态系统和社会经济系统的良性循环,为子孙后代留下充足的发展条件和发展空间。"温家宝总理也要求:"要重点抓好节约利用资源,大力发展循环经济。坚持开发与节约并举,把节约使用资源放在优先位置,建设资源节约型社会。"

第一,政府推动。首先,国家要尽快出台有关循环经济的法律和法规,让法律成为发展循环经济的必要依据和有力保障。要通过深化改革,形成有利于促进循环经济发展的体制条件和政策环境。其次是要把发展循环经济纳入国家十一五规划,选择像神农架这样条件较好、有一定基础的地区,作为发展循环经济的试点,以生态保护和恢复为出发点,结合本地区资源、环境特点,调整产业结构,发挥后发优势,所有新建项目都应体现科技含量高、经济效益好、资源消耗低、环境污染少的新型工业化特点,实现跨越性发展。三是国家有关部门要根据神农架这类地区的特点,制定切实可行的绿色 GDP 目标考核体系和考核办法,与经济建设同部署、同督察、同考核、同步发展。

　　第二，政策支持。在政策层面上，要建立政府投资、消费拉动、政策激励的循环经济发展政策体系。一要结合投资体制改革，调整和落实投资政策，加大对循环经济发展的资金支持。要把发展循环经济作为政府投资的重点领域，对一些重大项目进行直接投资或资金补助、贷款贴息的支持，并发挥好政府投资对社会投资的引导作用，特别是要引导各类金融机构对有利于促进循环经济发展的重点项目给予贷款支持。结合投资体制改革，调整和落实投资政策，加大对循环经济发展的资金支持。要把发展循环经济作为政府投资的重点领域，对一些重大项目进行直接投资或资金补助、贷款贴息的支持，并发挥好政府投资对社会投资的引导作用，特别是要引导各类金融机构对有利于促进循环经济发展的重点项目给予贷款支持。继续完善促进循环经济发展的价格和收费政策，比如扩大水资源费征收范围并适当提高征收标准；适时提高城市污水处理费征收标准等；二要建立和完善循环经济产品的标示制度，鼓励公众购买循环经济产品。在政府采购中，确定购买循环经济产品的法定比例，推动政府绿色采购；三要建立生态环境保护补偿机制，使得循环利用资源和保护环境有利可图，使地区、企业和个人对环境保护的外部效益内部化。按照"污染者付费、利用者补偿、开发者保护、破坏者恢复"的原则，资源的利用者和环境保护的受益者均应支付补偿费，经济发达地区也应对生态环境优良地区予以补偿，从而弥补地区发展不平衡的差别。

　　第三，市场机制。发展循环经济需要立法机构、政府及相关社会组织协同解决。但这并不意味着立法机构、政府和执法机构将成为发展循环经济的主体，他们应该只是循环经济制度和规则的设计者、法律法规的执行者、监督者。市场机制仍然是循环经济发展的基本体制，企业仍是行动的主体。循环经济作为一种新的技术范式，一种新的生产力发展方式，为实施新型工业化开辟了新的道路。应该通过完善市场化机制，运用政策导向，更多地促使企业推广和应用新技术、新设备、新工艺、新材料，引导更多的资本发展循环经济，形成完善的区域循环经济产业链。

（王海涛：神农架林区政府区长）

园区循环经济实践经验

天津开发区创建国家生态工业园

天津经济技术开发区

天津经济技术开发区(简称天津开发,英文缩写音译泰达)是1984年成立的首批国家级开发区之一,位于天津市东南,距市中心45公里,总规划面积33平方公里。根据发展需要,分别在天津市武清县、西青区、汉沽区等地建立了逸仙科学工业园、微电子工业区、化学工业区和开发区西区四个小区。

天津开发区建区近20年来,始终保持经济快速稳定发展,2003年,全区完成GDP445.23亿元,可比增长25.1%;工业总产值完成1251.4亿元,比上年增长28.4%;财政收入完成93.06亿元,比上年增长18.4%;出口完成68.86亿美元,增长20.7%;人均GDP达到19.23万元,增长13.4%。连续多年,天津开发区工业生产总值、国内生产总值、财政收入、出口额及合同外资额等几项主要经济指标在全国开发区中一直保持领先地位,在天津市的发展中也发挥着十分重要的作用。

在发展经济的同时,天津开发区始终坚持把环境保护工作摆在重要位置,在2000年建立了ISO14001环境管理体系,并被国家环保总局批准为ISO14001国家示范区,先后建设了市政污水处理厂、电镀废水处理中心、新水源厂、空气环境自动监测系统、循环流化床锅炉热源厂和轻轨交通网等一大批环境保护基础设施,通过不断加强环境建设,努力寻求经济、社会与环境的协调发展。生态工业园和循环经济的理念为天津开发区提供了这样一种在保持社会、经济发展的同时,又可以维护环境、促进生态改善的发展模式。

为了使生态工业园建设工作更加系统化、规范化,成立了天津开发区国家生态工业示范园区建设领导小组,由管委会主任任组长亲自主抓,全力以赴,力争早日建成生态工业园,实现从传统经济向循环经济的跨越。

目前,开发区虽已初步表现出生态工业和循环经济发展的雏形,取得了一定的成绩,但要想实现《建设规划》中制定的目标,在政策、技术、人才、信息等诸多方面还存在着不少困难。

一、生态工业园和循环经济建设进展状况

天津开发区生态工业园建设工作开始于 2001 年。2001 年 5 月,通过参加联合国环境规划署和国家环保总局联合举办的"中国工业园区环境管理试点"项目,天津开发区以开展清洁生产为切入点,积极宣传生态工业理念,着手生态工业园建设。通过为期一年的试点工作,天津开发区对于生态工业有了全新的认识,通过管委会主任会议形成决定,明确提出建设生态工业园区的发展思路。

2001 年 9 月,中日循环经济与零排放研讨会在天津开发区成功举办,通过与日本产学研政界的交流,了解到日本在发展循环经济方面的成功经验,使得天津开发区进一步坚定了建设生态工业园和发展循环经济的方向和目标。

2002 年 4 月,天津开发区开始系统编制生态工业园区建设规划。2002 年 5 月,天津开发区作为区域整体签署了《国际清洁生产宣言》,标志着天津开发区生态工业园建设的正式启动。2003 年 1 月,国家环境保护总局解振华局长来我区视察时,对于园区大力开展生态建设、走生态工业的发展方向给予了充分肯定,鼓励开发区要更上一层楼,建设生态工业园,提高可持续发展能力,走新型工业化道路。

根据国家环保总局提出的《国家生态工业示范园区建设规划编制指南》,天津开发区编写的《天津开发区国家生态工业示范园区建设规划》(以下简称《建设规划》)于 2003 年 12 月通过了国家环保总局组织的专家论证会,于 2004 年 4 月被正式批准进行国家生态工业园的试点建设。目前,天津开发区正在按照规划要求进行国家生态工业园创建,

大力发展循环经济。

1. 产品代谢网络进展

按照"引进外资，重点发展"丰田"体系内的一级供应商"的产业链条构建规划，仅以 2004 年上半年为例，天津开发区新批准汽车元器件生产项目达 13 个，如：丰田国际货运、华信地毯扩建——汽车毯项目、丰田一汽模具、丰田通商钢业等。到目前为止，天津开发区已有整车制造及零部件配套企业 62 家，包括日本爱信、富士通天电子、东海理化、矢崎汽配等丰田配套商。同时，一批韩国汽车配套企业也涌入开发区，表明了汽车产业链在开发区发展正趋于完整和成熟。

以丰田汽车为核心的汽车产业，已逐步发展成为一个与摩托罗拉公司为核心的生态工业群落相类似的汽车工业产品代谢网络。

2. 废物代谢补链项目进展情况

依据生态工业园规划，天津开发区加强了对园区关键补链项目的招商引资工作。新吸引两家补链项目入区，分别是天津丰通资源再生利用有限公司、天津虹冈铸钢有限公司。其中，天津丰通资源再生利用有限公司，项目总投资 2.85 亿元，属日本独资企业，经营范围主要是汽车拆解和废钢的回收，其规模可达到回收加工废料 6.06 万吨/年，拆解废车 30 辆/年。这是整个汽车产业中不可忽视的环节，更是循环经济建设生态链构建中不可缺少的一个节点。而天津虹冈铸钢有限公司注册资本 500 万美元，在开发区用地约 8500 平方米，利用丰田项目工厂生产过程中的边角废料，通过熔炼等加工过程制成钢锭，再提供给丰田模具工厂作为其生产模具的原料，这将是国内首家利用边角废料铸钢的企业。

这两个补链项目落户泰达，使天津开发区汽车制造业生态工业发展规划中"构建和完善整车分解和废物代谢链条，形成资源的闭环流动和循环利用"的目标的实现成为既定事实。

3. 再生产业项目进展情况

（1）海水淡化项目。

为缓解天津市及开发区淡水资源缺乏的困境，充分发挥滨海城市的优势，天津泰达投资控股有限公司投资 1.6 亿元人民币建设 2 万吨海水淡化工程。海水淡化将用于锅炉的补充用水、生产过程的工艺用水或者大规模的市政用水。2004 年 3 月 30 日,举行该项目关键设备订货合同签字仪式,计划于 2004 年 9 月开工建设,2005 年投产。该项目采用目前国际上先进的低温多效热压蒸馏工艺,其中关键设备通过公开国际招标,最终确定法国 WEIR 公司中标。作为目前国内最大规模的海水淡化综合示范工程,天津开发区万吨级海水淡化项目被列为重要高新技术产业项目。此项目的成功实施,将为我国广大沿海缺水地区和西部高浓度苦咸水地区的新型水源开发工作提供示范,具有推广借鉴意义。

(2)垃圾发电项目。

天津开发区泰达控股公司投资兴建的双港垃圾发电厂目前正在建设过程中。该项目采用先进的烟气净化工艺,采用半干法 + 袋式除尘 + 活性炭系统,使垃圾焚烧产生的烟气经过处理后的排放指标达到欧盟的标准,远远优于我国规定的标准,达到了居民区的环保要求。

2003 年底,双港垃圾发电厂工程的核心设备焚烧——余热锅炉钢结构吊装成功,这标志着双港垃圾发电厂工程从基础土建阶段如期进入设备安装阶段,具有承上启下作用的焚烧——余热锅炉钢结构的建成将是天津市垃圾发电厂建设中一个阶段性的里程碑。

预计整个工程将于 2004 年 10 月完工,双港垃圾发电厂建成后,可消纳天津市 1/4 的垃圾,形成日处理生活垃圾 1200 吨,发电装机容量 24 兆瓦,年上网电量 1.2 亿千瓦时的能力;并可实现垃圾的无害化、减量化和资源化,是天津市规划中最大的垃圾无害化处理项目。

4. 可持续固体废物管理体系的建立

为落实生态工业园建设,加强开发区固体废物的管理,促进园区内固体废物的交换和资源化利用,天津开发区于 2003 年 5 月入选"中欧环境管理合作计划"工业发展之生态工业园试点项目,并于 2003 年 8 月确定了"建立可持续固体废物管理体系"的项目目标。围绕该项目目标,目前已开展了以下工作:

(1)生态工业循环经济信息平台建设——天津开发区固废资源信息网开通。

为促进信息共享,加强政府、企业、公众之间的信息交流,提高对生态工业和循环经济的认识程度,2004年3月,在开发区管委会政务网站上开通了"中欧合作计划"泰达试点项目专题网——固废资源信息网,其中包括项目动态、政策法规、成功案例、科学与技术、废物最小化俱乐部、固废调查、固废交换等栏目,并对各栏目的信息保持规律性的更新。

该网站重点设计开发了固废网络调查、固废交换与管理信息两个模块。在固废网络调查模块中,将传统的填表调查,改为现代化的网络问卷调查与数据库相结合的方式,企业的答卷信息将自动转入数据库存储。该方法可简化数据输入工作量,提高信息更新频度,促进环保部门与企业间的信息沟通与合作。固废交换与管理信息模块为产生固废的企业、回收利用固废资源的公司之间搭建了副产品交换信息平台,通过互联网络促进工业固废的交换与资源再利用,为生态工业园建设搭建了信息平台。网址是:www. teda. gov. cn. hjbhj. gfjh/index. jsp

(2)园区废物代谢网络调研取得有价值成果。

在生态工业园建设中,废物代谢链条和网络的建立是十分重要的,为此,天津开发区在2004年3月启动了全区固废现状调查工作,以进一步发现目前在园区废物管理和代谢方面存在的问题。该调查工作涉及的对象为区内的生产企业和与之相关的回收企业及政府主管部门。调查内容包括:生产企业产生的固体废物种类、数量、对其处理和处置情况,相关回收企业的废物回收、处理、处置和废物流向,政府主管部门对废物回收再利用市场的管理情况。调查覆盖了本地区电子电器、医药、化工、塑胶、文具、纸制品、纺织品、零配件、建筑材料,能源、食品生产加工企业及服务业等主要行业。调查以"开发区工业固体废物管理情况网络问卷"和"开发区废物回收企业信息调查表"的信息为基础,再以电话询问、现场访问或勘察获得的信息为补充。7月,调查取得了可喜的进展,基本掌握园区65家重点固废产生企业的具体信息,并追踪了解到相应的57家资源回收单位基本情况。现在调查中所获取的信息将为研究开发区固废管理战略方案,促进工业废物交换与资源化利用,完善固废管理网络系统,探讨开发区建设固体废物源头分栋与回收再利用工程的可行性奠定基础。

（3）开展废物最小化俱乐部活动,推动园区减量化工作。

为了推动园区资源能源与废物的减量化,在欧盟专家的建议和指导下,天津开发区积极引进废物最小化俱乐部理念,一方面加深政府与企业、企业与企业之间的沟通交流,寻找减量化和副产品交换的机会,另一方面,会员企业通过参加各种形式的俱乐部活动,可获取经济效益与环境效益的双赢,进而使废物最小化转变为企业长期的自觉行为,最终促进整个园区的生态工业和循环经济建设。

截至目前,废物最小化俱乐部开展的主要工作有:①2004年3月,废物最小化俱乐部工作全面启动,开始废物最小化相关知识的培训。②2004年4月初编译废物最小化培训教材《废物最小化俱乐部建设指南》、《废物最小化——关键技术》、《废物最小化——企业管理者指南》三部手册。③2004年4月15日举行了俱乐部核心成员企业CEO招待会,与企业领导就废物最小化工作达成了共识。④2004年4月22日——世界地球日,召开了泰达废物最小化俱乐部成立大会及第一次核心成员工作会议,俱乐部中方专家与企业交流了工作方法、工作程序及工作安排。葛兰素史克(天津)有限公司、卡夫天美食品有限公司、西迪斯(天津)电子有限公司、天安药业公司、三井高科技(天津)有限公司、拉法基铝酸盐(中国)有限公司、开发区医院、施维亚(天津)制药有限公司、斯伦贝谢中国海洋服务公司、博爱(中国)膨化芯材有限公司等企业成为首批俱乐部的核心成员单位,在技术专家的指导下将开展一系列废物最小化工作。⑤2004年4月26—28日和6月22—23日废物最小化俱乐部中外专家对核心企业进行了首次诊断访问,并确定各企业减量化潜力、工作重点。⑥2004年5、6月开展了核心企业物料平衡、水、能源等使用情况调查工作。⑦2004年7月首家核心企业——拉法基铝酸盐(中国)有限公司开展节水节能减量化诊断和持续改进方案设计。⑧2004年4、6月定期发布电子版废物最小化俱乐部简讯,及时公布俱乐部取得的成果。

5. 生态文化和生态社区建设进展

天津开发区生态工业园项目的成功与否,离不开生态文化和生态社区的建设,通过不断提高公众对生态的认识和理解,将之融入到生活、工作与学习当中,才能为循环经济建设打下扎实的基础。因此,天津开发区十分重视生态文化的建设工作。

(1)"泰丰社区绿色风景线"正式启动。

2004年6月5日,泰丰社区绿色风景线暨共建绿色泰丰活动正式启动。该绿色社区的建立旨在通过政府与民间组织、公众合作,把环境管理纳入社区管理,建立社区层面的公众参与机制,让环保走进市民百姓生活,提高居民的环境意识和文明素质,推动大众对环保的参与。在建设绿色社区的过程中,通过各种活动,增强社区的凝聚力,创造出一种与环境友好、邻里亲密和睦相处的社区氛围。

当然,绿色社区的主要目的需要依托一系列的环保活动才能得以实现。绿色泰丰的环保活动将围绕公民环保权利与责任,从4个方面来开展:其一,关心环境质量。如在社区宣传栏公布空气、水等综合环境指数,让居民了解空气、水源水质的监测情况;组织居民参观环境展览、垃圾填埋场、污水处理厂等。其二,监督环境执法。定期公布政府的环境法规及最新修订的信息,安排环境法规的教育培训,为社区居民参加与监督执法创造条件。其三,参与政策建议。创造政府与民众在环境问题上的沟通机制和交流渠道,使各群体的社区居民有直接渠道表达他们对环境问题的见解、建议。其四,选择绿色生活。对居民开展绿色生活方式教育,最大限度让居民了解环保与生活质量的关系,组织自愿实施绿色生活方式的各种活动。如安装节能灯、使用节水龙头、实行垃圾分类、选购绿色食品和绿色用品、选择公共交通、拒吃野生动物和拒用野生动物制品等。同时,使得彼此隔离的家庭之间经常为共同的环保事务而合作交流,增进邻里感情,增强社区凝聚力。

此外,将积极推进先进典型——绿色家庭的建立。绿色家庭是积极参与社区环保活动,带头实施绿色生活方式的家庭。通过这些家庭影响和带动其他家庭选择绿色生活方式,加入到这一特殊行列。绿色家庭通过选择绿色消费、开展庭院绿化等绿色生活来参与环保。

社区建设的另一个亮点是社区居委会将动员志愿者,推动成立社区居民绿色环保组织——泰丰社区绿色风景线,将是绿色泰丰的骨干力量,涵盖各年龄群体居民。绿色风景线的负责人由社区居民担任。

（2）抓生态教育,建绿色学校。

本着生态文化建设要从孩子抓起的方针,天津开发区在各级中小学和幼儿园开展环境教育,在相应课程中增加环境保护知识内容,把生态教育纳入学生的素质教育内容,从小培养学生保护环境的自觉性。截至目前,天津开发区共有市级绿色学校 3 所（天津开发区国际学校、天津开发区第一小学和天津开发区第一中学）、国家级绿色学校 1 所（天津开发区第一小学）,目前天津开发区一中也正在积极申请升级为国家级绿色学校。

这些学校充分利用校园为教学资源,以科学的态度和方法挖掘课程中的环境问题,并将它们纳入学校的日常教学活动;以灵活多样的教学手段和方式有效地帮助学生认识环境及其问题的严重性,从而激发学生对环境及可持续发展问题的关注意识;通过以环保为主体的实践活动,培养学生在活动中分析环境问题、思考解决问题的能力,并关注学生的综合知识、技能、价值观和态度。以开发区国际学校为例,该校以"用小行动保护大地球"为主题,根据不同学生的年龄特点开展了一系列环保教育活动:如开展"我和小树共成长"活动增强学生爱绿、护绿的意识,表达保护绿色地球的愿望;通过参观"开发区污水处理厂",使同学们更加感受到水资源的宝贵,更加懂得节约用水的重要性;六一儿童节联欢会,表演环保时装踢踏秀、垃圾分类游戏、变废为宝制作比赛等。

6. 以大企业为龙头,带动区内企业实施生态设计

作为世界上最大的电子制造企业之一,长期以来,摩托罗拉公司不仅追求产品的卓越品质和市场竞争力,更追求绿色制造。摩托罗拉公司在研究开发环保、健康、安全的生产工艺、产品和售后服务等方面做了大量工作,生态设计是摩托罗拉的基本策略。通过生态设计,摩托罗拉公司在设计阶段就力争将产品对环境的负面影响降至最低。

摩托罗拉公司在手机产品的设计时就采用了生命周期评价（Life Cycle Assessment）的生态设计方法。目前不同款式色彩各异的手机成为时尚消费品,手机外观是消费者选购手机时考虑的一个重要因素。

因此,手机喷涂及其所用的涂料在手机的生命周期过程中占有一定的地位。摩托罗拉公司利用 LCA 对不同漆料的手机装饰对环境的影响进行了研究分析后,发现在喷涂的整个生命周期中电能及原材料的生产对环境影响最大,其次是喷涂和漆生产过程;手机喷漆对局部地区的环境影响程度依次为温室效应、大气污染和水污染;使用水基手机漆对资源和能源消耗要小于使用溶剂漆,环境影响也优于溶剂漆。通过研究,公司提出了改进手机喷涂环境性能的建议,如提高喷涂效率、利用环保水基漆等。

从摩托罗拉的生产实践中可以看到,生态设计不仅保证了最终产品是环境友好的,更保证了生产的全过程也是环境友好的。目前摩托罗拉正努力将生态设计概念和方法在开发区企业中普及推广。

7. 信息建设进展

为创建国家生态工业示范园区,促进全区环境信息的交流与共享,2004 年 3 月,在天津开发区政务网上开辟了泰达生态工业园专题网页,包含了与生态工业园建设的动态报道、专题论坛、资料长廊、发展规划等内容,用户可直接点击 http://www.teda.gov.cn 进入。这是全国首家开发区生态工业园网页。

此外,2004 年 1 至 7 月共编制了《泰达生态工业园简讯》3 期,简要介绍了园区生态工业发展目标、建设历程、项目进展等情况,以促进信息交流。

二、生态工业园和循环经济建设中取得的经验

1. 分析现状,寻找生态工业和循环经济建设突破口

为了在现有基础上实现生态工业快步发展,必须认真分析现状,发掘已有的优势,同时要发现差距,以便寻找生态工业和循环经济建设的突破口。

天津开发区从政府到企业的环境理念都比较超前,目前在不少企业都已开展了清洁生产、环境会计、环境管理体系建立、废物交换等生态工业实践活动。经过大量的调查和分析工作,发现在天津开发区的四大支柱产业和再生产业领域已形成了初步的生态工业雏形,这是建

设生态工业园的优势。但这些离真正意义上的生态工业园还相距甚远,我们还存在着许多不足,主要表现在水源紧缺,供水结构单一,清洁能源和可再生能源利用率过低,产品代谢和废物代谢没有形成完善的生态链条等。

基于以上情况,为了建设生态工业园,发挥现有优势,解决存在的问题,我们必须寻找新的稳定水源,提高清洁能源和可再生能源的使用比例,根据产品和废物代谢链条的断链点加强项目引进的针对性,这就是我们发展生态工业和循环经济的突破口。

2. 制定切实可行的建设规划

好的规划就是建设工作成功的一半。生态工业园建设是一项大的系统工程,又是一项难度很大的创新性工作,因此,必须制定一份切实可行的建设规划,以加强建设工作的目的性。目前天津开发区正在按照《建设规划》一步步实施,有些项目已经在落实当中。

3. 重视培训和宣传工作

生态工业园和循环经济建设工作毕竟是新鲜事物,对于这种新的发展模式,环保业界人士也只是刚接触不久,有很多问题尚在探讨之中。对于广大公众而言,这更是一个崭新的话题,而这项工作又离不开公众的参与和支持,否则循环经济的发展模式是不可能真正建立起来的。特别是在开发区,众多的企业是生态工业园建设的主力军,是建设工作成败的关键所在,因此,为了得到公众特别是企业的支持和理解,进而积极投身到建设工作中来,必须十分重视宣传和培训工作,对此我们深有体会并已尝到了甜头。

从 2001 年开始提出建设生态工业园的目标以来,我们针对政府、企业、社区居民组织了 10 余场培训工作,制作了多种宣传资料并广泛发放,同时在报纸、电台、电视等新闻媒体上进行了上百次宣传。大力宣传和培训的结果是,大家从对生态工业和循环经济一无所知,到目前不少的政府部门和企业都能在工作中主动考虑生态工业和循环经济问题,甚至社区居民都能主动参与到绿色社区的建设中来,这给我们的建设工作打下了良好的基础,同时也证明了宣传和培训工作的重要性。

4. 政策引导,事半功倍

　　天津开发区能取得今天的成就应部分归因于国家给予的政策优惠,同样,在生态工业园建设中能够先人一步地开展很多工作,也同样是借助于政策杠杆的调节作用。天津开发区结合区域实际状况,从引导和促进的角度出发,颁布各种用于鼓励企业提升环保作为的政策和规定,推动区域循环经济实践。

　　为了促使企业减少污水排放和鼓励污水资源化利用,出台了《天津经济技术开发区免缴污水处理费单位认定暂行办法》,对于排放污水能够达到二级排放标准以及进行污水回用的企业,可以免缴污水处理费。这个政策出台后,在社会上引起了强烈反响,得到各界普遍认同和响应。2002 年经审批有 13 家企业免缴污水处理费,全年累计水量达到 320 万吨,相当于为企业减少费用约 192 万元,而企业由此减少的污染物质排放,以化学需氧量为例,约 2480 吨(2002 年环境统计值)。2003 年,又有两家新企业提出污水处理费减免的申请,反映出政策引导正外部效应。

　　为了鼓励使用新水源,解决园区供水结构单一问题,2002 年 4 月 1 日起实施的《天津经济技术开发区使用新型水源暂行办法》,对在开发区开发、生产污水回用再生水、淡化海水、淡化苦咸水等新型水源的企业和使用新型水源的用户予以政策鼓励。开发区实行有利于使用新型水源的水资源费标准和价格体系,对生产、生活等不同类别和不同水质的用水实行不同的收费标准。新型水源收费标准由开发区管委会决定,一般应低于自来水收费标准,但新型水源的水质明显高于自来水水质的除外。在该政策的引导下,经认真测算,已有不少企业申请使用再生水,使再生水出现了供不应求的局面,彰显政策引导的巨大作用。

三、生态工业园和循环经济建设中存在的问题

　　生态工业园和循环经济建设是一项长期复杂的系统工程,在实施过程中必然存在着这样那样的问题,主要表现在技术、政策、人才、信息等方面。

1. 技　术

生态工业园是一个交叉领域建设项目,需要环境、管理、信息等多

方面技术的支持。例如,在天津开发区生态工业园和循环经济建设中,迫切需要以下技术:雨水收集利用的方案和技术;建筑物的节能设计;社区垃圾分类、回收、处理技术与方法;废旧电子产品拆解回收及电子废弃物处理技术;食品行业有机废物的高效利用技术;中药残渣的利用技术;环境或生态绩效的衡量方法等。

2. 信 息

生态工业园的建设将以网络信息技术为平台,实现物流、能流、信息流的高效运行,目前,对数据库系统以及信息系统建设(如来源、收集、管理等)等方面面临着较大的难度。此外,对于国外有关循环经济、生态工业园和生态型社会建设的法律法规和管理措施等方面的信息缺乏系统了解。

3. 人 才

人力资源是开展生态工业园和循环经济建设的重要条件,目前迫切需要通过培训,提高相关人员的技能,不断学习该领域的最新知识,以保证生态工业项目持续发展。

4. 政 策

生态工业园和循环经济是一种新的发展模式,现有的制度框架和政策体系显然不能满足和适应这种新经济模式,因此,需要进行制度创新和政策完善。天津开发区虽然在水资源的利用方面出台了一些优惠政策,但要创建国家生态工业园,建立循环型社会,还需要多方面的政策支持:如固废资源的有效管理和交换机制、再生产业的发展促进政策、能源政策、生产者责任制的延伸等。

四、生态工业园和循环经济建设的近期工作

根据《建设规划》,天津开发区将在近期内开展以下工作:①按照《清洁生产促进法》要求,坚持以产品生命周期环境管理为指导,继续发挥废物最小化俱乐部的功能,开展园区清洁生产活动。②引导电子信息产业链向多元化方向发展,形成以大企业为龙头,中小企业聚集发展的柔性工业网络。③引进外资,重点发展"丰田"体系内的一级供应商;立足天津,配套华北,培育二、三级配套企业,形成汽车整车生产和零部件配套基地。④开展包装材料绿色采购,把环境标准纳入到对包装材料供应商的选择标准体系之中,促进包装材料的生态设计,从而将包装材料的减量化管理和循环利用延伸至包装材料生产企业,形成各行业与包装制造业之间横向耦合。⑤启动电子产品反向物流渠道建设,并将整合全球范围内的技术资源,建设跨国际的电子废物代谢网络,以实现资源的循环利用。⑥建立与整车分解、破碎、回收及处理企业间的共生合作关系,构建汽车回收的反向物流渠道,逐渐形成较为完善的汽车制造业废物代谢体系。⑦发展汽车电子产品,利用电子信息业与汽车制造业之间的产业互动,形成稳定的跨行业产品代谢链条。⑧开展源头分拣示范,同时培育资源回收公司集中分拣回收可利用的固废资源,并进行副产品交换。⑨建立紧急事故响应系统。⑩编制《天津开发区可持续固体废物管理发展战略》,提出整个园区中长期发展方向和目标指标,并制定具体行动计划。

包头国家生态工业(铝业)
示范园区建设进展

包头市东河区人民政府

进入 20 世纪以来,在我国经济快速增长带来的资源环境压力和国际社会可持续发展战略思想的影响下,我国将发展循环经济、建设生态工业园区作为走新型工业化道路、实现环境资源保护与经济发展"双赢"的一个重要战略举措。2003 年的《政府工作报告》提出:"强化环境污染防治,支持发展环保产业和循环经济。"2004 年 3 月 5 日,国务院总理温家宝在第十届全国人民代表大会所作的政府工作报告中又明确提出要"积极实施可持续发展战略,按照统筹人与自然和谐发展的要求,做好人口、资源、环境工作。大力发展循环经济,推行清洁生产"。可见,政府对循环经济的认识、重视和推动已更进了一步,在这种情况下,我们召开这次生态工业循环经济建设试点单位经验总结交流会是非常必要和及时的。包头国家生态工业(铝业)示范园区创建两年来,在国家环保总局的支持与帮助下,以循环经济和生态工业理论为指导,坚持科学发展观,脚踏实地,将园区建设理念和规划落到实处,有计划、有步骤地选择入园工业项目,丰富园区工业链网,不断提高生态工业园区的质量和水平,扎扎实实全面推进园区各项建设进程,园区建设取得显著成效。下面就包头国家生态工业(铝业)示范园区战略构想的提出、园区的规划设计、目前的建设进展情况以及园区建设过程中取得的经验、存在的问题、下一步工作计划等几个方面,与大会领导及各位同行进行交流和探讨。

一、园区建设进展情况

1. 园区建设战略构想的提出

包头市占地面积近 3 万平方公里,人口 240 万,是 1984 年国务院首批确定的全国 13 个较大城市之一。经过 40 多年的建设,包头已经形成了钢铁、稀土、有色金属、机械电力、纺织、重型汽车、电子、化工、轻工等门类齐全的工业体系,成为内蒙古自治区最大的重工业城市,工业总产值及实现利税均占全自治区的 1/4 强,在内蒙古自治区国民经济和社会发展中具有举足轻重的地位。由于历史和现实的选择,以钢铁、能源、冶金为主体的重工业,现在是未来很长一段时间也将是包头工业的主要支柱。由于重工业比重大,过分依赖于资源优势进行粗放式、低水平的扩张,使得能源消耗量大,生态环境破坏较为严重。包头在推进新型工业化进程中面临的现实问题,使我们对发展循环经济的迫切性有更深的体会。

2002 年年初,包头市委、市政府领导在听取了东河区经济、社会发展情况和发展思路的汇报后,与东河区委、区政府共同提出了东河区城区功能定位、五大功能区的划分和用生态工业思想改造现有的高耗能、高污染产业,开发高技术、高附加值的产品,盘活传统冶金、机械、电力等产业,从而带动配套产业的发展,为包头市经济发展注入新活力的发展战略构想,并与东河区各级领导班子、包铝集团及东恒热电有限责任公司共同确定,在东河区的东部,以铝电联营为核心、铝业为龙头、电厂为基础建设包头国家生态工业(铝业)示范园区。在包头市委、市政府的高度重视下,在东河区、包铝、东恒热电公司的努力下,于 2002 年 4 月确定创建包头国家生态工业(铝业)示范园区。

2. 园区的规划设计

(1)园区的规划设计。

包头国家生态工业(铝业)示范园区于 2002 年 4 月,由中国环境科学研究院进行规划设计,2002 年 10 月,《包头国家生态工业(铝业)示范园区建设规划》顺利通过了国家环保总局主持的专家组论证。2003 年 4 月,国家环境保护总局(环函[2003]102 号文件)正式批准包头国家生态工业(铝业)示范园区建设。

园区分为核心区、拓展区和辐射区,核心区和拓展区总面积扩展为23.6平方公里。其中,核心区:以铝电联营为基础,发展电力、电解铝、铝深加工、铝合金铸件、稀土高新和建材等相关产业。拓展区:主要是核心区的延伸。近期配合东河旧城改造、东河综合治理工程的实施,吸纳东河区实施"退二进三"战略中搬迁的部分铸造行业企业和高载能企业进入该区。辐射区:充分发挥园区的生态工业功能和辐射作用,利用园区的发展拉动其他产业和地区的发展,促进包头和内蒙古自治区的产业结构调整和提升。

(2)园区主要的工业生态链和代谢过程。

①煤→发电→电解铝→铝的深加工→铝的再生→铝的深加工。利用包头周边地区丰富的煤资源,进行发电,电厂产生的电力用于电解铝的生产。以原铝为原料,进行铝的深加工,铝产品使用过程中产生的废铝返回铝的深加工系统。

②煤→发电→高附加值建材生产。电厂发电过程产生的粉煤灰,用作生产高附加值建材的原料。

③煤→发电→供暖供热。电厂热电联产产生的热水、蒸汽,用于工业、农业和居民供暖和供汽。

④煤→发电→稀土铝合金生产。利用电能和包头市丰富的稀土材料,将稀土材料掺入铝中,生产稀土铝合金。

(3)园区工业代谢特点。

园区的物料循环、能量利用充分体现了生态工业的以下三个特点:

①横向耦合。包头国家生态工业(铝业)示范园区中,主要有发电和铝两大产业系统。在发电系统中,延伸出粉煤灰制建材、居民供热、电厂蒸汽用于加气混凝土的高压蒸汽养护等产业系统。在铝系统中,主要有碳素、电解铝、铝的深加工、铝合金铸造、精铝等上下游的产业系统,形成铝的产业链。两大系统之间通过电力和废水(中水回用)形成了横向耦合关系,使园区形成了以铝电联营系统为中心的网状结构。由于铝电之间形成的横向耦合,电厂有了自己的稳定用户,输电成本和电力损耗降低;铝厂解决了电价过高的问题,为铝业的持续发展奠定了

基础,从而实现了"双赢"。

②区域整合。园区的区域整合性主要表现在区域经济整合和环境综合整治两个方面。在区域经济发展方面,第一,通过园区建设,可以做大做强包铝集团这样的传统龙头企业,为包头市的经济发展注入新的活力;第二,利用电厂产生的废物——粉煤灰来制水泥和砌块,可以变废为宝;第三,随着园区的建设,将吸引东河区的部分高载能和铝的下游产品制造企业(如铸造企业)入园,可以促进东河地区的旧城改造,也有利于地方经济结构的调整。

在环境综合整治方面,第一,由于热电厂向东河区实施集中供热,可全部拆除东河区 10t/h 及以下的采暖小锅炉,并替代包铝集团现有的小型采暖锅炉,从而根本改善东河旧城和包铝集团地区的冬季大气环境状况。第二,结合园区的建设,包铝集团也将更有能力对目前物耗大、能耗高、污染严重的自焙槽进行彻底改造,从而使当地已经恶化的大气环境质量得到根本改变。第三,按照生态工业的思路,园区的生活污水和部分工业废水经过集中污水处理厂处理后回用于电厂,作为冷却水使用,不但可大量节水,而且能降低区域的水环境污染。

③区域的柔性结构。在园区内,热电联产、铝电联营使得电厂具有稳定的热、电用户。同时,同种资源用来生产不同的产品,多种铝制品可使园区的产品能够适应市场的变化,对市场需求以及外界环境波动可以随时作出反应,及时调整生产结构。园区内的生态工业链形成网状结构,这种结构使园区产品的种类、生产规模等对资源供应、市场需求以及外界环境的随机波动具有较大的弹性,整体上抵御市场风险的能力大大加强,从而使园区表现出较强的柔韧性。

3. 园区目前建设进展

(1)园区基础设施建设进展。

2003 年园区基础设施建设已投入近 2 亿元,按照园区从核心区到拓展区逐步开发的原则,2003 年园区基础设施建设工作主要完成了入园南北主干道白银路拓宽改造工程、白银路两侧街景改造及配套工程,将原宽 9 米的白银路拓宽为 40 米,道路总长 1.4 公里,完成了两侧街景改造、农贸市场、超市等商业服务设施建设,并已投入使用;对核心区一期工业用地1700亩进行场平,清理了原长征砖瓦厂废弃车间、砖窑、渣山等40余立方米,现核心区一期工业用地已基本实现了"七通一平";进行了园区东出口标志拱形门建设工程;天然气管道已进入园区,并建设了园区天然气液化站;同时完成了东华热电征地、拆迁、场平、电厂东路等工作。

(2)园区产业项目实施进展。

园区在加强基础设施建设、努力营造良好的投资硬环境的同时,切实提高服务效率,改善投资软环境,围绕园区内的主要生态产业链,积极开发了铝深加工、电力、建材等产业项目,经过近两年的努力,园区招商引资成效显著,吸引了众多国内外投资者入驻园区。2003年园区招商引资协议项目总投资额43亿元,2003年已到位投资额16亿元。新上项目有包头东华热电有限公司2×300MW供热机组工程项目、包铝集团10万吨电解铝改造项目、6万吨碳素项目、包铝集团6063生产线改造项目、包铝集团、法国普基集团公司合资建设年产1万吨精铝项目、挪威爱铝仕有限责任公司再生铝项目、包头多维钢构彩板有限公司金属面夹芯板、包头六合涌金包装制品有限责任公司包装印刷制品等项目。

在市委、市政府的关心和支持下,2004年园区的招商引资形势喜人。中广核能源开发有限责任公司与内蒙电力集团有限责任公司、包铝集团公司合作的东河电厂项目规划装机容量2400MW,预计总投资104亿元,计划于2004年开工建设,2006年投产发电;力劲机械(中国)有限公司与包头铝业(集团)有限责任公司合资建设年产100万只汽车铝轮毂项目,预计投资总额为1亿元,2004年年底投产;包头华鹏环保水泥有限责任公司50万吨粉煤灰水泥生产线项目和6000万块粉煤灰蒸压砖项目,总投资8000万元,已在园区选址,争取2004年年内开工建设;呼铁局如意国际物流配送中心项目总投资额1.6亿元,主要建设矿粉、矿石及煤炭物流基地及木材物流和深加工、集装箱储运基地,另外北辰机械制造有限公司、美国柏氏国际贸易有限公司均已达成在园区投资的意向,还有铝板、铝箔的生产、铸铝生产等项目正在洽谈引进中。截至2004年上半年,已有16家企业入园,协议总投资额125

亿元,2004年上半年累计到位投资额9.2亿元,预计实现产值18.3亿元。

2004年园区投资到位额要比2003年翻一番,达到30亿元以上,产值比2003年增长40%,达到35亿元以上。

二、园区建设过程中取得的经验

第一,市、区两级政府坚持树立全面发展、协调发展、可持续发展的科学发展观,把发展循环经济放在突出位置,高度重视、积极支持生态工业园区建设,加强园区领导与协调,制定和实施了必要的优惠政策,倾全力抓好园区各项建设项目实施与落实,创造了有利于生态工业园区建设和发展的软硬环境,为园区建设和发展提供了强有力保障。

第二,将循环经济的理念注入到传统产业经济结构调整和产业转型中,以结构调整带动周边环境资源保护,大力推动企业开展"清洁生产",实现环境资源保护与经济发展的"双赢"。

循环经济的生产观念是充分考虑生态系统的承载能力,节约自然资源,并不断提高其利用率,创造良性社会财富。生态工业园区创建以来,从优化产业结构、合理调整生产力布局和提升传统产业技术水平入手,用高新技术改造提升能源、冶金、建材等传统产业,积极培育高新技术产业,实现资源的合理开发和永续利用,创造良好的生产和生活环境。近年来,园区龙头企业——包铝集团打破产品单一化格局,加大产品结构调整力度,1998年、1999年、2000年、2001年、2002年高附加值合金铝系列产品产量比重分别为5.8%、32.23%、52.06%、61.82%、68%,成为国内最大的合金铝生产企业。包铝集团自主开发的具有较高技术含量的A356铸造铝合金不仅畅销国内市场,还批量出口韩国、日本、台湾等周边国家和地区。

第三,园区通过产业链和废物链的构件与完善、资源和废物的减量化措施,大力发展生态工业,在园区主导体系——铝行业、电力行业及建设行业,建立完善的行业内部和行业间的产品链和产业链,减少生产过程中的资源消耗、提高能源效率,降低水污染物、大气污染物和固体废物的产生和排放。

2003年,园区引进法国普基集团公司精铝项目、挪威爱侣仕再生铝项目,2004年,园区利用包铝集团A356液态铸造铝合金生产优势,引进力劲机械(中国)有限公司与包铝集团合资建设年产100万只汽车铝轮毂项目,减少二次重熔烧损及能耗,降低了生产成本。这些项目的实施在铝的深加工、精加工、废铝、铝渣回收利用方向上延伸了园区主要工业生态链(网),使包铝集团的核心竞争力得到进一步增强。同时,园区引进包头华鹏环保水泥有限责任公司对园区能源支撑企业——东华热电有限公司产生的粉煤灰进行综合利用,形成了利用中水、煤——发电——粉煤灰、蒸汽综合利用——新型建材产业循环链,促进了东河区区域环境的综合治理,对包头市及东河区的经济发展起到积极的推动作用。

三、园区目前建设过程存在的问题和政策要求

总结包头国家生态工业(铝业)示范园区两年多的实践经验,我们认为,虽然我国出台并正式实施了《清洁生产促进法》,但从利用经济手段形成循环经济发展激励机制来看,包头发展循环经济和生态工业目前仍存在着经济、法律、政策、意识等方面的问题,亟待解决。

一是发达国家目前实施了严格的"污染者付费"政策,废旧物回收和综合利用企业可以得到废物产生者的资金补助,而我国的"谁污染谁治理",虽然类似于"污染者付费",但实施的效果不好,入园企业一旦使用其他企业的废弃物,如工业废渣、粉煤灰等,原来的废物产生者不仅不付费,而且还要向使用者收费,使资源综合利用企业无利可图,严重挫伤其积极性。

二是目前仍缺乏有效的经济手段,从经济上建立促进循环经济的激励机制,使得园区对资源综合利用企业的税收优惠难以落实,因此,需要加强税收、财政等激励机制,推动循环经济的发展。

三是现有法律、法规大部分针对末端控制,并以指令性控制为主,缺乏能够体现经济、环境、社会协调发展需求的循环经济法律、法规。因此需尽快研究制定科技开发、税费改革、投融资机制等清洁生产配套政策,出台清洁生产促进法的实施细则,对循环经济实施单独立法,并

落实执法机构。

四是循环经济是一个新的理念,对人们的传统观念和传统的经济发展思路是一个重大的冲击,同时循环经济的实施又离不开企业、政府各部门和广大公众的参与。因此,要积极做好生态工业和循环经济的宣传工作,进一步提高公众和领导的认识,使大家都投身到生态工业发展中来,尽快形成发展循环经济工作的良好社会氛围。

四、园区建设目标及发展循环经济的下一步工作计划

1. 园区建设的总体目标

包头国家生态工业(铝业)示范园区以大力推动循环经济和生态工业为理论指导,用8年左右的时间,建成以"铝电联营"为核心、铝业为龙头、电厂为基础、电解铝、铜冶炼及铝、铜深加工为主线的具有高载能、高技术、低污染、环境优美为特征、横向耦合、区域整合、结构优化、布局合理、配套完整的生态工业园区,园区的建设将打造亚洲最大的有色金属和铝合金生产线基地,提供东河实现"退二进三"战略的载体,形成包头市经济跨越式发展的新亮点,并为我国铝业和其他高载能、高污染产业的发展提供新的发展模式。

园区建设计划到2005年投资105亿元,主要完成核心区铝电系统及园区基础设施,原铝生产能力达到30万t/a,碳素制品20万t/a,精铝1万t/a,年处理铝渣及废铝20000吨,生产再生铝10000吨、铝轮毂50万套,铝深加工系列产品达到25万t/a以上;新建电厂装机容量达到4×300MW;到2010年园区再投资200亿元,完善核心区,开发拓展区,建材、稀土高新技术和铝深加工为这一期的建设重点。原铝生产能力达到40万t/a,再建一座4×600MW发电机组。实现产值200亿元,形成包头市经济跨越式发展的新亮点。

2. 园区下一步工作计划

今后,园区将按照国家环保总局提出的具体的要求,围绕园区资源、能源再生资源利用,重点开展以下几项工作:

一是认真贯彻落实已有相关法律法规和规定,如《节约能源法》、《清洁生产促进法》、国务院《关于进一步开展资源综合利用的意见》,

依法促进废物减量化、资源化、无害化等,同时认真研究国家宏观调控政策,用足用好国家对资源综合利用的优惠政策,充分发挥优惠政策的鼓励、引导和扶持作用,巩固和保持园区快速发展。

二是完成 30 平方公里范围内的建设规划。完善基础设施建设,按照高水平规划高标准、高起点开发建设好园区。下一步园区建设的任务重点将是进一步开发现有存量土地,进行道路、管网等基础设施建设工程,具备经营条件。按照园区规划逐步完善核心区、开发拓展区。建成规划东西主干道路 7 公里,给水、污水、雨水、中水、天然气、热力等各类配套管网 10.8 公里,新增绿化面积 2.3 万平方米,使园区基本实现整体环境的绿化、美化、优化,加快园区跨越式发展。

三是继续做好已入园企业和重点项目的服务工作。对已经开工建设的东华热电 2×30 万千瓦供热机组项目、包铝 12 万吨预焙阳极块项目、法国普基铝业集团与包铝集团合作开发的 1 万吨精铝项目、包铝股份公司三期电解铝改造项目、包头六合涌金包装制品有限公司包装印刷制品项目等做好跟踪服务,做好东河电厂开工的各项前期工作,保证已开工在建项目的建设顺利进行,努力全方位优化投资环境,使入园企业尽快达产达效。建立与入园企业的联系制度,设立项目服务档案和企业生产经营档案。定期走访企业,倾听反映情况,及时发现企业生产经营中遇到的困难,及时帮助协调解决,切实维护企业在包头国家生态工业(铝业)示范园区投资的合法权益。

四是充分利用生态工业园区的特色,重点抓好招商引资工作,培植新的经济增长点。按照工业生态学原理,制定相应政策和措施,科学筛选和确定入园项目,在完善园区生态产业链网的大项目引进方面要有新突破,积极扶持科技含量高、市场前景广阔、具有带动作用、有助于延长园区产业链网的企业和项目。大力发展电解铝、铝深加工、稀土、电力、建材等行业产业,力争使园区的经济总量、建设规模有较大的发展。确保完成区委、区政府下达的各项目标任务。

五是加快用高新技术和先进适用技术提升循环经济发展的技术水平,利用资源回收利用技术、生态无害化技术、循环物质性能稳定技术以及闭路循环技术,完善园区产业链网,为循环经济发展提供有力的技术支撑。

　　循环经济引起的是一场经济理论和生产实践的创新与变革,因此,循环经济的被接受将是个艰难的过程,要使不同环境、资源、经济、社会境遇的家庭、企业、地区共同接受,是有着相当难度的,中国现在迫切需要的不仅是呼吁循环经济模式的必要性和可能性,而且要从理论和实践上论证和确立这一模式的实际操作性。

　　发展循环经济是实施可持续发展战略的重要实现方式,是改造包头市传统工业,实现产业结构调整,解决环境污染、促进区域经济健康发展、实现包头市全面建设小康社会的有效途径,在实践中摸索将是包头市发展循环经济初期的必经之路,但是,我们有理由相信,循环经济的运行必将会给包头市经济带来变革性的变化。

大连开发区的生态工业链接

大连开发区

生态工业、循环经济作为新兴的可持续发展理念已经得到全社会的广泛认同。在 2004 年全国人大十届二次会议上,大力发展循环经济、提高资源利用效率已经成为温家宝总理政府工作报告的重要内容,绿色 GDP 也将成为新的经济指标体系。这些都充分说明,发展循环经济和进行生态工业园建设的决策是具有开创性和前瞻性的。

一、大连开发区基本情况

1. 自然状况

大连开发区是 1984 年国务院批准建立的第一个国家级经济技术开发区,目前,大连开发区规划面积 330 平方公里,建成区 50 平方公里,人口已达 30 万。大连开发区坐落在大连市东北部的大孤山半岛上,三面临海,北依大黑山,南隔大连湾与大连市相望,具有得天独厚的地理优势,同时还有天然良港、便利交通以及优美的自然环境。

2. 经济发展情况

建区 20 年来,全区经济建设取得了显著的成绩,共批准外商投资企业 1781 家,投资总额达 141 亿美元,形成了以石油化工、电子及通信设备、电气机械、金属制品等为主的 20 多个行业的多元化产业结构。截至 2004 年 6 月,大连开发区用近 20 年的时间累计实现国内生产总值 1806.8 亿元,工业总产值 3469.2 亿元,出口总额 185.2 亿美元。目前,大连开发区已经成为全国最具城市化特点、最有经济实力和影响力的开发区之一,成为辽宁省和大连市新的、重要的经济增长点。

3. 环境保护情况

大连开发区在发展建设过程中,始终坚持开发建设和环境保护双赢的可持续发展之路。建区伊始就开展了区域环境背景特征调查,以后又陆续实施了热电联产、雨污分流、城市污水集中处理、产业废弃物社会化处置等措施,保证了经济发展过程中的环境质量。为了与外向型经济相适应,我们积极推动环境保护工作与国际接轨,1999 年建立了 ISO14001 环境管理体系,并于 2000 年被国家环保总局授予"ISO14000 国家示范区",2001 年成为环保总局与联合国环境规划署合作的"中国工业园区环境管理"试点单位,2002 年与美国 RPP 公司合作开始了生态工业园的建设工作,并被确定为辽宁省循环经济工作重点项目。

二、大连开发区生态工业园建设情况

据预测,未来几年大连开发区的经济增长速度将保持在 25% 左右(2003 年为 23.7%),这对于一个以外向型经济和高新技术产业为主、开放度较高而资源和能源相对不足的区域来说,必须提高资源、能源利用效率,形成有利于节约资源的生产模式和消费模式,建设资源节约型城区,必须积极致力于现代化城市风格和绿色环境的融合,这也就是我们进行生态工业园建设的出发点。

大连开发区管委会非常重视生态工业园建设工作,早在 2001 年就开始前期准备,2002 年 6 月正式启动,在环境保护工作已有成绩的基础上,我们请美国的咨询公司和国内重点院校合作编制了《大连经济技术开发区生态工业园建设规划》(以下简称《生态工业园建设规划》),对一些链接项目进行提升整合,形成生态工业园的雏形。《生态工业园规划》于 2003 年 12 月通过了国家环保总局和省政府联合组织的专家论证。2004 年 1 月开发区管委会致函辽宁省环保局,提出要创建"大连经济技术开发区国家生态工业示范园区",经辽宁省环保局向国家环保总局申请,国家环保总局于 2004 年 4 月正式同意创建"大连经济技术开发区国家生态工业示范园区",现在我们正在按照《生态工业园规划》实施具体项目,开展创建工作。

大连开发区在环保局设立专门机构负责具体工作,邀请了国际知名专家进行指导。在实际工作中我们采取了很多措施支持生态工业技术和链接项目,如对固体废弃物综合利用项目给予土地、政策方面的优惠;对粉煤灰的综合利用项目给予资金补贴;陆续投资 5500 万元铺设工业中水输送管线,加强中水回用等等。我们希望通过对类似项目的鼓励,调动企业积极性,使更多的企业投入到生态工业园区的建设中,形成系统的生态工业项目,实现更广泛领域内的资源再循环,实现区域废弃物"零排放"。

三、《生态工业园建设规划》主要内容

结合大连开发区的实际所编制的生态工业园规划,为开发区的未来发展开辟了新的思路。规划内容主要分四部分,一是水资源一体化管理,通过提升原水的使用效率,开拓中水的使用渠道,解决大连开发区长期缺水的难题,最终实现水资源"零排放";二是建立一套资源综合管理系统,用新的思维方式去考虑"废弃物",加强资源循环和再利用,提高资源使用效率,减少环境的负担;三是实施多样化的能源战略,这个战略力争把大连开发区建设成为提高能源使用效率、多领域能源再生使用、开发可更新能源系统的典范,解决大连开发区发展的瓶颈问题;四是建设一个标准生态工业园,并进行了初步设计,计划招募或创建一些资源回收再利用、能源多样化等方面的公司。

2003 年 12 月 22 日,由国家环保总局和辽宁省人民政府联合组织召开了"辽宁省循环经济试点建设规划论证会",邀请了 10 位知名专家(包括 6 位院士和 4 位教授)组成专家论证组。作为辽宁省循环经济试点建设规划工作的重要组成部分,《大连经济技术开发区生态工业园建设规划》在会上通过了专家组的论证,专家们一致认为:①大连开发区制定生态工业园区建设规划,符合国家走新型工业化道路、振兴东北老工业基地的战略。《规划》的制定和实施有利于提高开发区生态经济效率,增强可持续发展能力,提升开发区的国际竞争优势,进而达到社会、经济与自然的和谐发展,对推广生态工业建设和循环经济发

展战略具有示范和借鉴作用。②《规划》以循环经济理论为指导,在对园区现状和存在问题进行深入分析的基础上,采取重点先行、分步实施的策略,提出了近期、中期和远期生态工业规划以及水、能源、固体废物等一体化管理体系,并制定了各阶段相应的经济发展、资源及能源循环和高效利用、生态环境保护、污染控制等目标及具体指标,有利于实现产业链接网络化、能源结构多样化、资源利用多级化。③《规划》着重对第二产业中重点产业的生态工业进行了设计,提出企业内的减量化方案,以产品代谢和废物代谢为主线,依托核心企业分别构建和完善生态工业链条,注重园区内外的互动与链接。④《规划》指导思想清晰、重点突出、措施可行,具有前瞻性和创新性。

专家也给大连开发区生态工业园建设提出了中肯的意见和建议,希望在建设过程中加强土地资源的利用效率,使有限的土地资源得到最大限度使用。

四、生态工业链接项目情况

大连开发区的生态工业园建设工作坚持项目牵动的方针,通过实际项目来阐述生态工业理念。目前已经落实的项目有固体废弃物综合利用、中水回用、电镀工业园、粉煤灰利用、生活垃圾分类回收制气、废木材塑料制造复合材、废纸利用、工业介质循环、物资回收再利用等9个项目。根据《生态工业园建设规划》,2004 年将有 3 个项目正式实施:一个是总投资 1 亿 5 千万元的生活垃圾处理厂将于年内开工建设;另外,废木材塑料生产复合材料和粉煤灰综合利用两个项目将正式投产。如果这 9 个项目全面实施,每年将可节水 1000 万吨,回收民用燃气 900 万立方米,再利用粉煤灰 10 万吨,节约木材 8000 立方米,回收各种工业资源 6000 吨。下面是各项目的具体情况。

1. 固体废弃物综合利用项目

大连东泰产业废弃物处理有限公司是该项目实施单位,项目主要是集中处理工业企业的产业废物(以危险废物为主),其上游企业有200 多家,回收的资源被下游 80 多家企业再利用,已实现年处置危险废物 2 万吨、回收资源 6000 吨的能力,13 年来共处置危险废物 12 万吨,回收资源 3.5 万吨。其生产工艺形成了数条生态工业链,典型的有:①废溶剂→蒸馏提纯→合格产品→企业利用,②废蚀刻液→化学反应→硫酸铜再利用,③废墨粉→干馏→燃料油(废渣→水泥添加剂),④废催化剂→等离子体技术处理→钴、钼、镍等重金属利用(废渣→水泥添加剂),⑤废旧电子产品→分类拆解→金属、塑料再利用。

2. 中水回用项目

大连开发区每年处理城市污水 2000 多万吨,处理达标后大部分排放,综合利用率仅有 16.5%,这对于严重缺水的大连来说无疑是一种浪费。开发区管委会一直在积极推动中水深度处理回用的工作,以解决中水只能在较低层次使用的问题,实现更广领域内的再利用。在这种情况下,恒基中水项目得到了快速的发展,该项目总投资 4000 万人民币,日生产工业用水 3 万吨,最大的用户是大连西太平洋石油化工有限公司。这样,大连开发区的中水回用率达到 40%,实现了我们阶段性的回用目标,为实现未来中水全部回用、水资源"零排放"的远期目标打下了坚实的基础。

3. 电镀工业园废水"零排放"项目

这是我们以生态工业为理念指导建设的第一个项目,项目 2002 年 3 月开工建设,占地 5 万平方米,规划将有 8 家电镀企业入园,现入园 4 家。电镀是环保界公认的重污染行业,但区域工业配套又不能没有电镀企业。针对这一问题,我们建设了工艺先进、管理一流的电镀工业园。工业园内企业污水按照国家规定处理后达标排放,进入由管委会投资建设的深度处理中心。污水经过深度处理再次削减了污染物,又达到工业用水标准,返回企业循环使用,实现工业园内污水"零排放"。

4. 粉煤灰综合利用项目

大连开发区热电厂每年产生粉煤灰约 10 万吨,现在综合利用率仅 10% 左右,因此综合利用粉煤灰实现其资源化,将解决一直困扰大连开发区的固体废弃物长期储存问题。该项目是将粉煤灰按国家标准进行分选,用于水泥生产和混凝土搅拌,设计每年利用 4 万吨,于 2004 年正式投产。

5. 生活垃圾综合处理项目

大连开发区每年产生生活垃圾 5 万吨左右,一直采用填埋处理工艺。为了减轻环境压力并将生活垃圾变废为宝,我们首先于 2003 年开展了垃圾分类试点工作,2004 年在全区推广,同时将建设一座国际先进的生活垃圾处理厂,项目用地已确定,前期调研和可行性研究已完成,工艺方案是轻微甚至无二次污染的生物厌氧发酵方法,实现生活垃圾资源化和无害化,同时还可以将处理城市污水每年产生的 3 万吨活性污泥综合利用。投资将采用 BOT 方式,2004 年年底正式开工建设。

6. 木材—塑料复合材项目

该项目引进加拿大技术,利用资源广泛的废木材、稻草等天然纤维和废旧热塑性塑料(可以使用生活垃圾处理项目中回收的废塑料)生产一种替代木材并能循环使用的复合材料,制造运输用托盘,从而减少自然资源的消耗。项目实施单位是大连开发区金熙包装材料有限公司,已完成基本建设,现正在进行设备安装调试,2004 年年内投产。

7. 废纸再利用项目

该项目是利用各企业产生的废纸制造包装用缓冲材料,主要用于电子产品的包装,替代发泡材料,并可循环使用。项目实施单位日本独资企业大连大石包装材料有限公司已经于 2002 年 11 月正式投产,年生产能力 1800 吨。其主要客户是大连佳能办公设备有限公司。

8. 工业介质循环利用项目

机械加工行业的废切削液、磷化液等工业介质作为废水处理是非常难的,项目单位针对这一问题,研究开发了一种新型工艺流程专利技术,经过调质处理,可以实现废工业介质循环再利用。该项目技术已经成型,实施单位大连东泰华兴科技有限公司和几家机械加工企业初步达成了应用意向。

9. 物资回收项目

该项目是传统的资源再利用,通过回收企业的边角余料,经过分类后可为社会提供大量再利用资源,同时我们将通过生态工业引进新技术,提高回收资源的再利用水平。项目实施单位初定为大连开发区中储物流有限公司,我们计划下一步将整合区内大的物资回收公司,形成规模化、规范化的物资回收系统。

五、生态工业园建设取得初步成果

大连开发区生态工业园建设是把原来环境保护工作所取得的成果用生态工业的理念提升整合,形成一系列生态工业链接项目,这些项目解决了区域经济发展过程中不可回避的现实问题:产业废弃物、废水、粉煤灰、生活垃圾、区域电镀配套等,既保障了环境质量又促进了经济发展,产生了初步的环境与经济效益,同时也得到了国家有关部门的高度重视。

2003年5月18日,解振华局长视察了大连开发区的生态工业园建设情况,听取了有关的汇报后,解局长认为,大连开发区生态工业园规划方案做得很好,非常实,既有小循环又有大循环,大连开发区曾经取得了那么多的环境保护成就,希望生态工业园建设工作也要走在全国前列,好好算一算经济账,资源节省了多少,污染减排了多少,为经济建设作出多大贡献。

2003年7月21日,全国政协环资委派团来大连开发区考察,面对开发区生态工业园项目图,政协委员们表示惊讶:仅仅19年的发展,一个年轻的新城竟有如此多的"绿色"项目,应该予以借鉴和提倡。

2003年8月6日,致公党中央委员会罗豪才主席率致公党考察团视察了大连开发区生态工业园,对大连开发区管委会在环境保护、生态工业领域内所采取的措施、所做的工作给予肯定,希望这样的典型应加以总结和推广。

大连开发区经过近20年的发展,初步摸索出了一套系统解决区域环境问题的经验,取得了一定的绩效。现在,在振兴东北老工业基地的历史机遇面前,我们又迎来一个新的契机,我们将通过建设生态工业园区来促进经济的高速发展,把大连开发区建设成为经济、社会、环境协调发展的新型工业园区。

上海化学工业区努力
创建循环经济示范园区

王 鸿 钧

上海化学工业区是全国第一个现代化标准、多元化投资、市场化运作的，以石油化工及其衍生产品为主的大型产业基地，位于上海市最南端的杭州湾北岸，规划面积 29.4 平方公里，一期重点发展石油和天然气化工，二期重点发展合成材料、精细化工等石油深加工产品。自2001 年 1 月正式启动以来，通过积极营造基础设施完备、公用配套齐全、管理服务便捷的良好投资环境，上海化工区已成功吸引英国石油化工，德国巴斯夫、拜耳、德固赛，美国亨斯迈、荷兰孚宝等著名跨国公司，中石化、上海石化、华谊集团等国内大型化工企业落户区内，并建立了长期合作的战略伙伴关系，累计吸引投资 86.95 亿美元，完成固定资产投资 259.73 亿元，入区企业 36 家。到 2004 年年底，化工区内的上海赛科 90 万吨乙烯、巴斯夫聚四氢呋喃、高化苯酚丙酮等一批化工主体项目即将建成投入商业运行，拜耳聚碳酸酯、上海联合异氰酸酯、上海聚氯乙烯等项目也将进入建设高潮。上海化工区保持了连续四年跨越式发展的良好势头，向着最大的乙烯、异氰酸酯、聚碳酸酯生产基地的目标稳步推进。

下面着重从三个方面介绍上海化工区树立可持续发展观、走新型工业化道路的思考与实践。

一、以符合循环经济要求的"一体化"理念勾画建设框架

在世界石油化工业进行第三次产业结构调整,而我国石油资源相对有限、能源日益紧张的情况下发展化工制造业,上海化工区在起步之初就充分认识到,必须紧紧围绕国家化工产业战略布局的部署,结合上海发展定位、总体规划和城市环境的要求,按照可持续发展的要求,高度重视资源、能源和环保等问题,以循环经济的模式推进园区的开发建设。然而,建设世界一流的现代化石油化工产业基地,在我国国内尚无成熟的先例和经验可循,由此,我们的目光投向了其他国家中值得借鉴的成功典范。在德国的路德维希港,巴斯夫公司以"联合体"的独特理念将250家互相关联的化工制造厂集中在7平方公里的土地上,一家工厂的产品、副产品可以用作其他工厂的原料,一家工厂释放的热量也可以提供给相邻的工厂。凭借这种组合起来的生产方式,在1976年至2003的27年里,巴斯夫公司的生产效率提高了45%,燃料资源使用量降低了约50%,废弃物排放减少了约30%。

受到这一实践经验的启发,上海化工区进一步研究美国休斯敦、比利时安特卫普、新加坡裕廊等大型化工基地的发展轨迹和历程,引入"一揽子"、"一体化"、"联合体"等先进理念,并结合自身的特点和要求,创造性地提出了产品项目、公用辅助、物流传输、环境保护和管理服务五个"一体化"开发理念。

1. 产品项目一体化,使企业与企业按产品链关系有机组合,**实现原料互供、资源共享**

化工区内由石脑油、乙烯等上游产品与异氰酸酯、聚碳酸酯等中游产品以及精细化工、合成材料等下游产品形成完整的产品链,以此达到化工制造业对有限资源的最佳配置。在上海化工区90万吨乙烯生产链系中,乙烯装置产生的废焦油原本作为废料焚烧,目前正引进美国哥伦比亚化学公司,将其用作炭黑项目的原料,生产耐磨、附着力强的汽车轮胎添加材料;乙烯装置副产的氢氰酸也可以输送到相邻的璐彩特公司,作为生产MMA产品的原料之一,并通过废酸回收单位,将浓度为98.5%的浓硫酸再返回到丙烯腈装置使用;乙烯装置与聚氯乙烯装

置间的较短距离,也使上海天原华胜公司摒弃了传统的电石乙炔法工艺,引进日本和美国的先进技术,建设经济规模、降低消耗的乙烯氧氯化联合装置生产聚氯乙烯。

2. 公用辅助一体化,有效地提高了资源利用效率,使能源消耗最大限度地达到减量化

根据化工区内各项目对各类能源的需求总量,集中建设供电、供热、供气为一体的公用工程岛,实行统一供给,与各主体项目企业自建分散的配套辅助设施相比,这种集中建设、统一供给的方式对能源的消耗可下降 30%,投资成本可低廉 50%,化工区内 90 万吨乙烯项目的投资就由此减少到 200 亿元以内,比同时期国内其他乙烯项目少了30%—50%。

3. 物流传输一体化,实现了最短空间距离上的物料传递,不仅减少运输成本,还大大降低了物耗,提高了效益

利用管廊、码头、仓库、铁路、储罐等集中建设的物流设施,将化工区内外物料安全快速地的送达目的地,避免长距离运输的高额费用、损耗及危险性。上海化工区针对化工业物流复杂性、高危性和精确性的特殊要求,在建设传统交通运输设施的基础上,侧重采取和大力发展管道运输,该运输方式具有投资成本低、运输费用少、密闭性能好、物料损耗小、传输速度快等明显优势,可确保气、液体物料在区内外经济且安全地输送传递。

4. 环境保护一体化,降低了区域的环境和社会风险,促进经济社会和环境的持续、稳定、协调发展

化工区在生产过程中运用环境无害化技术和清洁生产工艺,实行以"源头把关——过程监控——末端处理"为重点的综合环保措施,并通过对废弃物的统一处理,形成一体化的清洁生产环境。上海赛科公司在乙烯裂解炉的燃烧器中运用世界领先水平的新型技术,将氮氧化物的排放量降低到 80 毫克/标准立方米,远远领先于国家规定的 420 毫克/标准立方米的排放标准。化工区污水处理项目引入了排放企业自我检测和处理厂取样监测相结合的"双屏障"技术,并配备缓冲系统和超标截留系统,有效地避免了任何超标污水直接进入处理生产线,确保最终处理后的污水达标排放。区内工业废弃物焚烧炉项目运用先进的烟气急冷技术,阻止烟气在100℃时形成毒性极强的二恶英类物质,同时采用袋滤式除尘、活性炭吸附、向预热锅炉喷洒氨水等技术,设置24小时在线监测设施,最大限度地减少二恶英等有害气体的产生和排放。

5. 管理服务一体化,构建起便捷高效的公共服务体系,降低了投资企业的商务成本,提高了区域的综合竞争力

通过为入驻化工区的投资业主提供"一门式"的政府管理和"一条龙"的保障服务,使来自不同国家、不同属性、不同规模的企业在园区内都能得到全面、优质的管理服务,产生互为一体的归属感,协力为实现化工区的持续发展作贡献,从而提高区域综合竞争力。上海化工区应急响应中心已在今年3月正式运行,集信息传递、安全监控、灾害预警、调度指挥等职能于一体,实行三级联动机制,构筑全方位、全天候的保障网络,确保区内企业生产运营在安全、健康、有序的环境下开展。

在开发建设中坚持遵循五个"一体化"先进理念,上海化工区逐步实现和保持园区"专业集成、投资集中、资源集约、效益集聚"的整体优势,使园区在循环经济和可持续发展的道路上扎实前进。

二、以新的视角思考化工区的可持续发展之路

党的十六届三中全会明确提出"坚持以人为本,树立全面、协调、可持续的发展观,促进经济社会和人的全面发展"的战略方针,既为在新形势下保持经济健康、快速、平稳发展和推进现代化事业指明了方向,也对如何推进大型产业基地建设、促进产业战略升级提出了更新更高的要求。作为上海首批创建循环经济工业示范区的试点单位之一,上海化工区要一如既往地以推进循环经济和可持续发展为己任,对建设示范区的基本原则、发展定位、奋斗目标、推进措施等进行深入的思考和详细的谋划。

1. 必须处理好园区长远发展的几个重要关系

一是要正确处理化工生产与自然生态的关系,不断减轻化工生产对自然生态的影响,实现生产与生态的相互平衡;二是要正确处理经济

发展与区域环境的关系,不以牺牲环境承载力的经济增长作为代价,建设绿色化工园区,实现发展与环境的相互和谐;三是要正确处理园区自身与周边社区的关系,促进周边社区与化工生产的友好共处,逐步形成上海南翼互相依存、产业辐射、有机联系的经济区域;四是要正确处理园区发展与人力资源开发的关系,汇聚一流企业,培育一流人才,实现园区自身的持续发展和员工队伍的全面发展。

2. 必须把握好推进示范园区建设的工作定位

按照可持续发展的要求,坚持走科技含量高、经济效益好、资源消耗低、环境污染少的新型工业化道路,上海化工区有信心突破传统化学工业可持续发展能力的瓶颈,在构建城市经济重要支撑和引擎的同时,一要打破"大基地大消耗"的发展定式,成为消耗性工业向资源集约化工业转变的发展平台;二要突出关注清洁生产和环境保护,成为展示污染性工业改造为生态型工业的形象窗口;三要实施功能性开发新战略,率先成为基础性工业带动尖端工业发展的前沿阵地,使化工区成为名副其实的传统工业走新型工业化道路的先行者和示范者。

3. 必须协调好园区建设工作的内外衔接

在推进循环经济示范区建设的过程中,化工区还要努力使企业、园区和周边地区的循环经济发展环环相扣。

首先,构建企业内部循环圈。通过把好项目审批和设计审查两道关,鼓励企业运用先进工艺技术,推进资源循环利用,减少污染废弃物的产生和排放。化工区鼓励巴斯夫、拜耳等公司沿用其在国外的工艺技术、生产控制、人员培训、监测维修、安全防范等方面的一整套规章制度,采用瞬时光气化反应法,使光气的使用量降低60%;不设置光气存储设备,使储存量减少到传统工艺的1/10,并配备连续监控、预防、报警及远程控制系统,把潜在的光气事故发生率和可能产生的影响降低到最小范围。鼓励天原华胜公司把过去废弃填埋处理的盐泥再用作原料,生产高强度、高耐磨性的人行道板。实现企业内部循环经济,不仅有利于资源利用和环境保护,也符合企业利益,只要善加引导,辅以必要的政策支持,是能调动起企业的积极性的。

其次,构建区域内部循环圈。加强园区总体规划落实的引导,尽可能使上游企业的产品甚至"废料"成为下游企业的原料和能源；注重引进项目的规模、结构和质量，坚决摒弃与区内项目关系不密切、资源能源消耗大以及对环境有较大影响的项目；建立园区发展资金支持机制，对早期投入运营且尚未获取效益的公用辅助企业采取适当的资金补贴措施。

第三，构建化工区与周边地区的循环圈。根据国家和上海市对化工产业战略升级的总体部署，主动承载中心城区化工企业的投资性改造、国内主要化工企业的投资性扩产以及杭州湾沿岸化工企业的投资性连接。按照上海城市规划，积极争取分散于市中心的化工企业在关、停、并、转的过程中，以技术改造、装置改建的方式落户区内；积极争取高桥、吴泾等地区的化工企业，以投资扩大、项目扩建的方式落户区内。

三、坚持不懈抓好循环经济园区的试点工作

上海化工区的开发建设要坚持贯彻和落实科学发展观，按照"持续、快速、安全、健康"发展的要求，遵循生态学规律为指导的循环经济原理，从资源、能源、环保、管理等四大领域着手，抓好落实循环经济工作的具体措施，构建园区内"资源——产品——再生资源——再生产品"的生产流程，形成互相关联、互相依存的产业链系，最终建设成为以石油化工产业链为基础的，工艺技术先进、资源能源集约、管理模式一流、生产生态和谐、环境清洁优美，具有鲜明石化行业特点且相关共生产业并存的新兴开发建设型生态工业园区。

1. 资源领域

化工区要按照石油化工产品链的导向，以捆绑式招商引资的创新思路，积极引进以产品链为纽带的化工集群项目。预计到 2007 年，上海化工区可建立起由上游赛科 90 万吨乙烯工程，中游上海联合异氰酸酯、拜耳聚碳酸酯等项目，下游德固赛精细化工、三爱富氟材料等项目组成的化工生产的关联组织体系，形成企业之间化工原料、中间体、产品、副产品及废弃物的互供共享关系，实现资源的减量投入、集聚生产和循环利用。化工区要按照"科学规划、合理布局、集约使用"土地资源的原则，优化专业规划，形成项目地块的合理布局排列；建立评估机

制,严格评价进区项目的集群程度、经济规模等指标;鼓励一揽子投资,为提高土地利用效率树立典范。园区每平方公里土地吸引投资已达13.81亿美元,到2007年一期项目陆续建成投产后,化工区每平方公里土地的年产值预计将达到88亿元。

2. 能源领域

化工区要致力于突破化工制造业可持续发展的能源瓶颈,促进园区的能源利用结构优化,充分发挥公用配套设施大型化、规模化的优势,推行集约式的能源消费模式。其中,计划于2005年正式投产的热电联供项目将采用天然气取代煤、油等传统燃料,运用燃烧效率高的燃气——蒸汽联合循环热电机组,供热发电的净效率可达64%—82%。化工区还规划建设余热发电厂,平衡各化工装置的反应热负荷,到2006年统一回收主体项目和公用工程投产后每小时排放151吨的废蒸汽,采用抽汽式和凝汽式汽轮机,再生发电,同时供应电能、供热蒸汽、低温水等产品,有效减少电能与热能的浪费、消耗和损失。预计到2007年一期项目陆续建成投产后,化工区内每吨石化产品的电能消耗量约为421千瓦小时,水消耗量约为166立方米,工业气体消耗量约为117标准立方米。

3. 环保领域

化工区要在大力发展化工制造业的同时,把生产对生态环境的影响放在特别关注的位置,努力与区内各企业共同建设一个生态型的绿色化工园区,实现生产与生态相平衡、发展与环境相和谐。一要充分发挥主体项目企业在生产过程中预防和控制废弃物污染的关键作用,倡导、鼓励投资业主运用新型环保技术,从源头削减污染的产生;二要鼓励已落户的具有世界领先水平的环保项目及配套企业,按计划推进污水处理、固体废弃物焚烧等环保设施的建设,尽可能减轻化工生产对环境的不利影响;三要积极与高等院校、科研机构合作,启动"海洋工程科学实验基地"等环境项目,加强对以化工区为中心的杭州湾北岸地区的环境调研和影响分析。在已完成环保投入19.32亿元的基础上,化工区将继续加大生态环境维护、区域环境管理、污染集中治理等设施以及化工项目中相关设施的建设投资,预计到2007年累计完成83.84

亿元,占项目总投资的 12.37% ;到 2010 年累计完成 156 亿元,占 1500 亿元项目总投资的 10.4% 。化工区的尾气排放更将执行国际现行标准中最严格的排放标准,其中,重金属排放含量比我国现行标准指数低约 1/20,硫化物排放含量低约 1/4,氯化氢排放含量低约 1/3,灰尘排放含量低约 1/6。

4. 管理领域

在已邀请国际著名工程咨询公司开展《循环经济评估报告》编制工作的基础上,化工区将进一步协助其对园区的现行做法进行归纳、总结和提炼,提出下一步的工作建议,不断完善循环经济运行及管理体系。化工区要坚持实施"科教兴区"主战略,在区内建设产学研基地、研发基地、实验基地等科技项目,使园区具备生产、教学、科研的综合功能,为化工专业人才培育提供理论学习与实践操作相结合的平台;协助区内跨国化工企业与上海市各类化工院校合作办学,以可持续发展的观念培养新一代本地化工技术人才,着重提高他们的现代工业意识、健康安全意识以及责任关怀意识。化工区还将充分依托相邻地区的生活配套和后勤保障设施,协同建设生活服务园区和现代物流服务基地,既为区内业主创造便捷、良好的服务环境,又切实推进了周边地区的城镇化进程,促进城乡居民的劳动力就业、专业技能提高和综合素质提升,有力推进整个区域在生产发展、生活富裕、生态良好的文明发展道路上健康迈进。

(王鸿钧:上海化学工业区管理委员会副主任)

苏州工业园区发展
循环经济的认识与做法

苏州工业园区管委会

"发展循环经济、建设生态工业园"是国家环保总局近年来审时度势大力倡导的环境保护新模式,这一高瞻远瞩的战略方针与国务院提出科学发展观高度一致,是率先实现"全面、协调和可持续发展"的重要举措。苏州工业园区作为中新两国政府间的重要合作项目,一直致力于建设一个现代化、国际化、生态化的花园式新城区,因此园区对于环境和发展的问题十分重视,循环经济的理念提出后,园区管委会受到了很大的启发,我们认为开发区作为改革开放和经济发展的排头兵,应该率先顺应社会发展的新趋势,以可持续发展的理念指导区域的开发。为此我们结合自己的实际情况在发展循环经济方面做了一些尝试和探索,现将有关情况简要报告如下:

一、园区对于发展循环经济的认识

园区自成立以来,以建设国际一流水平的开发区为目标,充分发挥后发优势,坚持"高起点、高标准",在开发建设方面取得了可喜的成绩,主要经济指标一直保持着年均50%左右的增幅,成功吸引了包括45家世界500强企业在内的外商投资企业共1300多家,累计实现合同外资145亿美元,实际到账外资63亿美元。随着200多亿元基础设施建设资金的投入,中新合作区70平方公里的道路主干框架和重要基础设施的建设已基本完成,园区以占苏州市3%的土地和4%的人口,创造了全市 14% 的预算收入、17% 的工业总产值、28% 的进出口总额,累计新增就业岗位超过 12 万个。目前,园区国内生产总值已超过苏州大市 1992 年的水平,相当于 10 年再造了一个新苏州。园区已成为苏州市经济社会发展新的亮点和重要增长极。

更令我们感到自豪的是,园区从建区开始就摒弃了传统的"资源高投入、污染物高排放、社会经济效益低产出"发展模式,注重环境保护和区域的可持续发展,园区的开发严格按照总体规划和环保规划的要求进行,全面贯彻了"功能分区"、"污染集中控制"、"清洁能源"等环保策略,超前建设了一批重要的环保基础设施。主要有处理能力为 10 万吨/日的污水处理厂、供汽能力为 40 吨/小时的集中供热厂、供气能力为 15 万立方米/天的清洁燃气厂和管网系统。

园区率先做到了雨污分流和生活污水、工业废水 100% 集中处理;在生活、生产和商业方面全面推广了清洁能源、区内无燃煤设施,集中供热率超过了 90%;园区各环境功能区井然有序,区域噪声全部优于国家标准;此外,园区还建造"城中湖、城市肺",投资 11 亿元对区内的金鸡湖进行水环境综合整治,关停了历史遗留的 80 家老污染源;并把地块填土与金鸡湖、阳澄湖、独墅湖清淤整治工程有机结合,利用清出的淤泥进行填土,既解决了污染问题又保护了近 4000 亩耕地;此外,园区还大手笔进行生态绿化建设,绿化面积以每年 150 万平方米—300 万平方米的速度递增,使人均公共绿地有 14 平方米,营造了一个较好的城市生态环境,初步实现了国家环保总局提出的"跨越式发展"的要求。

但持续的高速发展也确实对园区的环境造成了很大的压力,这一方面体现在泛地区性的水资源和电力供应紧张已渐对区域经济高速增长产生负面影响,另一方面环境质量改善提高的速度已跟不上经济发展的步伐,并逐步出现环境容量制约企业发展的苗头,这已引起了管委会的高度重视。

长期以来,园区一直在积极探索一条以高新技术为先导,绿色环保为理念,"低投入、高产出、低排放"的发展道路,这与循环经济的理念是完全一致的,国家环保总局提出发展循环经济的工作要求后,我们进行了认真的学习,认识到只有大力发展循环经济才能使区域的发展摆脱过度依赖自然资源的困境,这是彻底改变过去环境保护与经济发展之间对立问题的良好途径,是真正实现可持续发展的科学道路,为此,我们积极地响应这一号召,制定了"发展循环经济、建设生态园区"的总体目标,并切实地加以贯彻落实。

我们认为园区在发展循环经济方面有着独特的优势:从主观上讲,园区已积累了较丰富的发展经验,政府和企业都有发展循环经济的强烈愿望;从客观上讲,园区规划较先进,基础设施较完备,产业结构较合理,拥有实施循环经济的良好软、硬件基础;同时,由于园区与国际接轨的程度较高,可以充分借鉴国际上循环经济的成功经验;而园区从业人员的高素质也为实施循环经济创造了较好的人文环境。因此,园区率先实施循环经济、建设生态工业园是完全有可能、有优势的。

二、园区发展循环经济的做法

在过去的工作中,园区结合自身的开发区特点已经开展了一些与循环经济理念相一致的工作。一是通过产业发展规划有计划地引进具有国际先进水平的生产企业进驻园区,优化产业结构,目前已形成了以IT为核心的高新技术产业群落,高新技术企业创造的GDP在园区的比重占85%以上;二是在招商引资过程中有选择地集中相关企业,并通过市场途径推动企业自发地配套、联合,目前已基本形成半导体芯片、液晶显示器、笔记本电脑、手机等主导产业链;三是以重点企业为典型开展清洁生产工作,如和舰科技公司和金华盛纸业公司的中水回用试点等;四是以创建ISO14000国家示范区为契机,大力推广贯标工作,提高企业的环境理念和管理水平,目前区内已有近60家单位通过了ISO14001管理体系认证;五是率先开展了绿色社区的建设,以湖西社区为典范,结合新型社区管理和服务模式,从社区绿色功能配置、社区绿色宣传、物品绿色交换、住宅绿色装修、居民绿色生活服务等方面开展工作,将生态观念渗透到社会生活的各个方面,全面营造全社会参与的生态氛围。

园区在发展循环经济方面的探索虽已取得了初步的成效,尝到了一些甜头,但在实际工作中我们也深切地感受到,原有的这些工作缺乏系统性，未成体系，难以有大的突破。园区要大力发展循环经济、创建生态工业园迫切需要一个全面的、系统的纲领性规划。为此，在国家环保总局和省环保厅的指导和帮助下，园区管委会于2003年正式启动了生态工业园建设规划编制工作，为此园区管委会开展了广泛的规划调研，听取了各方专家的意见，在此基础上委托南京大学编制了园区循环经济规划，在此过程中我们与编制单位一起进行了认真细致的分析研究，认为园区发展循环经济不是简单地进行废物循环利用和产业链建设，而是要把清洁生产、环境设计、绿色招商和绿色供应链管理以及废物资源化等技术和管理模式贯穿到园区生产和消费的各个环节，从而最大限度地提高生产和消费过程中的资源能源利用效率，减少废物的产生，促进社会经济持续、健康发展，妥善解决生态环境对可持续发展的制约问题，将园区建成区域可持续发展的典范。

在规划编制过程中，国家环保总局和省环保厅多次给予关心和指导，提出了宝贵的意见和建议，解振华局长还专门做了指示，要求园区的规划"进一步突出循环经济的特点、明确实事项目的落点、形成园区生态工业的亮点"。根据这些要求，园区管委会和南京大学一起对规划进行了反复修正，以务实的态度充分吸取了国内外同类型规划的经验和教训。经过科学的计算和分析，以园区环境承载力为依据，以产业生态化为导向，以生态工程为支撑，以生态文化为保障，以企业绿色化为突破口，对社会、经济及环境各子系统进行优化整合，并通过构建柔性化体系提高规划的务实性和可操作性，避免规划与实际脱节的问题。通过分析研究，规划中确定了循环型生态工业园建设的目标和指标体系，并提出了实现这一目标的"五大战略"（核心关键技术提升战略、可持续能源战略、企业环保供应链管理战略、安全与健康战略、全方位服务战略）和多个分项子规划。

园区的生态工业园建设规划于2004年2月12日正式通过了国家环保总局组织的专家评审，评审组的5位院士和7名教授对这一规划给予了高度的评价，并提出了殷切的希望，希望园区以规划为指导，切实地落实有关的各项工作，率先建成发展循环经济的先行区。

规划编制完成后，园区并没有把它仅作为一个荣誉束之高阁，而是确确实实把它作为下一步工作的起点，为此，管委会结合年度环保大会，在全园区对生态工业园规划进行了宣贯，并在此基础上严格按规划要求制定了分年度、分阶段的实施计划，其中在2004年度的"苏州工业园区生态工业园实事项目建设计划"中确定了5个管理制度建设项目和15项重点实施工程，逐一分解落实，并通过ISO14001环境管理体系对各项工作进行实时监控。经查目前各项工作均得到较好的落实：一是清洁能源推广工程中西气东输园区段已基本完成，大部分工商用户已用上了天然气；周边乡镇禁燃区和控燃区建设的本年度工作已全部完成，2005年计划也已制定；清洁能源工程的重要组成部分园区蓝天燃气热电厂项目已进入了前期申报阶段。二是园区污水管网扩容工程中周边乡镇污水与园区污水处理厂并网工作已全面展开，并网主干管网及泵站已基本建成；配套的污水处理厂扩建工作已完成了立项、科研和初步设计。三是区域中水回用工程中园区污水处理厂中水回用项目已进入科研阶段，并在污水处理厂扩建的设计中预留了有关的场地和设施。四是金鸡湖水环境生态治理工程中的清淤工作也已全面展开并完成过半；生态修复工作正在调研之中。五是废物交换信息平台建设的首期项目"危险废物处置网络申报管理系统"已完成了项目建议书，进入实质性开发阶段。此外，区内企业中还有一大批与循环经济有关的项目正在组织实施。

三、园区发展循环经济工作的体会

发展循环经济是历史的必然，但在当前阶段还是一项具有创新意义的工作，既然是创新必然也会遇到一些新的问题，目前在推行循环经济过程中我们也碰到了一些困难，主要有：一是社会认知程序不高。循环经济在中国还是一个比较新的概念，由于宣传不够，被社会各界认知、接受的程度还不高，绝大部分人不清楚循环经济的内容和意义。二是政策不明确。国家在发展循环经济方面还缺乏有效的宏观政策，而微观措施也还不够具体，仅靠基层的宣传和企业的自觉很难全面展开工作。此外，在配套的清洁生产推广方面，审核制度还不规范。三是技术不完备。循环经济除了需要理念上的革新外还需要技术上的支持，如废物再生技术及无害化技术、建筑通用节能技术等,但目前国内实用化的新技术不多,可以推广应用的更少。四是思路太局限。目前许多人对于循环经济的理解往往仅限于工业企业的废物综合利用,但真正的循环经济涉及社会生活的各个方面,对此还缺乏广泛的研究。

但我们认为,这些困难正是需要我们通过实践来克服和解决的,对于这些问题下一步我们将做好以下几个方面的工作。

1. 建立制度

参考国外的经验,建立一套推行循环经济的制度是十分必要的,在制度中应确定政府在发展循环经济方面的责任,建立相应的指标体系和考核、激励机制。同时,还应参照 ISO14001 环境管理体系的做法,建立清洁生产的标准化审核体制,引入市场机制进行催化。

2. 广泛宣传

结合科学发展观的宣传,在政府、企业和公众三个层面开展循环经济理念的宣传,提高社会各界的认识,变被动为主动。为提高各界的兴趣,增强宣传效果。我们在宣传时准备将环境生态观念与经济理论及社会实践活动相结合,如在开展 WTO、知识经济等培训中加入循环经济内容。

3. 注重服务

政府在推广循环经济理念的过程中应起到主导和引导的作用,除了制定有关的扶持政策、措施外,还需要提供相应的服务,因此,我们将充分收集循环经济的相关知识和信息,构建服务平台,如组织案例介绍会、技术展示会、需求交流会等,并借助网络媒体构建方便的信息通道,为企业、社会团体和公众提供介入循环经济的途径。

4. 借鉴经验

国内外的一些城市和地区在循环经济方面已先行了一步,有许多可供学习、借鉴的经验,他山之石可以攻玉,我们将充分吸取先行者的成功经验为我所用,以提高效率、少走弯路。

我们将在国家环保总局和各级政府主管部门的领导下以科学发展观为指导,大力发展循环经济,为全面、协调和可持续发展作出应有的贡献。

苏州高新区科技与生态
并进、经济与环境双赢

——苏州高新区建设生态工业园、
发展循环经济的实践与探索

苏州高新区管委会

发展循环经济是落实科学发展观的具体实践,是全面实现小康社会目标的战略选择,循环经济是实施可持续战略的有效手段,是实现新型工业化的重要途径之一。苏州高新技术产业开发区从自身实际出发,把发展循环经济作为科技兴区和生态立区的重要"抓手",大力推进生态工业园建设,积极引导区域内企业以环境友好的方式利用自然资源和环境容量,向高效益、低污染、生态化方向发展,实现了科技与生态并进,经济与环境双赢。通过不断的探索与实践,把全面、协调、可持续发展落到实处。

一、日益显见的经济环境效益

苏州高新区自 1992 年经国家批准建区,就十分注重环境保护与生态建设。10 多年来,不仅经济社会快速发展,多项经济指标年平均保持 20% 的增幅,而且在提高资源利用率、减轻环境污染压力等方面取得了显著效果。20 世纪 90 年代末,苏州高新区被国家环保总局任命为全国首家 ISO14000 国家示范区。2002 年年底,又全面启动制定并在全国首家通过了生态工业园建设规划,成为国家环保总局批准的 13 个国家生态工业示范园区之一。建设生态工业园区,发展循环经济,为进一步提升开发建设水平构建了新的平台。全区主要经济指标在全国53个高新区中继续名列前茅,2003年完成GDP251亿元,工业销售产值700亿元,进出口总额159亿美元,全口径财政收入42亿元,合同利用外资10亿美元,区域城市化水平达到52%。苏州高新区建设生态工业园、发展循环经济的成效从以下几个方面展现。

1. 加快了产业结构战略性调整步伐

生态工业园的建设,使区内原先产值占70%的电子信息主导产业的产品链得到了补充和完善。区内导入了汽车配件、环保设备、机床加工产品群,建立了代谢类等其他工业生态链,130多家企业积极参与绿色采购行动,多家企业开展硫酸铜回收技术,初步形成了"松下电工线路板产品链"、"福田金属废水代谢链"、"佳能—金钟默勒废物塑料代谢链"等生态工业链。不仅促进了区内企业的绿色合作,切实解决了结构性环境问题,将生态设计、绿色招商、清洁生产、环境管理体系融入企业采购、生产、产品和服务的各个层面,形成了企业间互利共生及区域层面的物质循环,而且使全区域电子信息、精密机械加工、精细化工等产业群落的构成更趋完整和合理,增强了产业的抗风险能力。目前,一个以高新技术产业为主体、以工业共生和物质循环为特征的区域产业体系,一个企业内以清洁生产为荣、企业间以互利共生为链、区域层面以物质循环利用为主的循环经济雏形,在苏州高新区业已初步形成。

2. 提升了区域经济科技层次

生态工业园是继经济技术开发区、高新技术开发区之后的第三代产业园区。苏州高新区一方面把依靠科技进步作为解决环境问题的根本出路;另一方面,通过建设生态工业园有力促进科技创新能力的进一步提高,有力促进高新技术产业的快速发展。全区紧密结合建设生态工业园的进程,加快了各类科技创新载体建设的步伐,加快了吸引跨国公司和国内大企业在区设立研发中心、设计中心的步伐,加强产学研合作,增强共性技术、核心技术的开发能力,使区域整体科技创新水平攀上了一个新的台阶,使高新区应有的科技创新示范区的作用得到充分地发挥。2003年,全区获批省级以上科研项目30项、高新技术产品33个,全区已经认定的高新技术企业增加到228家,被科技部评为先进高新区。

3. 增强了企业国际竞争力

在生态工业园的建设中,围绕产业生态链的完善,区内企业积极借鉴国际先进的生产理念,充分发挥知名跨国公司在发展循环经济中的辐射带动作用,企业之间成为清洁生产和绿色设计、采购的长期互动的伙伴,既有效增强了企业产品占领国际市场的竞争力,也进一步提高了整体投资环境对外资投资企业的吸引力和影响力,使高新区成为众多外商投资兴业所青睐的热土。2003 年,共有 25 个 3000 万美元以上的外商投资项目落户高新区。在区内开工投产的企业中,已有 148 家通过和正在进行 ISO14000 认证,有 50 多家工业企业正在积极开展清洁生产审核工作和创建"国家环境友好企业"活动,清洁生产成为企业自觉追求的目标。许多企业将生态设计、清洁生产、环境管理体系融入到采购、生产、产品和服务各个层面,降低了产品成本,扩大了市场销售份额,区内的电脑鼠标器、水晶振动子等 8 个产品产量跃居世界第一,企业的市场竞争力明显增强。

4. 提高了资源利用效率

按照"减量化、再利用、再循环"的 3R 原则,通过发展循环经济,苏州高新区不少企业出现了生产规模不断扩大,但能耗反而降低或者基本不变的可喜现象。如索尼(苏州)公司在产品换代中推出低能耗产品,与 2000 年相比,能耗降低了约 47%;金像电子自 2000 年投产以来,产值翻番,但能耗基本不变。从全区看,区内万元 GDP 能耗从 0.5 吨标煤降到 0.45 吨标煤,万元 GDP 用水量从 15 吨降到 12 吨,万元 GDP 的 COD 和二氧化硫产生量分别降至 3kg 和 4.4kg,均大大低于国家模范城市所规定的限度。工业用水循环利用率从 65% 提高到 75%,区域中水回用率达到 30%,工业固体废物综合利用率从 73% 提高到 80%。

5. 改善了区域环境质量

全区工业环境、生态环境、人居环境从总体上得到有效改善。2003 年环境空气质量达到国家 Ⅱ 级标准,区内企业所产生的废气全部达标排放;空气中一氧化碳和二氧化硫甚至达到了国家一级标准。水环境渐趋好转,城区污水处理能力不断增长,区域地表水总体达到 Ⅲ 类水标准；工业噪声和交通噪声明显下降，生态建设全面开展，停止开山采石、保护沿太湖湿地、建设生态公园、发展绿色社区等一系列措施使全区的绿化率由 2003 年的 32% 提升到目前的 40%；馨泰小区成为全市首批绿色社区，全区的生态环境明显得到改善。

二、扎实推进的现实途径

建设生态工业园、发展循环经济是 21 世纪国际经济社会发展的大趋势。按照"发展循环经济与提升区域竞争力相结合、与提高经济增长质量相结合、与优化产业结构布局相结合、与改善生态环境质量相结合"的原则，我们务实推进，探索了一条切实可行的发展道路。

1. 提高认识，坚定发展循环经济理念

苏州高新区循环经济的开展，既源自于对开发建设实践的感悟，也是在扩大开放中认真学习、借鉴的结果。经过 10 多年的开发建设，苏州高新区在首期开发的 52 平方公里内构筑起了现代化的新城区框架，已有 30 多个国家和地区的 41 家跨国公司进区投资，区内共引进外资项目近千个，总投资 105 亿美元，平均投资额达到 1000 万美元以上，形成了电子信息、精密机械、精细化工和新型家电等四大主导产业。随着经济社会的快速发展，高科技企业的集聚，居住人口的增加，区内工业废弃物、污染物、生活垃圾增加，环境、资源与发展的矛盾开始显现。在围绕二次创业、谋划跨世纪发展的进程中，必须按照可持续发展的要求，大力发展循环经济，走新型工业化、城市化道路。我们从以下四个方面形成发展循环经济、建设生态工业园的共识。

发展循环经济，是推进新型城市化进程的理性选择。苏州高新区地处苏州自然景观和生态环境优美的西部。在工业化、城市化的过程中，把发展高新技术产业与打造"山川秀美"的湖滨新区有机结合起来，做到不仅经济发展、社会进步，而且生态保持良好，是高新区开发建设义不容辞的社会责任。建设生态工业园，发展循环经济，为苏州高新区在打造产业高地的同时建设"真山真水园中城"的新型城区，找到了最佳结合点。发展循环经济，是化解发展与资源、环境矛盾的根本要求。苏州是一个资源短缺型城市，原材料和产品销售"两头在外"。面

对日益凸显的人口、资源、环境制约因素,高新区必须未雨绸缪,及早部署发展循环经济,走可持续发展道路。发展循环经济,是适应日趋激烈的国际竞争的迫切需要。随着世界各国生态环保意识的加强,发达国家对企业产品的环保要求越来越严格。特别是欧盟一些关于电子方面的新规定,这些"绿色壁垒"对区内众多的企业无疑带来严峻挑战。同时,增强招商引资能力、改善投资环境中,不仅要有最佳的创业环境,而且要有最佳的人居环境和生态环境。推进循环经济的发展,顺应了众多区内企业的心声,也是增强企业竞争力的有力举措。发展循环经济,是实现生态文明的必由之路。富民强市、"两个率先",是苏州人民的共同理想和奋斗目标,苏州高新区必须走在前列。通过以人为本、发展循环经济,改善和优化人与自然的关系,使人与自然保持友好状态和良性循环,进而达到生态文明。

2. 多管齐下,推动循环经济发展

在建设生态工业园、发展循环经济的过程中,苏州高新区坚持循序渐进,尊重规律,全面部署,形成合力,运用多种手段推动循环经济健康发展。

实施科学规划,明确循环经济发展目标。高新区把科学地制定和实施好高水准的、切合本区实际的《生态工业园建设规划》,作为发展循环经济的首要环节抓紧抓好,按照"高新技术产业开发区、开放型经济集聚区、现代化新城区"三位一体建区方针,自2002年12月起开始制定《苏州高新区国家生态工业示范园区建设规划》。经过反复修改、论证,于2003年12月通过国内专家评审论证。根据规划,到2010年,高新区生态工业园将基本建成以"城市园林化、开发园区化、产业生态化、环境自然化"为特征的高新区生态型和循环型社会,建成工业共生、生产高效、生活舒适、景观优美的生态工业园。规划的编制出台,成为指导高新区生态工业园的建设和循环经济的行动纲领和指南。

推行"补链"战略,完善循环经济产业体系。循环经济的重要特征之一,就是延长和拓宽生产技术链,将污染尽可能地在生产企业内进行处理,减少生产过程的污染排放。根据现有的产业布局特点,进一步整合现有产业,把"工业链"发展成为"生态链"。其"补链"战略的具体内容是,在6年内投资100亿元,完成四大类别的"补链",以完善生态工业系统结构和功能,形成多产品多链条的生态工业网状结构,促进区域产业结构优化升级。一是产品代谢"补链"。如引进精密电子元器件、电子封装和半导体元晶企业,发展软件产业和集成电路企业,构建了五条生态工业链。二是废物代谢"补链"。针对电子类企业含重金属废弃物较多的特点,引进了日本同和矿业公司,解决了电子废弃物的综合利用问题。三是产业配套"补链"。如由精密机械加工业的横向配套延伸到汽车配件生产等,增强了主导产业抗风险能力。四是集约利用"补链"。高新区吸纳并总投资27亿元,上马了苏州华能热电厂二期工程项目。到目前为止,全区已引进和开工建设"补链"项目15项,完成总投资近20亿元。

引导企业达标,夯实循环经济微观基础。循环经济的基础是企业。在推进循环经济的过程中,把企业作为工作重点,通过树立典型、走访宣传、开展评比等活动,从三个方面引导企业参与循环经济建设。一是引导企业"减量"化生产,即减少能源、物料和水资源的消耗,实现污染排放最小化。通过推动,区内涌现出20多家减量化的先进企业,形成了源头减量、过程减量、物料减量、排放减量等清洁生产流程,极大地节省了资源、能源,减少了有害物质的排放。二是引导企业对废物进行资源再生利用。通过指导区内企业对废水循环利用提出原位再生、厂内梯级利用、集中再生和区域梯级利用的思路,收到了很好的效果。比如,华硕电脑(苏州)公司推广废水厂域循环利用,每日节水700吨,目前,苏州高新区区内IT产业从事线路板生产的企业,100%都开展了循环节水活动。华硕的硫酸铜回收技术、爱普生公司将废弃物做成道板砖已经成为行业佳话。三是引导企业建立产品的循环体系。区内已建有苏州福田金属有限公司的铜箔—印刷线路板的工业产品链,爱普生公司的产品回收和再利用体系,索尼凯美高公司的"绿色合作伙伴"体系等等,成为企业产品循环体系的亮点。

集聚环保产业,为循环经济提供技术支撑。苏州高新区在生态工业园的建设中,按照"工业向园区集中、居民向社区集中、土地向规模集中"思路,至今已经引入环保项目140多个,还突出了"区中园"这一重点,于 2003 年正式启动了国家环保产业园的建设。环保产业园定位于"引进一批企业,集聚一个产业,为区域内的其他企业提供环保方面的技术支持,实施废弃物利用再生产,从而构筑完善的循环链",致力于将现有的环保企业和环保科研机构吸引到划定的"区中园",提供宽松的环境和良好的设施,加快高新区环保产业的发展,提升环保技术的水平。经过一年多的发展,环保产业园内已先后进驻了 27 家环保企业和科研机构,外资投资总额 1400 万美元,内资达 1800 万元。特别是江苏省环科院等一批国内一流的环保科研机构先后进驻产业园,苏净集团等国内环保旗舰型企业成为区内企业主力,超纯水、水体修复、饮用水源的有机毒物处理等一批科研项目已经开题,以水、固、气等污染的治理、检测设备的研发与制造,废弃物再生产品的形成等为主要产业的环保体系正逐渐形成,为高新区循环经济的发展提供了技术支撑。

部署静脉产业,实现循环经济区域性整体联动。苏州高新区在注重区内企业清洁生产、资源循环利用的同时,十分重视全区域静脉产业的合理布局和加快发展,全面推动对固体废弃物、废水等资源化、无害化的处置,以提高对资源循环利用的区域性、综合性效应。以污水处理为例,全区原有两个污水处理厂,又超前规划建设了 3 个污水处理厂,在以苏州新区环保服务中心为主体的工业固体废弃物循环利用中心的基础上,又引进了日本的同和矿业以及目前还正在筹建全区的固废中心等静脉旗舰企业,目前区内废品回收企业已发展到 173 家,使高新区静脉产业得到了有序发展。

3. 创新机制,保障循环经济运行

建立与社会主义市场经济体制相适应的新机制,是支撑与确保循环经济发展的必要条件。我区始终将生态工业园建设作为一项系统工程,在全区形成了管委会统一领导、环保局具体落实、各部门分工协作、全社会共同参与的工作格局,围绕机制的创新,开展一系列有益的探索。

实行以项目会审代替部门拍板的审批机制。项目是开发区的生命。苏州高新区坚决杜绝污染项目入区,对引进重大项目实行由环保局、经发局、国土房产局、招商局等多个部门的会审制度,环保部门对于

污染项目有权"一票否决",土地部门对未达到投资密度的项目也有权"一票否决",确保入区企业符合规定要求。会审制对控制污染、低密度项目入区起到了"净化"、"把关"的作用。

建立以市场运作代替政府包揽的运作机制。对废弃物处理等项目,过去是由政府大包大揽,既加重了财政负担,也制约了企业、社会积极性、创造性的发挥。苏州高新区以市场化为目标,对污水处理、燃气供应、废弃物处置等基础设施,运用股权置换等市场经济手段进行运作,实现了政府搭台、企业唱戏。新的机制,不仅减轻了政府的财政负担,而且大大有利于企业投资的积极性,为发展循环经济起到了促进作用。

强化以区域调控代替条线职能的协调机制。在高新区,发展循环经济绝不是环保职能部门一家的事,而是管委会所有部门共同参与都有明确的职责。全区专门成立了由区主要领导任组长,环保局、经发局、财政局、建设局、规划分局等部门领导为成员的环境委员会,作为高新区生态工业园建设的最高决策协调机构。区环境委员会下设领导小组办公室,设在环保局,环委会主要职责是组织、管理、协调、督察园区的规划建设。由于环委会由高新区主要领导和各部门领导组成,在建设生态工业园的过程中,许多矛盾得到及时协调解决,部门之间相互配合,为循环经济的顺利发展起到了保障作用。

4. 社会参与,共创循环经济大环境

循环经济牵涉到企业、社区以及社会各个层面。苏州高新区积极调动社会各方面的积极性,为生态工业园建设和循环经济发展创造良好的环境。

一是建设城市"绿肺"。高新区把建设生态设施作为保护自然环境、提升生态自净能力的重要载体,作为循环经济建设中重要的"补链"环节。2003 年,高新区用于绿化的资金达 9000 万元,已建成 20 多个开放式城市公园和 200 多万平方米的公共绿地,形成了城市"绿肺",2004 年上半年已完成绿化 200 多万平方米。另外还启动了白马涧生态园、何山公园、大白荡公园、沿太湖防护林、树山生态示范村等一批区域性大型生态保护项目。同时,对区内 14 条河道进行清淤疏浚,对域内太湖 10 平方公里围堰予以整治,改善了水环境

的质量。

二是开展专题活动。把开展与生态保护相关的活动,作为创建循环经济软环境的重要举措。在全区开展"绿色高新区"系列活动,包括绿色社区、绿色家庭、绿色学校、绿色企业、绿色饭店和绿色消费等等,在小学中开展"环保小卫士"评比活动,通过制定活动内容、评比标准、实施措施和奖励办法,调动社会参与活动的积极性,活跃了区域环保氛围,扩大了生态保护、发展循环经济的社会影响。此外,还准备在环保产业园内划出固定场地,作为宣传循环经济的基地之一。

三是加强交流合作。加强与国内外生态科研机构的合作,也是苏州高新区建设循环经济软环境的内容之一。高新区目前正与芬兰合作建立中芬环境学校。2004 年 4 月,苏州高新区与日本有关单位合作,举办了"中日循环产业与环境经营研讨会",两国循环经济方面的顶级专家、著名科研院所以及佳能、三菱电气等世界大企业纷纷到会,共同探讨如何提高资源和能源的利用效率,产生了良好的社会效果。此外,高新区还与联合国工业发展组织、环境规划署等国际机构建立交流沟通渠道,充分借鉴生态工业的国际信息和经验。

四是组建志愿者队伍。高新区善于借助社会力量,促进生态环保事业的发展。在高新区,志愿者队伍越来越多,他们来自区内各个单位。其中,有一部分志愿者曾经是环保投诉者。志愿者队伍通过开展环保公益活动,宣传了环保理念,对于全社会增强环保意识,支持和参与生态工业园的建设,发挥了重要作用。

苏州高新区在创建生态工业园、推进循环经济发展的道路上虽然迈出了可喜的步伐,但作为一项全新的探索、实践,任重而道远。就目前业已形成的初步格局来说,离国际先进水平的真正意义上的生态工业园,还有相当大的距离,如何把生态工业园的建设和循环经济的发展引向深入,有不少问题,比如思想认识、宣传引导、技术支撑、法规政策等方面需要加以研究和解决。

我们殷切希望通过参加 2004 年中国循环经济发展论坛年会,吸收和鉴用先进经验,为苏州高新区今后更好地建设生态工业园、发展循环经济提供一条有益的途径。

太仓港再生资源进口加工区的运行模式

赵 建 明

一、小区概况

江苏太仓港再生资源进口加工区组建于 1999 年 10 月,位于太仓港港口开发区内,首期规划面积 4.4 平方公里,远期规划面积为 10 平方公里。入区项目以废钢铁、废有色金属、废塑料及其他稀贵金属等再生资源进口加工企业为主。小区设立得到了国家环保总局、海关总署、对外贸易经济合作部、国家工商局和国家质检总局等五部委的联合调研后确定的国内进口废物加工圈区管理区。

二、建区理念

目前,对再生资源进口加工企业进行圈区集中开发建设,在我国正处于探索起步阶段,也是国家环保总局基于我国再生资源综合利用行业现状而作出的科学决策。无论是实施方案还是开发进度均走在国内前列的太仓港再生资源进口加工区,其建区理念主要基于两大战略,即资源利用战略和环保科技战略。

三、小区运行模式

为了促使小区健康发展,我们借鉴国外发达国家对再生资源加工利用产业的管理经验,制定了"四统一四集中"的运作模式。

1. "四统",即:"统一管理、统一规划、统一布局、统一政策"

①统一管理。市委、市政府专门成立太仓再生资源进口加工区管委会，管委会成员由环保、计委、海关、国检、工商、国土、公安、外经贸以及小区所在镇负责人组成，由分管副市长兼任管委会主任，管委会下设一办四组，即办公室、综合协调组、环保管理组、海关国检监管组和招商宣传组。作为具体实施开发建设的浮桥镇，也相应组建了小区开发建设指挥部，党委书记挂帅，下设一办四中心，即办公室、招商服务中心、征地拆迁规划中心、基础设施配套建设中心、宣传中心。对小区的规划设计、招商引资、基础设施建设、项目报批、企业运行进行统一管理。

②统一规划。由市人民政府委托江苏省城乡设计院对小区的总体作出了规划，并通过了专家论证。目前，小区规划面积4.4平方公里，位于戚浦塘以南、茜泾河以北、沈家浜以西、新开河以东的区域。在建设开发中，我们严格按照规划来建设，使小区四面环河、环绿，形成相对集中的孤岛，区内不留民宅。为了提高规划水平和建设档次，小区外围设置50米宽度的绿化带，引种速生杨树。区内道路两侧各建10至20米宽绿化带，做到四季有花、四季常绿。工厂绿化带统一要求。

③统一布局。根据行业特点，规划中兼顾区域功能定位。加工区内主要以废金属、废塑料加工为主，在区域功能定位时，将废金属、废塑料再生业按同业相对集中规划，使工厂区、服务区、生活区相对分离。生活区安排在离小区约3.5公里的镇区。同时，考虑前期启动的特殊情况，专门为先期动迁的农户安排了统一规划与设计的荷池动迁小区。

④统一政策服务。为使加工区开发建设有序、高效地推进，小区内提供"一条龙"优质服务。小区管委会除负责日常的管理和协调外，对征地拆迁、外商接待和项目申办等工作统一政策，并对区内项目提供四个"一条龙"服务，即项目申办、许可证申办和续办一条龙服务；货物进出口报关、检验、运输一条龙服务；货物进口、加工、销售过程中污染物防治一条龙服务；劳动服务、治安管理、环境整治一条龙服务。

2."四个集中"，即实施区域化集中管理

①企业集中进区。小区规划建设后，凡涉及再生资源进口利用的企业不再分布于其他地区，改变该行业以前布局分散、各自为阵、难以管理的现状。原已建办于其他地区的企业，待条件成熟后，逐步迁入。

②部门集中监管。在再生资源小区我们将逐步设置管理服务中心,由环保、海关、国检等部门监管小组,对进区企业实施日常监督管理。严格落实进口废物申报制度和固废处置登记制度。

③项目集中把关。由小区管委会牵头成立项目入区资格评审小组,加强对入区项目的把关,把长期从事再生资源行业,有稳固进出口渠道、良好经营业绩、信誉和环保意识的客商吸引入区。注重引进加工利用技术先进、科技含量高的企业,特别是在国内或省内技术上空白的企业,限制或禁止引进废物加工利用技术落后、投资规模小的企业。

④废物集中治理。小区统一规划建造污水处理厂、固体废物焚烧中心、垃圾填埋场等废物治理设施,对企业在加工利用过程中所产生的"三废"进行集中治理。在污水处理方面,每个企业的工业和生活污水均应接入小区污水管网,集中处理,达标排放,严禁企业自行排放,在固体废物的处理方面,建立固废处置登记制度,加强监控,确保企业产生的固体废物全部进入固废处置中心,作无害化处理。由于目前废弃物数量的限制,前期固废处理委托太仓柯林公司处理。

3. 管理优势

对再生资源利用企业实行圈区管理,比传统的企业零星分布现状主要体现以下四个方面的优越性:

①便于集中监管。圈区管理有利于对企业的进出口渠道、资源利用、生产过程、产品的销售和环境保护等方面实行全过程监控,可大大提高管理效率和管理水平。加上小区内废物利用企业相对集中,便于企业间相互监督。

②便于集中治理。由于小区内统一建设了污水处理厂、固废焚烧中心和垃圾填埋场等环境治理设施,这样有利于对企业生产过程中产生的"三废"进行严格的治理,有效防止污染物扩散现象的发生。

③便于行业导向。由于小区管理办法中,明确了国家的有关产业政策规定,实行严格的企业准入制度,有利于在政策法规、资源利用、市场供求、发展方向等方面为企业提供导向。

④便于提升利用水准。因为区内大多数项目为海外再生资源利用行业中比较成功的企业所投资,在装备水平、生产工艺、治理能力等方

面都比较规范,有利于整个小区综合水准和素质的提高。

四、小区开发建设进展情况

加工区自 1999 年 10 月揭牌成立以来,在国家环保总局、外经贸部、海关总署、国家质检总局、国家工商局和省、市有关部门以及地方政府的有力扶持和帮助下,进展顺利。基础设施建设和配套服务工作日臻完善。加工区总体规划和区域详规已由 2000 年 11 月完成;由国家环保总局南京环境科学研究所所作的加工区整体环境影响评估报告基本结束;南环路、浮宅路和沈家浜路等区内主要道路已全线贯通,道路绿化同步配套,与加工区外联主干道沪浮璜沿江一级公路构成了加工区"口"字形主干道框架;经太仓市环保局验收通过的加工区配套企业柯林固废处置中心已投入运行;投资 600 多万元日处理能力为 1500 吨的污水处理厂建设接近尾声;距加工区仅 5 公里、地处长江边的华能电厂和太仓第二水厂长江引水管线已入区;为区内动迁户设置的动迁小区建设初具规模;由工商、外经、环保、海关、商检、消防等部门联合推出的"一站式"服务机构将组建。小区影响日益扩大,入区项目迅速增加。通过互联网、报刊、电视等新闻媒体和来访客商在同行中的宣传,使得加工区在国际上的知名度与日俱增,日本、美国、东南亚等国家和地区的客商纷至沓来考察洽谈,对加工区表露出浓厚的兴趣和积极的投资愿望。到目前为止,已领取工商营业执照的入区企业达 26 家,投资总额为 1 亿多美元,注册资本 5341 万美元,十多家企业已领取了六类废物进口批准证书。三家企业领取了七类废物进口批准证书,三家企业领取了十类废物进口批准证书,其中已有 14 家企业开工建设,其他企业在 2003 年上半年全面开工建设。目前小区政府用于基础设施建设投资达到 7000 多万元,14 家开工建设企业投资达 8900 万美元。

五、小区发展目标

朝阳产业和特色环保产业的资源再生利用事业在我国有着十分广阔的发展前景,我们对再生资源进口加工区的发展充满信心,力争通过3 至 5 年的努力,大力引进国际再生资源加工利用知名企业和大财团入区投资,搞好管理服务,狠抓区域配套建设,形成年产 50 万吨以上再生塑料原料和 100 万吨以上有色金属原料的生产规模,形成年销售额超 100 亿元,税收超亿元的新型特色开发区和原材料生产供应基地,为弥补国内资源不足,提升国内资源再生利用整体水平,促进工业经济持续协调发展作出贡献,推动长江三角洲经济的发展。

六、目前迫切需要解决的问题

经过两年时间的努力,目前进区企业已有 26 家,总投资达 1 亿多万美元,批租土地 2500 多亩,14 家企业已开工建设,其余企业也将在近期全面开始基建。所有进区企业都进行了严格的环境影响评价及风险评价。进区的企业及项目符合国家产业政策,也符合国家经贸委印发的《再生资源回收利用"十五"规划》。国家经济贸易委员会《关于再生资源回收利用"十五"发展规划》在加大经济政策的支持力度中指出:"认真落实国家鼓励再生资源回收利用的有关政策,如:废旧物资回收企业免征增值税的政策,翻新轮胎免征消费税政策,废船进口环节增值税先征后返政策等。研究提出有效促进再生资源回收利用的政策措施。在财政体制和投资体制改革的过程中,研究加大公共财政对再生资源回收利用的支持力度,并在信贷等方面给予必要支持,对经济效益差、但社会效益显著的不易回收的再生资源,国家在政策上鼓励企业回收和利用,包括支持一些经营好、符合上市条件的物资回收企业上市,为企业直接融资创造条件;对再生资源回收加工处理中心、再生资源信息网络等方面的示范项目,优先安排技改投资并给予财政贴息"。这些意见对我们小区的发展将是一个极大的利好,所以,敬请各位领导能否给予在本开发区内投资的企业给予一些特殊的优惠政策,比如收税、批文的办理、进口设备的减免税和增加废旧汽车的压块处理、废旧电器、废旧电脑、废电子线路板等项目的准许。在此我代表在小区内投资的老板对各位领导表示深切的感谢! 感谢对我们工作的支持。

(赵建明:江苏太仓港再生资源加工区)

烟台开发区生态工业园区建设情况

烟台经济技术开发区管委会

新世纪里,我们已经进入了一个环境时代。烟台开发区在促进地区经济国际化的进程中,始终致力于建立与外向型经济相适应的城市环境管理体制,坚持发展循环经济,实施可持续发展战略,促进了经济、社会、环境的协调发展。

一、全方位审视,坚定走建设生态工业园区的路子

开发区作为改革开放的产物,设立的主要目标是应对国际现代化浪潮,试图以高速的发展超越西方发达国家上百年的历史进程,带动母城和周边城市快速跨入现代化。建区以来,我们坚持以引进外资为主、工业项目为主、扩大出口为主,致力于发展外向型经济,坚持走大规模、高强度、超常规、跳跃式的开放开发之路,经济社会取得了长足的发展。

随着中国加入 WTO,改革开放进入了一个崭新的阶段,国际经济一体化的趋势使开发区面临前所未有的压力和挑战。在传统政策优势部分丧失、周边地区竞争日趋加剧的情况下,管委会审时度势,清醒地认识到,培育新的区位优势,打造更高层次的核心竞争力,成为当务之急。国家环保工作重点由污染防治为主向污染防治和生态保护并重转变,为环境保护工作指明了道路;国际绿色浪潮的冲击,生态工业新理念的涌现,为区域实现协调发展提供了现实途径;ISO14000 系列标准、清洁生产审核、环境标志等现代环境管理工具的不断推出和广泛使用,为提升整体环境管理水平,追求系统最优提供了科学实用的手段和方

法。开发区要统筹发展,首先要统筹人与自然的和谐发展,探索建立区域经济与环境发展并举的机制,大力发展循环经济,坚定不移地走新型工业化道路,使工业发展与生态环境良性互动、相得益彰。2003 年以来,及时顺应山东省建设生态省的大走势,抓住山东半岛制造业基地和日韩产业转移基地的机遇,在省内率先开展了创建"国家生态工业示范园区"活动,不断提高发展的规模和质量,加速形成新的环境优势和竞争优势。

二、全过程推进,为生态工业园区建设奠定基础

在省环保局大力支持下,成立了由省、市、区三级组成的领导机构,包括指导委员会和工作委员会,其中省局张凯局长任指导委员会主任,指导生态园区的建设,开发区管委会王秀臣主任任工作委员会主任,负责园区建设的组织工作,同时还成立了由张凯局长任组长的课题组。在此基础上,我们一是抓了课题研究。为给规划的编制提供技术支持,省环保局设立了生态工业园项目课题,并分为五个子课题和总报告编写共计六个部分,五个子课题是:建设模式和方法与目标和指标体系研究、地理信息系统及有关数据库的研究与建立、现状调查与潜力分析研究、支持保障体系研究、综合效益分析研究。目前,所有课题已基本完成。二是抓了规划编制。在省局的协调下,我们确定山东大学为规划编制的主要承担单位,同时邀请了国内外的知名专家、学者参与规划的编制工作。规划已于 7 月 15 日完成,近期将报国家环保总局评审论证。三是制定法律法规和优惠政策。2000 年制定了鼓励企业建立环境管理体系、开展清洁生产的倾斜政策,2004 年出台了全省首个中水工程建设管理办法。四是开展各层次宣传培训。我们邀请联合国环境署官员和专家对管委高层决策层进行培训,并通过运行 ISO14001 环境管理体系提高管委各层次工作人员的环境意识和能力。2002 年 6 月 5 日,管委举行了百家组织国际清洁生产宣言签字、生态工业园区建设推进大会,包括管委会在内的 100 多家组织对清洁生产作出了公开承诺。

三、全社会参与，扎实推进生态工业园区建设

烟台开发区的发展定位是高新技术产业、先进制造业、现代物流业、休闲旅游业为主要功能的滨海生态文化新城。为准确把握这一发展定位，扎实推进城市型生态工业园建设，我们首先建立了一体化的区域环境管理体系，在全区范围开展了清洁生产审核工作，并在生态工业园建设的一些优先工程上实现了突破。

1. 建立区域 ISO14001 环境管理体系，提升一体化环境管理水平

在国家环保总局的倡导下，管委会于 2000 年果断建立起 ISO14001 环境管理体系，将"科学规划，合理开发，建设和谐高效生态城区"写入环境方针。我区 ISO14001 环境管理体系具有鲜明的地域特色：一是将国际概念和国际标准与现行管理制度紧密结合，注重不断加强部门的行政控制力，加大对相关方的影响力度，提升政府整体管理水平；二是力求在海滨生态系统保护、绿化生态网络建设以及清洁生产推行等方面体现生态城区建设的宏伟目标，表明对可持续发展最高境界的不懈追求；三是突出建设项目前置环境管理、干部环保政绩考核和环保目标责任制考核，强化环境与发展综合决策机制；四是规范相关部门在社区环境管理、白色污染、机动车污染防治工作中的职责，促进热点、难点环境问题的解决。体系经过三年来的运行，显示出现代环境管理模式的重大作用，各部门根据体系运行标准，规范了自身管理行为，体系运行自觉性不断提高，各部门行政控制力量形成巨大合力，确保生态园区的建设按照既定目标快速前进。

2. 全面实施清洁生产，实现源头污染控制

清洁生产作为国际上推崇的实现可持续发展的优先战略，是发展循环经济的重要措施，以污染的源头和全过程控制为切入点，实质上追求经济增长方式的彻底转变，通过严格的审核和方案的实施，减少污染物排放，提高资源能源的利用效率。在此基础上，区内企业的清洁生产审核工作也有声有色的开展。万润精细化工有限公司通过原材料替代，年削减 COD 排放量 20 多吨；黄金冶炼公司通过污染物的再利用，实现了污水的零排放；区内整个晶体谐振片加工行业通过逆流漂洗等

工艺改进措施,年减少氢氟酸排放量近10吨,取得了明显的经济、社会和环境效益。

3. 大力推进优先工程建设,增强废物资源化、无害化

根据"边规划、边实施"的原则,我们对于符合循环经济的理念,具有明显的社会、经济和环境效益,技术成熟,具备典型示范作用的项目,优先实施。一是培育生态工业链条。已形成多条有效的生态工业链条,正海纳米材料有限公司利用正海电子网板公司的生产尾液,生产纳米氧化铁红等高附加值的新材料;绿环物资有限公司负责上海通用东岳汽车有限公司产生的各种废旧物资的回收再用;利用粉煤灰生产黏土砖的替代品和硅塑建材已成为新的经济增长点。二是倡导基础设施共享。作为生态工业网的重要组成部分,开发区开展了设施共享试点工作。大宇重工和先进精密、多保精密三家企业共用污水处理设施。华润锦纶、华润厚木尼龙和厚木华润袜业也已经实现了污水处理设施的合建共享。三是推进废物资源化。在污水资源化方面,开发区目前在建的建筑面积2万平方米以上的宾馆、饭店、写字楼,3万平方米以上的居住小区全部开始建筑中水设施的建设,水行政管理部门也加大了禁采地下水的工作力度。在危险废物的管理方面,区环保部门在摸底调查、严格管制的基础上,实现了危险废物在产生、运输、储存、处置各个环节的全面控制。区危险废物焚烧处理中心已与5家企业建立上下游关系,已经支持民营企业建立了年处理各种废油品、废有机溶剂2000吨的回收和再生基地。四是打造循环经济示范点。张裕集团和法国卡斯特公司投资7000万元于2002年建成张裕·卡斯特酒庄,占地140公顷,是中国第一座符合国际酒庄标准的专业化葡萄酒庄园,集生态农业、生态工业、生态旅游多功能于一体,具有典型的循环经济特点。酿酒葡萄园不打农药,施用鸡粪等有机肥;全部以自产葡萄为原料生产高档干红、干白葡萄酒,酿造过程中产生的污水经处理后浇灌葡萄园,蓄水池收集剩余处理水用于养鱼,污水处理设施污泥、果梗、果皮回填于葡萄园充当有机肥料,提高土壤肥力;果核外卖可作化妆品和医药制品原料;休闲旅游项目内容包含在葡萄园内自由采摘品尝新鲜葡萄,品味葡萄酒,同时亲自动手参与酿造高档葡萄酒。

四、全方面发展,提高生态工业园区建设成效

经过不懈的努力,开发区2000年9月,通过了区域ISO14001环境管理体系认证;2001年被国家环保总局、联合国环境署确定为"中国工业园区环境管理项目"试点地区;2002年获得"ISO14000国家示范区"称号,经济社会环境协调发展取得了令人瞩目的成绩。一是高层领导科学决策意识不断增强。开发区抬高了招商门槛,提高土地集约利用水平。对所有进区落户项目,设置准入条件,严格土地供应,坚持"环保一票否决"制度,规范土地出让行为,树立了区域形象,增强了对大项目的吸引力,由于优良的管理机制和过硬的基础设施建设,近年来鸿富泰、浪潮LG、现代重工等一批重量级项目纷至沓来,同时拒批总投资3亿美元的高耗水的污染项目以及一些重污染工序。二是区域经济快速发展。我区主要经济指标年均增幅都在30%以上。目前,已有韩国、香港、美国、日本等34个国家和地区的客商进区投资,累计兴办外资项目774个,合同利用外资27.4亿美元、实际利用外资17亿美元。引进1000万美元以上项目112个,2000万美元以上64个。世界500强企业有24家进区落户。2003年,全区实现GDP 140亿元、增长40%;工业总产值突破300亿元,比上年净增100亿元,综合经济实力位居国家级开发区第8位。三是环境质量持续改善。开发区大气环境质量指标呈逐步改善状态,截至2003年,全区大气环境优于环境空气质量二级标准。其中达二级标准的360天,达一级标准的165天。近年来,辖区地表水环境质量达到环境功能区划要求;地下水环境符合地下水IV类水质标准;近岸海域水质符合II类功能区标准。金沙滩海水浴场水质游泳适宜度为最适宜。开发区区域环境噪声保持稳定,功能区噪声、道路交通噪声均不超标,符合II类功能区标准。全区污染物排放强度除COD基本保持稳定外,烟尘、二氧化硫排放强度明显降低,区域工业固体废弃物处置利用率达到100%。随着开发区经济的快速增长,万元GDP水耗和万元GDP能耗都呈稳定状态并有所降低。四是城市载体功能和服务功能日益完善。牢固树立"环境就是生命线"的理念,增大在建设上的投入,着力打造两大环境平台。一是高标

准基础配套平台。累计投入 48 亿元,超前进行了水、电、路、暖、通信等基础设施建设,36 平方公里基本实现"九通一平"。城区东部实现了污水集中收集和处理,西部于 2004 年年内将新建两座污水处理厂和再生水厂,迅速实现污水的再生利用和水资源的合理配置。全区的生活垃圾已全部实施无害化处理。2004 年将投入 20 亿元,全面提升配套档次和环境水平。二是高水平人居平台。国际学校、涉外医院等公益、商贸设施相继建成,金沙滩旅游度假区建设全面铺开,区域承载力显著增强。城区绿化事业发展很快,建成区绿化覆盖率已达到 40%。投资 1 亿多元,对 14 个居住小区进行了彻底整治;利用 3 年时间,完成了近百个"半拉子"工程处置,城区面貌大为改观。五是公众参与意识和能力不断提高。近年来信访的构成已由原来的关注自身环境损害转向对绿地建设、海滨保护等大的生态环境改善的要求;学校、社区积极开展绿色学校和生态社区建设,已有两家学校获市级绿色学校称号,1 家学校今年创建省级绿色学校。

五、下步打算

开发区下步将紧紧围绕循环经济的发展理念,重点抓好以下四方面工作:一是搞好物质的再循环、再利用,实现各种资源对区域经济的可持续支撑,重点抓好水的梯级利用、生活垃圾分类收集资源化利用;二是建立新的产业链和产业环,培育新的经济增长点,重点建立电子信息业、汽车加工业和食品加工业为核心的生态产业链;三是搞好能源、设施的集成和共享,保证环境安全,重点强化 IT 产业园、出口加工区 B 区和汽车工业园等园区实行水、交通、通信等设施共享和优化配置;四是挖掘企业副产品资源化利用的价值,减降环境风险,提高企业的综合效益,重点抓好废溶剂、废污泥等危险废物的资源化利用。

生态园区作为可持续发展的最高境界,是我们致力追求的远景目标,我们将坚持不懈的通过观念转换、体制改革、技术创新和能力建设,努力提高资源能源利用效率,完善城市的新陈代谢,增强城市的载体功能,把开发区建设成为与全球经济一体化接轨的国际绿色投资区域。

郑州走生态铝工业之路

郑州国家生态工业示范园区

郑州市上街区位于郑州西部 38 公里处,南依嵩山,北临黄河,总面积 64 平方公里,人口 13 万人。历史上,这里人杰地灵,是古代中原文明的核心区之一。如今,她是国家重要的铝工业基地,建区 46 年来,为国家铝工业的发展作出了突出贡献,是新中国铝工业多项核心技术的发源地,素有"铝都"之称。2002 年 6 月,这里设立了河南省第一个特色园区。区内有中铝公司郑州企业(中铝股份河南分公司、中国长城铝业公司、中铝郑州研究院)、中国九冶安装公司、中国六冶安装公司国企龙头企业,也有国内著名的郑州市郑蝶阀门有限公司和河南上蝶阀门股份公司等民营企业,铝工业特色明显,以蝶阀为主的给排水产业发展迅速。

党的十六大以后,上街人民和区委区政府以科学发展观为指导,大力发展循环经济,积极申报国家生态工业示范园区,建设一个城市与乡村、经济与社会、人文与环境高度协调的新铝都,努力形成经济文化高度发达、生态环境优良、可持续发展的循环型社会。

一、上街区发展循环经济的有利条件

上街区是郑州市的一个工业卫星城,远离中心城区,城区总体规模不大,但是发展循环经济具有得天独厚的有利条件。

1. 经济铝特色突出

目前,上街区的氧化铝产能为 130 万吨,占全国的 1/3,电解铝 6

万吨,碳素10万吨。以中铝郑州企业为依托,全区发展起大大小小的多品种氧化铝、铝加工、白刚玉、棕刚玉等企业近百家,铝及铝相关产业构成区域经济的主要特色,并贡献了全区GDP和财政收入的一半以上。不仅如此,以上街区为中心,郑州西部分布了众多很具实力的铝及铝相关工业,如巩义的中孚实业、明泰铝业、鑫旺集团和登封的铝电集团等等,铝业由此成为河南省和郑州市的支柱产业,上街区的龙头带动作用十分明显。

2. 企业之间存在循环经济的雏形

在市场和政府的双向作用下,上街区目前产业链相对完整(如图示)。

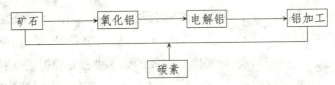

另外,中国长城铝业公司部分地吸收了中铝股份河南分公司生产过程中产生的固体废弃物。

3. 社会面具备发展循环经济模式的条件

由于铝的物理化学特性,在自然条件下金属铝表面形成一层致密的化学层氧化铝,对内部金属铝原子具有保护作用,不容易散失至自然界。另外,铝属于轻金属,便于挤压、携带、运输,所以铝的回收利用率非常高,在我国已达到95%以上。另一方面,城乡之间也存在着物质循环,如上街区农村地区普遍使用城市污水进行灌溉,增加土壤肥力和墒情,因而有大面积旱涝保收的吨粮田,而农村的粮食蔬菜等农副产品又直接输送到城区出售。在双向循环过程中,上街区成为郑州西部重要的农产品集散地。

4. 科研力量雄厚

全区现有各类专业技术人才7000多名,其中涉铝的中高级技术人才3000多人。除中铝公司的研发中心郑州研究院以外,还有沈阳铝镁设计院郑州分院、长铝公司设计院等涉铝研究机构。其中中铝郑州研究院是我国轻金属专业领域惟一的大型科研机构,近年来,该院成功地开发了"拜耳法强化溶出、280KA 大型电解槽、选矿拜耳法、砂状氧化铝、可湿润阴极"等一批重大关键技术。

5. 良好的群众基础

从宏观来看,上街区有 10 多项人均经济社会发展指标在全省位居前列,工业化、城市化水平较高,加之城市人口的主体是产业工人和知识分子,群众总体素质好,环保意识强,他们迫切要求改善生态环境,提高生活质量和水平。现在大力发展循环经济,如能有效降低物料消耗,减轻污染,甚至回收利用,必将造福 13 万上街人民,赢得广泛的支持,促进经济社会的可持续发展。

6. 编制高质量的园区规划

上街区政府已委托中国环境科学研究院编制上街区生态工业示范园区规划,并对郑州市上街区进行了实地考察。中国环境科学研究院有各类专家,能集全国生态工业园区之长,结合上街区的客观实际,编制出一个高水平的规划,使上街区建成的生态工业园区不仅具有生态园区的普遍性,而且有自身独到的特色。而且结合上街区独特的工业结构、地理环境、城市状况等一并规划,通过五年到十年的建设,使上街区成为山川秀美、经济发达、生活富裕的美好乐园。

二、存在的问题

上街区发展循环经济尽管具有良好的条件和基础,但是仍有一些难题需要破解,主要是:

1. 产业链条粗细不匀

上街区的产业链条虽然比较完善,但是粗细不匀的问题比较突出,其特点是头大、腰细、腿短。其氧化铝产能 130 万吨,占全国的 1/3,2003 年又开始了 70 万吨扩建项目,建成后产能将达 200 万吨,电解铝产能只有 6 万吨,离国际上平均 20 万吨的规模差得很远;铝加工虽然企业众多,但只能生产技术含量很低的型材,没有高新技术企业,企业规模也很小。相反,周边地区依据上街的优势,发展了一批大型电解铝、铝加工集团。如果进行补链,区域之间经济竞争的压力很大。

2. 城市地下基础设施建设滞后

目前,上街建成区面积为 13.2 平方公里,但是由于缺乏一个综合性的管网隧道,各个专门部门自行铺网下管布线,地下管网纵横交织,相互影响。而且,上街区的很多基础设施是厂、区分离,没有贯通一体。因此,发展循环经济,进行能源梯级使用和废水循环利用也有不小的困难。

3. 社会面存在薄弱环节

在城市管理方面,我们还没有建立相应的生活垃圾和其他废弃物分类、回收、再造系统,因而短期内还无法实现产品消费过程中和消费后进行物质循环。这是一项复杂的社会系统工程,需要从法规、政策、机制、舆论等几个方面开展大量艰苦细致的工作。

三、前期主要工作

为了发展循环经济,促进经济、社会、环境的协调和可持续发展,我们做了大量的前期准备工作。

1. 理顺中铝郑州企业的环境管理体制

过去,中铝郑州企业的环境管理由上级环保部门负责,由于远离中心城区,管理不便。2003 年,在我们的积极争取和努力下,市政府决定,由区环保局负责中铝郑州企业的环境管理工作,区政府对全辖区的环境负总责,这为下一步推进循环经济奠定了一个良好的基础。

2. 推广清洁能源的使用

一方面,督促中铝公司郑州企业抓住国家西气东输的有利条件,大力推广使用天然气,目前,天然气的门站建设工作正在抓紧进行;另一方面,在全区行政事业单位和工商企业用户中推广使用煤制气,取缔了燃煤(油)锅炉和大灶,禁止新上燃煤(油)锅炉,目前,全区的空气质量已有明显改善。

3. 关闭重污染企业

根据国家关于关闭取缔"十五小"企业,淘汰落后生产能力、生产工艺的要求和全区推行清洁生产的需要,对重污染企业依法予以关闭取缔,全面清理整治违法排污企业,加强清查,巩固成果,取得了良好成效。在 2003 年关闭了两家死灰复燃的小化工企业后,至今没有新发现违法排污企业。

4. 开展农作物秸秆综合利用工作

为了推广农作物秸秆综合利用技术,在组织学习焦作等外地先进经验的基础上,出台了一系列鼓励措施,并免费发放秸秆过腹还田、提高土壤肥力的技术资料,引导农民大力发展草食型禽养殖,为新建的奶牛场提供秸秆饲化技术,同时广泛开展了秸秆生产的食用菌技术培训,不仅使秸秆禁烧工作取得了良好成效,还提高了土壤肥力,增加了农民收入,促进了循环经济的发展。

5. 提高工业固体废弃物的处置率

我区的工业固体废弃物主要是氧化铝生产过程中产生的赤泥和热力厂产生的粉煤灰。在我们的支持督促下,中铝公司郑州企业对赤泥的综合利用技术组织了科技攻关,已取得突破性成果;粉煤灰大部分用于水泥厂的原材料,小部分用于铺路。

6. 开始申报郑州国家生态工业示范园区工作

在国家环保总局下发了《国家生态工业示范园区申报、命名和管理规定》之后,我们迅速组织力量在全区范围内开展调查研究,在深刻理解循环经济理论和充分认识区情的基础上,决定走“生态铝工业之路,发展特色铝经济”,创建国家生态工业示范园区,促进经济增长方式的根本转变。2004 年 4 月上旬,我区专门召开了人民代表大会,审议讨论创建生态工业示范园区的工作,获得通过。目前,创建工作已进入规划编制阶段。

四、下一步的几项重要工作

按照区委、区政府的工作计划和区人大的决议要求,下一步要严格实施规划,努力扩大宣传,动员社会各界和全区人民积极参与发展循环经济。

1. 按照新型管理体制实施规划

上街区的主要污染源是中铝公司郑州企业,因此重点要督促该企业依照循环经济的基本原则组织生产经营活动:一是减量。尽量减少物料消耗,特别是氟化盐的使用量。二是再用。扩大氧化铝生产过程中余热的使用范围,争取扩展到全区各主要居民小区、企事业单位。三是循环。加快污水处理厂的建设进度,促进水资源的循环利用。

2. 采取得力措施鼓励研发推广粉煤灰和赤泥综合利用技术

粉煤灰是中铝河南分公司热力厂生产中产生的废物,同时,也是建筑行业的原材料。赤泥是氧化铝工艺产生的固体废弃物,直接排放到环境当中会导致土壤板结等各种问题。由于赤泥的特殊物理化学特性,也可以适当处理于用于筑路、制造水泥和其他建筑材料。因此,要加快制定政策,鼓励赤泥综合利用技术的攻关和推广使用,鼓励粉煤灰的深加工和综合利用,变废为宝,增进经济效益和社会效益。

3. 进一步完善产业链

废铝的回收利用附加值较高,下一步要加大废铝回收利用工作,实行积极政策引导;完善产业链,实现区域闭合循环。此外,铝加工企业要向大规模高精尖方向发展,拉长产业链,提高生产经营的效益。

4. 继续推广清洁能源的使用和能源的梯级利用

西气东输工程上街站开通后,要采取有效措施推广使用,力争使全区各台工业锅炉和民用采暖设备都用上清洁的天然气和煤制气,扩大清洁能源的使用范围,这将进一步提高大气质量,改善人居环境。新上项目要积极开展能源的梯级利用,如大鹏电厂要实现热电联产,向园内和社区供热、供电;15万吨预焙碳素阳极项目要利用余热发电,回用于项目自身,最大限度地减少能源的消耗量。

5. 促进节约用水和水资源的循环

目前,上街污水处理厂已经奠基开工,中铝河南分公司也实现了工业废水的循环使用。即如此,下一步仍有十分繁重的工作:一是节水方面还有很大潜力可挖,应利用规划实施的有利时机推广节水型工业民用设备的使用;二是加快污水处理厂的建设进度,尽快投入使用,在全区范围内实现水的循环使用和多用途使用;三是加大基础设施建设力度,实现雨水、污水分流,推动中水回用,提高水资源的综合利用效率。

6. 减少建筑装饰业的垃圾排放

目前,上街的固体废弃物除工业垃圾和生活垃圾外,还有相当一部分建筑装饰业产生的垃圾,这其中,属住宅装修垃圾最难管理。下一步,要在商品房的开发上鼓励毛坯房和精装房的建设,尽可能减少浪费和废弃物的产生。这样也可以减少新居民区的噪声污染,有助于推进绿色社区建设。

五、关于发展循环经济的一些思考

党的十六大提出的全面建设小康社会不仅仅是一个经济目标,而是一个全面发展、协调发展和可持续发展的目标。实现这一目标必须转变经济增长方式,大力发展循环经济,推进可持续发展。而要发展循环经济,必须从制度创新入手,实施一系列相互配套,切实有效的政策。

1. 必须彻底转变单纯追求 GDP 的政策目标

这要求各级政府切实转变观念,在制定五年规划和年度计划时,把发展循环经济,推进全面发展、协调发展、可持续发展作为重要宗旨,避免把经济与社会、人文与自然、城市和乡村割裂开来,建议研究制定区域可持续发展指数,作为对地方经济社会发展业绩评价的重要参数。

2. 尽快进行循环经济立法

要在借鉴发达国家经验教训的基础上,明确消费者、企业、各级政府在发展循环经济方面的责任和义务,明确把生态环境作为资源纳入政府的公共管理范畴之内。鉴于我国居民尤其是广大农村地区的居民环境意识比较薄弱,一些地方政府迫于经济增长和就业压力忽视环境保护、甚至对污染企业提供保护的现状,应大力进行制度创新,改革环境保护行政管理体制,防范地方保护主义的干扰,提高环境管理的权威性和效率。

3. 要建立消费拉动、政府采购、政策激励的循环经济发展政策体系

一要建立和完善循环经济产品的标示制度,鼓励公众购买循环经济产品;二要在政府采购中,确定购买循环经济产品的法定比例,推动政府绿色采购;三要通过政策调整,使得循环利用资源和保护环境有利可图,使企业和个人对环境保护的外部效益内部化。按照"污染者付费、利用者补偿、开发者保护、破坏者恢复"的原则,大力推进生态环境的有偿使用制度。

4. 完善区域环境信息公开发布制度

制定法律和政策是重要的,落实和监督执行更重要。在公布城市环境质量、重点流域省界断面水质状况的同时,建立企业环境表现公开制度,鼓励公众监督企业的环境行为,建立区域生态环境评估和巡察制度,通过权威媒体向社会公布结果,促进全社会参与环境保护。

5. 区分各类不同地区制定不同的经济和环境政策

要对生态脆弱区和生态功能保护区的发展规模、发展方式实行严格的控制;对生态脆弱区和重要生态功能区进行补偿,防止落后区域以赶超为目标盲目发展,并鼓励这些地区的人口向经济密集区合理流动,减轻人口压力。支持资源丰富、生态环境保护能力较强、潜力较大的区域加速发展;鼓励经济密集区在环境容量的范围内,通过发展循环经济,不断降低资源消耗和污染排放强度,把污染治理和生态建设作为经济增长的重要产业大力发展。最终目标是建立循环型社会,实现党的十六大提出的全面建设小康社会的宏伟目标。

南海国家生态工业示范园区
实践循环经济的有益探索

南海国家生态工业示范园区管委会

循环经济是一种全新的经济理念,它体现了科学的可持续发展观。生态工业就是依照仿生学原理建立起来的实践循环经济的最佳模式。近一年多来,南海国家生态工业示范园区进行了有益的探索,取得可喜成果。

一、重大的决策

广东地处开放前沿,占地缘优势和改革的先机,20 世纪 80 年代以来,社会经济得到了前所未有的迅猛发展,取得令人瞩目的成就。但是,资源缺乏和环境压力问题也日益突出,成为发展新的"瓶颈"。

为实现经济与资源、环境的可持续发展,佛山市南海区(南海市)政府经过深入研究,汲取世界上的先进经验,决定走循环经济道路,发展生态工业,通过建立新型生态产业链条,努力做到资源利用的最大化和废物排放的最少化,得到了省环保局、省政府的高度重视。

2001 年初,省环保局在省政府的支持下,经过反复调研,选择在经济比较发达、资源最为短缺、环境保护工作走在全省前列的佛山市南海区建立生态工业示范园区,落户于丹灶镇金石工业城,为广东省推广生态工业提供经验和范例。这个决策得到国家环保总局的大力支持,解振华局长、宋瑞祥副局长及有关司长先后多次前来考察,对园区的筹备和建设提出了许多重要指示。

佛山市南海区组成了园区建设工作班子,开展了园区建设筹备工作,并委托中国环境科学研究院和清华大学化学工程系联合编制了《南海国家生态示范园区建设初步可行性研究报告》和《南海国家生态工业示范园区建设规划纲要》,对循环经济和生态工业进行了全面深入的理论探索,阐述了园区的功能定位,规划了园区的总体布局原则,设计了9条闭环型和开放型的生态产业链条,勾画了生态工业的无限生命力和发展前景。

为指导生态示范园区的建设,广东省成立了以许德立副省长为总顾问、各级政府和有关部门领导为成员的建设领导小组和以金涌院士为总顾问,包括6位院士以及多位知名环保专家为顾问的规划与建设咨询顾问组。2001年10月,在国家环保总局的主持下,中国科学院、中国工程院5位院士和知名环保专家共9人组成的专家评审委员会,对《南海生态工业示范园区规划纲要》给予了高度评价,充分肯定了规划结论。2001年11月29日,国家环保总局审批同意建立南海国家生态工业示范园区暨华南环保科技产业园。2003年3月30日,解振华局长、黄华华省长等领导在南海国家生态工业示范园区暨华南环保科技产业园隆重举行授牌、奠基仪式,标志着园区的建设和运作全面启动。

二、良好的开局

一年多来,南海国家生态工业示范园区在各级政府和部门的正确领导和支持下,坚持实践循环经济和生态工业理念,以《园区规划纲要》和国家环保总局颁发的《生态工业示范园区规划指南(试行)》指导园区建设,不断完善园区规划,加快园区开发、建设,大力开展招商引资,规范园区管理,克服了重重困难,开拓了崭新局面,一个新型的生态工业示范园区呈现雏形。

1. 理顺园区管理体制,激发园区发展活力

为便于园区的管理,加快招商引资和建设,佛山市政府决定设立园区管理委员会,行使区(县)一级经济管理的相关权限,下设经济发展局、安全生产监督局、规划建设局,并将设立综合管理办公室,逐步落实

30至35人的事业性编制,为整合园镇资源、推进园区建设提供组织保证和人才条件。

2. 实施高标准规划,保证园区建设的规范、协调

2003年年初,佛山市政府将园区确定为重点工业园,规划控制面积35平方公里。园区规划调整为"一园五区"(即核心工业区、五金工业区、科教产业区、旅游度假区和综合服务区)的布局,遵循减量化(Reduce)、再利用(Reuse)、再循环(Recycle)"3R"原则,确立"以生态工业为亮点,环保产业为重点,一般工业为基点"的产业发展导向。建立起5个功能区互为配套,核心工业区形成"小循环",整体园区形成"中循环",虚拟园区逐步建立"大循环"的循环经济发展模式。

园区发展目标为:到2010年,园区将初步建成2至3条闭环型或开放性的生态工业链条。与此同时,同步建设环保材料与设备、绿色产品生产的企业,初步具备环保生态科技产业研发、应用与服务功能;到2015年,逐步将园区提升到华南地区领先水平,基本建立一个集环保生态、科技产业研究、开发、应用、生产、孵化、技术扩散和技术创新等诸多功能一体化的国家环保生态工业园区;至2020年,以园区、企业、产品的绿色化为切入点,最终建设成为一个充分体现循环经济、以第三代工业园为表征的国家生态工业示范园区。

目前,园区管委会已聘请资深专业规划设计单位,完成了园区的初步总体规划和核心工业区10800亩、五金工业区3000亩的控制性详细规划。

3. 实施园区大开发,全力推进园区建设

从2003年年初至2004年第二季度,园区征地、开发、建设等资金投入已达3亿多元,成功搭建了园区经济发展的平台。五区建设如火如荼。核心工业区已完成"六通一平"7500亩,计划到2005年上半年全面完成10800亩。五金工业区完成用地开发1500亩,正在进行1300亩用地的开发工作。科教产业区已完成用地开发900亩,西区150亩已基本完成开发。旅游度假区的水上运动俱乐部、生态百果园、四星级酒店已建成开业,五星级酒店主楼基本建成,三星级标准的商业广场和占地2000多亩、总投资35亿元的大型生态智能型房地产项目正全力推进,预计下半年将相继建成。

基础配套设施日臻完善。2003 年投入 1 亿多元,建成了 1 座 110 千伏变电站和园区新医院等工程;投入 2000 多万元建设 4 条园区道路,并规划新建和改造总投入 1.3 亿元的 9 条园区主干道路。另外,园区污水处理厂现已进入设备安装阶段,10 月可投入试运行。占地 500 亩的广东省环境保护职业技术学院已经完成环评和审批,正紧张筹建中。

4. 打响国家级园区品牌,提高园区知名度

2003 年 3 月国家环保总局对园区举行的授牌、奠基和入园企业签约仪式,在国内各级媒体进行了广泛宣传报道,掀起了园区大宣传的序幕。2003 年 7 月,园区管委会成功举办总投资 4.25 亿元的十项工程的奠基、竣工庆典,展示园区在旅游、工业、卫生、教育等方面的新成就,有效推介了园区的投资环境。2004 年年初,园区管委会投入 500 多万元聘请知名广告公司和广东电视台联合进行园区形象策划宣传推介,开展了电视广告、CIS 形象识别系统和宣传画册、投资指南、大型户外广告牌、网站等制作工作,广泛宣传推广"以国家级的名誉诚邀天下,以国家级的标准精心打造,以国家级的待遇贴心服务"的园区形象,唱响"维新思想发源地,生态工业先行者"的主旋律。目前已制作了 4 个大型户外广告牌,6 个大型园区标志牌,完成了园区广告片的摄制。

5. 按照发展定位,实行绿色招商,成果丰硕,生态工业链条初步形成

招商工作是园区开发建设的关键,而园区成立伊始就面临着与省内外其他园区在招商引资上的激烈竞争。园区管委会根据生态工业系统建设的发展定位,按照"引大、引优、引强"的导向,实行"亲商、安商、富商"策略,实施绿色招商方针,以资源再生和有代表性的产业链环节项目以及绿色产品的研发、制造、清洁生产为招商重点,引进绿色环保型企业。

根据生态工业定位,园区招商时一直十分注重工业生态系统的组建。现阶段侧重于建设物质生态链,随着进一步的发展,将逐步形成核心区的"小循环",总体园区的"中循环",以至辐射到周边的虚拟区的

"大循环"。

针对园区内原有的五金产业比较多并且每年都产生大量的钢铁和有色金属下脚料和废料的现象,园区引进了横江铁料城和海滨铁料中心等项目。通过金属回收公司把众多钢铁、有色金属企业的下脚料和废料集中起来加以熔铸或深加工成材,再送到上游或下游五金企业作为生产原材料,实现重复利用。

园区及周边原有 10 多家塑料制品厂、鞋厂、包装袋厂等塑料制品企业,每年有大量的边角料和废次品针对这个情况,园区引入了以塑料边角料和废品生产再生塑料粒和空心棉的合成纤维厂,效益相当不错。

丹灶镇原有几家陶瓷厂,过去废陶瓷和污水处理产生的污泥都是运走填埋,不仅占用土地,而且影响生态。园区引进了环保砖厂,建立了虚拟区生态链条,利用陶瓷废料生产广场砖、河堤护坡砖等产品。

当然,从目前的情况来看,这些工业链条还仅仅是初级的、很不完善的直链,还有待提高和完善,但却是迈出了可喜的第一步。

在绿色招商的原则下,园区还引入一批高科技、高产值、低污染的项目,如已入园并注册的佛山大元可再生能源有限公司,专门开发和生产蒸汽发电和垃圾发电的成套设备。

但对于污染严重的企业,即使经济效益很好,园区也坚决拒绝。仅 2004 年上半年,园区就一票否决了污染严重、不符合园区要求的项目 20 多个,总投资达 7 亿多元,其中就有投资 5 亿多元的一家陶瓷厂和投资 5000 多万元的印尼商人投资的毛毯厂。

绿色招商具有巨大的吸引力,境内外大批投资者表示了浓厚的兴趣,许多项目已付诸实施,有些项目正在洽谈,园区发展呈现喜人局面。至 2004 年第二季度,园区共引进投资项目 133 个,投资总额超过 15 亿元,其中超亿元项目 2 个。

早期的投入已有回报,2003 年园区实现工业总产值 19.4 亿元,其中高新技术产值 6.4 亿元,出口交货值 6.9 亿元。

三、存在问题及解决途径

园区在发展过程中也存在一些薄弱环节和问题,需要上级政府和

有关部门支持及园区管理机构努力解决,主要是:

①作为循环经济和生态工业的试验基地,园区管理机构的专业力量仍然不足,有些管理工作还未完全到位,除了园区自身加强外,还需要上级环保部门加强指导,建议建立由总局、省、市、区环保局、区政府和园区管理机构组成的年度联合会议制度,协助园区发展,协调有关问题(如税收优惠政策等),指导园区建设。

②作为专业性工业园区,目前享有的国家经济技术产业开发区和国家高新技术产业开发区的优惠政策未能凸显园区的特点,扶持的力度还不够,对环保产业和生态工业企业未能形成强大吸引力,园区的发展还不太理想。建议对园区增加环保产业和生态工业企业的优惠政策;并通过设立专业功能区,给予园区管理机构行业准入权限等措施,吸引符合入园条件企业进入,推动行业集群。

③由于园区面积大,开发任务重,时间紧,而园区大规模开发的资金需求量大,回收期长,但仅靠园区自身资金的滚动,难以完全满足发展的需求,需要上级帮助开拓信贷等融资渠道。

④2003年下半年以来,建筑原材料市场价格大幅上涨,影响了部分新入园企业建设进度,园区将尽力协助其解决困难。

四、坚定不移,开拓前进

一年多的实践雄辩地证明了循环经济理念具有强大的生命力,生态工业的前景是无比广阔的。针对前进中的问题,园区决心在国家环保总局的亲切关怀和大力支持下,在省、市、区各级政府的正确领导下,毫不动摇地坚持贯彻循环经济和生态工业的理念,以园区经济为龙头,以招商引资为重点,以优化环境为基础,着眼于大园区,立足于大建设,致力于大发展,主要在以下几方面寻求新突破,突出新的亮点,实现园区经济更快、更大、更强的发展。

1. 继续加大园区规划、开发、建设力度

严格按照国家环保总局颁发的《生态工业示范园区规划指南(试行)》,加快修编园区的整体规划,致力高起点、高标准、高规格建设名副其实的生态工业示范园区。继续投入1.15亿元完成核心工业区

3000 亩的"六通一平"，构筑招商引资大平台。

2. 以建设现代化城镇和经营大园区的思维高度，开拓融资渠道

引入社会民间资本，盘活优质集体资产，进行抵押贷款；开放公共事业市场，建立资本运营机制。同时将园区内的员工村、市场、生活服务大楼等后勤服务和污水处理等基础设施进行分解，通过招投标、合作经营等形式，引入社会资金以市场化、社会化模式经营管理，减少园区资金压力。

3. 继续优化基础设施

分步推进园区内及周边道路建设；加快园区污水处理厂建设；加强园区环保治理；加快广东环保职业技术学院和核心区配套小学的建设速度，完善教育配套设施，为园区发展提供技术和人才支持。

4. 全力开展招商引资大会战

将招商引资工作作为一切工作的重中之重，坚持招商绝不以牺牲环境为代价的原则，确立引资的重点是环保、规模、高产出的优质企业。以核心工业区、五金工业区、旅游度假区为平台，以招商工作组为主力，以激励机制为动力，抓住全球经济复苏、地区性产业转移的有利时机，立足国内，面向国际，致力引入壮大环保产业、生态工业、基础产业，力争在引入大、优、强企业方面有新突破。

我们相信，选择环保，拥有未来。

贵港国家生态工业(制糖)示范园区的规划与创建

园区项目领导小组办公室

西部大开发是党中央国务院在新千年之际作出的战略决策,西部地区的经济发展不能以牺牲生态环境为代价。因此,转变经济增长方式和社会发展模式,加强环境保护和搞好生态建设是西部大开发走可持续发展道路的根本保证。

一、发展循环经济的必要性

传统的经济活动是"资源——产品——污染排放"构成的物质单向流动,在这种经济活动中,大量地消耗有限资源,而且生产和消费过程又把大量的污染物排放到环境中,导致环境污染、资源枯竭和生态破坏等一系列的环境问题。实践证明,传统的经济活动将把人类社会经济引向不可持续发展的死路。

循环经济是对物质实行闭环流动的新型经济形式,发展循环经济是实现可持续发展的一个重要途径,同时也是保护资源和削减污染的有效手段。循环经济是建立在物质不断循环利用基础上的经济活动,组织成一个"资源——产品——再生资源"的物质循环流动型经济,合理高效地利用资源,最大限度地减少对环境的污染和资源的破坏,有利于保护生态环境和自然资源,保障人类社会经济可持续发展。因此,发展循环经济,转变经济增长方式和社会发展模式,依靠科技进步,促进经济建设与环境保护协调发展,对我国进入 21 世纪的经济腾飞具有重大的现实意义和深远的战略意义。

二、贵糖集团生态工业雏形的成功实践与启示

贵糖集团发展了以甘蔗制糖为龙头,造纸、酒精、轻质碳酸钙综合利用为主导的多元化生产经营模式。制糖生产过程产生的固体废弃物甘蔗渣、废糖蜜分别作为造纸、酒精的生产原料,造纸制浆黑液实行碱回收,酒精废液生产甘蔗专用有机复混肥。目前已形成了以甘蔗制糖为核心,甘蔗——制糖——废糖蜜制酒精——酒精废液制复合肥,以及甘蔗——制糖——蔗渣造纸——制浆黑液碱回收两条主线的工业生态链。此外还形成了造纸中段废水用于——锅炉除尘、脱硫、冲灰,造纸白水回收纤维后循环使用,酒精发酵过程产生的二氧化碳——制轻质碳酸钙等副线工业生态链。这些工业生态链利用上游生产过程产生的废弃物作为下游的生产原料,使废弃物得到充分利用,既节约了资源,又把污染物消除在工艺过程中,从根本上解决了工业"三废"污染问题,不但有效地治理工业污染,降低末端治理费用,而且提高了企业的经济效益和环境效益。

"九五"期间我国制糖工业全行业亏损额达 100 亿元,制糖工业已经沦为结构性污染严重、经济效益低下的夕阳产业。在这样的大环境下,贵糖集团"九五"期间的"三废"综合利用产值达 13.35 亿元,占公司总产值的 53%,创税利 2 亿元,仍然取得经济与环境双赢的显著成绩,其中一条最重要的原因就是形成了以甘蔗制糖为核心的生态工业雏形,初步建成了制糖、造纸、酒精、轻质碳酸钙的工业共生体系,提高了企业抵御市场风险的能力。贵糖集团生态工业雏形的成功实践,给我们的启示就是:通过各生产单元之间建立工业共生网络,将此产品生产过程排放的污染物作为彼产品的生产原料,形成工业生态链,实现生产过程物质循环利用以及污染物排放最小化,有效地保护生态环境。

入世后,我国制糖工业面临巨大的挑战,食糖价格战将不可避免,价格战的结果是制糖企业和广大蔗农的利益受损,传统的制糖工业处于生死存亡的危急关头。贵糖集团制糖生态工业雏形的成功经验证明,为克服制糖工业中存在的问题,积极应对 WTO 的挑战,必须以工

业生态链为纽带,用高新技术、绿色技术、循环经济理念改造传统工艺,提高传统产品的科技含量,提升传统产业的技术水平。因此,建设工业生态园区是制糖工业积极应对 WTO 挑战,走可持续发展道路的必然选择。

三、贵港市发展循环经济的做法

贵港市的甘蔗制糖产业占全市 GDP 的 33.8%,全市约 30% 的人口从事与甘蔗制糖产业以及辐射带动的产业相关的活动。由此可见,甘蔗制糖产业已成为贵港市的特色经济和支柱产业,对贵港市的经济发展有着举足轻重的作用,甘蔗制糖产业是贵港市发展经济和全面建设小康社会的立足之本。

1. 贵港市甘蔗制糖产业存在的问题

贵港市的甘蔗制糖产业存在的主要问题有:①制糖技术装备落后,劳动生产率低;②原料甘蔗生产集约化程度低,甘蔗单产及蔗糖分低;③结构性和区域性污染严重;④综合利用技术水平不高;⑤产品深加工不足;⑥甘蔗种植业隐藏着巨大风险。这六大问题是制约我市甘蔗制糖产业生存和发展的结症。因此,根据国家"十五"计划纲要"经济结构调整"的要求,运用生态工业理念,对贵港市甘蔗制糖产业原有规模和产业结构进行调整、改造、优化和重组,模拟自然生态系统建立甘蔗制糖产业系统中的"生产者——消费者——分解者"的工业共生网络,实现物质封闭循环和能量多级利用。

生态工业是依据循环经济理念和工业生态学原理进行规划设计的一种新型的工业组织形式,生态工业园区的规划设计是一项复杂的系统工程。因此,以中国环境科学研究院为技术依托,对全市甘蔗制糖产业进行生态工业规划与设计,高起点地创建贵港国家生态工业(制糖)示范园区。

2. 生态工业园区总体设计框架

贵港国家生态工业(制糖)示范园区设计为六个系统,各系统分别有产品产出,各系统之间通过中间产品和废弃物的相互交换而互相衔接,从而形成一个比较完善和闭合的生态工业链网络,使园区内资源得

到最佳配置,废弃物得到资源化利用。这六个系统分别为:

(1)蔗田系统。建成现代化甘蔗园,通过良种良法和农田水利建设,向园区提供高产、高糖、安全、稳定的甘蔗原料,保障生态工业园区制造系统有充足的原料供应。

(2)制糖系统。通过制糖新工艺技术改造、低聚果糖生物工程,生产出高品质的、高附加值的精制糖、有机糖、低聚果糖等产品。

(3)酒精系统。通过能源酒精生物工程和酵母精工程,利用甘蔗制糖副产品——废糖蜜,生产出能源酒精和高附加值的酵母精等产品。

(4)造纸系统。通过绿色制浆工程,改造、扩建制浆造纸规模以及CMC－Na(羧甲基纤维素钠)工程,充分利用甘蔗制糖过程产生的固体废物——蔗渣,生产出高质量的生活用纸、高级文化用纸以及高附加值的 CMC－Na 等产品。

(5)热电联产系统。通过利用甘蔗制糖过程产生的固体废物——蔗髓替代部分燃料煤,进行热电联产,向制糖系统、酒精系统、造纸系统以及其他辅助系统提供生产所必需的电力和热力,为园区生产系统提供低成本的能源。

(6)环境综合处理系统。通过除尘脱硫、污水处理、节水工程以及"三废"综合利用,为园区制造系统提供环境服务,包括废气、废水、废渣的综合利用的资源化处理,生产甘蔗有机复混肥、轻质碳酸钙等副产品,并向园区各系统提供中水回用,节约水资源。

3. 生态工业园区建设目标及指标

在"十五"期间,完善贵港市生态工业发展规划,制定并落实各项配套政策和措施,逐步建立初步发达的生态工业体系,彻底解决制约甘蔗制糖产业生存和发展的六大问题,建成具有全国示范作用的生态工业示范园区。再用 5 至 10 年的时间完善和建成发达的甘蔗制糖生态工业,形成结构优化、布局合理的产业格局,达到高科技、高质量、高速度、高效益、低污染、配套化、生态化的建设目标,形成工业与自然和谐优美的景观,实现贵港市社会经济的可持续发展。

"十五"末,贵港国家生态工业(制糖)示范园区的具体指标为:

(1)初步解决示范园区制糖产业结构性污染,实现资源有效利用最大化,废物排放最小化。提高甘蔗制糖及其相关产业的生产效率,其中甘蔗渣综合利用率达到 100%,废糖蜜利用率达到 100%,酒精废液利用率 100%。制糖工业用水循环利用率 90% 以上,COD 排放量比 2000 年减少 35% 以上。改善区域水环境质量,确保郁江、黔江、浔江三条主要河流水质达到《地表水环境质量标准》(GHZB1—1999)中三类水质要求的保护目标。

(2)园区制糖工业完成结构性调整,实现销售收入 72.0 亿元,利税 18.9 亿元。形成 40 万吨精制糖、20 万吨纸、20 万吨能源酒精的生产规模,制糖工业实现总销售收入 72.0 亿元,利税 18.9 亿元的目标,其中新增销售收入 55.7 亿元,新增税金 7.5 亿元,新增利润 9.2 亿元。

(3)制糖工业实现规模化经营,组建贵港市生态制糖产业"航母战斗群"。对企业分布进行调整和集中,对污染严重、效益低下、无治理价值、低水平重复建设的企业进行关、停、并、转;以龙头企业为核心,以资本为纽带,联合周边骨干企业,建立现代企业制度下农、工、贸一体化的糖业集团,实现专业化分工,规模化生产。

(4)扩大甘蔗种植面积,普及良种良法,建设 60 万亩"吨糖田"。扩大甘蔗种植面积 60 万亩,通过推广甘蔗良种良法种植,提高甘蔗的产量和质量,良种率达到 100%,亩产在 6 吨—8 吨以上,糖分含量在 14% 以上;建成 12 万亩有机甘蔗田。

(5)加强园区自主知识产权能力建设,提高园区产品科技含量。大力发展有机甘蔗和有机糖产品(10 万吨),开发并形成低聚果糖(5 万吨)、酵母精(1 万吨)、羧钾机纤维素钠(1 万吨)等深加工产品的规模生产能力。与此同时,拥有一批园区的自主知识产权。

(6)全市骨干企业推行清洁生产。组织编制清洁生产规划和实施方案,建立起比较完善的清洁生产管理体系和实施机制;到 2005 年全市骨干企业全部推行清洁生产。

4. 建设重点优化项目打造"航母"战斗群

贵港市在现有的生态工业雏形的基础上,通过 11 个重点优化项目的建设,进一步丰富园区工业生态链的网状结构,实现产品结构多样性,提高产品的科技含量和附加值,增强市场竞争力以及抗风险能力。

（1）现代化甘蔗园建设工程。其一，发展60万亩现代化甘蔗园，同时，按照有机甘蔗生产标准和要求，将其中12万亩建成有机甘蔗园。加大蔗区水利建设的投入，引进移动式或固定式喷灌技术和灌溉技术，通过加强科技管理，实施良种良法，提高甘蔗单产及蔗糖分，降低甘蔗生产成本，每年为园区提供300万吨原料甘蔗，其中：有机甘蔗80万吨，为有机糖的生产提供充足的甘蔗原料。其二，建立国家、企业和蔗农之间的契约租赁和共同利益关系，调动广大农民的种蔗积极性。扶助一批甘蔗生产专业大户，稳定甘蔗生产，进一步提高生态系统的安全性和可靠性。其三，作为"源"和"汇"的甘蔗园是贵港国家生态工业系统的始发端，它输入肥料、水分、空气和阳光，输出制糖生产用的甘蔗原料，同时也为造纸、酒精和复合肥生产提供原料。复合肥厂生产的甘蔗专用有机复合肥作甘蔗园肥料，形成"从源到汇再到源"的纵向闭合，这一良性循环有力地促进了制糖工业的持续、高效发展。

（2）生活用纸扩建工程。建设年产10万吨生活用纸的蔗渣造纸生产线，配备黑液碱回收、白水回收和综合废水处理设施。"十五"期末，年生活用纸生产能力达到20万吨，远期达到50万吨，从而使贵港成为中国乃至亚洲最大、世界有影响的生活用纸生产基地。

（3）低聚果糖生物工程。利用蔗糖或赤砂糖、糖蜜、糖浆及清汁等产品或中间制品作原料，生产低聚果糖。发酵废液及固定酶洗涤液，经沉淀处理后达标排放。建设规模近期年产5万吨，远期年产10万吨。低聚果糖生物工程在于增加传统制糖产品附加值，提高制糖工业生态链经济效益。

（4）能源酒精技改工程。开发生产能源酒精是国务院调整我国能源结构的战略决策，对保证国家的能源安全、缓解国内石油资源紧缺以及环境保护具有重大的现实意义。贵糖集团开发的酒精废液生产甘蔗专用复合肥的技术，利用酒精发酵过程产生的二氧化碳，生产轻质碳酸钙技术，有效地解决酒精废液及二氧化碳的污染问题。在无水酒精的分子筛脱水技术方面，贵糖一直进行跟踪研究，与国外相关机构保持密切联系，为20万吨能源酒精生产提供先进的技术平台。

该项工程是甘蔗——制糖——废糖蜜制酒精——酒精废液制复合

肥工业生态链的扩展项目。利用贵糖和周围小糖厂的废糖蜜为原料，解决制糖工业结构性污染和区域性污染的环境问题，实现酒精废液零排放。

(5)绿色制浆工程。在原传统漂白流程 CEH 的基础上，采用华南理工大学研制成功的具有国际先进水平的以氧漂高效高白度过氧化氢漂白新技术——$O_2 - H - M - P$ 对 280t/d 漂白蔗渣浆生产线进行技术改造。漂后纸浆白度可从现在的 78% 左右提高至 86% 以上。消除了纸浆的尘埃，生产的纸张质量可大大提高，增加甘蔗——制糖——蔗渣——造纸工业生态链的经济效益。用氯量减少 40%，有效地削减有机卤化物 AOX 对环境的污染，解决 AOX 的治理难题。

(6)蔗髓热电联产技改工程。甘蔗——制糖——蔗渣造纸工业生态链使用的蔗渣原料必须经过除髓处理，蔗渣经除髓后长纤维作造纸原料，短纤维——蔗髓作为固体废物排放，若不加以利用会导致环境污染。蔗髓是可再生的清洁燃料，利用蔗髓进行热电联产，既可以减少二氧化硫污染，又能降低供热、供电成本。建设一台 12MW 发电机组、配套 75T/H 蔗髓、煤粉双燃料锅炉，为本生态链提供经济的热能和电能，降低生态链各生产单元的产品成本，实现生态工业园的整体效益最优。

(7)有机糖技改工程。随着人民生活水平的不断提高，人们的环保意识日益增强，纯天然、无公害的绿色食品和有机食品逐步成为人们消费的主流，在德国有机食品的市场消费量占食品消费总量的 50%。世界上许多高级的糖果及饮料的用糖已经逐步由低硫糖、无硫糖发展到有机糖，可见有机糖具有广阔的市场前景。建设年产 10 万吨有机糖技改工程是提高甘蔗——制糖工业生态链产品附加值，对解决制糖工业效益低下，提高制糖工业生态链经济效益，实现生态园区整体效益最优，具有举足轻重的作用。

(8)清污分流清水回用节水工程。根据生态工业园区的建设要求，水资源在园区内应做到清污分流清水回用，各生产单位排放的生产废水尽可能做到循环使用或多层次重复利用，从而提高整个园区生产用水的重复利用率，节约用水，保护水资源。对制糖厂的煮糖罐抽真空冷却水、石灰窑二氧化碳洗涤水、能源酒精蒸馏冷凝水和发酵冷却水、热电厂背压式发电机冷油器冷却水、复合肥厂板式冷凝器冷凝水、造纸系统脉冲回收白水、中段废水和碱回收高位冷凝器污热水以及板式冷凝器冷凝水分别进行循环使用或重复利用。

（9）制糖新工艺改造工程。在制糖原有的双碳酸法澄清工艺的基础上，利用磷浮和膜超滤技术对澄清系统和蔗糖系统进行技术改造，用磷浮法取代二氧化硫漂白工艺，解决白砂糖含硫问题，生产无硫糖，提高糖的品质。同时，大幅度地削减滤泥产生量（与传统碳酸法工艺相比较减少滤泥产生量40%以上），磷浮工艺产生的滤泥含氮有机物大大降低，滤泥可直接用于烧制水泥，不会产生恶臭，解决碳酸法制糖滤泥严重污染环境这一世界性难题。

（10）酵母精生物工程。酵母抽提物又称酵母精，含有18种以上氨基酸、核苷酸、B族维生素和矿物元素，具有调味、营养、保健三大功能。随着人们生活水平的提高，对集调味、营养、保健三大功能的食品需求日益增加，酵母精国内市场需求量将达3万吨以上，市场潜力大，前景看好。

该项工程是甘蔗——制糖——废糖蜜制酒精工业生态链的扩展项目，实现废糖蜜制酒精向制酵母精产品结构调整，提高主线工业生态链的经济效益，增强生态园区抵御市场风险能力。

（11）羧甲基纤维素钠建设工程。羧甲基纤维素钠简称CMC-Na，是一种水溶性聚合物，具有良好的悬浮、增稠、成膜等特性，广泛应用于造纸、陶瓷、食品、医药、纺织等行业，素有"工业味精"之美称。国内CMC-Na年需求量达5万吨，而国内CMC-Na的年产量只有4万吨，CMC-Na的供求缺口达1万吨，预计在"十五"期末国内对CMC-Na的年需求量将达8吨—10万吨，因此本项目具有广阔的市场前景。

通过以上11个重点优化项目的建设，充分高效地利用上游生产过程产生的副产品、废弃物进行物质集成、能源集成以及水系集成，实现甘蔗制糖、蔗渣造纸、废糖蜜制酒精的传统产品向高附加值的精制糖、低聚果糖、有机糖、CMC-Na、酵母精等产品结构的战略性调整，提高产品的经济效益，为园区"航母"战斗群的发展壮大打下坚实的物质基础。

四、创建生态工业示范园区的主要措施

1. 制定出台配套政策

发展循环经济是我国 21 世纪实现可持续发展的战略选择,生态工业是发展循环经济的一种基本模式,政府需要出台一系列的配套政策及措施扶持这一新兴产业的发展。现代化甘蔗园作为贵港国家生态工业(制糖)示范园区两条主线工业生态链的始发端,关系到整个生态工业示范园区建设的成败。因此,贵港市把现代化甘蔗园建设作为调整农业产业结构、增加农民收入的重要工作来抓,出台了《关于发展蔗糖生产若干问题的决定》,在全市范围内已掀起了甘蔗生产的热潮。2002 年全市的甘蔗种植面积由 2000 年的 34.8 万亩扩种至 51.8 万亩,2002—2003 年榨季,全市入榨原料甘蔗产量达到 263 万吨,创下贵港市原料甘蔗产量历史最高记录,取得了明显的成效。

通过逐步制定出台相关的财政政策、税收政策、招商投资政策、发展甘蔗生产扶持政策、土地税费优惠政策、排污费返还政策等一系列的配套政策和措施,为生态工业示范园区的建设提供政策保障。

2. 盘 活

贵港市辖区内 5 家糖厂,其中两家糖厂政策性破产,国有资产大量闲置。首先要盘活这部分国有资产,使其得到保值增值,由园区核心企业——贵糖集团收购这两家破产糖厂,将这两家糖厂改造为园区田间糖厂——田间糖厂生产出粗糖后,由精炼糖厂加工成精制糖,进一步提高制糖产品质量。2001—2002 年榨季我国首家田间糖厂正式投入生产,为制糖工业探索二步法制糖工艺进行有益尝试,开创国内二步法制糖成功先例。

3. 优 化

在盘活全市糖厂资产的基础上,进一步优化制糖产品结构以及制糖副产品的集中处理和综合利用。贵港市在全国知名的品牌"桂花牌"白砂糖连续 10 年在全国蔗糖质量评比中获得第一名,"桂花牌"白砂糖的销售价格比同类产品高出 300 元/吨。重组贵港市制糖工业,将破产糖厂改造为生态工业园区的田间糖厂,通过"田间糖厂 + 精炼糖

厂"模式,优化产品结构。贵港市"十五"期末"桂花牌"精制白砂糖的产量达到40万吨,新增利润1.2亿元,提高产品的经济效益。同时,大幅度地减少一步法制糖滤泥的产生量,有效地解决制糖工业的结构性污染和区域性污染问题。

4. 提 升

用高新科技、绿色技术和先进的环境保护技术改造传统工艺,提高产品的科技含量,增加产品的附加值。采用良种良法技术提高甘蔗的糖分及产量,采用转基因技术改变甘蔗的生长成熟期,延长榨季生产周期,增加蔗糖产量。运用生物工程技术开发生产能源酒精、低聚果糖、酵母精等高附加值的产品,全面提升贵港市甘蔗制糖产业的技术水平。

5. 扩 张

扩张是贵港制糖生态工业园区竞争力的进一步提升,不仅要实现园区内的资本膨胀和质的飞跃,还要在园区企业资产重组的基础上向园区外适度扩展;组建大型的国际性糖业集团,充分发挥资金、人才和技术优势,控制更多的原材料,抢占更大的市场,谋求更大的发展。

五、现阶段生态工业示范园区建设的进展情况

1. 现代化甘蔗园建设工程

一是推行订单农业,扶持甘蔗生产,扩大甘蔗种植规模。2000年,贵港市甘蔗种植面积仅占总耕地面积的10%,扩大甘蔗种植面积尚有很大余地。为实现种蔗面积60万亩的目标,从2001年起,贵糖集团大力推行"以销定榨,以榨定种"的甘蔗订单农业,与12万个甘蔗种植户签订了产、购、销合同,以契约的形式明确企业和蔗农双方的权利和义务,原料蔗收购实行最低保护价、优质优价和与白糖价格挂钩联动的办法,建立企业与农民风险共担、利益共享的市场机制,从根本上保证农民的利益,树立农民种蔗的信心。贵糖集团采取多种扶持发展甘蔗种植措施,鼓励农民发展甘蔗生产,以甘蔗定金形式向蔗农优惠供应蔗种、化肥、地膜、农药等农用物资,新扩种甘蔗给予耕地补贴。贵糖推行订单农业,扶持甘蔗生产,极大地调动了广大农民种蔗的积极性,2001年和2002年两年,贵糖集团蔗区累计新增种蔗面积17万亩。

二是大面积推广使用先进的高产高糖综合栽培技术。通过大面积推广采用先进的高产高糖综合栽培技术,提高全蔗区甘蔗单产和糖分,降低糖的田间成本。贵糖集团从1997年开始,与广州甘蔗糖业研究所和广西大学农学院等技术力量雄厚的科研机构进行"强强联合,优势互补"的产学研全方位合作。经过4年多的努力,贵糖集团已引进推广了新台糖16号、新台糖22号、粤糖85—177、桂糖17号等新良种甘蔗,2002年新良种蔗种植面积达到90%以上。通过采用以新良种改进栽培制度,将露地栽培改为地膜覆盖栽培,消毒催芽培育、壮苗、齐苗,科学配方施肥,综合防治病虫害,提高农民的科学种蔗技术水平,为进一步提高甘蔗单产和糖分,降低糖的田间成本奠定了坚实的基础。

三是建设保水蔗田,解决甘蔗治旱问题。贵港蔗区地处桂中旱片,秋旱出现的频率为80%,干旱已成为制约发展甘蔗生产的瓶颈,建设保水良田是现代化甘蔗园建设的重要环节之一。一方面贵糖集团主动投入资金扶持蔗区水利建设,近几年,已无偿投入500多万元扶持蔗区修建水利工程,灌溉面积达到3万多亩。今后三年内,蔗区的水利建设投资采取政府、企业和蔗农各承担1/3的办法,解决蔗区水利建设资金不足的问题。维修和新建治旱工程项目80个,建成后可解决50万亩甘蔗的灌溉问题,对甘蔗主产区,进行统一的规划,加大资金和技术的投入力度,安装蔗田喷灌、滴灌设施,实现排灌可控旱涝保收。另一方面,根据市委市政府的要求,贵糖集团大力扶持蔗农利用水田种蔗,引导农民转变观念,大胆调整水田来种植甘蔗。贵糖集团对利用水田种蔗采取了更加优惠的扶持措施,如补助整地费60元/亩,无偿供应地膜3公斤/亩,分别对"三区"政府、乡镇政府、村委会发动水田种蔗,给予每亩10元的奖励。这些扶持措施,大大地调动了广大农民利用水田种蔗的积极性。至2002年,利用水田种蔗面积已达到8万亩。

四是大力推广使用贵糖集团的"蔗宝"牌甘蔗专用有机复合肥,改良土壤,培育土地肥力,建设高产稳产的生态蔗田。贵港蔗区甘蔗栽培历史悠久,由于蔗作土多为连作地,土壤肥力消耗较大,尤其是土壤有机质含量普遍偏低。土壤有机质是土壤矿质养分的重要来源,它具有改良土壤物理性质,增强土壤保肥保水的功效,还是土壤微生物的食物,可减少土壤有毒物质对甘蔗的影响。甘蔗是农业生物量大的作物,生产性的输出可以带走大量的矿质养分,如果非生产性输出部分不合理的向系统外输出,就会造成土壤贫瘠化,最终减弱土地种植甘蔗的可持续性,土壤贫瘠化的进程就会加剧,造成蔗区生态环境的破坏,土地生产能力就会下降。只有推广使用有机复合肥,减少非生产性的输出,才能增加土壤养分,增加土地肥力,维持和提高土壤生产力,保证土地农业利用的可持续性。

为此,贵糖集团从1998年起与广州甘蔗糖业研究所合作,研究开发利用以糖蜜酒精废液为主要原料生产高效甘蔗专用有机复合肥。经4年近万亩田间生产试验结果表明,该肥料除含有甘蔗高产高糖生产所需的完全营养外,还富含具有改良土壤、提高土地肥力作用的有机质(≥15%)。在同等用量、同等施用条件下,该有机复合肥料与其他无机复合肥相比,每亩增产甘蔗0.5吨—1.5吨,增加糖分0.4%—0.75%(绝对值)。2000年12月5日由贵港市科委组织对该肥料进行农业肥效对比试验,结果表明:施用等量的该配方肥料比无机复混肥增产甘蔗1.4375吨/亩,增产率达到29.35%,锤度提高0.750BX,认为"该肥料的肥效显著,供肥能力平稳,供肥时间长,后劲足,又能提高蔗糖量,值得推广使用"。因此,贵糖集团将扩大"蔗宝"牌甘蔗专用有机复合肥的生产,在所属蔗区全面推广应用,以改良土壤,培育土地肥力,建设高产稳产生态蔗田。

五是逐步推广测土电脑配方施肥技术,指导农民平衡施肥,提高肥效,降低生产成本,实现耕地资源管理智能化。甘蔗是作物产量高、需肥量大的植物,每生产一吨原料甘蔗的地上部从土壤吸收带走氮(N)1.95公斤—2.31公斤、磷(P_2O_5)1.45公斤—1.77公斤,钾(K_2O)2.01公斤—2.73公斤。据最近测定,贵糖集团所属的蔗作地土壤主要养分的供给状况,总体上处于中下水平,其中氮素中等偏下,磷素富集,部分的供应已达到适宜甚至富裕水平,钾素严重缺乏,且有加重的趋势,土壤酸化开始明显,而且,这种趋势在不同蔗区、不同土壤类型也有差异。如不能通过施肥补充这些养分,势必会破坏土壤养分平衡,引起土地肥力下降,从而使耕地越种越瘦,生产成本越来越重,品质不断下降。

如近年各地普遍出现的甘蔗糖分逐年下降的问题,据分析一个重要的原因就是由于蔗作地严重缺K(某些还伴随着严重缺P)以及某些微量元素,而又不能通过施肥得到有效补充,引起甘蔗营养代谢平衡失调造成的。因此,推广测土电脑配方施肥,根据土壤养分丰缺情况,按照"缺什么补什么,缺多少补多少,吃饱不浪费"的施肥原则,指导农民平衡施肥,提高肥效,降低生产成本,实现耕地资源智能化管理。从2002年起,贵糖集团在广州甘蔗糖业研究所的指导下,建立土壤化学分析实验室,对蔗区土壤养分进行监测,找出适合蔗区平衡施肥的电脑配方技术,指导农民科学施肥,确保甘蔗生产可持续发展。

六是采用新技术,探索现代化甘蔗园害虫生物防治的有效途径。贵港是一个老蔗区,甘蔗虫害日趋严重。据初步调查,主要螟虫种类有二点螟、条螟、大螟、黄螟等。目前的防治措施是以高毒农药为主,往往达不到理想的防治效果,还对环境造成污染。蔗螟性诱剂防治技术(迷向防治技术)是一项非常有效的防治蔗螟的高新技术,为了配合贵港国家生态工业(制糖)示范园区的建设,更好地解决甘蔗生产害虫的防治问题,达到增产、增糖、增收的目的,贵糖集团与广州甘蔗糖业研究所共同开展《现代化甘蔗园害虫生物防治》试验,目前,试验工作正在贵港部分甘蔗主产区进行。

七是建设甘蔗生产合作社,改革分散经营的传统模式,提高甘蔗产业链的整体效益。"公司+合作社+农户"是农业产业化发展到中级阶段的组织形式,也是能够体现政府转变职能,逐步退出甘蔗生产管理领域的生产方式。合作社是以从事糖料蔗生产的农户为主体的专业性经济组织,秉承"民办、民管、民受益"的原则,实行民主管理,利益共享,风险共担,成员的土地使用权不变。合作社与贵糖形成相对稳固的对接关系,贵糖不再面对有组织的农户合作社。贵糖在确保盈利的前提下,根据市场对本公司白砂糖的需求量向合作社提出糖料蔗供求计划,合作社与公司签订供蔗合同。由此减少糖料蔗种植、管理、转运以及蔗款结算诸环节间对接上的失误,实现了从"过于分散"到"适度集约"的跨越,从而大幅度提高了农业产业链的整体效益。

合作社除了具有代表蔗农与制糖企业签订原料蔗购销合同这一最

基本的职能外,还要指导协调蔗农实行良种良法,组织建设和管理蔗区基础设施,开展糖料蔗砍运、收购和结算服务等。合作社根据《章程》的规定设立成员大会、理事会和监事会,成员大会是合作社的最高权力机构。

在糖料蔗生产中实行合作社的管理体制,是农村生产力发展到特定阶段的必然结果,在广西同行业中是一种创举,没有现成的模式可供借鉴。2002 年,贵糖集团与当地政府首先在甘蔗主产区石卡镇搞试点,而后逐步推开,在实践中不断总结经验,使这一新型的管理体制进一步得到发展和完善。

2. 生活用纸扩建工程

第一期年产 3 万吨生活用纸技改工程已于 2003 年 8 月已建成投产,总投资 2.5 亿元左右。第二期年产 10 万吨生活用纸技改工程是贵港国家生态工业示范园区建设的重头戏,已列入 2002 年国家重点技术改造项目,获得国家第九批国债专项资金支持。贵港市委市政府成立了"生活用纸技改项目领导小组",加强该建设项目的领导。2001 年10 月《贵糖年产 10 万吨生活用纸技改工程环评大纲》通过评审,同年11 月完成《贵糖年产 10 万吨生活用纸技改工程可行性研究报告》的编制。2002 年 1 月国家环保总局环境工程评估中心组织召开了《贵糖年产 10 万吨生活用纸技改工程环境影响报告书》评审会,环评报告书通过专家评审。2002 年 4 月 26 日,国家环保总局监督管理司祝兴祥司长到贵糖考察 10 万吨纸项目后认为,该项目无论从发展经济和保护生态环境都具有重要的意义,国家环保总局支持该项目的建设。2002 年6 月国家环保总局以《关于广西贵糖(集团)股份有限公司年产 10 万吨生活用纸技改工程环境影响报告书审查意见的复函》(环审[2002]161号)批准了该项目建设。目前正在抓紧进行项目建设的各项前期工作。项目总投资 14.823 亿元,预计可获得国家 1.2 亿元的贷款贴息。

3. 蔗髓热电联产技改工程

蔗髓热电联产技改工程是贵港国家生态工业(制糖)示范园区建设工程能源集成的子项目。建设 12MW 发电机组,配套 75t/h 蔗髓、煤灰双燃料锅炉,通过该项目的建设,为园区各生产单元提供经济的电能和热能。目前,已投入建设资金 2000 万元,完成 75t/h 锅炉的建设;配套的 12MW 发电机组的建设正在加紧进行,现已完成项目投资 930 万元。该项技改工程得到联合国全球环境基金资助 50 万美金设备赠款,以招标形式购置工程所需要的主要设备。

4. 节水工程

该项工程目前已完成了造纸系统白水脉冲回收循环利用网络的建设。2001 年 9 月联合国中国清洁生产中心对贵糖集团现有的生态工业链水系统开展清洁生产审核,制定清污分流、清水回用、污水治理的无低费方案和中高费方案,计划在 2004 年年底前完成部分节水工程的建设。通过对生态园区水资源利用的集成,实现水资源利用效率的最大化,减少生态园区的废水排放量,以达到生态工业园区污染物排放最小化的目标。

5. 绿色制浆技改工程

该项目已完成工程的工艺设计,目前已进入土建设计、设备选型及主要设备订货招标程序,项目的建设资金约 4000 多万元由工商银行贷款解决,项目的建设工作正在抓紧进行。

六、今后工作设想

1. 开展国内外生态工业发展政策调研,制定出台配套政策及措施

通过网络查询、文献检索、专家咨询、实地考察等方式,调研国内外在发展生态工业和建设生态工业园区方面所采取的政策、措施,特别是要学习和借鉴国外发展生态工业成功的经验和做法。市政府派员参加国家环保总局、国家环境科学研究院于 2004 年 9 月组织的欧洲生态工业园区考察团进行国外考察。由市生态工业(制糖)示范园区建设领导小组办公室牵头,组织市政府有关职能部门前往大连、天津、青岛、苏州、上海、广州等地的经济技术开发区、高新技术开发区考察调研。通过对国内外经济技术开发区、高新技术开发区以及生态工业园区的考察调研,尽快制定出台贵港国家生态工业(制糖)示范园区的财政政策、税收政策、招商投资政策、发展甘蔗生产扶持政策、土地税费优惠政策、排污费返还政策等一系列的配套政策和措施,为实现贵港国家生态工业(制糖)示范园区的建设目标提供政策保障。

通过出台园区配套政策进一步加大贵港市招商引资力度,发展外向型经济,形成以"生态工业强市"的产业格局,拉动区域经济快速增长。

2. 建立贵港生态工业培训体系

贵港国家生态工业(制糖)示范园区建设领导小组办公室负责组织建立生态工业培训体系,在培训需求调查的基础上,分层次、分期组织开展生态示范园区人员培训工作。

(1)政府行政管理公务人员专业素质培训。举办一系列生态工业政策和生态工业理论知识培训班。培训内容主要为工业生态学理论知识、生态工业园区建设项目的组织实施、管理方法和工具、建设项目如何进行国际融资等。聘请国内外生态工业专家、国际融资专家、工业园区运行管理专家来贵港授课讲学。培训对象是贵港市委市政府的领导、市政府各职能部门的领导以及行政管理公务人员,桂平市、平南县、港北区、港南区、覃塘区的领导,县、区级政府各职能部门的领导以及行政管理公务人员。通过培训提高各级领导和公务人员的专业技术素质和行政管理能力,为生态工业示范园区建立高效的管理平台。

(2)生态园区成员企业管理人员技术培训。举办一系列生态工业理论知识技术培训班。培训内容主要为工业生态学理论知识、生态工业园区建设项目的组织实施、管理方法和工具、建设项目如何进行国际融资、实用清洁生产技术、综合利用技术、绿色技术以及先进的环境保护技术等。聘请国内外生态工业专家、清洁生产专家、国际融资专家、环保专家、绿色技术专家、工业园区运行管理专家来贵港授课讲学。培训对象为入园企业负责人、企业管理人员、专业技术人员。通过培训提高生态工业园区成员企业负责人、企业管理人员的专业技能,以适应园区建设和发展的需要。

(3)培养高级人才。生态工业园区的规划、建设以及管理是一项复杂的系统工程,涉及多门类、多学科、多产业,贵港国家生态工业(制糖)示范园区的建设,除了要大力引进、聚集一批高层次、高素质的人才外,还应该注重本地高级人才的培养。开发培养本地人才、用好本地人才、留住本地人才是示范园区建设成败的重要因素。因此，根据示范园区对各类高级人才的需求，制定本地人才培养计划，委托国内、国外高等院校和科研机构为生态工业示范园区培养高素质的建设人才和管理人才。

（4）农业技术培训。举办若干期生态农业、有机农业、甘蔗农业等现代农业培训班。培训内容包括生态农业思想、有机农业技术（如有机甘蔗种植、有机食品生产等）、现代化甘蔗园建设、甘蔗良种良法种植技术与管理、农业生物防治技术等。聘请国内外生态农业专家、有机农业专家、农业生物防治专家以及甘蔗农业专家到贵港和各乡镇授课讲学。培训对象为三区两市县主管农业的领导、农业部门、园区制糖企业的领导和农业技术人员以及广大蔗农。

3. 建立生态工业信息平台

利用先进的网络技术，建立计算机网络的信息系统是生态工业园区获得持续发展的重要保障。信息系统为生态工业园区的建设提供外部的信息支持和信息交流，及时向外界反馈贵港生态工业（制糖）示范园区的规划、建设和运行信息，同时为我市生态工业的发展提供新的信息和注入新的活力。生态工业是一个庞大的系统工程，涉及区域内和区域外诸多机构，同时也涉及复杂的物流、能流交换，通过建立计算机网络信息系统，将复杂的物流、能流交换有序地组织起来，实现生态工业园区资源的充分共享，提高资源利用率，提升我市生态工业运行管理效率。

4. 加大生态工业示范园区建设的宣传力度

市委宣传部、市广播电视局负责做好建设贵港国家生态工业（制糖）示范园区的宣传工作，通过电视台、广播电台、贵港日报、贵港国家生态工业（制糖）示范园区建设简报、标语以及宣传小册子等多种宣传媒体，广泛开展建设贵港国家生态工业（制糖）示范园区的宣传工作，提高公众对生态工业的认识，增强公众参与意识，营造人人关心生态工业园区建设，个个支持生态工业园区建设的社会氛围，使广大市民自觉参与生态工业建设的实践，支持政府采取有效的政策和措施推动生态工业园区建设，为生态工业园区建设献计献策。

贵港市政府网页作为向外界宣传的窗口,通过互联网向外界广泛宣传贵港生态工业(制糖)示范园区的基本概况、园区规划和建设进度、园区建设的优惠配套政策、园区对外招商引资项目、园区人才需求信息、园区建设经验和取得的成果等,扩大贵港国家生态工业(制糖)示范园区在国内外的知名度,打造中国一流的循环经济示范园区。

5. 争取上级政府支持抓好基础设施建设

贵港国家生态工业(制糖)示范园区是国家级的建设项目,市政府、市计委、市经贸委等有关部门要积极向自治区人民政府、自治区计委、自治区经贸委等上级部门汇报请示,争取将该项目列入自治区重点工业园区建设项目,以获得自治区人民政府重点工业园区项目基础设施建设资金的支持。市政府、市计委、市经贸、市土地局、市环保局、园区领导小组办公室等有关部门要加强与国务院、国家发展和改革委员会、国家国土资源部、国家环保总局等相关部门的联系与沟通,通过多联系、多沟通争取得到国家的支持。为做好这项工作,市财政安排一定的资金来进行项目运作。

贵港国家生态工业(制糖)示范园区基础设施建设规划征用土地5000亩,基础设施建设规划总投资预算为15亿元,主要建设内容包括:平整土地、供水、供电、供热、供液化气、通信、园区道路及交通、绿化等基础设施的建设。我国经济技术开发区、高新技术开发区的基础设施建设是成立专业公司来完成。借鉴国内工业园区基础设施建设的成功经验,逐步建立贵港国家生态工业(制糖)示范园区建设总公司,全面负责园区基础设施的建设、管理及运营。公司按市场化运作,实行企业化管理,园区的基础设施实行有偿使用。

6. 争取各方力量支持加快示范园区的建设步伐

一是加强国际交流与合作,通过开展双边和多边的国际交流,争取得到联合国环境规划署、全球环境基金、世界银行、亚洲银行、欧盟、发达国家政府环境保护基金等国际资金的支持。同时,通过开展国际交流与合作,不断引进高新技术、先进的清洁生产技术、绿色技术和高级人才,为生态工业示范园区建设和发展构筑技术支撑平台。二是积极争取国家有关部门对贵港国家生态工业(制糖)示范园区建设项目的支持,将园区部分大型建设项目列入国家西部大开发重点建设项目、西部大开发生态建设项目、国家重点环境工程项目以及国家"十五"期间国债建设项目。三是开展招商引资活动,通过走出去和请进来的办法,组织三区两市县政府和企业开展国内外招商引资活动,解决示范园区建设资金不足问题,加快生态工业示范园区的建设步伐。

七、结束语

贵港市抓住西部大开发这一历史机遇,以甘蔗制糖产业为支柱,运用循环经济的理念构筑特色经济和支柱产业的发展平台,是贵港市贯彻落实党的十六大精神,走新型工业化道路,全面建设小康社会的一项具体措施。通过生态工业园区的规划建设,进一步完善现有工业生态链的技术水平,推动产业结构调整,促进技术创新和产品创新,降低生产成本,提高经济效益,增强我市甘蔗制糖产业的市场竞争力,实现经济发展与环境保护"双赢",为工业污染防治和甘蔗制糖产业的可持续发展走出一条新的路子。

创建贵港国家生态工业(制糖)示范园区,依靠高新技术、自然资源、人才优势,建设低消耗、低污染的制糖工业与生态保护协调发展的系统工程,推动区域经济由粗放型向集约型、生态型、效益型和循环型经济的根本性转变,加快城市建设和社会经济的发展步伐,把贵港市建设成为现代化的区域性中心城市,实现区域经济的跨越式发展。

石河子生态工业园区建设
与发展的工作思路

农八师、石河子市政府

　　党的十六大提出,全面建设小康社会,我国要走科技含量高、经济效益好、资源消耗低、环境污染少、人力资源优势得到充分发挥的新型工业化道路。石河子市提出了要在兵团率先进入小康社会的目标。从石河子面临的经济高速增长、环境状况严峻、资源相对缺乏的形势出发,要完成这一目标,实现经济、社会、环境协调发展,发展循环经济是重要的战略选择。

　　石河子垦区(兵团农八师、石河子市)是自治区和兵团重要的粮、棉、轻纺产品、食品及节水器材生产基地。石河子垦区地处天山北路中段,古尔班通古特沙漠南缘,位于新疆经济最发达的天山北坡经济带中心,全垦区面积7529平方公里,总人口60万人。石河子市是新疆生产建设兵团的"缩影",其发展水平如何,对兵团影响重大。经过50年的开发建设,把昔日的戈壁荒漠,变成了今日的绿洲新城,我们异常珍视来之不易的绿洲和我们赖以生存和发展的绿洲经济。石河子市先后获得了"联合国人类居住环境改善范例奖"、首届"中国人居环境奖"、"全国园林绿化先进城市"、"全国卫生城市"、"文明城市"等殊荣。石河子的发展史,实际上就是一部生态经济发展史。师市党委、政府和各级组织历来把保护和改善生态环境、加快经济发展和促进社会进步作为一项长期的战略任务进行统筹考虑。国家环保总局通过园区规划以后,我们感到,园区规划理清了我们的发展思路,指明了我们的发展方向,深化了我们对循环经济理论的认识,我们又赢得了一次难得的历史性发展机遇,在园区规划的实施过程中,我们只有统筹兼顾,常抓不懈,一以贯之,才能实现社会、经济和环境的协调发展。

一、科学规划,稳步推进,确保园区健康发展

为了加快石河子经济的发展,2001年我们委托中国环境科学研究院进行了"新疆石河子国家生态工业(造纸)示范园区的建设规划"的编制工作,并于2002年年底通过了由国家环保总局组织的论证,解振华局长在论证会上提出了四点要求:一是要研究制定推动生态工业园区的政策;二是要加强领导、精心组织;三是要积极做好生态工业和循环经济的宣传引导工作;四是在生态工业园区建设的实践中要遵循市场的规律。在科学规划的指导下,我们围绕园区的开发建设,做了大量工作,取得了一些成效。在国家环保总局、兵团领导、自治区和兵团环保局的关心、支持和帮助下,不断拓展园区建设思路,按照循环经济"资源消费——产品——再生资源"闭环型物质流动模式,遵循"3R"(减量化、再使用、再循环)原则,提出了依托上市公司新疆天业股份公司利用本地优势资源生产节水器材,解决水土资源不平衡的矛盾和新疆天宏纸业股份公司、山东泉林纸业大力发展造纸业,根据产业链不断延伸的需要,逐步向整个垦区辐射,建设石河子生态工业园区的工作思路。

1. 加强领导,保证园区规划顺利实施

2001年10月,师市成立了由主要领导任组长,分管工业、农业、环保和建设的领导任副组长,有关部门领导作为成员的园区建设领导小组,并明确由计委、农林牧局、天宏纸业公司负责芨芨草基地的开发建设,环保局负责污染的综合防治,开发区管委会负责工业项目的招商、规划、选址和建设,从组织上保证了园区规划的顺利实施。

2. 制定政策,推进园区快速起步

我们在退耕还林还草、发展畜牧业、工业等方面,制定了包括土地出让或划拨、能源供应、减免税收、财政补贴、分期付款、贴息贷款、贷款担保等在内的一系列优惠政策。这些政策的颁布实施,调动了师市团

场和职工群众发展畜牧业的积极性,也增强了对投资者兴办工业的吸引力,推进了园区的快速起步。

3. 宣传引导,加快园区建设进度

两年来,师市采取有力措施,加强宣传和引导,围绕园区建设积极开展招商引资,取得了较大成效。

在种草方面,天宏纸业公司和有关团场,按照园区建设领导小组的要求,合理分工、密切合作,围绕芨芨草基地的建设做了大量工作,在盐碱地和沙漠上成功地种植了芨芨草,总结出一套包括播种、移植、灌溉、管理和收获等在内的栽培模式,为大面积种植积累了经验。截至 2003 年年底,生态工业示范园区的芨芨草基地已发展到 12 万亩,其中开始收获的面积达到了 2.5 万亩,缓解了天宏纸业公司造纸原料严重不足的矛盾。同时,部分开发商还种植 8000 亩速生杨,部分科研单位还进行了紫穗槐、红麻、芦竹的试种,取得成功,为扩大造纸原料奠定了基础。

在畜牧业发展方面,各团场利用芨芨草叶和其他饲草,大力发展牛、羊的养殖,截至 2003 年年底,师市牛的存栏达到 2.75 万头,比规划实施初期的 2002 年增加了 2.2 万头,增长了 4 倍,预计 2004 年年底将达到 4 万头;羊的存栏达到 49.3 万只,比 2002 年增加了 9 万只,增长了 22.3%,预计 2004 年将达到 60 万只左右,既调整了农业结构,又增加了农工收入,还为发展畜产品加工业奠定了基础。

在畜产品加工方面,我们围绕园区的规划和畜牧业发展现状,大力开展资源招商活动,取得了显著的成效。目前,正在建设或已经投产的项目有:江苏雨润食品产业集团年产 1 万吨低温肉制品加工项目,新疆香巴拉食品有限公司年产 5600 吨肉制品加工项目,新疆兵地天元乳业有限公司年处理 7 万吨鲜牛奶项目;即将开工建设的主要项目有台湾旺旺集团年处理 7 万吨鲜牛奶项目和新疆天康饲料科技有限公司年加工 2.5 万吨分割肉项目,还有一批项目正在洽谈,有力地推动了优势资源转化,延伸了产业链,进一步调动了农工种草和养殖的积极性。

4. 重点突破,支撑园区持续发展

为支撑园区的持续、健康发展,推进污水的资源化进程,积极筹措资金建设污水处理厂,投资 1.5 亿元,建设了日处理 10 万吨城市污水处理厂,使环境保护和污水循环利用得到了进一步加强。

二、拓展思路,勇于创新,推进园区快速发展

在西部干旱半干旱地区发展生态工业,是一项功在当代、利在千秋的全新事业,没有现成的模式可以照搬。两年来,在国家环保总局、自治区和兵团有关部门的指导下,我们不断探索和创新发展生态工业园区的思路、内容和方法,挖掘新资源、拓展新领域、创造新优势,有力地推进了园区的发展。

1. 积极探索,拓宽园区的发展思路

本着抢占经济制高点、加快园区建设步伐的原则,在总结园区建设实践经验的基础上,积极探索拓展生态经济发展的新思路。在遵循循环经济理论的基础上,认真分析了本地经济发展现状和资源条件,我们认为,要实现园区的持续发展,必须根据园区发展的实际,不断调整阶段性工作重点和目标,以创新的思维拓宽发展思路,一是坚持本地企业参加与开展招商引资并重,实现投资主体多元化;二是坚持利用当地资源与新疆及中亚国家资源并重,在更大的范围内实现资源的优化配置;三是坚持做大企业与做强产业并重,在更宽的领域拓展新兴产业;四是坚持抢占国内市场与拓宽国际市场并重,大力发展以市场为导向的产业;五是坚持资源开发与合理利用并重,大力发展节能、降耗产业,从而为园区的发展指明了方向。

石河子生态工业园区以生态环境建设为根基,在此基础上推动石河子市生态环境改善和产业结构调整的问题。解决石河子市当前生态环境和资源方面,生态日益恶化、沙进人退、土地盐碱化加剧等现象和工业废水城市污水缺少必要的处理,结构性污染十分突出,主要水体污染严重的问题。由此石河子生态工业园区的建设立足当地煤、石灰石、盐、土地等资源的优势,以 100 万亩芨芨草、紫穗槐等造纸纤维原料种植为核心,城市生活污水和工业废水的资源化利用和农业节水灌溉为基础,以对芨芨草和其他造纸纤维及作物秸秆的综合利用构建生态产业链,搭建于其他多门类工业相结合的高效、安全、稳定的生态工业园区。

石河子生态工业园区的总体结构由种植系统、造纸系统、化工系统、畜牧养殖系统、畜产品加工系统、建材系统、生态旅游系统及水肥系统组成。

石河子生态工业园区的建设思路充分体现了生态工业的四个特点,即横向耦合性、纵向闭合性、区域整合性和区域的柔性结构。提高了资源利用效率,减少了生产过程中的资源和能源消耗,物流中没有废物概念,只有资源概念,各环节实现了充分的资源共享,变污染负效益为资源正效益,延长和拓宽产业链,对生产和生活用过的废旧产品进行全面回收,可以重复利用的废物通过技术处理进行无限次地循环利用,使工业朝着绿色、生态、可持续的方向发展,改变了种植结构,使种植业抵御风险的能力增强,把石河子的资源优势转化为经济优势,使得区域产业布局合理,资源得到最大限度利用,废物产生量和排放量最小,区域经济进入循环经济良性循环、区域经济整体上抵御风险的能力大大增强。

2. 引进外地资金、技术,参与园区开发建设

在坚持本地企业参加与开展招商引资并重,实现投资主体多元化的发展思路指导下,我们利用园区规划和师市及周边地区的土地、水资源和丰富的农作物秸秆资源,引进山东泉林纸业有限公司,以尽快做大做强造纸业。该公司与国内绝大多数造纸企业的不同在于,主要依靠自身力量建设原料基地,利用其先进技术,可以在工厂内部实现资源的综合利用,最大限度地减少污染,该公司主要工艺路线是,造纸纤维→制浆→造纸→污水废渣处理→有机肥,既增加了垦区资源,拉动了经济增长,又实现了资源的开发和综合利用,还改善了师市及周边地区的生态环境,加快了园区建设的步伐。

3. 发掘新资源,拓展新产业

石河子最大的资源是农副产品,要加快发展,必须把利用本地资源与利用新疆资源和中亚资源结合起来。我国最大的节水器材生产企业新疆天业集团,依靠科技进步,自主研发了系列节水器材,已广泛应用于农作物种植、绿化等领域,其特点是,节省农民投资,提高单产水平,节水效果显著(比普通灌溉节水50%以上)。从而解决种植系统与现有作物争夺水源的矛盾,又可解决石河子垦区长期存在的"三化一污"问题,而天业节水器材又可回收再加工重复利用。目前,节水器材已应用于600万亩耕地,为不断降低产品成本、提高市场竞争力,该公司探索出利用新疆质优价廉的食盐、煤炭和石灰石等资源,大力发展塑料化工和节水器材项目的道路,赋予了园区新的内涵。其主要工艺流程为,利用食盐、煤炭、石灰石等原料,生产主产品PVC,用于节水器材和塑料深加工,同时化工系统生产的烧碱可用于造纸系统,支持造纸系统,其副产品电石渣和粉煤灰,用于生产水泥等建材,达到既合理开发、利用资源,又降低造纸企业成本,还服务于生态环境改善的效果,将有力地促进干旱半干旱地区的水土资源开发。

三、统筹兼顾,常抓不懈,实现园区建设协调发展

1. 园区建设推进经济发展进程

园区建设是一项庞大而复杂的系统工程,必须站在全局的高度进行审视、规划、开发和建设。师市的现状是,经济基础还比较脆弱,发展还不够快,后劲还不太足,优势还不突出,究其原因,主要是受水资源的限制,因此,必须遵循循环经济理论,才能加快发展,与此同时,还要不断探索改善生态环境→推动经济发展→推进生态改善→加快经济发展的新经验,使经济发展和生态环境改善形成更为有效的良性循环,实现经济持续、快速发展。在促进园区建设的同时,加快了招商引资的步伐,不断调整产业结构,提高经济运行质量和水平,生态工业园区建设对经济发展的作用初步显现。

2. 园区建设推进农业产业化进程

两年多的发展实践使我们认识到,园区的建设,实际上是农业产业化的高级形式,只有拓宽农业产业化的发展道路,才能不断充实和丰富生态工业园区的发展内涵。为加快农业产业化步伐,增加农民收入和资源供应量,我们积极应用工业技术节约水资源,污水资源化种草植树,把污水转化为有益的再生资源。组建了西部牧业公司,对农工发展养殖业提供了包括育种、繁育、养殖、疾病防治、畜产品销售在内的一体化服务,有效地推动了生态工业园区核心功能区种植、养殖业的发展,

并为畜产品加工业提供了资源。目前已建、拟建的畜产品加工企业,每年所需的1.6万吨牛羊肉、14万吨牛奶,将全部来自于生态工业园区的原料基地,形成了以环境改善推动农业发展、以农业资源联动工业项目招商、以工业发展带动农副产品资源转化的良性循环,走一条改善生态环境、变废为宝、延伸产业链的独具特色的生态工业发展道路。

3. 园区建设推进工业化进程

农副产品加工业是石河子经济发展中的薄弱环节,也是新疆和兵团经济的"短腿",突出表现在,经济总量不大、工业门类不多、产业联动不够、附加效益不高、配套能力不强、竞争能力不足等方面。我们以园区建设为契机,不断发掘、整合和合理利用资源,以资源、市场、环境、生态、人文和政策等综合优势,加快招商引资,拓展产业门类,调整所有制结构,提升产业水平,加快工业化进程。目前,我们在乳制品、肉制品加工、造纸、塑料化工、建材等方面取得了重大突破,目前正加快建设,促其尽快达产达效,推进工业化进程。

4. 园区建设推进城市化进程

建设园区的最终目的是实现以发展生态农业促进工业发展,以工业发展促进农业,并联动相关产业,确保经济、社会和环境协调发展。实践证明,城市是现代工业的载体,师市工业要持续、快速、健康发展,必须向基础设施完善、交通运输便利、综合功能配套、财政体系健全、信息传递快捷、投资成本较低、运营成本经济的石河子市区集中。两年来,我们按照"两区联动、优势互补、形成合力、加速发展"的原则,以国家级的石河子经济技术开发区为平台,以生态工业园区中的农业资源为依托,将园区农副产品资源的优势和开发区土地、财税政策、投资环境、人才等优势相结合,加大招商引资力度,使一批规模大、实力强、知名度高、联动效应显著的工业企业已经或即将在开发区落户,这些项目的建设,将促进能源工业、建筑业、交通运输业、现代物流业和城市房地产开发等行业的快速发展,推进城市规模的扩张,加快城市化进程。

四、创建石河子国家生态工业园区的几点体会

尽管我们在生态工业园区建设方面做了大量工作,取得了一些成

效,但还存在一些不足。突出表现在:一是园区建设的各大系统之间发展还不平衡,原料种植的发展落后于养殖业、畜产品加工工业和造纸工业的建设步伐;二是对新兴产业的研究还不够全面和系统;三是资金来源少、筹措难度大等。

两年多的建设我们体会到,生态工业园区作为新型的、最具环保意义和生态绿色要领的工业园区,需要加大宣传力度,使全社会都来关注和支持这项事业的发展;生态工业园区的建设是一个系统工程,需要政府及有关部门的支持与配合;生态工业园区的发展必须要有法律法规和政策的支持。

今后,我们将在国家环保总局、自治区和兵团环保局的关心和指导下,借鉴兄弟园区的经验,不断出台新政策、挖掘新资源、利用新技术、拓展新产业、创造新优势、延伸产业链,使石河子国家生态工业园区成为经济发展的高增长区、高新技术的密集区,力争在全国产生示范和带动作用。

企业循环经济实践经验

宝钢发展循环经济
增强中国钢铁企业竞争力

上海宝钢集团公司

随着中国经济的高速发展,水、土地、能源、矿产等资源不足的矛盾越来越突出,生态建设和环境保护的形势也日益严峻。2003 年,中国GDP 约占世界的 4%,却消耗了世界石油的 7.4%、原煤的 31%、钢铁的 27%、氧化铝的 25%、水泥的 40%,单位面积污水负荷是世界平均数的 16 倍。资源与环境问题已成为制约我国经济持续发展的瓶颈。

面对日益严峻的资源、环境约束,摒弃传统的"大量生产、大量消费、大量废弃"的增长模式,建立"资源——产品——废弃物——再生资源"的经济增长方式已成为社会各界的共识;发展以资源的高效与循环利用为核心,以"减量化、再利用、再循环"为原则,以低消耗、低排放、高效率为基本特征的循环经济已成为实现中国经济的可持续发展的必然选择。

企业是社会生产与经济增长的主体。发展循环经济,不仅是社会经济发展对企业提出的一种社会责任,而且是企业迎接未来挑战,保持持续竞争优势的客观要求。

一、充分认识发展循环经济对增强企业持续竞争力的意义

1. 发展循环经济是企业义不容辞的社会责任

随着人类对自身生存环境的日益重视,现代商业理论扩展了企业的社会责任。1971 年美国经济发展委员会(CED)发表了一个具有划

时代意义的声明,提出:"企业的职责要得到公众的认可,企业的基本目的就是积极地服务于社会的需要——达到社会的满意。"事实上,企业的社会使命存在"三个同心责任圈",即:最里圈,包括明确的有效履行经济职能的基本责任,比如产品、就业以及经济增长等基本的责任;中间一圈,包括在执行这种经济职能时对社会价值观和优先权的变化要采取一种积极态度的责任,比如尊重环境保护等;最外圈,包括新出现的还不明确的责任,也就是企业必须保证越来越多地参与到改善社会环境的活动中来。

环境污染、能源危机是当前中国和全球经济社会发展面临的一个重大问题,这一问题的解决不仅是政府、环保能源机构的事情,也是所有企业义不容辞的责任。循环经济模式是解决全球能源、环保问题的主要思路,并已成为当今世界的潮流。因此,发展循环经济不仅是企业对解决我国资源与环境问题应该承担的一种责任,也是对世界经济发展应做的贡献。

2. 发展循环经济有利于提升企业的品牌价值,增强持续竞争力

国际上最新的研究成果指出,未来的公司应采纳所谓的"利益兼容法"来进行管理和经营,即企业必须理解并满足利益关系人(即顾客、雇员、供应商、股东和社会)的需求,并将之纳入企业的经营战略,这对于获取可持续的竞争力是至关重要的。而一项关于那些能够保持50年甚至上百年持续发展的著名公司(基业长青公司)的跟踪研究表明:"尽量增加股东的财富"或"追求最大利益"一向不是基业长青公司的主要动力或首要目标。它们追求一组目标,赚钱只是目标之一,而且不见得是最重要的目标。虽然它们都追求利润,但是它们同样为一种核心理念指引,这种核心理念包括核心价值和超越只知赚钱的使命感,有趣的是,这要比纯以赢利为目标的公司赚更多的钱。

循环经济所倡导的"减量化、再利用、再循环"理念能够较好地实现当今社会对环保、节能的需求,发展循环经济代表了整个社会的利益取向。企业致力于发展循环经济,其实质就是落实利益兼容法的经营思想,将有助于加强与政府、社会机构的公共关系,增加企业的社会资本。同时,由于实行低消耗、低排放和资源的循环利用本身是与企业的技术进步、管理提升结合在一起的,因此,发展循环经济不仅有利于提升企业的品牌价值,而且可以提高企业产品的市场竞争力。

3. 我国钢铁业的持续发展面临资源供应和环境容量的双重限制,发展循环经济在企业竞争力方面扮演着越来越重要的角色

2003 年我国钢材产量达 2.36 亿吨,消费量 2.66 亿吨,约占全球钢材消费量的 27%,同时创造了粗钢产量、钢材消费量、钢材进口量和铁矿石进口量四项世界第一,中国已经成为名副其实的世界钢铁大国。但我国钢铁业发展的主要支撑条件不容乐观。

我国铁矿资源紧缺,进口铁矿石大幅攀升,2003 年达到 1.48 亿吨,已经引起全球矿价和运价的大幅上升;国内的煤炭资源也日趋紧张,价格上涨,炼焦配煤所需的焦煤和肥煤缺口很大,预计 2005 年缺口约 3500 万吨,2010 年缺口 5500 万吨左右;我国还属于贫水国家,人均水资源占有量约为世界人均水平的 1/4,居世界第 82 位,钢铁业是耗水大户,我国平均吨钢耗新水量比世界先进水平高 2 倍以上;我国电力供应同样紧张,价格不断上涨,目前电力短缺的局面还将持续 2 至 3年。

另外,钢铁行业对环境污染较重。它是水体主要污染源之一,其粉尘排放量约占我国工业粉尘排放总量的 25%,烟尘、二氧化硫、污水、废渣等污染物的排放量在各工业行业中位居前列。为减轻环境负荷,中国政府将会采取更严格的环境立法,未来钢铁企业将面临更加严格的排放控制和环境要求。

支撑能力的急剧下降,导致我国钢铁生产的资源、能源与环境治理成本大幅提高,严重影响到钢材产品的竞争力。发展循环经济将有力缓解我国资源、能源与环境的压力,并明显降低企业的资源、能源与环境治理成本,提高企业竞争力。

二、依靠科技进步,发展循环经济

循环经济的成功实施重点在于落实"减量化、再利用、再循环"。所谓"减量化",就是要求用较少的原料和能源投入来达到既定的生产目的或消费目的,在经济活动的源头就注意节约资源和减少污染;"再利用"就是要求产品和包装容器能够以初始的形式被多次使用,而不是用过一次就了结,避免物品过早地成为垃圾;"再循环"要求能把废弃物再次变成资源以减少最终处理量,也就是通常所说的废品的回收利用和废物的综合利用。而这些原则的落实从根本上说必须依靠科技进步。

宝钢建设以来,坚持可持续发展的指导思想,以"减量化、再利用、再循环"为原则,以世界先进水平为目标,通过采用世界先进的环保、节能设备和技术,以及对环保、节能环节持续的技术改造和科研投入,走出了一条经济效益和社会效益并重、生产发展和生态保护并重的发展道路,实现了钢铁的绿色制造。

1. 采用先进设备,实施源头治理

宝钢一、二、三期工程环保相关设施总投资43.4亿元,约占工程总投资的5%,共采用世界先进环保技术和装置316项,其中除尘器219套,水处理设施64套,固体废物处置和利用设施26套,其他环保设施7套。特别重视采用了能有效节能降耗的先进技术和装备,从源头控制污染物排放,提高资源循环利用,如:采用CDQ干熄焦余热回收发电,可降低吨钢综合能耗21kg;采用高炉煤气TRT余压发电,可降低吨钢综合能耗10kg;采用烧结余热回收,可降低吨钢综合能耗10kg;采用OG法、LT法转炉煤气回收,可降低吨钢综合能耗32kg;建设全烧高炉煤气的燃汽轮发电机组,可降低吨钢综合能耗21kg,高炉煤气放散趋于零。为了减少燃煤电厂二氧化硫排放量,宝钢引进具有国际先进水平的烟气脱硫技术,对自备电厂2号机组进行烟气脱硫改造,项目已于2004年启动,预计2005年投入使用。

为了保证环保设施正常运行并不断提高运行效果,宝钢每年投入资金进行环保设施改造,1996年以来共实施环保设施改造284项,投入资金4.3亿元。

2. 通过大规模技术改造,实施对老企业的产品结构调整和环保治理

1998年11月,与上海地区的老钢铁企业实现联合重组后,宝钢便把改造老厂,淘汰高消耗、高污染、产品质量差、劳动生产率低的落后生产工艺装备作为推进企业可持续发展的重要任务。

先后淘汰了平炉炼钢、化铁炼钢、小转炉、小电炉以及叠轧和横列式轧机等落后工艺和装备。目前已淘汰落后炼钢、轧钢能力各 300 多万吨/年。

对老厂实施大规模技术改造,如一钢公司的不锈钢及碳钢热轧板卷改造项目,全面采用先进生产工艺和清洁能源,推进清洁生产,对污染物排放实施全过程控制。

结合上海市环保三年行动计划及吴淞工业区综合整治,投入巨资进行环境治理,减少污染物排放,改善生态环境。一钢公司近几年在与环保相关方面的投入已经达到近 8 亿元,完成大小污染治理项目 60 余项,2500 立方米高炉煤气余压透平发电工程已建成;废水处理工程已经实施,日处理污水能力达到 2.8 万吨;每年形成的 190 余万吨固废物,绝大部分进行综合利用;绿地率从 2001 年的 8.4% 提高到 2004 年的 18.8%。

五钢公司投入 1800 余万元对轧钢厂加热炉进行了以煤气替代重油改造;投资约 980 万元进行电厂除尘改造;投入 5000 多万元,大规模"拆旧建绿",绿化面积达到 70 多万平方米,绿地率增加到 25.49%;投入近亿元的 148 台工业炉改用天然气项目即将启动。

与改造前相比,本地区的环境质量有了明显改善:大气中的二氧化硫减少了 32%,烟尘减少了 79%,工业粉尘减少了 64%;废水中含 COD 减少了 63%,含石油类减少 49%。

3. 走技术创新道路,努力实现"减量化、再利用、再循环"

宝钢通过不断开发新技术、新产品,减少资源使用,提高产品寿命,降低污染排放,提高循环利用比率。

通过研究开发与技术改造,高炉 200kg/t 喷煤、负能炼钢、余热回收、热装热送、溅渣护炉以及系统节能等先进技术不断开发创新,宝钢的吨钢综合能耗由设计值 940kg 标煤下降到 675kg 标煤,达到世界领先水平。

通过研究开发配矿、配煤技术,增加低价褐铁矿和炼焦弱粘结煤的使用比例,既大幅度降低了成本,又促进资源合理利用。

通过废水处理和回收利用技术的开发创新,宝钢吨钢新水耗量由设计值9.0立方米下降到4.57立方米,水循环率提高到97.6%,达到世界先进水平。

优先购买和使用节能、节约资源、环境友好材料,如烧结采用高铁低硫配矿,二氧化硫排放量同比减少50%以上;电厂采用低硫煤,进一步减少二氧化硫排放;使用高效水处理药剂,使循环水处理系统减少补水量。

积极开发工业废弃物综合利用技术,开发了滚筒法钢渣处理技术,处理后的钢渣稳定性好,可直接用于公路路基、修筑堤坝等;开发了水渣微粉化技术,对占公司固体废物总量约40%的高炉水渣经处理后作为混凝土原料广泛用于上海磁悬浮工程、卢浦大桥、上海科技馆及隧道工程等重大项目;开发了粉煤灰利用技术,对电厂每年产生的粉煤灰经磨细用作混凝土原料或筑路材料;利用冷轧废酸处理技术生产盐酸和氧化铁粉,并进一步开发了利用氧化铁粉生产高磁导率铁氧体材料技术。此外,还开发了除尘灰生产冷固球团系列产品技术、废弃耐火材料再生利用等技术,使废弃物综合利用率接近100%,达到或接近世界先进水平。

通过大力推行清洁生产,在产量大幅度增长的情况下,厂区环境质量不断改善(主要污染物排放指标实绩推移图)。

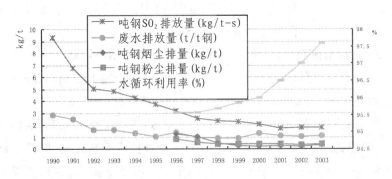

主要污染物排放指标实绩推移图

4. 大力开发以高效钢材为代表的"绿色产品",实施"绿色经营"

长期以来,宝钢坚持以市场为导向,以用户满意为中心,大力开发"绿色产品",实施"绿色经营",走绿色发展之路,努力为社会循环经济模式的建立和发展作贡献。

用水性涂层替代以前普遍使用的溶剂型涂层,成为全球最先开发出水性自粘接涂层电工钢新产品的企业之一,解决了生产过程中大量使用有毒有害溶剂的问题。

开发电镀锌预磷化钢板,其表面覆有无机润滑膜,可有效减少钢板冲压过程中各类有机润滑物质的使用,减少清洗剂的使用,从而减轻油污和清洗剂对环境的污染。

进行汽车板轻量化攻关,开发成功热轧高强度钢板、冷轧高强度IF钢、冷轧高强度低合金钢、冷轧TRIP钢、冷轧双相钢、冷轧烘烤硬化钢等各类高强度钢板,通过提高钢板强度减薄钢板厚度,实现车身减重并最终实现节能的目的。

成功研发了X70、X80高强度高韧性管线钢、抗HIC管线钢、B40等塑料模具钢、700Mpa高强度集装箱用钢、低屈强比耐火耐候钢、T91高压锅炉管、钢帘线用盘条等重要新产品,用户可通过使用上述新产品大幅度减少单位钢材使用量,或延长使用寿命,从而减少对资源的占用。

三、建立完善发展循环经济的管理体系

发展循环经济,不仅需要科技进步的支撑,更需要制度或管理体系的支撑。著名经济学家吴敬琏就提出了"制度重于技术"的论断,只有科技进步,而没有相应的制度或管理体系的支撑,发展循环经济也只能成为空谈。

宝钢20多年的实践,除了通过科技进步促进循环经济的发展之外,还致力于建立制度化的管理体系来确保循环经济的发展。

1. 建立完善具有宝钢特点的能源管理体制,为达到能源使用效率的国际水准提供了制度保障

宝钢能源管理是宝钢现代化管理的组成部分,是在学习国外先进经验的基础上,结合宝钢实际情况,在实践中不断摸索、逐步完善形成

的。其形成过程可分为三个阶段:引进消化吸收阶段、全面对标赶超阶段、系统思考创新阶段。

引进消化吸收阶段的主要特征是建立三级管理体制、实施四级管理目标、实行能源集中一贯管理。能源三级管理体制就是宝钢级、二级生产厂(部)和各分厂(车间)能源管理体制。能源委员会是宝钢能源管理决策机构,由能源办公室负责能委会日常工作,各二级厂(部)以节能领导小组形式,代表本部门进行能源管理工作。四级目标管理就是由宝钢能源管理部门负责一级目标,对二级目标实施管理;各二级厂(部)负责二级目标,对二、三级目标实施管理;各作业区对三、四级目标实施管理。能源集中一贯管理就是能源生产与能源管理合一的体制,即能源生产与能源管理全部由能源部负责。在能源管理上通过能源技术室(即能源委员会办公室)统一对宝钢能源发展规划、用能计划、节能考核及具体节能措施进行管理,从而实现能源生产和管理的一体化。

全面对标赶超阶段,是以日本新日铁、韩国浦项等为赶超对象,以"安全 + 稳定 + 经济"作为能源管理的目标,全面推进宝钢能源管理。其主要特征是保证能源设备安全稳定、强调能源系统经济运行。

系统思考创新阶段,是宝钢能源管理开始追求竞争力提升的阶段,该阶段将"能源成本最小化,实现宝钢效益最大化"作为能源管理的工作目标,提出要在能源管理工作中进行系统思考,不断创新。其主要特征为:优化能源生产、优化能源管理、系统节能工作。

2. 按照 ISO14000 国际标准实施环保管理

1996 年 9 月,ISO14000 国际标准刚正式颁布,宝钢立即组织全公司按 ISO14001 国际标准建立了宝钢环境管理体系,并于 1998 年初,率先在国内冶金行业取得了 ISO14001 环境管理体系国际标准的认证,同年 8 月又取得了英国皇家 UKAS 认可的 ISO14001 证书。形成了一系列文件化的可操作的环保管理运行机制。2003 年,宝钢进一步通过了 TS16949 的认证。

宝钢是综合性钢铁联合企业,在生产经营活动的每一环节都存在对环境的影响,公司实施包括采购、运输、仓储、生产全过程的污染预防和控制,进行全过程的环境因素识别,从中判定重要环境因素并加以控制。2003 年,宝钢识别了污染控制、综合利用、节材、节能 4 个方面的环境因素 5032 个,确定重要环境因素 570 个,其中 145 个重要环境因素制定了目标、指标,采取立项改造方式进行控制,其余 425 个重要环境因素通过运行程序、应急预案得到有效控制,一般环境因素也通过作业指导书进行了控制。

宝钢还实施严格的环保规划、计划、技术管理。公司定期组织编写环保规划,将环境保护作为公司管理战略的关键因素,并通过规划期内项目资金的投入和先进技术的引入,逐年削减污染物排放量,不断减轻地区和全球的环境负荷;公司每年年底都制定次年的提高环境质量的计划,充分考虑宝钢所处环境的要求,制定严于国家、地方的宝钢环保设计值及环保指标,保证年度计划的顺利实现;公司还追踪国家法律法规的变化趋势以及国内外先进钢铁企业环保方面的新技术,组织开展环保技术交流,及时掌握环保先进技术。

为了使宝钢环境管理体系有效运行和持续发展,宝钢定期对管理体系进行审核,同时对审核的结果、不断变化的客观环境和持续改进的承诺及方针、目标进行管理评审,确保环境管理体系的适用性、充分性和有效性,并形成 PDCA 良性循环机制。

四、发展循环经济,增强中国钢铁企业竞争力

企业的生存与发展必须与社会的发展融合起来,循环经济所倡导的"减量化、再利用、再循环"理念满足了当今社会对环保、节能的迫切需求。钢铁企业发展循环经济本质上增强企业的持续竞争力,这主要体现在突破钢铁业支撑条件的限制而发展壮大、增加企业的社会资本、提升品牌价值等方面。

因此,钢铁企业应把发展循环经济作为企业长期的战略任务,是企业的核心价值观,并把循环经济理念纳入到企业的文化建设中去,使循环经济理念深深扎根于企业员工的思想和行为之中。这样,中国钢铁业将能真正落实科学发展观,保持长期健康稳定的发展势头,成为国际上具有强劲竞争力的行业。

同时,中国钢铁企业循环经济的发展,科技进步是根本力量,没有科技进步,循环经济就是纸上谈兵;与此同时,管理制度的建立与完善则是循环经济发展的基础,没有相对完善的管理制度,循环经济就是空中楼阁。只有科技进步和管理制度的双轮驱动,循环经济才能像开足马力的火车头在广袤的大地驰骋。

钢铁企业在新一轮发展过程中需更加注重:

①进一步完善能源管理与环保管理体系。要应用最先进的循环经济理念,从系统的角度,从公司价值链的全过程管理角度,从全员参与的角度,改进企业管理制度,发展循环经济。

②完善企业内的循环经济模式。继续推进资源合理利用、梯次使用及循环利用,进一步发展企业内的循环经济模式,一方面降低成本,提高产品市场竞争力,更重要的是促进全社会资源永续利用和环境持续改善,促进企业以及整个国民经济的可持续发展。

③实现生产全过程和产品整个生命周期的绿色制造。加强对生产制造的全过程直至产品的整个生命周期污染物的有效控制,不断减少直至实现污染物零排放,实现资源占用减量化、废弃物资源化和无害化,以此来减轻对环境的压力,并改善人们的生存环境和生活质量。

④环境友好先进生产工艺、流程的研究和采用。如自主开发具有革命性意义的薄带连铸生产工艺和装备;采用 COREX—MIDREX 炼钢新工艺,以大幅度减少采用烧结、高炉工艺带来的环境污染等。

⑤加大对环保和节能新技术的研究和应用,如二恶英监测及防止技术、利用微生物处理工业废水技术、含锌粉尘的回收利用、蓄热燃烧技术、加热炉富氧燃烧技术等。

发展循环经济,企业的努力是一方面,政府在制定产业政策或行业规制方面的作用同样不可替代,比如:政府可制定更加严格的钢铁行业能源消耗与环保标准,政府可采取一定的措施激励循环经济领域的科技进步等等。我们相信,只要政府、社会、企业协调一致,共同参与,励精图治,循环经济的发展必将大有成就,我们的明天也将拥有充足的资源、美好的环境和富有竞争力的企业。

综合利用是宝钢清洁化生产的保证

徐　楠

　　循环经济将清洁生产、资源综合利用、生态设计和可持续消费等融为一体,实现废物减量化、资源化和无害化。随着人类生存需要和工业文明的不断发展,工业生产在给人类带来大量工业产品的同时也产生了大量的工业废弃物,一方面要消耗大量的自然资源,另一方面要排放大量不同形态的废弃物,这给环境保护甚至生态平衡带来了极大的压力,而且工业生产大量消耗资源与资源的相对稀缺之间也产生了矛盾。宝钢是中国20世纪70年代后期开始兴建的大型现代化钢铁企业,一开始就注意把生产与清洁有机结合起来,主要体现在两个方面:一方面是工厂的绿化建设,伴随着宝钢的发展,宝钢的绿化也从原先营造花园式工厂向营造生态园林型工厂的更高层次迈进,并开辟了工业旅游项目,在国内已经是有一定的知名度;另一方面是工业生产中渣、灰、水、气、油等工业废弃物和副产品的综合利用。多年来,宝钢集团企业开发总公司(上海宝钢集团公司的全资子公司,简称开发总公司)在做好宝钢厂区绿化的同时,坚持以宝钢的渣、灰、水、气、油等工业废弃物和副产品的产业化和资源化为主攻方向,加大资金投入,推动技术进步,初步形成了可持续发展的有效环节。

　　钢铁生产是一个产生工业废弃物较多的行业,工业废弃物品种多、数量大,对环保的压力也大。开发总公司就如何减少宝钢工业生产对环境的影响、提高资源的综合利用率、实现可持续发展等方面的课题进行了专门研究,并付诸于实践,在宝钢工业废弃物和副产品的综合利用方面迈出了协调发展的步伐。

高炉水渣的开发利用：开发总公司利用宝钢冶炼生铁产生的高炉水渣生产新型建材矿渣微粉。一期工程1998年开始建设，年消化水淬渣60万吨，生产矿渣微粉50万吨，二期工程2003年再建一台立磨，年生产能力扩大到100万吨。由于当初国内还没有矿渣微粉的具体应用标准，宝钢公司与中国建筑材料科学院、建筑研究总院共同研究制定了《用于水泥和混凝土中的粒化高炉矿渣微粉》应用标准（GB/T18046—2000），对我国高炉矿渣微粉产业的发展起到引导作用。矿渣微粉可等量替代各种用途混凝土及水泥制品中的水泥，明显改善混凝土和水泥制品的综合性能。矿渣微粉具有与水泥类似的矿物成分，具有潜在的水化、水硬活性，因此等量替代水泥用于混凝土中可以提高混凝土的后期强度和长期强度，增加混凝土的密实性，从而改善抗冻性、抗硫酸盐侵蚀、抗氯离子侵蚀、抗碳化等耐久性能，在上海市的大体积工程项目中得到广泛应用，如：东海大桥、大剧院、磁悬浮工程、卢浦大桥、明天大厦、高架道路建造等。开发总公司的矿渣微粉立磨生产工艺是全国首创的，已经拥有白色砌筑水泥及其生产方法、白色硅酸盐水泥及其生产方法、立磨矿渣微粉及其生产工艺、GS复合胶凝材料及其生产方法、高性能海工混凝土专用掺和料等生产标准和专利。三期扩建工程筹备工作已全面启动，力争最终形成年产200万吨矿渣微粉及其混合材的生产能力，成为国内外该领域最大的生产、加工企业之一。

干渣的开发利用：开发总公司本着"发展绿色建材、造福于民、造福于社会"的宗旨，逐步提升干渣的利用价值，《干渣在水泥、砼中应用》、《干渣矿物棉及制品》、《干渣在市政道路工程中应用》等成果均已在混凝土道路、地坪、制品和干渣混凝土砌块、地坪砖、道路、铁路基层、三渣路基层、新型矿物棉及制品生产混合材中得到广泛应用。

钢渣的开发利用：为做好钢渣的综合利用，开发总公司建造了钢渣破碎、分选生产线，加工处理过的钢渣用于道路地坪工程、桩基工程、水泥工业和返烧结利用，还制定了《宝钢钢渣用于道路、工程回填的技术要求》和《宝钢钢渣用于水泥掺和料技术要求》，开辟了钢渣利用的途径。

粉煤灰的开发利用：开发总公司对粉煤灰的利用已形成干灰、湿灰、调湿灰、磨细灰等品种，满足了不同用户的需求，形成了科研开发、生产经营、运输服务一条龙综合利用体系。1991年，粉煤灰利用量首次大于排放量，宝钢粉煤灰利用连续7年超过100%，大量的存灰被源源不断地挖出利用。开发总公司连续13年荣获"上海市资源综合利用先进企业"称号，跨入了上海市和全国粉煤灰利用的先进行列。目前，产品已广泛应用于工程回填、市政道路、砂浆和混凝土工程、水泥制品、墙体材料以及冶金保温材料等方面，粉煤灰处理利用已逐步走上资源化道路。多年来"宝丰牌"磨细灰已广泛应用于宝钢二期、三期工程及上海的大桥、地铁、污水合流工程等一系列市政重点工程，还成为泵送混凝土、大体积混凝土、水工混凝土、灌浆混凝土等工程必不可少的组成部分。近期又成功开发了以粉煤灰为原料的碱性颗粒钢包覆盖剂，在冶炼优质钢种、降低吨钢消耗成本和改善冶炼环境方面开辟了广阔的应用前景。

氧化铁红的开发利用：开发总公司组建了以氧化铁红为原料生产磁性材料的产、销、研一体化公司，成功开发了BRL2K3D、BRL2K5D软磁铁氧体颗粒和BRL5K、BRL7K、BRL10K、BRL12K、BRL15K高导磁率铁氧体颗粒等产品，产品已被市场广泛接受，部分产品还出口日本、韩国等国家，并开始进入欧洲市场。利用宝钢氧化铁红生产的BRL2K3D、BRL10K铁氧体颗粒料被上海市科学技术委员会鉴定为高新技术产品，其中BRL10K铁氧体颗粒料被认定为上海市高新技术成果转化项目并获得A类证书。2000年还被信息产业部确定为"十五"期间软磁铁氧体颗粒料生产基地。

废旧油的开发利用：宝钢股份公司每年约产生2500吨废旧油，为提高废旧油的利用价值，开发总公司引进美国"净油王"处理设备，于1999年建成年处理量700吨的废旧油处理站一期工程。经处理的净化油产品质量达到同类新油的使用标准。2000年4月，"净油王"设备成功地在宝钢炼钢厂精整分厂现场进行了液压系统46#抗磨液压油的在线净化处理，从此开始废旧油站被宝钢股份公司列为"设备运行油在线处理的定点单位"。与此同时，开发总公司也着手开展研究，成功研制出低粘度旧油再生净化处理工艺和技术、废乳化油再生燃料油技术、高粘度旧油再生净化处理工艺和技术等,再生油的主要技术指标基本能达到燃烧油的标准,为今后废旧油利用开辟了新途径。

脱硫石膏的开发利用:随着宝钢股份公司自备电厂烟气脱硫装置工程的启动,将会产生大量的脱硫石膏,其处理方式有堆场堆存、海洋排放、综合利用等,为了彻底解决对周围环境可能造成的潜在的二次污染,开发总公司决定采取综合利用的方式,利用烟气脱硫产生的脱硫石膏,经过干燥、煅烧脱去部分结晶水,加工成建筑石膏,已委托中国新型建筑材料工业杭州设计研究院进行设计,初步形成年产能力约3.8万吨建筑石膏,该产品用于隔墙、吊顶、抹灰和装饰件上。

其他废弃物的开发利用:开发总公司还对二次转炉除尘灰、电炉除尘灰、石灰泥饼、石灰粉、废耐材、高炉瓦斯泥、建筑垃圾等废弃物进行了调研,积极探索综合利用的途径,有的也已经形成了产品,比如说,在废耐材再生利用方面取得了《废镁碳砖再生原料化及大掺量应用技术》《废汤道砖——石英砂再生利用》等科研成果并转化生产;《脱硅泥饼等含铁尘泥用于氧化铁颜料生产》将铁泥加工成铁黑、铁黄等产品,用作颜料行业的原料等;将废旧木材加工成垫仓板、回收废塑料加工成高强捆带,用作钢铁产品的包装材料。

总的说来,开发总公司在对宝钢股份公司的工业废弃物资源化综合利用上初步定位形成三个层次:第一层次是在不产生二次污染的前提下,将废弃物资源作为相关行业的产品原料进行处理。第二层次是筹建各类综合利用项目,逐步形成综合利用产业、综合利用技术和产品体系。第三层次是在对废弃物和副产品进行深加工的基础上,开发技术含量高的综合利用精品。通过这些综合利用确保清洁化生产的工作,有利于减少污染,促进资源的综合利用率的提高,同时对开发总公司本身带来新的经济增长点。

目前,对照循环经济发展的要求,开发总公司对废弃物资源化综合利用仍有很大的差距,主要表现在:综合利用技术水平和专业化程度不高;废弃物循环使用率不高;部分新产品的附加值偏低。所以,循环经济工作任重而道远,开发总公司将进一步借鉴国内外成功经验,以综合利用技术开发为抓手,以效益(经济、社会、环保)为导向,在确保钢铁主业清洁生产、ISO14001 环境质量认证的前提下,依靠科技进步,对综合利用产业进行资源整合,加大科研开发力度,实现综合利用产业与钢铁主业协调发展。同时,充分利用内外部资源,规划形成以冶金渣综合利用为主的投资主体多元化、工业布局园林化、资源再生规模化、研销处置专业化、利用渠道多样化、市场监管法制化、价格形成合理化、实现效益最大化的产业格局,冶金渣综合利用规模及技术水平在国内处于领先水平。

在当今追求经济可持续发展的年代,走发展循环经济之路是必由之路。胡锦涛主席 2004 年 11 月 19 日在智利首都圣地亚哥举行的 2004 年亚太经合组织工商领导人峰会上发表了题为《推进合作双赢,实现持续发展》的重要演讲,指出:"人类发展的历史经验表明,发展绝不能以浪费资源、破坏环境为代价。否则,将使人们付出沉重代价,最终也会危及发展本身。发展要坚持走科技含量高、经济效益好、资源消耗低、环境污染少、人力资源得到充分发挥的道路。"开发总公司在废弃资源综合利用方面做了多年的不懈努力,实践证明,综合利用是企业可持续发展必由之路,也是钢铁主体企业清洁化生产、可持续发展的重要环节。在中央和地方政府综合利用、循环经济政策的指导下,在全社会的共同关心和支持下,开发总公司坚持循环经济的科学发展观,坚持科技与生态并进、企业与环境友好的发展方式,宝钢的综合利用产业也一定能够实现经济与环境双赢的美好目标。

(徐楠:上海宝钢集团企业开发总公司总经理)

济南钢铁集团总公司推行
清洁生产 发展循环经济

李 长 顺

一、钢厂无废物

钢铁企业的生产是一个资源、能源转化利用的过程,是一个改变物质的物理形态和化学结构的过程。在这个过程中,以矿石、煤炭为主的原燃料经过高炉、焦炉冶炼,转化为单质的铁、CO、炉渣及其他物质形态,之后再经炼钢、轧钢生产出不同类型的钢材,被应用于生产和生活。最原始的冶铁工艺仅仅获取了单质铁,其他的渣、尘、水、气、热能等一概排向地表、河流、大气,除铁之外,其他物质形态统统成为污染。在这样的情况下,生产能力越大,对环境的损害就越大。

随着科学技术的进步,人们逐步开发对各种工艺外排物的综合利用。在这个演进的过程中,开发程度越高,生产的集约化程度和由此带来的综合效益越大,对环境的负面影响也越小。观念认识的深度和技术进步的水平决定了综合开发利用的程度。人类社会进入工业化阶段后的前期,往往更看重工业文明带来的物质上的极大丰富,而忽视了这一进程中伴生的负面影响,尤其是环境污染和资源掠夺性、毁灭性开发造成的不可逆转的巨大危害。因此,有的专家感叹:自给自足的自然经济"贫穷但清洁";工业化进程"富裕但肮脏"。

从理论上讲,钢铁生产过程的外排物,包括固态、液态、气态,甚至能量状态的所有物质形态都是能够被完全回收利用的。可以得出这样一个结论:钢厂无废物。如果有废物,那其实也是被放错了位置的资源;资源有限,创意无限,走循环利用的路子,完全可以变废为宝。我们相信,随着观念的转变、认识的到位和技术水平的提高,未来的后工业化社会一定是"富裕又清洁"的社会。推行清洁生产、发展循环经济、建设循环经济型社会,是解决生产与可持续发展矛盾,实现人类社会和生态环境和谐共生、协调发展,达到"富裕又清洁"的有效途径,也是必由之路。

二、济钢的实践和效果

1. 认 识

济钢始建于1958年,现有职工3.8万人,已形成年产650万吨钢的规模,成为全国最大的中厚板生产、出口龙头企业。

"八五"后期,我们研究济钢发展战略,加深了三个问题的认识。第一,济钢的生产工艺属于传统的钢铁联合生产的长流程工艺,1996年以前还存在化铁炼钢和初轧开坯工艺;工艺流程长,工序衔接差,并且工序能力不匹配,铁、钢、材生产能力不平衡,存在能耗高、物耗高、能源有效利用率低、资源有效转化率低的"两高两低"现象。

第二,能耗、物耗占到钢铁产品总成本的70%以上,降低成本的主要空间在于节能降耗。同时,钢铁企业的环境污染主要源于高能耗、高物耗,能源、资源有效利用率低,在浪费资源、能源的同时,造成了环境污染。清洁生产、循环利用的主要途径是通过工艺优化,实现资源能源的重组再构,最大限度地减少有害物质进入工序以及中间工序污染物的生成和排放,从而大大减少了末端处理量。以预防为主的清洁生产方式和集约化循环利用的显著经济效益既体现在对污染治理投入少、成本低上,更体现在资源的高效化利用上。这一过程中,企业在与社会、与环境共赢的同时,自身可以实现整体效益最大化。

第三,钢铁企业作为能耗大户、物耗大户和排污大户,能否把能耗、物耗降下来,能否实现清洁生产,保护好环境,不仅关系到企业的经济效益,而且直接关系到企业的形象和生存。随着社会文明进程的加快,企业不消灭污染,污染将消灭企业。

鉴于以上分析,我们增强了推行清洁生产方式的紧迫感、危机感,明确了立足现有基础,依靠技术创新、管理创新,创建节能清洁型工厂,走可持续发展路子的指导思想。为推动济钢由传统的能耗高、物耗高、有效转化率低的工艺结构向节能清洁型工艺结构的转变,我们研究制定了创建"节能清洁型工厂"的方案,确立了"源头削减,过程控制,污染资源化治理"的清洁生产方针。同时,在全公司广泛宣传清洁生产的理念,使"环境保护是企业义不容辞的社会责任"、"企业的生存空间在于节能降耗、清洁生产"、"污染物是放错了位置的资源"、"资源有限,创意无限"、"只有夕阳技术,没有夕阳产业"、"开发清洁工艺,生产清洁产品"等观念深入人心,形成了浓厚氛围,有力地推动了济钢步入可持续发展的轨道。

2. 实 践

几年来,济钢从节能降耗、清洁生产到发展循环经济,经历了不同的历史阶段,而随着每一个阶段的推进,认识不断深化,措施不断强化,技术创新、管理创新的含量越来越高,产生的效果也越来越明显。

第一阶段:"四全一喷"——淘汰落后工艺

"四全一喷"指炼铁全熟料、炼钢全精炼、全连铸、轧钢全一火成材和提高高炉喷煤量。

钢铁工业的源头削减在于精料方针的推行。通过实施精料方针,尽可能地把无用的非金属杂质(如 SiO_2)、有毒有害成分(如 SO_2)排除在冶炼工序之外,把废品、次品阻止在轧钢工序之前。实施精料方针重点在铁前系统,从源头抓起,优化矿点,优化配料结构和焦化、烧结工艺,提高入炉品位,降低排渣量。精料方针延伸到铁后工序,主要是降低炼钢石灰、钢铁料消耗,以无缺陷铸坯为轧钢提供优质坯料。这个过程,我们叫做"绿色采购、绿色制造"。2003 年与"八五"末相比,入炉品位提高近 5 个百分点,吨铁排渣降低 238 千克,一年相当于少炼 99 万吨硅石杂质;吨钢石灰消耗降低 80 千克,年减少石灰用量 40 万吨以上。少用 40 万吨石灰,相当于减少开采 80 万吨石灰石矿。同时带来巨大的能源节约,以及相应排放物的减少,大大减轻了对环境的负荷。

通过实施"四全一喷",济钢淘汰了化铁炼钢、模铸工艺、初轧中轧开坯工艺,缩短了工艺流程,提高了生产组织的集约化程度,实现了传统工艺基础上的节能型工艺结构优化。

第二阶段:"四闭路"——提高资源能源利用率

"四闭路"指钢渣和含铁尘泥闭路利用、煤气闭路利用、工业用水闭路利用、余热蒸汽闭路利用。其本质是,坚持节能与环保并行,对污染进行资源化治理,实现废物资源化和低值资源的增值。与目前倡导的循环经济理论是一致的。

我们改变被动落后的污染末端治理的传统做法,树立"污染物是放错了位置的资源"的观念,以创新的理念和创新的方法,对污染进行资源化治理,对高炉煤气、转炉煤气回收,用于烧结机点火和轧钢加热;钢渣经水淬后返回烧结作为原料利用;回收各工序中的余热,冬季用于取暖,夏季作为制冷动力等。基本实现了废物资源化、轧钢加热炉和烧结机点火无油化、锅炉无煤化、取暖余热化的"四化"目标。

以下举水的综合利用一例。在工业用水闭路利用中充分体现了"减量化"和"梯级利用、分质利用、综合利用、循环利用"原则。钢铁企业用水95%以上用于工艺冷却降温和环保除尘,水只是作为温度和污染物的载体。水带走的是温度和工艺中的含铁物料,浪费水的同时还伴随着其他能源和资源的浪费,并由此带来破坏环境的恶果。比如炼焦的熄焦工艺,原来用水熄工艺,不仅浪费了水资源,还浪费了热能、降低了焦炭质量、带来了环境污染;采用干法熄焦工艺后,不仅不用水,而且还将红焦热能回收用于发电,焦炭质量也因此提高,生产环境也大大改善。因此,用水量越大,造成的资源、能源浪费和环境污染就越严重,大量耗用水资源有百弊而无一利。水耗高在很大程度上是用水观念落后、管理落后、技术落后的结果。优化水资源配置结构,对落后工艺设备进行适当的技术改造,完全可以用较少的投入形成节水型的工艺结构,把水耗降下来,并带来其他资源、能源利用率的有效提高。

为此,我们确立了"按水质分类、小半径循环、分区域闭路"的创新思路,把污水消化在工艺之中,最终达到外排水为"零"的目标。根据各工序不同的工艺特点,我们采用不同的水质、水温处理技术,分系统形成逐级闭路循环,高一级水质的循环系统向低一级水质的循环系统进行串级补水,基本不外排,平时少量补充新水,投资省,见效快,易于实施。经过几年的不懈努力,取得了明显效果。1995 年到 2003 年,我公司年产钢从 170 万吨增加到 505 万吨,年产钢增加了 333 万吨,提高近 2 倍,而年耗水总量不仅没有增加,而且减少 260 万立方米,关键得益于科学用水、合理用水。原来用水高峰年度全公司有 18 口水井同时开动提水,仍然不能满足需要;随着节水工作的深入发展,我们逐年关闭工业用水井,至 2003 年 7 月关闭了最后 1 口工业用水井。

第三阶段:构筑产业链,发展循环经济

"十五"以来,我们加大了清洁工艺和循环利用自主知识产权技术的开发力度,从一般意义上的节能降耗、环境保护向高层次的打造链式产业,实现与环境友好、与社区友好、与相关产业友好,把钢厂建成相关产业的清洁原料供应基地,在发展循环经济中建设钢铁生态型工业园。

一是钢铁主业产品向清洁、长寿、无污染、可回收利用和高技术含量、高附加值方向发展,突出高强、耐磨、耐腐蚀三大特征,提高产品寿命周期,为用户和社会提供可循环利用的高端产品,达到供需双赢,减轻社会环境负荷,促进社会可持续发展。

二是提高冶金炉渣转发产品的技术含量和档次。过去,我们对高炉水渣、炼钢钢渣等进行简单利用;生产压型砖或者直接用于铺路、充填矿坑等,附加值低,转化量有限。近几年来,我们加大了开发生产力度,生产微晶玻璃、矿棉及矿棉制品、新型墙体材料等,将进一步形成产业化、规模化。

三是充分利用二次能源培植发电产业。1999 年我们建成了干法熄焦工程,年发电可达 3000 多万千瓦时。2004 年,我们通过煤气结构调整,利用节余煤气实施的燃气蒸汽联合发电工程已投入运行,年发电可达 8 亿千瓦时左右,可满足目前 1/3 以上的生产用电。还将实施燃气——蒸汽联合循环发电二期工程、高炉 TRT 发电、低品质余热蒸汽发电等,装机总量将达到 40 万千瓦时。

四是积极消化城市生活和相关产业产生的废弃物,把钢厂变成城市"清洁夫"。我们加强综合开发利用,在最大限度地减少企业自身污染的同时,充分利用钢铁冶炼的工艺优势,将化工厂的铬渣用作烧结原料,既减少了相关产业的污染,又变废为宝,充分利用了资源。我们还正在开发纸浆废液作为有机粘结剂,替代球团膨润土;开发应用废塑料炼焦技术,在高温、无氧条件下分解,可产生20%的焦炭、40%的焦油和轻油、40%的焦炉煤气;在工业用水闭路利用的基础上,消化城市生活污水,作为生产中水和绿化用水。还将利用转炉煤气建设一氧化碳工厂;利用石灰窑废气和高炉煤气中的二氧化碳,建设二氧化碳工厂等。

3. 效 果

几年来,我们坚持不懈地推行清洁生产,探索发展循环经济,取得了良好的效果。

①降低了能耗物耗,创造了显著的经济效益。"八五"末期,济钢主要生产工序中只有两个工序达到了特等工序能耗水平,大部分都是三等及以下工序。目前,全公司17个主要生产工序中,有11个成为特等工序,3个一等工序,3个二等工序,消灭了三等及以下工序。2003年吨钢综合耗新水比1995年降低了68.7%,年节水7430万立方米,节水效益1.8亿元以上(用水成本2.5元/吨);吨钢综合能耗下降了37.3%,累计节约标准煤960万吨,价值60亿元以上。

②削减了污染排放,促进了环境保护。2003年与"八五"末期相比,钢产量提高近两倍,各类污染物排放总量不仅没有增加,而且大幅度降低。工业粉尘排放总量降低37.3%,工业废水排放总量降低31.6%。厂区空气中一氧化碳、二氧化硫、氮氧化物、悬浮微粒的含量均明显下降,达到了国家二级空气质量标准。全公司整体建成了省级清洁文明工厂。

③促进了成本降低,发展了低成本优势。钢、铁生产成本处于全国同行业的先进列,主导产品中板成本连续10年处于领先水平,在激烈的市场竞争中保持了低成本竞争优势。

④促进了产品竞争力的增强。先后研制开发了X52、X60管线钢、JG590高强度钢板、贝氏体钢、车轮钢、高强度钢筋以及适应日本、美国、欧洲等国家和地区标准的专用钢材等新产品。2003年高技术含量、高附加值的品种板比例达到了42%;2004年上半年达到了

57.5%。济钢已发展成为全国最大的中厚板生产、出口龙头企业,主要设备生产效率、中厚板的产量、市场占有率、出口量等多项指标居全国第一,产品出口到东南亚、欧美等 20 多个国家和地区。

⑤推动了企业经济效益成倍增长。2003 年实现销售收入 148.7亿元、利税 20.9 亿元、利润 10.2 亿元,分别比 6 年前提高 1.4 倍、5.5倍、4.8 倍;职工收入年均递增 18%,提高 1.7 倍。2004 年上半年实现利润、出口创汇、进出口贸易总额均超过了 2003 年全年的水平。

三、结　论

从济钢的实践和效果中,可以得出以下结论:发展循环经济不仅利于环保,而且效益巨大;企业可以发展循环经济;循环经济的出路在于清洁生产;清洁生产的出路在于技术创新、管理创新;发展循环经济是带动企业技术进步、提升企业竞争力的巨大动力;发展循环经济前景广阔。

四、今后方向

几年来,济钢在推行清洁生产、发展循环经济方面进行了有益的探索,取得了明显成效,完全符合中央倡导的科学发展观,由此也更加坚定了我们发展循环经济型企业的信心和决心。

下一步我们将更加牢固地树立并落实以人为本的科学发展观,坚持减量、再用、循环的原则,以结构调整为主线,以提高发展的质量和效益为目标;紧紧依靠技术创新、管理创新,加大自主知识产权技术的研发和各种实用技术的集成与创新,工艺装备向大型化、高效化、清洁化、紧凑化、信息化方向发展,产品品种向清洁、长寿、无污染、可回收利用和高技术含量、高附加值方向发展;不断提高资源的综合利用率和循环率,实现生产全过程的绿色制造,把济钢建成社区友好、环境友好的生态工业园,实现经济效益、社会效益、环境效益的最佳统一。

"十五"末,吨钢可比能耗降到 650 千克标煤,吨钢综合耗新水降到 4.5 立方米,实现工业用水"零"排放,冶金炉渣、副产煤气利用率100%,炼钢工序实现负能炼钢,实现钢厂无废物、钢厂零排放;2010 年以前吨钢可比能耗降到 610 千克标煤,吨钢综合耗新水降到 4 立方米,达到国际先进水平。延伸钢铁产业链条,通过产品、物料、能量和水的关联,打造物料系统、气体系统、水系统、能量系统、社会服务系统 5 大类工业生态链,形成多种物质能量链接的生态网络,使非钢产业形成规模、形成特色,增强竞争力,销售收入、利税、利润占到集团公司全部产业的 30% 以上。

（李长顺：济南钢铁集团总公司总经理）

山东泉林纸业集团发展生态纸业的实践

山东泉林纸业集团

山东泉林集团是以浆纸业为核心,集制浆造纸、无菌包装、绿色肥料、热电化工、宾馆餐饮于一体的大型多元化企业集团,下辖15个子分公司;现有员工12000余人,总资产45亿元,年生产机制纸能力50万吨,制浆60万吨,无菌软包装20亿只,有机肥料60万吨。山东泉林集团已通过了QHSE(质量、职业健康与安全、环境)三合一体系认证,是全国造纸业十强、山东省百强重点企业和国家高新技术企业之一。

多年来,泉林集团在各级政府领导的关心和支持下,审时度势,化挑战为动力,勇抓发展良机,以环保治理为企业生存与发展的先决条件,在全国造纸行业中先行一步,加强企业环保治理,引入循环经济理念,优化调整产业结构,实施可持续发展的生态纸业战略,走出了一条独具特色的循环经济生态纸业之路。

泉林集团发展生态纸业的总体思路是:泉林——生态纸业引领造纸工业结构升级。坚持以人为本,落实科学发展观,深化环保工程技术研发,多举措开发纤维原料,节约利用水资源,保护好、引导好、发挥好环保优势,加快环保产业化经营,推进清洁生产,建设标志性生态工业园,提高新产品制造水平,促进产业资源优势整合,发展循环经济,优化升级产业结构,实现泉林国际化可持续发展战略。

一、加强环保治理,壮大企业生存发展空间

由于历史条件和客观原因,我国制浆造纸企业总体规模小,技术装

备相对落后，再加上长期重生产、轻环保的薄弱环保意识，导致制浆造纸行业成为一个高消耗、高排放、高污染的行业。然而，泉林集团在20多年的创业拼搏中，深刻地意识到：一个污染行业和毫无社会责任感的企业，是没有前途的，只有改变传统造纸业的发展模式，走上生态工业之路，承担起企业应有的社会责任，才能把造纸业改造成朝阳行业，才能实现泉林的可持续发展。同时我们更加深刻地认识到：彻底治理污水，变废为宝，最大限度地提高资源利用率，实现清洁生产，是企业生存与发展的关键。我们视环保为企业生存发展的"生命工程"，从1991年开始累计投入3亿多元建设环保工程。

1991年，全国处于先生产、后治污的小造纸时期，造纸工业污染问题并没有引起行业的高度关注。泉林人以超前的环保治理意识，上马"醛纸联产，综合利用"技改项目，拉开了企业治理污染的帷幕。

1995年，企业组建环保科技攻关小组，全力攻关造纸污水治理难题。经过科研小组的努力钻研和考察学习，结合企业实际制定了"造纸废水污染综合利用方案"，并于同年通过了小试、中试。1996年，企业投资7000万元启动日处理5万立方米污水一期工程建设，并于1997年投产运行，解决了当时5万吨制浆规模的污水处理问题，使得处理后出水COD稳定在400mg/L左右，实现了废水的稳定达标排放，企业对废水治理的模式逐步成型。

1999年4月，企业投资2000万元，启动造纸污水治理二期工程，于同年7月建成占地面积700亩的造纸治污工程——氧化塘，经过氧化塘近似自然水体自净过程的污水净化处理，使得污水COD下降为350mg/L，提前一年多时间实现了国家规定的2000年年底所有工业污染源都必须达标排放的要求。

2000年，泉林集团投资1.08个亿，引进、消化吸收国际领先的生化处理工艺，将部分氧化塘改建为曝气池，以实用新型专利技术——悬挂链曝气设备为主体，采用活性污泥法对污水进行生物处理。经过生化处理的污水COD下降为200mg/L，SS下降为150mg/L。同年，为了缓解水资源紧张现状，集团投资1000多万元建成白水回收工程，该工程采用超效气浮法处理纸机白水，日回收白水10000立方米，该工程年累计处理抄纸车间白水 300 多万吨,基本实现了白水封闭循环利用。

2001 年,泉林集团在原有黑液处理系统的基础上,基于酸析木质素的思维,先后投资 800 万元建成了日处理能力 8000 立方米的黑液处理工程,利用该工程技术,创造性的将黑液中的木质素分离出来,且木质素的一次性提取率达到 95% 以上,再经改性后,用于生产高效有机肥和其他有机化学品。

2002 初,针对制浆造纸废水颜色深、色度高的特点,集团环保工程技术人员经过自行研究,设计了日处理 5 万立方米中段水的深度处理工程,使总排口出水 COD 稳定在 150mg/L 以下,SS 小于 80mg/L,色度小于 8 倍,水质清澈,完全可以用于养殖及农灌。生化处理后的污水已经变成可利用的资源,在产业圈内形成了良性生态系统,把投入型环保治理引向资源化发展,为企业可持续发展打下了坚实的基础。

1991 年至 1993 年间,我们的制浆生产能力仅 3000 吨、纸生产能力仅有 4000 吨,面临着巨大的环保压力,并处于亏损倒闭的边缘。经过 10 多年的环保治理与发展,2003 年泉林浆的生产能力达到 40 万吨,但环保已不是我们生存与发展的压力,而转换成了企业生存发展的优势与动力。巨大的环保投入也带来了巨大的效益。环保问题的彻底解决,集团的发展规模得以迅速扩充,经济效益快速提升。2003 年我们的生产规模达到了机制纸 50 万吨,制浆 40 万吨,销售收入也从 1991 年的 700 多万元增长到了 22 亿多元,由此可见虽然治理污水投资了 3 个多亿,但我们的生产能力增长了 400 多倍,收入增长了 300 多倍。环保问题的彻底解决,节约了资源,提高了资源利用率,改善了环境,为国家与当地带来了巨大的生态与社会效益。环保问题的彻底解决,为泉林的项目立项和规模化发展,赢得了国家政策支持与行业主管部门的认可,更加壮大了企业生存发展的广阔空间,为泉林的未来打下了坚实的基础。

二、致力技术创新,推行清洁生产

泉林集团致力于现代造纸工业生态科技与制浆造纸技术的进步,建立起了以企业为主体、产——学——研一体化的技术创新体系和运行机制。通过开发高强度、高效率、低污染的制浆生产技术;发展低定量、高质量、低消耗、高效率的造纸生产技术,全面优化提高了泉林的技术结构,同时也促进了整个造纸工业技术的进步。

1. 突破制浆新技术,优化技术结构

2001 年始,泉林集团向传统制浆工艺挑战,突破和革新传统草制浆技术,开发出居国际领先水平的"麦草置换蒸煮"新工艺。新工艺生产的麦草浆在关键指标例如纤维强度、白度等均可与桉木浆和速生杨木浆相媲美,新工艺使黑液提取率达到 90% 以上,黑液波美度为 12—14,固含量为 22%—25%,均高于传统黑液,而且吨浆黑液量仅在 5.5 立方米—6.5 立方米,并且黑液粘度低、硅含量少、流动性强,十分有利于后续处理和资源化综合利用。新工艺在不考虑中水回用的条件下,吨浆耗水为 60 立方米,吨纸耗水 30 立方米,而传统工艺中,吨浆耗水 120 立方米—150 立方米,吨浆黑液量为 12 立方米—16 立方米。

泉林集团建立起省级技术研发中心,并以此为主体,依托产——学——研一体化的联动创新机制,通过与高等院校与科研院所合作,培养企业技术人才,引进优势技术,有力地促进了企业的技术进步,锻造了一批科技精英,提升了企业的科技竞争力。

2. 实施无氯漂白,生产健康纸品

草类纤维原料制浆漂白,国内通常采用 CEH(C—氯化,E—碱处理,H—次氯酸盐漂白),此法虽然可行,但问题同样突出:①漂白过程中,中段水中产生的可吸附卤化物 AOX 对人体存在危害,因此美国部分地区已经完全去掉 H 段漂白,而采用 C 段与 D 段(二氧化氯漂白)配合使用的漂白方法,从而大幅减少卤化物;②漂白效果较差,浆的白度最高达到 82%,难以适应生产高白度纸的要求。有鉴于此,国家环保总局计划 2007 年开始检测 AOX,2010 年将 AOX 作为一个主要的监控指标纳入污染物排放标准。泉林集团根据这一情况,正在研究开发麦草浆无氯漂白新工艺,并已取得重大突破,现已经完成中试工作,计划于 2004 年年底投入生产,到 2007 年全部淘汰次氯酸漂白,取而代之以(CD)—(ED)—D—E—D 漂白新工艺,实现纸浆白度 90% 以上,并产生草浆部分取代进口商品阔叶浆的良好效果。

三、发展循环经济,实施可持续发展

1. 加强水资源开发及回收利用

制浆造纸行业水消耗量大,水资源也是制约行业发展的主要问题之一。我们虽然较好地解决了废水的排放问题,但地下水资源的长期大量开采必将带来区域地下水的枯竭,同时经治理后的废水全部排放不免产生浪费。因此,我们正筹划建设中水回用工程及占地 3 平方公里、库存达 5000 万立方米的水库,以实现最终废水 50%—60% 返回用于制浆生产,40%—50% 回用于公司生态林及芦竹的灌溉的宏伟目标。

中水回用和水库工程的建成,将彻底解决制约集团发展的水资源问题,也良好地避免了大量开采地下水可能造成的区域地下水枯竭、地表塌陷、地面沉降等环境问题。另外,通过环保、制浆、水综合处理等高新技术的综合作用,将实现吨浆、吨纸耗水低于 30 立方米,并保证在处理过程中不向下一水体排放任何污染物质,保护了区域水体环境。

2. 建设热电联产碱回收工程

随着集团的发展,制浆规模的增大,我们打破传统碱回收的观念,将热电联产碱回收提上了议事日程,作为黑液处理的另一有效途径,使木素综合利用与热电联产碱回收有机结合,目前在技术上做好了前期的研发,我们的热电联产碱回收具有自己的特点:①麦草制浆吨浆黑液仅 6.5 立方米,浓度高达 13—14°Be,大大降低了蒸发过程的能耗;②传统方法黑液蒸发后固形物含量≤48%,一般在 45% 左右,而我们采用新的制浆工艺产生的黑液蒸发后固形物含量高达 63%,而且具有良好的流动性,性质接近于木浆黑液;③一般的碱回收只要保本运行就算成功,而我们泉林的碱回收通过将黑液燃烧,回收热能产生次高压蒸汽,带动汽轮发电机发电,发电成本接近于零。我们正拟建配套 70 万吨浆/a 的碱回收项目,其固形物处理量 2200t/d,配置一台 5 万千瓦的发电机组,运行后,回收的碱、产生的电及蒸汽均回用于生产过程,最终实现水、热、电和碱系统的企业内平衡。

3. 综合利用过程废物,生产绿色产品

环境不仅是一种资源更是一种资本,泉林集团在搞好污水处理的

同时,为了更充分地利用生产过程中产生的废物,减少二次污染,2001年,集团科研人员同中国农科院、山东省农科院专家联合攻关,研制出以木质素为主要原料的绿色有机肥生产新技术。目前,泉林集团建成了年产60万吨的绿色肥料生产园区,并成立了泉林嘉有肥料子公司,专业生产经营绿色有机肥,生产的"嘉有"牌绿色肥料符合"使用回收能量"标准,并通过了中国环境标志产品认证委员会的绿色标志产品认证,填补了国内肥料行业的空白。如今泉林嘉有肥料公司已发展成为了国内新兴的知名肥料制造商。

此外,利用中段水处理过程中产生的物化污泥、生化污泥和麦糠混合发酵制成生物肥,用于三倍体毛白杨、芦竹及农作物作基肥。因该产品是一种真正意义上的有机肥料,其施用后,不仅不会像普通化学肥料那样造成土壤板结、营养元素流失、水体富营养化等二次污染问题,而且具有肥效高、肥效持久、长期使用可以改良土壤结构,使土质疏松、土壤富含微量元素等特点,生态环境效益明显。与此同时,2002年集团通过市场调研考察,引进先进技术,建成了利用酸析滤液为原料年产1.5万吨固体水玻璃生产线项目,产品销路良好,为企业的发展创造了更大的经济效益。

4. 发展林浆纸一体化,优化原料结构

全国人均占有森林面积为0.13公顷,相当于世界人均面积的1/5,可供开发的林木资源非常不足,严重制约了造纸业的林纸化。1999年,我们抓住造纸产业原料结构调整的契机,着手实施生态纸业战略,发展林浆纸一体化,探索具有企业特色的林纸结合经营模式。2001年12月,成立泉林生态科技公司,特聘中国工程院院士朱之悌教授为总工程师,建立科研所,另聘多名林学、森保、园艺等专业本科生,着力营造环保科技型纸浆林基地。截至2003年年底,泉林集团已经完成20万亩三倍体毛白杨的种植。预计2005年,泉林集团的生态林面积将达到40万亩。加上配套建设的30万吨APMP浆生产线,在企业林浆纸一体化项目完工后,泉林集团将基本实现企业木浆的本土化。泉林生态林在平原地区的推广种植,为公司提供了优质的制浆原料的同时,改善了区域生态环境,有效地改变了农村产业结构,增加了农民的收入,

实现了社会、生态和经济效益的三方共赢。

当前我国有大量的非木纤维原料,但都没有被充分利用起来,不是被烧掉,就是腐烂掉或浪费掉,这不仅浪费了良好的资源,而且污染了环境。因此,如何利用好非木纤维原料对我国制浆造纸业来说更为重要,在今后相当长的时期内非木纤维原料仍将占据重要的地位,特别是麦草浆仍然是提高国内企业竞争优势的条件之一。由于麦草的绝对量逐步萎缩和相对量的减少,使得仅靠麦草制浆支撑企业的发展变得越来越不现实了。为了摆脱单一纤维原料结构,打破企业发展的原料制约,泉林集团充分利用国内资源,结合我国国情和造纸业发展的现状,走原料多元化的道路,2003 年引进新型再生制浆原料芦竹,现已建成了 8 万亩示范基地,预计 2005 年芦竹种植面积将达到 30 万亩。

四、建设工业生态园区

党的十六大提出了建设全面小康社会和走新型工业化的宏伟目标和发展规划。建设生态工业园则是走新型工业化、实现全面小康社会的良好途径。目前,泉林集团已经初步形成了工业生态园的雏形,如泉林集团循环经济产业链示意图所示,该产业链以浆纸生产为核心,以芦竹及三倍体毛白杨生态林、水综合处理及资源化利用、绿色生态有机肥制造、粘接剂制造为框架,通过盘活、优化、提升、扩张等步骤,形成一个比较完整和闭合的网络,内部资源得到最佳配置、废弃物得到有效利用,环境污染减少到最低水平。其中,制浆→造纸→产生黑液提取木质素制肥料、黑液酸析滤液制造水玻璃、生化处理链,制浆→产生的中段水→水处理→浇灌芦竹、三倍体毛白杨→回用制浆造纸链,处理后的中段水→中水回用→制浆造纸链等三条主链相互间构成了横向耦合的关系,并在一定程度上形成了网状结构。物流中没有废物概念,只有资源概念,各环节实现了充分的资源共享,变污染负效益为资源正效益。

依托集团的循环经济产业链,积极推动泉林生态工业园建设,最终形成包括浆纸工业基地、生态林竹基地、水资源综合利用基地、绿色肥料基地和绿色无菌包装基地五大经济实体,物流有序,环境优美,生产与环保高度和谐的良好格局,实现社会效益、环境效益和经济效益的最大化。

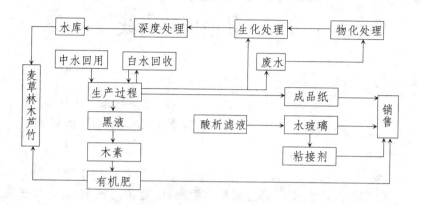

泉林集团循环经济产业链示意图

当今整个造纸业正朝着高速、高效、规模化、自动化与环境协调的现代大工业方向发展。这就要求造纸业要突破原有的仅仅制浆造纸的产业链条,纵向横向的延伸扩张产业链,发展大造纸业,这也是现代造纸业发展的一个重要标志。同时延伸扩张产业链不但能促进造纸产业的快速发展,还能保证造纸产业发展的更加稳定。经过20多年的创业发展,泉林集团制浆、铜版纸制造、无菌包装技术领先国内,成功突破了制约造纸业发展的水资源、纤维原料、环保技术三大瓶颈,依托泉林的品牌优势、良好的管理能力、一定规模的发展基础,致力于造纸行业产业结构升级的创新与实践,加快产业升级,发展大造纸业,大力整合资源,通过调整、延伸、扩张产业链,基本形成以浆纸为支柱,以原料开发和包装等纸制品为延伸,以绿色肥料和乳业为扩张,以环保治理为保障的优势产业结构。我们树立科学的发展观,坚持循环经济生态纸业的创新发展,必将实现泉林2010年200万吨纸,300万吨浆的双百产业目标,2015年400万吨浆,600万吨纸的宏伟产业目标,把泉林打造成名牌浆纸集团,实现企业"绿色泉林、生态纸业、创新发展、造福社会"的企业使命。

山东鲁北企业集团总公司
发展循环经济的实践

山东鲁北企业集团总公司

山东鲁北企业集团总公司濒临渤海,地处黄河三角洲,近靠黄骅港,是一家国有特大型企业。现拥有 5000 名员工、50 亿元资产、52 个成员企业,横跨化工、建材、轻工、电力等 10 个行业。2003 年实现销售收入 30 亿元、利税 4.96 亿元,是目前世界上最大的磷铵、硫酸、水泥联合生产企业,全国最大的石膏制硫酸基地和磷复肥生产基地。

公司创建以来,在各级领导的关怀支持下,坚持科学的发展观,实施绿色文明战略,通过技术集成创新,开发关键点的粘结技术,创建了三条生态产业链,构建起了生态工业系统,解决了工业发展与环境保护的矛盾,实现了科技创新、产业发展、资源综合利用与环境保护的有机统一,成为我国用生态科技产业技术发展循环经济的典范。

一、实施技术集成创新,创建绿色生态产业链

山东鲁北企业集团的前身是一家小硫酸厂,1977 年 8 月创建。当时,8 名创业者搭起两间黄席棚,在极其艰苦的条件下,扎根盐碱荒滩,以创建之时的 40 万元试验经费,承担了国家"六五"重大科技攻关项目——石膏制硫酸联产水泥技术试验,历经磨难,终于取得成功,填补了国家空白。之后,以此为依托,不断创新,科学地开创出三条生态产业链。

1. 磷铵、硫酸、水泥联产

用生产磷铵排放的废渣磷石膏分解水泥熟料和二氧化硫窑气,水泥熟料与锅炉排出的煤渣和盐场来的盐石膏等配置水泥,二氧化硫窑气制硫酸,硫酸返回用于生产磷铵。上一道产品的废弃物成为下一道产品的原料,整个生产过程没有废物排出,资源在生产全过程得到高效循环利用,形成一个生态产业链条。既有效地解决了废渣磷石膏堆存占地、污染环境、制约磷复肥工业发展的难题,又开辟了硫酸和水泥新的原料路线,减少了温室气体二氧化碳的排放。改变了传统产业消耗资源、制造产品、排出废物的线性生产模式,实现了经济效益、社会效益和环境效益的有机统一。1997 年 5 月,在第 72 次国家香山科学会议上,科学家们将其确认为我国独有的零排放技术、环境友好技术、可持续发展技术,是无机化工领域继侯德榜制碱法之后又一标有中国标记的发明。获国家科技进步二等奖、省委省府两次科技重奖,被国家列为资源综合利用重大科技成果重点推广项目。2002 年 12 月,我们再次登上第 198 次国家香山科学会议论坛,参加了国家生态工业的前沿课题研究,得到与会科学家的高度评价。

2. 海水"一水多用"

我们抓住"开发黄河三角洲"、"建设海上山东"的机遇,以发展海洋化工为目标,突破传统制盐模式,实施创新设计,利用海水逐级蒸发、净化原理,在 35 公里的潮涧带上,建成百万吨规模的现代化大型盐场,构建了"初级卤水养殖、中级卤水提溴、饱和卤水制盐、苦卤提取钾镁、盐田废渣盐石膏制硫酸联产水泥、海水送热电冷却、精制卤水送到氯碱装置制取烧碱"的海水"一水多用"产业链,产生出巨大的综合效能,为国内盐业企业综合利用海水资源开辟了新路。

3. 清洁发电与盐、碱联产

热电厂以劣质煤和煤矸石为原料,采用海水冷却,排放的煤渣用作水泥混合材料,经预热蒸发后的海水排到盐场制盐,同时与氯碱厂链结。氯碱厂利用百万吨盐场丰富的卤水资源,不经传统的制盐、化盐工艺,直接通过管道把卤水输入到氯碱装置,既减少了生产环节,又节省了原盐运输费用,建设成本、运行成本大幅度降低,大大增强了企业核心竞争力,成为我国离子膜烧碱行业"盐、碱、电"联产的特色工程。

鲁北企业集团将不同的产品依其内在的联系,实施科学地排列组合,所开发应用的技术涵盖了多个行业,涉及系统科学与工程、生态学、环境科学与工程、化学工程与工艺等,各系统之间相互关联形成一个完整的工业系统,是在工业技术集成上的创新。

2000年,由国家经贸委、中国工程院组织,在鲁北进行了两次"技术创新院士行"活动,对鲁北的科技创新及产业发展情况进行了诊评,院士们一致认为:鲁北企业集团资源综合利用得好,生态环境解决得好,无污染,属于零排放,实现了资源综合利用和控制环境负荷的有机统一,走出了一条工业生产与环境协调发展的可持续之路。

二、坚持科学的发展观,构造生态工业共生体系

要实现人类社会的可持续发展,就必须改革目前的工业发展模式。循环经济体现了可持续发展的理念,是充分利用科技成果,实现人与自然、经济、资源协调统一的最佳经济发展模式;是把清洁生产、资源综合利用、生态设计和可持续性消费等融为一体,运用生态学规律来指导人类社会的经济活动。

我们用循环经济理论作战略指导,以"效率"和"环境"的双重优化为目标,重新审视和改造传统产业,运用生态学规律,把经济活动重构组成一个"资源——产品——再生资源"的反馈式流程和"低开采、高利用、低排放"的循环利用模式,使得经济系统和谐地纳入到自然生态系统的物质循环过程中,从而实现经济活动的生态化。

山东鲁北企业集团总公司1997年5月开始规划、建设了"年产15万吨磷铵,副产磷石膏制20万吨硫酸联产30万吨水泥工程"为主体的生态工业园区。通过关键技术创新、过程耦合、工艺联产、产品共生和减量化、再循环、再利用等一系列措施,到现在,鲁北生态工业园形成了工业共生体系,实现了物质充分循环、能量的多级集成使用和信息交换共享,实现了与自然环境的友好协调,取得经济效益、社会效益和生态效益的协调发展。

在鲁北企业集团的共生体系中,热电厂利用海水产业链中的海水替代淡水进行冷却,既利用了余热蒸发海水,又节约了淡水;磷铵、硫

酸、水泥产业链中的液体二氧化硫用于海水产业链中的溴素厂提溴,硫元素转化成盐石膏返回用来生产水泥和硫酸;热电厂的煤渣用作水泥的原料,热电生产的电和蒸汽用于各个产业链的生产过程;海水产业链氯碱厂生产的氢气用于磷铵、硫酸、水泥产业链中的合成氨生产,海水产业链的钾盐产品用于复合肥生产。各个产业链内部和产业链之间建立了良性的共生关系,系统中共生关系总数达 17 个,包括 15 个互利共生关系和 2 个片利共生关系。这些共生关系产生了占总产值 14% 的经济效益,同时系统的资源共享共管模式具有较强的适应不确定因素的柔性。鲁北集团的生态工业发展模式实现了资源的有效整合,主要产品的成本降低了 30%—50%,对企业年总产值的增长贡献率达40%。

生态工业系统的成功实践,使有限的资源构成一个多次生成过程,资源、能源利用率和循环利用率特别高。据研究鉴定,磷矿石的原子利用率达 97.7%,清洁能源利用率达 85.9%。它的创新之处并不在于产品本身,而在于集成思维和集成创新,将不同的产品依照其内在的联系,实施科学有机地排列组合,各系统之间相互关联形成一个完整的工业系统。通过检测表明,鲁北生态工业园的科技、经济、社会、生态等综合贡献率,高出丹麦卡伦堡生态工业园的一倍。

2000 年 3 月,鲁北企业集团出资 1 亿元承担了小开河引黄灌渠的二期配套工程,解决了无棣县北部 5 个乡镇、12 万人口、8 万头牲畜和44 万亩耕地的饮水、灌溉问题,对当地农业结构的调整、生态环境和发展环境起到巨大的推动作用,并产生了很好的社会效益和生态效益。

通过多年的实践,鲁北生态工业所产生的巨大的综合效能正在逐步发挥出来。鲁北企业集团已经发展成为占地 400 平方公里,横跨化工、建材、轻工、电力等 10 个行业的国有特大型企业,形成年产80 万吨硫酸、30 万吨磷铵、60 万吨水泥、100 万吨磷复肥、12 万 KW热电、100 万吨原盐、1 万吨溴素、12 万吨氯碱的生产经营规模。20 多年来,企业连续保持持续增长,鲁北生态工业系统体现了最大的经济效能。

三、走新型工业化道路,实施传统产业的战略整合

传统产业导致的直接实践行为是先污染后治理,寻找污染控制的途径仍局限在传统工业生产范围内,未改变工业程序而实施末端治理。虽然这种做法也能够促进环保技术和环保思想的不断完善和发展,但不能从根本上解决问题。第一,发展而忽视治理的短视行为,在破坏环境的同时,又造成大量的宝贵资源衰竭。第二,资源衰竭和环境恶化,使传统产业不能够持续发展,导致竞争能力降低和丧失。解决这两个问题,并能满足社会经济的可持续发展需要,走新型工业化道路,生态工业、循环经济便成为调整我国传统产业结构的必然选择。

随着现代农业的发展,磷复肥市场需求增加,导致磷石膏废渣排放与日俱增。目前,世界磷石膏年排放量就达 2.8 亿吨,我国也超过 2000 万吨,综合治理磷石膏废渣已成世界性重大难题。白俄罗斯戈梅利化工厂,建厂几十年排放的磷石膏达 2000 万吨,覆盖了大片森林,使 50 万人口的戈梅利市地下水呈酸性。鲁北石膏制硫酸联产水泥技术的开发,解决了工业生产与环境保护、现代农业与磷复肥工业协调发展的矛盾,对磷复肥工业的发展意义深远。如果该项技术在全国推广,不仅每年节省磷石膏堆场建设费 6000 万元,而且还为国家节省生产 800 万吨水泥的石灰石矿山建设费 21 亿元,又节省生产 600 万吨硫酸的硫铁矿矿山建设费 30 亿元,还消除了水泥生产二氧化碳温室气体的巨量排放。其资源价值难以估算,社会影响意义深远。鉴于该项技术广阔的应用前景,鲁北企业集团积极推进传统产业的改造整合,在国内积极布点推广应用,并与部分厂家进行了技术合作。

鲁北生态产业技术,代表了国内外先进水平,符合环保发展方向,符合科技发展方向,为参与国际市场竞争奠定了良好的基础。美国、日本、澳大利亚、俄罗斯、泰国等国家的科学家、客商在考察后,认为鲁北生态产业技术具有很广阔的发展前景、很强的竞争力,表现出强烈的合作愿望。目前公司已与美国贝欧公司达成鲁北石膏制酸技术出口协议,同美国阿麦仔公司达成合资合作建厂协议,同日本三井公司签订了原盐出口、技术合作一揽子协议。

四、创建国家级生态工业园,发展可持续循环经济

2002 年 8 月,国家环保总局解振华局长对鲁北生态工业园进行了考察,他称赞鲁北在生态工业、循环经济方面做了非常前沿的工作,是国际范围内循环经济发展的典型。他说,鲁北化工循环经济的理念非常好。中国就是人多资源少,重污染结构,浪费大,污染严重。鲁北化工搞循环经济正好把资源做到最有效的有序利用,最后达到成本最少、经济效益最好,污染最少,适合中国的国情,符合世界经济潮流,可以挂牌,树立典型,在全国推广。

2003 年 11 月,国家环保总局以"环函〔2003〕324 号"文批复我公司为"鲁北国家生态工业示范园区";2004 年 4 月,国家环保总局"国家环境友好企业"工作进行了考核验收,经过现场考察、资料审议、座谈论证,专家一致认为鲁北符合要求,鲁北企业集团总公司成为全国首批第一家通过考核验收的企业;同时,我公司申报"鲁北海洋科技产业基地"工作也取得成功。三大生态品牌的创建,扩大了鲁北企业集团在国内外的影响。

走新型工业化道路,发展循环经济,赋予鲁北企业集团新的战略发展机遇和广阔的发展空间。我们结合"中国鲁北生态工业模式"研究,对鲁北生态工业园区建设进行了科学的战略规划,把"鲁北模式"做成世界名牌,为引导绿色化工导向和新型工业化可持续发展,为我国乃至国际生态工业园区建设和循环经济发展树立典范。目前,我们正以生态科技产业作为支撑体系,以 15 项与院士合作项目为依托,发展循环经济,实施大规模产业化升级。

(1)发展创新磷铵、硫酸、水泥联合生产技术,以此为依托,开发特色农业需求的、具有生态环保概念的化肥产品(如:适应农作物生长不同阶段需要的缓释化肥、专用化肥、多功能化肥等);向国内技术转让,向美国、俄罗斯等国家技术出口,同时带动大型国产装备的整体出口。

(2)建设全国最大的生态发电厂。依托当地交通、区位及生态优势,建设 $2 \times 300MW$ 发电机组和 $4 \times 600MW$ 发电机组。至 2010 年最终形成 400 万 KW 发电规模。

（3）与世界500强的日本三井公司合作。把百万吨盐场规模扩建一倍，每年出口原盐50万吨，建设全国最大的优质盐出口基地。

（4）扩展海水"一水多用"与氯碱、溴素、海洋化工产业链，发挥资源、技术、能源、港口优势，建设50万吨氯碱工程，形成大型氯碱化工基地，使离子膜烧碱生产能力达到50万吨。

（5）实施油化工、氯碱化工、盐化工"三化合一"工程，延伸关联吃氯、吃溴项目的有机化工产业链，建设重油催化热裂解制乙烯项目，开发合成树脂及高新精细化工产品。

（6）发展煤化工产业链，依托黄骅港煤炭码头，把合成氨扩建到年产30万吨生产能力，进行煤气化、煤焦化技术研究，开发清洁燃料。

（7）建设大型钛白粉工程。在现有1.5万吨钛白粉装置建成运行的基础上，以大型硫酸、热电工程为依托，扩建规模至10万吨。生产过程中产生的废硫酸用于磷铵生产，自有的热电厂又可满足钛白粉的蒸汽需求，保证钛白粉质量的提高，环保、节能、清洁。

（8）进行地热、风能等清洁能源的开发利用。

（9）成立大桥公司。加大招商引资力度，建设通往黄骅港的铁路公路两用的鲁港大桥。

（10）加快生态社会建设，建设200万亩的造纸林、50万吨纸浆的"林纸一体化"工程，目前与韩国、阿根廷合作组建的海旺林科有限公司已着手造纸林的建设工作。

（11）在当地政府的支持下，依托碣石山、黄骅港进行区域生态经济战略规划。做好一山（碣石山）、一港（黄骅港）、一岛（旺子岛）、一桥（通往黄骅港的鲁港大桥）、两路（高速公路、铁路）、两海（南海、北海）、两湖（淡水湖）、三河（马颊河、德惠新河、漳卫新河）的水利、旅游、交通、文化等建设发展规划，带动区域循环经济的发展。

至2010年，鲁北生态工业园计划投资100亿元，建成技术先进、知识密集、管理文明、环境友好、结构和谐、系统网化的世界知名生态工业园区，创造具有广泛国际影响的生态工业园区建设和循环经济实践的示范，探索区域经济可持续发展道路，引导全社会层次循环经济的实现，为我国国民经济的发展作出新的贡献。

氢能经济——循环经济的一种模式

上海神力科技有限公司

　　循环经济是将清洁生产、资源综合利用、生态设计和可持续发展等融为一体的战略思想。它要求人类在社会经济中自觉遵守和应用生态规律,通过资源高效和循环利用,实现污染的低排放甚至零排放,实现经济发展和环境保护的"双赢"。

　　经济的可持续发展要求能源可持续发展。由于经济发展、人口增长、环境保护、化石能源枯竭等方面的原因,发展洁净型可再生能源已成了非常紧迫的任务。20世纪形成的以化石燃料为主体的世界能源结构,在21世纪将转为以可再生能源等为主的新的能源结构。洁净型可再生能源中最引人注目的是氢能,2000年世界氢能大会认为,21世纪人类将进入氢能时代。氢燃料电池则是将氢能经济从设想转变为现实的关键技术。大力发展氢能经济,开发燃料电池技术,将是创建循环经济的关键所在。

　　氢能经济是对循环经济的最好诠释:氢气可以来自氯碱、炼焦、炼油等工业的副产品,也可以来自太阳能、风能、水能、地热能、潮汐能、生物能等可再生能源电解制氢;以燃料电池为转化装置,通过氢气与氧气的化合反应产生电能和水;然后再通过分解水而得到氢;如此循环往复,生生不息。整个循环充分体现了循环经济"减量化、再利用、资源化"的三原则。氢能经济将在不久的未来主导人类的生活。

一、氢能经济及燃料电池技术应用

氢是地球上最多的元素,是最丰富的可再生能源资源。更为重要的是,氢可以作为一种储能载体,将太阳能、风能、水能、地热能、潮汐能和生物能等可再生能源储存起来,使人类能更方便、更有效地加以利用。从中、短期看,主要还是从化石能源中制取氢气,但从长远看,利用太阳能等可再生能源制取氢气,才能从根本上解决能源的可持续发展问题。

燃料电池作为一种电化学能量转换装置,能够将贮存在燃料氢气与氧化剂中的能量不通过燃烧直接转化成电能。其能量转化效率远远高于传统动力能源装置(如内燃机等)。经过长期的研究,燃料电池发电技术日趋成熟,已开始进入应用阶段,成为最有可能替代传统内燃机的技术。

在不久的将来,燃料电池车将会越来越多的替代传统汽车;同时,燃料电池可以以分布式电站、家庭电源、备用电源等形式出现,作为传统电站和电网系统的补充,解决偏远地区用电问题,缓解城市用电压力,降低由于电网故障造成的停电事故的损失;也可以以便携电源、移动电源等形式出现,为野外作业和户外活动提供可靠的电力供应。

1. 氢气的生产、储存、传输、加注

氢能的开发利用要解决氢气的生产、储存、传输、加注等问题。

首先是廉价的氢源问题。氢是一种高密度能源,氢气生产要消耗大量能量。因此,必须寻找一种低能耗、高效率的制氢方法。目前,从煤等化石燃料中制取氢气,国内已有规模化生产。电解水制氢也已具备规模化生产能力,研究降低制氢电耗是推广电解水制氢的关键。电解制氢的电能可以来自太阳能、风能、水能、地热能、潮汐能,从生物能中也可制取富氢气体(如沼气)。此外,光解水制氢是一种极有前途的制氢方法,其能量也取自太阳能,这种制氢方法适用于海水及淡水,资源极为丰富。

储氢技术是氢能利用走向实用化、规模化的关键之一。目前燃料电池技术中广泛采用的有压缩氢气、液氢和金属储氢等方式。根据技

术发展趋势,今后的储氢研究重点是在新型高性能储氢材料上。国内的储氢合金材料已有小批量生产,但较低的储氢质量比和高价格仍阻碍其大规模应用。近年来,纳米碳在储氢方面表现出优异的性能,也是一个发展方向。

氢能的大规模开发利用还需解决氢气的传输和加注问题,现有的氢能利用技术已经具有非常好的安全性,需要建立行业标准及相关的安全法规体系。日本目前已经建设 10 多座加氢站,在未来几年内将建设几百座加氢站,为燃料电池车的普及做好准备。英国 BP 石油公司在新加坡建设了两座加氢站。2004 年,美国通用汽车与壳牌氢能源公司在美国首都华盛顿联合建成全球第一个加氢加油站,新落成的加氢加油站将同时为消费者提供普通汽车的加油服务和燃料电池车的加氢服务,通用汽车目前在该地区进行示范运行的 6 辆氢燃料电池车将成为其首批客户。其加氢设备的设计兼顾考虑了目前燃料电池车的两种氢存储方式,提供液氢和压缩氢气。

2. 燃料电池作为机动车动力的应用

汽车是石油资源的主要用户,也是造成城市空气污染的主要原因。我国目前正处于家用轿车发展初期,今后 20 年,我国汽车工业(特别是家用轿车)将得到快速发展。开发替代能源汽车是惟一的出路。从长远看,只有发展氢燃料电池汽车才能从根本上解决汽车工业与能源及环保之间的日益突出的矛盾。

燃料电池的突出优点是适于用作动力电池,因此世界各国主要在车用动力系统范围内展开了燃料电池技术研发和产业化的角逐。在上个世纪 80 年代由美国能源部(DOE)牵头,生产了第一辆燃料电池公共汽车;第一批燃料电池公共汽车于 1994 年在美国问世并投入运营,至今已经运行 10 年。目前,奔驰公司的 30 辆 CITARO 燃料电池大巴(由加拿大巴拉德公司提供燃料电池发动机)正在欧洲各地进行示范运营。

从 2000 年始,通用汽车公司连续推出 Hydrogen 系列的燃料电池车,2001 年的"氢动三号"是基于欧宝赛飞利 MPV 多功能轿车改进,已经达到了通用汽车和欧宝品牌的商业化生产指标。日本丰田汽车公司

2004 年将生产 40 辆燃料电池轿车,出售或出租给美国和日本的政府部门和企业。此外,美国 UPS 公司已开始在快递业务领域使用燃料电池车。日本雅马哈发动机日前也推出了配备燃料电池的电动轻骑摩托车"FC06"。

表 1　一些世界著名汽车公司的燃料电池汽车产业化发展规划

公司名称	公开计划
宝马	2008 年之前开始商业化销售;2020 年之后达到 25% 的市场占有率。
戴姆勒-克莱斯勒	2004—2007 年达到"适合日常使用",2010 年开始大规模商业化
菲亚特	商业化是国家长远目标,目前主要在意大利米兰进行实证示范。
福特	商业化时间表与能源部的氢燃料发动机计划一致。
通用	计划到 2010 年具备大功率燃料电池发动机和燃料电池车的生产能力,2020 年首先通过进入发电领域来引导大量燃料电池发动机和燃料电池车的销售。
本田	计划在美国和日本每年销售 300 辆燃料电池车;2005 年与巴拉德合作结束后发展自己的燃料电池系统;继续扩大燃料电池车及基础设施的实证示范。
现代	计划 2004 年在美国进行 32 辆燃料电池车的测试;2010 年在韩国销售 1 万辆燃料电池车,2020 实现商业化生产。
马自达	2007 年实现氢燃料发动机的生产。
三菱	其 Grandis 车于 2003 年 11 月在日本通过国土交通省的公共道路认证,并计划 2005 年为燃料电池电池车的商业化进程提供促进动力。
日产	长远的燃料电池生产战略未公开,但是已经明确表示到 2005 年生产一定数量的燃料电池车。
雪铁龙	2005 年后,用小型燃料电池做辅助动力系统的油电混合动力车实现商业化。
雷诺	1997 年推出首辆燃料电池车,计划 2008 年推出固体氧化物燃料电池作辅助动力系统的概念车,2010 年开始批量生产燃料电池车,2015 年实现商业化;目前正与日产合作进行汽油重整研究。

3. 燃料电池作为发电站的应用

近年来,大规模集中式发电和远距离输电的缺点,已经逐渐被人们所认识。美国加州大规模停电事件,前南科索沃战争石墨炸弹可以轻易的破坏电网,使人们对其安全性越来越担忧。不仅如此,长距离输电的能耗非常大。分散式发电是一种新思路:燃料电池可以使每幢楼、每一户人家成为发电的场所,由此可以减少发电和输电时的大量能耗,并可以充分利用发电时产生的热量,为楼房、住宅供热。美国政府已经要求到 2010 年前实现 10% 的新建住宅配备燃料电池发电系统。

与多数工业发达国家一样,近 10 年来中国就像一个巨大的建设工地,每年都有巨量的高耗能住宅面世。能源危机、电荒时代早已不是环保主义者的危言耸听,而是现实的威胁。据国家电网公司测算,2004 年全国用电量达到 20910 亿千瓦时,净增用电量约 2070 亿千瓦时,增长速度约为 11%。据预测,华东电网 2010 年和 2020 年电力缺口分别为 2700 万千瓦和 9100 万千瓦。全国许多地方电荒情况更为恶劣,而且,这种情况将随着经济的发展进一步恶化。

在电力供应的持续紧张的情况下,像医院、学校、政府等重要的机关、部门就需要备用电站。使用传统的柴油内燃机发电,不仅噪音大、排放气体污染环境,而且能耗成本高、效率低。可移动式燃料电池发电站具有能量转换率高、零排放、几乎无噪音的特点;且其运行温度低,在70℃左右。这将是一个具有良好前景的市场。

二、氢能经济是循环经济一种良好模式

1. 传统汽车工业发展的不可持续性及其出路

近年来,我国机动车行业发展迅速,2003 年已成为世界上汽车第四大生产国和第三大消费国,其中汽车产量 445 万辆,保有量 2421 万辆;摩托车产量 1350 万辆,位居世界第一,保有量 5929 万辆;农用车产量 290 万辆,保有量 2400 万辆。根据预测,到 2020 年,中国汽车保有总量将会达到 1 亿辆,年产销量可能超过 1 千万辆。

汽车是石油产品的主要用户,从长远看,化石燃料总有一天会枯竭。此外,汽车排放大量一氧化碳、挥发性有机物(碳烃化合物)、氮氧

化物、硫氧化物、铅和颗粒物,是城市空气污染的主要原因之一。我国环境监测数据表明:北京市机动车尾气排放对大气污染物中 CO、HC、NOx 的分担率分别为 63.4%、73.5% 和 46%,非采暖期这一分担率更高,分别为 80.3%、79.1% 和 54.8%。上海、广州、天津、重庆等大中城市均有类似情况。另一方面,我国也是温室气体排放大国,多种排放物总量居世界第一,二氧化碳排放居世界第二,温室气体排放已越来越成为敏感的政府经济和外交问题。

2003 年,我国石油进口高达 1 亿吨,石油对外依赖度超过 30%。支付外汇同比增长超过 50%;2004 年预计石油进口量为 1.15 亿吨,中国已成为世界第二大石油消费国。2004 年,原油价格飙升,加之中东局势紧张,中国的能源安全问题已十分突出。

研究和使用汽车代用燃料可以使上述问题得到一定程度的缓解,混合动力汽车是内燃机汽车向燃料电池动力汽车过渡中(此过程可能长达 20 年以上)的一个合理的选择,但最终只有氢能汽车才能从根本上解决能源与环境的问题。

电动汽车是未来汽车公认的发展方向,从长远来看,燃料电池是最有发展潜力的电动车动力电源。氢燃料电池电动车是一种真正实现零排放的交通工具。目前国际上各大汽车公司均在开发燃料电池电动车:奔驰、戴姆勒—克莱斯勒、福特、马自达与加拿大巴拉德公司结成战略联盟,是推动燃料电池电动车的主导力量;通用汽车与丰田公司是自主开发燃料电池动力系统;而其他公司在燃料电池原型车开发中则分别采用了巴拉德(如大众、沃尔沃)和意大利 DeNora(如雪铁龙、雷诺、标致)的燃料电池发动机。2000 年,韩国的大宇和现代汽车公司也宣布研制成功燃料电池电动车。

2. 氢燃料电池可以作为分布式发电设备使用,对未来发展我国清洁、高效的供电体系有重要意义

当前,我国正处在新一轮经济高速发展时期,提高资源综合利用效率是我国能源工业能否持续支撑国家现代化建设的关键所在。虽然目前大规模、集中式的"大机组、大电厂、大电网"供电依然是我国目前能源工业的主要发展方向,但是,我国幅员辽阔,而物产资源相对贫乏,各地区经济发展不平衡。东南沿海经济迅速发展,电力需求激增,从2003年开始已出现严重缺电的状况。尤其在江苏、浙江、广东地区更加严重,为此近几年在江浙、广东等地已建立了一批分布式供电小电站,自谋出路解决停电、限电的困难。对于西部等偏远、落后地区,要建设大规模、集中式供电系统需要很长的时间和巨额投资,而且经济效益差。而分布式供电系统可以借助西部可再生能源多种多样的优势,在短时间内,以较小的投资为代价,大力发展氢燃料电池,为西部的经济发展提供有力的电力保证。

分布式供电是相对于传统的集中式供电方式而言的,是指将发电系统以小规模(数千瓦至数百千瓦的小型模块)的方式布置在用户附近。与集中供电电站相比,分布式供电具有以下优势:(1)没有或有很低的输配电损耗;无需建设配电站,可避免增加输配电成本;(2)可以满足特殊场合的需求,如边远地区,或医院、银行、政府、军事部门等特殊用户;(3)各电站相互独立,用户可自行控制,不会发生大规模停电事故,供电的可靠性高,可进行遥控和监测,可以弥补大电网在安全稳定性方面的不足;(4)为能源的综合梯级利用提供了可能,且克服了冷能和热能无法远距离传输的困难,可以在提高能源利用率、改善安全性与解决环境污染方面作出突出的贡献。

因此,大电网与分散的小型分布式供电方式的合理结合,是投资省、能耗低、可靠性高的灵活能源系统,将成为21世纪电力工业的发展方向。

3. 氢能经济的保障:氢气可以来自工业副产品,也可以来自新能源清洁利用

长期来看,石油价格将不断上升,而氢气价格则将呈下降趋势。

我国是煤炭大国,资源十分丰富,煤制氢是煤炭的一种极好的清洁利用方式。近十几年来,我国的煤气化洁净利用技术有了很大发展,很多城市都建立了大规模生产城市煤气的设施(如上海焦化和吴泾化工厂)。随着"西气东输"工程的实施,这些企业急需进行产品结构调整,可利用现有设施转向生产氢气、二氧化碳等。

另外,我国各地有众多的生产化肥的合成氨厂,氯碱化工厂的生产能力数百万吨。生产合成氨的前道工序是煤制氢及氢的纯化;而在氯碱化工中,氢气则是副产物(时常被排放掉)。

据统计,全国目前有 160 家大、中型氯碱生产企业,电解过程中产生的氢气每年都有数十亿立方米(见下表),而长期以来没有得到合理利用,作为废气排放掉。由于氯碱生产的主要成本为电费,如果利用燃料电池将这部分氢能转化为电能,既能有效减低氯碱生产企业的成本支出,提高设备和原料的综合利用率,提高企业的综合经济效益,又大大减小了对环境的污染。

表2　部分国内主要氯碱生产企业氢气产量

企业名称	碱年生产能力（万吨）	氢气剩余量(万立方米)
上海氯碱化工股份有限公司	40	3600
浙江巨化股份有限公司	15	1350
杭州电化集团有限公司	10	900
浙江善高化学有限公司	10	900
山东恒通化工股份有限公司	10	900
青岛海晶化工集团有限公司	12	1080
齐鲁石化股份有限公司氯碱厂	25	2250
江苏北方氯碱集团公司	12	1080
江苏江东化工股份有限公司	13	1170
福建东南电化股份有限公司	14	1260
安徽氯碱化工集团有限责任公司	10	900
江西电化有限责任公司	10	900
北京化二股份有限公司	16	1440
天津化工厂	20	1800
天津大沽化工有限责任公司	20	1800
广州昊天化学集团有限公司	10	900
湖南株洲化工有限公司	10	900
沈阳化工股份有限公司	15	1350
锦化化工集团有限责任公司	17	1530

续表

企业名称	碱年生产能力（万吨）	氢气剩余量（万立方米）
武汉葛化集团有限公司	10	900
南宁化工股份有限公司	15	1350
河北沧州化工实业集团有限公司	10	900
宜宾天原股份有限公司	20	1800

从战略角度看,我国幅员辽阔,太阳能、风能、水能、海洋能、地热能等资源非常丰富,发展氢燃料电池也为大力开发和利用这些自然界的可再生能源资源提供了可行的途径,可将不可存储的自然能源以氢能形式加以存储和利用。因此,对于目前仍处于发展中的中国来说,发展燃料电池对于调整我国的能源消费结构和生产结构,保持能源可持续发展具有特别重要的意义。

4. 中国在推行氢能经济、推进燃料电池应用方面的努力与成果

出于能源安全和环境保护两方面的考虑因素,中国政府对于燃料电池的研究与产业化极其关注。国家科技部领导很早就意识到,要在新一轮氢能经济中占有一席之地,就不能走传统汽车工业的发展路径,而应该实现"跨越式发展"。

随着能源形势的紧张,政府对发展燃料电池越发重视。燃料电池的发展将列入正在制定中的国家中长期科技发展规划。正在制定的2008年北京奥运会和2010年上海世博会"清洁汽车的商业化运营计划"中,燃料电池将扮演一个重要的角色。2004年6月1日,新的《汽车产业发展政策》正式颁布,其中部分内容重点指出,国家将扶持电动汽车等有利于国家能源安全战略车型的发展,重点发展混合动力车,并支持氢燃料车的研究开发。

为了进一步促进我国国民经济和社会全面、协调、可持续发展,国家发改委、科技部、商务部联合编制了《当前优先发展的高技术产业化重点领域指南(2004年度)》。在"先进能源"部分,燃料电池被列在首位。

2001 年,科技部启动了"十五"863 电动汽车重大专项,2003 年第二轮滚动课题项目继续实施;2004 年年底,将启动第三轮滚动课题项目。863 计划电动汽车重大专项的启动和实施,对我国燃料电池的研发工作起到了巨大的推动作用。其中,承担并完成包括"十五"863 计划在内的多项国家重大课题的上海神力科技有限公司,其燃料电池技术处于全国领先地位,燃料电池发动机效率、重量比功率、系统效率等指标达到国际先进水平。

自 2002 年起,上海神力科技有限公司为同济大学研制了三代燃料电池发动机,分别安装在"超越"一、二、三号燃料电池轿车。为清华大学的燃料电池城市客车研制了三代燃料电池发动机,清华"863"号燃料电池大巴装备了神力公司第三代 100KW 燃料电池发动机。该车已经过 3000 多公里的运行考验,性能稳定。

2003 年,上海神力科技有限公司与上海氯碱化工股份有限公司共同完成 5—10KW 燃料电池小电槽的演示项目。小电槽连续运行 500 小时,始终运行稳定,共生产烧碱 1.1 吨。2003 年始,上海神力科技有限公司研制并销售了多台 1—10KW 燃料电池发电站,这些发电站将用于各种用途的示范运行,预计将很快形成一定的市场。

自 2004 年 7 月份以来,上海神力科技有限公司自行研制了多辆 5—10KW 燃料电池游览车,第一辆游览车已行驶近 8000 公里,运行时间超过 600 小时,至今性能稳定。各种测试结果表明:上海神力科技有限公司燃料电池游览车已经达到了产品化要求,可成为燃料电池技术产业化的先导产品。

2004 年 10 月份在上海嘉定 F1 赛场举行的全球清洁汽车"必比登挑战赛"上,中国有 3 种车型、5 辆燃料电池电动车出现在赛场上,上海神力科技有限公司提供了这些车辆的燃料电池发动机。清华大学的燃料电池城市客车、同济大学的燃料电池轿车"超越二号"参加了各项测试和比赛并取得世界瞩目的良好成绩;上海神力科技有限公司自行研制的两辆燃料电池游览车,作为赛场工作车辆,专门接送参赛专家、宾客。燃料电池游览车充气便捷,每次只需几分钟时间,比起同类纯电动车,运行效率高出一倍。

国内外废旧电器再生利用发展分析

刘应宗　陶建华

　　电器是指依靠电流或电磁来实现正常工作的设备,以及生产、转换、测量这些电流和电磁的设备;其设计使用的电压为交流电不超过1000伏特或直流电不超过1500伏特。旧电器经过维修可成为再生电器;废电器经过拆解,可再生电器零部件,其余的可再生金属和非金属材料等。近年来,废旧电器再生利用在国内外发展迅速。我们认为,指导其发展的是新兴的循环经济理论,推动其发展的是相关的政策法律法规,保证其发展的是先进的工艺技术设备。

一、推动循环经济发展的相关政策法律法规

1. 政策法律法规的主要内容

　　发展循环经济是一场对传统生产方式和生活方式的变革,涉及社会、经济、资源与环境各个方面,需要特殊的法律手段作为支撑和保障。而法律因其自身固有的规范性等特点,十分适合于作为评价准则和行为准则,来对发展循环经济进行思想表达、价值判断和行为规范。同时,发展循环经济不能仅仅依靠人的思想观念的改变,还必须通过改变全体社会成员的行为才能实现。这在相当程度上需要依靠法律手段的强制性对人们进行适当的约束才能逐步做到。法律和法规作为一种强制手段可以有效地推动循环经济的发展,它主要是采取经济惩罚的手段,也是所有发达国家普遍采用的重要手段。

　　循环经济法的调整对象,是在发展循环经济、建立循环型社会中所

产生和存在的社会关系。其中，一类是从事循环经济相关管理活动的部门与从事生产、服务和消费的单位和个人在发展循环经济时产生的社会关系；另一类同从事生产、服务和消费的单位和个人之间在发展循环经济时产生的社会关系。循环经济法的主体包括一切从事生产、服务和消费活动的单位、个人以及从事相关管理活动的部门，客体是指实现"废物"的减量化、再利用和资源化目标而需规范和鼓励的人的行为及其结果，内容主要指有关主体之间的权利义务。

为了推动循环经济的顺利发展，循环经济法设立的法律制度应当包括三个部分：一是必要的行政强制措施；二是经济激励手段和措施；三是其他激发民间自愿行动的手段和措施。具体包括：（1）循环经济规划制度，将循环经济确立为国民经济和社会发展的基本战略目标，进行从中央到地方的全面规划和实施；（2）清洁生产鼓励制度，鼓励依靠技术进步采用降低原材料和能源消耗的无害或低害的新工艺、新技术，把有害环境的废物减少到最低限度；（3）绿色消费鼓励制度，鼓励公众树立同环境相协调的价值观和消费观，优先购买自身未受污染、且其生产过程也未对环境产生破坏的绿色产品；（4）废旧物回收再生利用制度，明确规范对废旧物的回收再生利用的相关责任及奖励办法。

2. 生产者责任延伸制度

生产者责任制度是各国推动循环经济发展的一项主要制度。在这项制度下，生产者要在产品的生命周期内承担环境责任，完成废弃产品的回收、处置等一系列工作。它不仅有利于促进废弃物的回收和循环使用，而且可激励生产者减少原材料特别是有害物质的使用，使用更多的易于循环利用的材料。

生产者责任延伸制度的思想，最早可追溯到瑞典 1975 年关于废物循环利用和管理的议案。该议案提出，在产品生产前，生产者有责任了解当产品废弃后，如何从环境和节约资源的角度，以适当的方式处理。1986 年，联邦德国在关于实施《废物避免和处置法》的报告中指出，生产者对其产品废弃后的处理和处置承担部分责任。1988 年，荷兰环境部关于预防和循环利用废物的备忘录中认为，政策应指向产品的设计者，产品设计和生产者应意识到自己的产品在废弃处置时对环境的影响,并对此承担一定的责任。20世纪90年代,生产者责任延伸的理念得到迅速传播并进入实践和立法领域。今天,几乎所有的欧盟国家都制定了生产者责任延伸的政策。

美国环保局认为,不同的产品需要不同生产者责任延伸制度。政府更倾向于利用市场的力量实施生产者责任延伸制度,支持各州政府探索电子废物的各种管理途径。联邦政府认为,如果企业自己不能解决问题,将进行强制立法,以此促进企业自己开展废弃产品的回收和处理行动。目前,美国企业开展了一系列废弃产品的回收处理工作,主要集中在计算机领域。IBM公司有偿从个人和小企业回收任何品牌的计算机,消费者必须将自己的计算机包装好送往指定回收公司。回收公司将可用的计算机通过一家非盈利机构捐献出去,不可再用的废弃计算机则进行回收材料处理。

自2000年以来,美国先后有20多个州尝试制定自己的电子废物专门管理法案。除少数已经正式生效外,大部分处于提案和审议修改阶段。2003年9月,加利福尼亚州通过管制电子产品生产者及其处置的法规,将对新产品征收6美元—10美元的处置费用。

二、保证其发展的先进工艺技术设备

1. 废电器的拆解技术

废电器的拆解,是相对于电器组装过程的逆过程。为了维修、回收利用其中的有价值的材料和元素,将废电器中的不同部件按照一定的原则拆卸下来并分类放置,是废电器拆解的主要内容。从回收利用有价值的材料和元素的角度来看,废电器的拆解原则主要有无机材料和有机材料分开的原则、贵贱金属材料分开处理原则以及防止二次污染原则。无机材料主要包括废电器中的各种金属材料、陶瓷材料等玻璃材料等几大类型。有机材料主要包括废电器的塑料外壳、导线的包封材料、元器件中的胶黏剂和各种树脂材料等几大类型。

由于电器中的各种部件一般都同时由无机材料和有机材料组成,拆解时通常采用相对集中的方法,依据材料中的主要成分和回收目的,将主要是无机材料的导线、金属外壳、陶瓷器件和玻璃器件归入无机材料一类,并使金属、玻璃和陶瓷器件尽量做到分类放置。除此之外的材料则归入有机材料行列。相对于无机材料而言,废电器中的有机材料的回收利用价值较小,采用无机和有机材料分开的主要目的是为了尽量减少这些有机材料在回收利用过程中对环境造成严重污染。

2. 废电器中的金属回收

废电器中的金属材料是回收利用的主要对象,也是回收利用价值最高的材料。废电器中含有大量的铜、铁、铅、锡等相对于贵金属而言的贱金属,也含有金、银、铂、钯等含量相对较低但价值很高的贵金属。在拆解废电器时,必须掌握贵贱金属分开处理的原则,即将富含贵金属的部件或少含贵金属的部件尽量分类拆解和放置,这样做可以使后续回收工艺相对简单,并能够提高贵金属的回收率。由于废电器的现代化程度越来越高,元器件的体积越来越小,在实际拆解过程中,通常是先将明显不含有贵金属的部件(如金属和塑料外壳、铜导线、各种铆钉和螺丝等)拆解下来分类放置,对同时存在贵贱金属的板卡集中拆解和放置。

废电器中的金属种类很多,一般来说,铁是含量最高的金属元素,主要用于各种设备的外壳,其回收利用的价值相对较低,回收利用的工艺相对简单,通常只是将铁(钢)外壳拆解下来后直接作为废铁或废钢进行熔炼得到再生铁合金。废电器中的贵金属价值较大,是主要的回收利用对象,也是对废电器进行回收利用的最初和最直接的经济动力。在废电器中,铜、镍、铅、锡等常见有色金属和锆、铌等稀有金属也占有一定比例。在这些金属中,铜的回收利用价值相对较大,其他有色金属和稀有金属的回收利用价值较小。但是,如果不加以合理利用和处置,这些回收利用价值较小的有色金属和稀有金属对环境造成的危害却是非常严重。所以,科学合理地处置好废电器中的有色金属,都是一件利国、利民和利己的好事。

3. 重金属废水处理

除了贵金属和铜、镍、铅、锡等常见的有色金属以外,废电器中还含有一定量的锌、钛、铌、锆等有色金属以及硼、硅等非金属元素,但由于这些元素的含量很低,从再生利用的角度看,没有多少价值。但从环保角度看,废电器中的这些元素必须得到合理处置,否则容易引起很大的环境污染。在废电器的火法或湿法处置中,这些元素一般都已经以离子状态存在于溶液中。这些溶液通常作为重金属废水处理,其中含有一定量的铜、镍、铬、汞、锌、铁、铅、锡、钛、钽、铌、锆等有色金属和少量金、银、铂、钯等贵金属。对含重金属的废水如果不能很好处理,会造成严重的二次污染。

含重金属废水的处理方法较多,根据废水来源的废水不同性质,所用的处理方式也不同。常用的重金属废水的处理技术可以分为三类:一是化学方法,将废水中重金属离子通过发生化学反应的方法使之除去,包括中和沉淀法、硫化物沉淀法、铁氧体共沉淀法、化学还原法、电化学还原法等具体方法。二是物理化学技术,使废水中的重金属在不改变化学形态的条件下进行吸附、浓缩和分离,包括沸石吸附、大洋多结核矿吸附、膨润土吸附、溶剂萃取法、离子交换法等具体方法。三是生物技术,利用微生物或植物的吸收、积累、富集等作用祛除废水中的重金属,包括生物絮凝法、生物吸附法和植物整治法等具体方法。

(刘应宗、陶建华:天津大学环境科学与工程研究院)

编 后 记

　　在中国循环经济发展论坛 2004 年年会筹备过程中,我们向各有关单位、专家征集报告和论文,前后共收到 100 多篇。为了使社会各界共享论坛年会的这些成果,论坛组委会决定正式编辑出版年会报告论文集。

　　报告论文集的收集、整理工作由冯之浚同志负责,参与收集、整理工作的有郭强、孙佑海、王凤春、高洁、林丹、穆治霖、赵家荣、周长益、马荣、刘文强、梅永红、罗毅、魏晓琳、朱晓明、关壮民、魏蕊、宋宝儒、王丽珍、姜志冬、吴祖强、肖磊、于传波、龚礼明、陈勇、梁日忠、于丽英等同志。

　　对本报告论文集的出版提供了大力帮助和热情支持的有关单位和个人一并表示衷心的谢意。

中国循环经济发展论坛组委会

2004 年 11 月 18 日

责任编辑:陈亚明　夏青

装帧设计:曹　春

版式设计:顾杰珍

图书在版编目(CIP)数据

中国循环经济高端论坛/中国循环经济发展论坛组委会秘书处组编
　冯之浚主编． -北京:人民出版社,2005.3
ISBN 7-01-004786-3

Ⅰ.中… Ⅱ.中… Ⅲ.自然资源-资源利用-中国-文集
　Ⅳ.F124.5-53

中国版本图书馆 CIP 数据核字(2005)第 011863 号

中国循环经济高端论坛

ZHONGGUO XUNHUAN JINGJI GAODUAN LUNTAN

中国循环经济发展论坛组委会秘书处　组编

冯之浚　主编

人民出版社 出版发行
(100706　北京朝阳门内大街 166 号)

尚艺印装有限公司印刷　新华书店经销

2005 年 3 月第 1 版　2005 年 3 月北京第 1 次印刷
开本:787 毫米×960 毫米 1/16　印张:41.25
字数:570 千字　印数:0,001-5,000 册

ISBN 7-01-004786-3　定价：64.00 元

邮购地址 100706　北京朝阳门内大街 166 号
人民东方图书销售中心　电话 (010)65250042　65289539